D1368322

REALISMO Y NATURALISMO EN ESPAÑA
EN LA SEGUNDA MITAD
DEL SIGLO XIX

AUTORES, TEXTOS Y TEMAS

LITERATURA

Dirigida por Laureano Bonet

2

La presente edición se ha realizado con la colaboración del Centro de las Letras Españolas —Dirección General del Libro y Bibliotecas, Ministerio de Cultura— de Madrid, y de la Presidencia de la Universidad de Toulouse-Le Mirail.

Yvan Lissorgues (Ed.)

REALISMO Y NATURALISMO EN ESPAÑA EN LA SEGUNDA MITAD DEL SIGLO XIX

*Actas del Congreso Internacional celebrado
en la Universidad de Toulouse-le Mirail
del 3 al 5 de noviembre de 1987
bajo la presidencia de los profesores
Gonzalo Sobejano y Henri Mitterand*

A.G. Andreu
R. Asún
F. Ayala
M.A. Ayala Aracil
F. Bayle
J. Beyrie
L. Bonet
J.-F. Botrel
F. Caudet
B. Ciplijauskaité
N. Clemessy
B.J. Dendle
F.J. Díez de Revenga

I. Elizalde
J.M. Glez. Herrán
M. Hemingway
S. Hibbs-Lissorgues
R. Jammes
J.W. Kronik
M. Lacouture
J.M. Lasagabaster
M. Llado
J. Oleza
F. Peyrègne
C. Richmond

J.A. Ríos Carratalá
C.-N. Robin
R. Rguez. Marín
M. Romero Frías
E. Rubio Cremades
J. Rubio Cremades
S. Saillard
C. Serrano
A. Sotelo
E. Trenc
N.M. Valis
M. Villapadierna
M.-P. Yáñez

ANTHROPOS
EDITORIAL DEL HOMBRE

Primera edición: septiembre 1988

© Université de Toulouse-le Mirail, 1988
© Editorial Anthropos, 1988
Edita: Editorial Anthropos. Promat, S. Coop. Ltda.
 Vía Augusta, 64, 08006 Barcelona
ISBN: 84-7658-093-2
Depósito legal: B. 25.805-1988
Impresión: Gráf. Guada, Esplugues de Llobregat (Barcelona)

Impreso en España - *Printed in Spain*

INTRODUCCIÓN:

DIVAGACIONES FRONTERIZAS
Y JUSTIFICACIONES

Realismo, naturalismo... Dos conceptos que ya parecen evocar *cosas* petrificadas en el fondo de la sinuosa perspectiva del presente siglo, como rotulando un momento cultural y literario de nuestra historia que creemos mirar más allá de los abismos de sangrientas crisis colectivas, desde la cada día más alta plataforma de una civilización disparada en la nave del Progreso. La informatizada, semiotizada, estructuraliza-da..., —*izada* inteligencia de nuestro tiempo (más o menos moldeada por el *marketing*) tenderá a encerrarlo todo en un babilónico amontonamiento de *diskettes* y acaso llegue un momento en que el ser humano, apoyando su mejilla contra el acero frío pregunte, como el poeta en Machu Pichu: «Y ..., el hombre, ¿dónde estuvo?».

El hombre... La literatura, no importa su credo, se define siempre (explícita o implícitamente) como una relación (afirmada o rechazada) entre la conciencia humana y el mundo.

El novelista de la segunda mitad del siglo XIX pensaba que el lenguaje verbal podía expresar su intimidad al mismo tiempo que el entorno plural que le rodeaba. Su palabra era palabra de ecuación para subrayar semejanzas, discrepancias, oposiciones. En el mejor de los casos (en la mejor literatura), la imaginación intentaba *re-crear* el mundo dentro del mundo. El escritor realista del siglo XIX, podía creer que le movía un conjunto de valores auténticos que le autorizaban a medir lo

7

de fuera en todas sus dimensiones (políticas, sociales, culturales, filosóficas, religiosas...). Por eso, la estética aspiraba a fusionarse, de una manera u otra, con una ética fundada en una relación (activa y que se quería directa, aunque se sabía compleja) entre el texto literario y la realidad no literaria. Cuando ésta, es decir, el mundo de fuera, se le escapa a la conciencia abarcadora del escritor, se debilita el hilo ético hasta romperse. Cuando el novelista se ve obligado a preguntarse, como Galdós en su discurso de recepción en la Academia (1897), cómo puede ser novelable la realidad presente, casi concluye un período de la historia literaria: el del realismo decimonónico, como deseo, voluntad (y posibilidad) de «conciencia total del mundo bajo un aspecto especial de totalidad y de sustantividad» (Clarín, 1882).

Pero la novela no muere al concluir el siglo XIX (Baroja, Azorín, Unamuno y otros muchos escritores, saben adaptarla a los nuevos tiempos y a las nuevas exigencias de la relación yo-mundo); no hay, como se ha dicho, crisis de la novela. Ocurre, simplemente, que la palabra ya no es palabra de ecuación, el yo creador pierde fe en las cosas y acorta su radio (como confiesa Antonio Machado); se hace autónomo, más libre, y más solitario. Por un tiempo. Hasta tal punto que al pensarse totalmente, liberado, puede crearse, gozoso, todo un cosmos «bien hecho» de superior y humana belleza. Hasta cuando la voz del novelista (y del poeta), frente a los malos tiempos de la historia, tienen que ajustarse al comprometido grito de la denuncia social. Y más tarde se hablaría de modernidad y de posmodernidad, discutibles y no muy clarificadores conceptos...

Actualmente, la novela no es (no puede ser), como en tiempos del *gran realismo* del XIX, algo subsidiario de la realidad y, a la vez, superior a esa misma realidad, como en la narrativa de Balzac, Zola, Galdós, Clarín... No parece que sea posible una «epopeya de nuestro tiempo» como lo fue para Clarín la obra de Zola o la de Galdós. Actualmente, sólo lo imaginario «construido mediante la pura materia de las palabras» (José María Merino, «La materia de las palabras», *El Día*, 23·XII·1986) permite restituir a la novela algo de su función totalizadora, pero siempre fuera, por encima o por debajo, de la realidad del mundo. Sin embargo, en el mejor de los casos, el novelista, hoy como ayer, aspira a creer que «la asunción de la novela en libertad, como factor importante de la realidad y una distinta consideración social del goce y del ejercicio de lo imaginario novelesco, podrían sin duda enriquecer a los hombres y mujeres del siglo que viene, para que fuesen más hábiles que nosotros en hacer fructificar la libertad, la tolerancia y un progreso diferente al que, sin elaborarse desde el territorio de los sueños, se atrinchera a menudo, paradójicamente, en el de las peores pesadillas». (*Ibíd.*)

Desde la segunda mitad del siglo XIX, la *realidad* (la no literaria como la literaria) ha cambiado mucho, pero el *deseo*, el profundo y poético *deseo* humano de *recrearla* y de buscarle algún sentido, sigue latiendo. Porque el hombre, a pesar de todo, permanece y «quiere seguir siguiendo».

Por eso, no puede serle extraña al hombre de hoy la ya lejana y, sin embargo, tan cercana «aventura» del gran realismo del siglo pasado. De hecho, las novelas de Doña Emilia Pardo Bazán, Pereda, Valera encuentran nueva juventud en cuidadas ediciones destinadas a un amplio público. La obra de Galdós suscita siempre gran interés, más que notable en algunos casos (en parte gracias a las versiones cinematográficas de Buñuel). Y el acontecimiento literario de estos últimos años ¿no es el éxito popular que alcanza *La Regenta,* desde que salió del *semiolvido* en que se hallaba condenada? El momento parece, pues, oportuno para interrogarnos de nuevo sobre aquel período de nuestra historia literaria que permitió el florecimiento de obras maestras como *Fortunata y Jacinta* y la propia *Regenta.*

Nuestro Congreso

Precisamente, el «Congreso Internacional sobre realismo y naturalismo en España, en la segunda mitad del siglo XIX» se celebró en la Universidad de Toulouse los días 3, 4 y 5 de noviembre de 1987, en el momento en que *La Regenta,* en su primera traducción francesa (*La Régente,* París, Arthème Fayard, sept. 1987) recibía una acogida entusiasta de la crítica y del público franceses, quienes, de golpe, descubrían con maravillada sorpresa, no sólo una obra maestra de las letras españolas, sino un clásico de la literatura universal.

El feliz pretexto del Congreso fue, pues, para todos, el que ya «andaba entre nosotros *La Régente*», pero el motivo era, sin duda, más profundo: se trataba de suscitar entre los hispanistas europeos y americanos, una reflexión sobre lo que hemos llamado más arriba el *gran realismo* del siglo XIX.

Un año antes de la fecha prevista para el Congreso, mandamos a todos los especialistas en el siglo XIX que habían mostrado interés por el proyecto, la siguiente circular, subtitulada *Programme scientifique. Orientations* (la reproducimos aquí en su forma original, es decir, en francés, por lo que quisiéramos disculparnos):

RÉALISME ET NATURALISME EN ESPAGNE
Programme scientifique - Orientations

La réflexion sur les écrivains espagnols du XIXème siècle, dits réalistes ou naturalistes, s'est singulièrement approfondie ces dernières années. Les approches sont devenues plus prudentes et les «idées» sur le réalisme et le naturalisme (ainsi que sur le *costumbrismo*) perdent peu à peu leur netteté simplificatrice, au bénéfice d'une vision plus profonde qui est le reflet d'une plus claire conscience de la complexité de ces tendances littéraires.

Le moment est donc favorable à une réflexion collective sur l'ensemble de la période considérée, c'est-à-dire la deuxième moitié du XIXème siècle.

Le Congrès devrait apporter, grâce à l'intervention de spécialistes, dont les approches sont différentes (historiques, philosophiques, esthétiques, linguistiques...) mais complémentaires, un certain nombre de réponses à une série de questions qui restent (et resteront encore, probablement) largement ouvertes.

—«L'attitude» réaliste répond-elle (après la révolution de 1868 et pendant les premières décennies de la Restauration) à une nouvelle situation socio-historique?

—Quelle est la part prise dans l'affermissement de la tendance réaliste par les nouveaux moyens de diffusion de la culture (journaux, revues...) qui mettent à la portée du *grand public* (relativement restreint en Espagne) certaines productions littéraires (conte, feuilleton...)?

—Le réalisme représente-t-il une rupture réelle avec le romantisme et avec le *costumbrismo*? Le *costumbrismo* et certaines formes de romantisme (qui restent à caractériser) ne s'intègrent-ils pas dans l'orientation réaliste?

—Peut-on dégager —au-delà des particularités propres à chaque auteur— des caractéristiques qui permettraient de définir la tendance réaliste? En particulier:

1) En quoi le réalisme est-il un nouveau langage?

2) Le concept de réalité est-il défini, explicitement ou implicitement, par les romanciers?

—Comment expliquer l'irruption du naturalisme autour des

années 1880? (Polémiques dans la presse, discussions à l'Ateneo de Madrid, publication de *La desheredada* de Galdós...?)

—Le naturalisme est-il en Espagne une tendance importée ou répond-il à une exigence nationale?

—Zola a-t-il été bien compris en Espagne? A-t-on su distinguer le théoricien d'un mouvement du créateur?

—Rapports entre réalisme et naturalisme: rupture? appauvrissement? enrichissement? Le naturalisme a-t-il été une tentative «progressiste» de codification d'une tendance?

—Est-il paradoxal de voir dans le naturalisme un prolongement des romans à thèse (Ex: *Gloria, La familia de León Roch*, de Galdós...)?

—Les appellations «naturalisme radical», «naturalisme modéré», voire «naturalisme conservateur» ont-elles un sens?

—Le naturalisme, considéré en tant que théorie, n'est-il pas, plus encore que le réalisme, tributaire de l'idéologie?

Ici se pose la question fondamentale: quels sont les rapports entre la théorie et la pratique, c'est-à-dire entre l'idée préalable et l'acte de création?

—Au niveau de la création, peut-on parler de naturalisme espagnol? Et surtout: le naturalisme a-t-il infléchi de manière caractéristique le langage réaliste?

—Enfin, la dimension spiritualiste (sous forme d'un certain romantisme de l'illusion ou de la désillusion, ou sous forme d'interrogation métaphysique) n'est-elle pas toujours plus ou moins latente chez la plupart des grands romanciers se réclamant du naturalisme ou du réalisme?

Comment expliquer alors cette quasi permanente superposition de réalisme, naturalisme, spiritualisme?

—A partir des années 1890, de nouvelles tendances (idéalistes et spiritualistes) apparaissent. Pourquoi? Sont-elles des réponses à de nouvelles transformations sociales (émergence du mouvement ouvrier et de son idéologie) ou signifient-elles l'abandon de certaines illusions (perte d'une certaine foi dans la science, vacillation de l'idée de progrès...)?

Voilà un certain nombre de questions qui méritent d'être posées —et la liste n'est pas exhaustive—. C'est dans le sens de ces interrogations que l'étude des différents aspects du réalisme et du naturalisme espagnols va être entreprise par les divers spécialistes qui ont accepté de participer au Congrès.

No es aquí el lugar oportuno para cotejar esas previas interrogaciones con las respuestas dadas por el Congreso. Es obvio que no podía éste ajustarse a marco tan formal (y además, tan incompleto), pero en varios aspectos, ciertas preguntas fueron el núcleo implícito de la reflexión. Además, nuestro Congreso no pretendió ser sólo una manifestación cultural ampliamente abierta, sino, ante todo, un debate entre especialistas, en el cual cada uno aportase lo mejor de sus investigaciones, lo mejor de sus reflexiones y lo mejor de sus conclusiones, sobre el aspecto en que más había trabajado. En eso reside el interés de tales encuentros.

* * *

Desde el principio, es decir, desde 1985, se impuso en el Comité organizador, el deseo de colocar el Congreso bajo la doble presidencia de los profesores Henri Mitterand (Université de París-Sorbonne) y Gonzalo Sobejano (Columbia University, Nueva York). La elección de estas eminentes cumbres que contribuyeron, sin duda, a clarificar las dos vertientes que tradicionalmente se consideran separadas por los Pirineos, es mucho más que un símbolo. Porque, si en el caso del naturalismo, particularmente, el viento sopló del norte hacia España, ésta supo darle el genuino calor de su propia cultura.

Henri Mitterand es, ciertamente, el mejor especialista mundia en Zola y el naturalismo. Son muy conocidos sus monumentales trabajos como, por ejemplo, *Zola journaliste,* o las impresionantes ediciones ejemplificadas por *Les Rougon-Macquart* (*La Pléiade*) y las *Oeuvres complètes d'Émile Zola.* De gran interés son también las siguientes publicaciones: *Le discours du roman, Le regard et le signe* (subtitulada *Poétique du roman réaliste et naturaliste*) y el librito tan acertadamente sintético *Le naturalisme* (colección *Que sais-je?*). Recientemente ha publicado *Les dossiers d'enquête d'Émile Zola,* obra que, además de ofrecer el imprescindible eslabón entre los escritos teóricos de Zola y el mundo novelesco de *Los Rougon,* tiene importante valor antropológico. Es legítimo pensar que si Zola sigue siendo hoy autor muy popular, ello, en gran parte, es fruto de la labor rigurosa y afinada de Henri Mitterand.

Todos los hispanistas, casi huelga indicarlo, conocemos a Gonzalo Sobejano, pues cualquiera que sea el campo de nuestra investigación, todos debemos consultar en una u otra ocasión algún estudio del eminente profesor. Su obra crítica abarca todos los sectores de la literatura y de la cultura española, desde la Edad Media hasta las tendencias más recientes que asoman en la poesía y la novela de estos últimos años. Y es preciso decir que cada libro, cada artículo, cada conferencia de este crítico es siempre una aportación que brinda nueva luz sobre el autor, el texto o las obras estudiadas: no se puede aquí dar cabal ideal de los ciento cincuenta artículos ni de los diecisiete libros publicados. Basta recordar que su *Nietzsche en España* es uno de los pocos trabajos de investigación que casi agotan el tema tratado. En relación con la perspectiva del Congreso, es preciso recordar también los estudios del profesor Sobejano dedicados a los escritores de los siglos XIX y XX (Galdós, Clarín, Picón, Ganivet, Baroja, Azorín, Unamuno, Valle-Inclán...). Sus ediciones críticas de *La Regenta* son obras maestras del género, resultado de la feliz conjunción entre el rigor científico más escrupuloso y un profundo conocimiento de la novela, del autor y de la época. En cuanto a sus libros y artículos sobre Clarín y *La Regenta* son aportaciones capitales para el conocimiento de la mejor novela española del siglo XIX, y de su autor.

* * *

La organización del Congreso, iniciada en 1985, fue plasmándose poco a poco en varias circulares enviadas al mayor número posible de especialistas de España, Estados Unidos, Francia y demás países europeos. A finales de 1986, cuarenta y cinco profesores se habían ya matriculado y propuesto un título de ponencia. Fue necesario, acto seguido, cerrar el plazo de admisión antes de la fecha prevista, por lo que, una vez más, reiteramos nuestras disculpas.

Algunas semanas antes de la apertura del Congreso, con mi amigo Jacques Beyrie, y atendiendo las sabias orientaciones de nuestro eminente Presidente de honor Gonzalo Sobejano, pudimos componer el esquema definitivo de las tres jornadas, esquema que, con algunas modificaciones inevitables de última hora, se plasmó en un programa concreto. Tuvimos, desgraciadamente, que lamentar algunas ausencias: enfermedades, compromisos académicos ya contraídos y otras múltiples causas nos privaron del gusto de ver y escuchar a eminentes colegas y amigos. Así, no pudieron intervenir: Raquel Asún, José María Fernández Gutiérrez, José Manuel González Herrán, Ricardo Gullón, Judith A. León, Lily Litvak, José María Martínez Cachero, Enrique Miralles, Jean Vayssière y nuestro amigo Antonio Vilanova, muy ocupado en la preparación del futuro Congreso de la Asociación Internacional de Hispanistas.

Henri Mitterand, nuestro Presidente de honor, tampoco pudo estar presente; sin embargo, estuvo con nosotros ya que mandó el texto de su conferencia de apertura. Raquel Asún y José Manuel González Herrán mantuvieron también su *status* de profesores participantes, dado que enviaron los textos de sus comunicaciones.

* * *

La inauguración del Congreso tuvo lugar el martes 3 de noviembre de 1987 en la Sala de Congresos del Forum des Cordeliers, a cargo del Excelentísimo Señor Rector de la Universidad de Toulouse-le Mirail quien, en su discurso, dio la más cordial bienvenida a los congresistas.

A continuación, quien esto firma presentó a los profesores Henri Mitterand y Gonzalo Sobejano, Presidentes de honor. Gonzalo Sobejano pronunció el discurso de apertura y declaró abierto el «Congreso sobre realismo y naturalismo en España».

Acto seguido, fue leída la magnífica conferencia inaugural del Profesor Mitterand, titulada *Les trois langages du naturalisme.*

El Congreso se desarrolló durante tres días, según el programa establecido, sin el menor contratiempo, y finalizó el jueves 5 de noviembre con una sesión plenaria, presidida por el Profesor Yves-René Fonquerne, Director del Departamento de Español, en la que el Profesor Sobejano pronunció una brillante conferencia titulada *El lenguaje de la novela naturalista,* verdadera y muy oportuna conclusión de los tres días de intenso trabajo.

* * *

En cuanto al capítulo de agradecimientos, quisiéramos manifestar nuestro más caluroso reconocimiento al Excelentísimo Señor Rector de la Universidad de Toulouse-le Mirail por haber patrocinado, primero el proyecto del Congreso y, luego, su realización. Sin el impulso inicial, sin la ayuda moral y material de nuestra Universidad y de su Conseil Scientifique, nada habríamos hecho.

Es muy grato honor expresar nuestro agradecimiento al Ministerio de Cultura de Madrid, y más especialmente a la Dirección General del Libro y Bibliotecas, y al Centro de las

Letras Españolas, cuyo director entonces, Francisco Rico, ya en 1985, nos prometió apoyo moral y material, apoyo que el actual director del Centro de las Letras Españolas, José María Merino, ha concretado con suma amabilidad. El actual Director General del Libro y Bibliotecas, Juan Manuel Velasco Rami, manifestó su interés por el Congreso en una carta que fue leída en la sesión inaugural: «Le deseo que las sesiones del citado congreso sean lo más fructíferas, extremo que estoy seguro que así será, dado el interés y la profesionalidad de todos los especialistas que participan en él». Estas palabras despertaron en los participantes conmovida gratitud.

También debemos testimoniar nuestro reconocimiento por sus generosas ayudas, al Centre National de la Recherche Scientifique, al Service de la Coopération et des Relations Internationales, a Monsieur le Président du Conseil Régional de Midi Pyrénées, a Monsieur le Maire de Toulouse, a Monsieur le Directeur de la Cinémathèque de Toulouse y a la Librairie Arthème Fayard.

Conviene recordar también algunos actos especialmente gratos, celebrados durante el Congreso, de gran interés humano y cultural.

Con exquisita generosidad, el señor Georges Bertrand, Rector de la Universidad de Toulouse-le Mirail y el señor Yves-René Fonquerne, Director del Departamento de Español, quisieron celebrar la publicación de la primera traducción francesa de *La Regenta*, y contribuir al mismo tiempo al éxito del Congreso, ofreciendo a los participantes, a los representantes de las instituciones consulares y culturales, y a nuestros colegas de la Universidad de Toulouse, un espléndido *lunch* que tuvo lugar el martes 3 de noviembre a las siete de la tarde en la preciosa Sala Capitular del Forum des Cordeliers.

No podremos olvidar tampoco la solemne recepción que el señor Alcalde de Toulouse ofreció, el miércoles 4 de noviembre, a los congresistas, en la magnífica Salle des Illustres de Le Capitole, contribuyendo a que los participantes procedentes de los más diversos países se llevaran un grato recuerdo de nuestra ciudad.

También fue muy agradable y provechoso, tanto el recital de cantares populares españoles que nos ofreció Francisco Curto, como la proyección de la película *La Terre* de André Antoine, adaptación, en 1921, de la famosa novela de Émile Zola; reiteramos nuestro agradecimiento al señor Director de la Cinémathèque de Toulouse por esta generosa iniciativa.

No quisiéramos cerrar este capítulo de agradecimientos sin una mención especial al Centre de Promotion de la Recherche Scientifique de nuestra Universidad: mil gracias a su dinámico director, Pierre Fraixanet; mil gracias también a Mmes. Bodin y Mondy, siempre atentas al más mínimo detalle para que todo funcionase con precisión.

Y terminaremos agradeciendo a los señores congresistas su asistencia y activa participación. El Congreso es suyo, ellos lo han hecho...

El lector de estas *Actas* podrá darse cuenta de que si algunas perspectivas inicialmente planeadas permanecen abiertas mientras otras han hecho surgir nuevas interrogaciones (que en sí son otras tantas aportaciones problemáticas), algunos aspectos quedan magistralmente puntualizados y sintetizados. Nuestro cometido en estas pocas páginas introductorias no puede ser un balance de este encuentro; pero —sin pretender que se ha realizado una síntesis total del «estado de la cuestión» del *realismo y del naturalismo en España*—, sí creemos poder afirmar que el congreso de Toulouse ofrece algunas aportaciones, de las cuales, en el futuro, difícilmente se podrá prescindir.

YVAN LISSORGUES

PARTICIPANTES:

Conferenciantes:
Henri Mitterand (Universidad de la Sorbonne Nouvelle; París
III), Presidente de honor.
Gonzalo Sobejano (Universidad de Columbia, Nueva York),
Presidente de honor.

Ponentes:
Alicia G. Andreu (Middlebury College, EEUU).
Raquel Asún (Universidad de Alcalá de Henares, España).
Francisco Ayala (Real Academia Española).
María de los Ángeles Ayala Aracil (Universidad de Alicante,
España).
Françoise Bayle (Universidad de Sassari, Italia).
Sergio Beser* (Universidad Autónoma de Barcelona, España).
Jacques Beyrie (Universidad de Toulouse-le Mirail, Francia).
Laureano Bonet (Universidad de Barcelona, España).
Jean-François Botrel (Universidad de Rennes 2, Francia).
Francisco Caudet (Universidad Autónoma, Madrid, España).
Biruté Ciplijauskaité (Universidad de Wisconsin, Madison,
EEUU).
Nelly Clemessy (Universidad de Niza, Francia).
Brian J. Dendle (Universidad de Kentucky, EEUU).
Francisco Javier Díez de Revenga (Universidad de Murcia, Es-
paña).

---

* Participantes cuya ponencia lamentamos no haber podido incluir en este libro por no disponer del texto en el momento de su
publicación.

Ignacio Elizalde (Universidad de Deusto, Bilbao, España).
José Manuel González Herrán (Universidad de Santiago de Compostela, España).
Maurice Hemingway (Universidad de Exeter, Reino Unido).
Solange Hibbs-Lissorgues (Universidad de Toulouse-le Mirail, Francia).
Robert Jammes (Universidad de Toulouse-le Mirail, Francia).
John W. Kronik (Universidad de Cornell, EEUU).
Maryline Lacouture (Universidad de Clermont-Ferrand, Francia).
Jesús María Lasagabaster (Universidad de Deusto, San Sebastián, España).
Yvan Lissorgues (Universidad de Toulouse-le Mirail, Francia).
Marie Llado (Universidad de Orleans, Francia).
Juan Oleza (Universidad de Valencia, España).
Françoise Peyrègne (Universidad de Orleans, Francia).
Carolyn Richmond (Brooklyn College, Nueva York, EEUU).
Juan Antonio Ríos Carratalá (Universidad de Alicante, España).
Claire-Nicole Robin (Universidad de Besançon, Francia).
Rafael Rodríguez Marín (Instituto de Bachillerato a Distancia de Bruselas, Bélgica).
Marina Romero-Frías (Universidad de Sassari, Italia).
Enrique Rubio Cremades (Universidad de Alicante, España).
Jesús Rubio Jiménez (Universidad de Zaragoza, España).
Simone Saillard (Universidad de Lyon III, Francia).
Carlos Serrano (Universidad de la Sorbonne Nouvelle, París III, Francia).
Adolfo Sotelo (Universidad de Barcelona, España).
Eliseo Trenc (Universidad de Rennes 2, Francia).
Harriet Turner* (Oberlin College, EEUU).
Noël M. Valis (Universidad de Michigan, EEUU).
Maryse Villapadierna (Universidad de la Sorbonne Nouvelle, París III, Francia).
María-Paz Yáñez (Universidad de Zurich, Suiza).

DISCURSO DE APERTURA

Magnífico Señor Rector,
señoras y señores,
queridos compañeros:

Es un gran placer para quien les habla poder dirigirles la palabra para expresarles, en nombre de todos los que participamos en el «Congreso Internacional sobre realismo y naturalismo en España», nuestro más sincero agradecimiento: a usted, Señor Rector, por su hospitalidad y la cordial bienvenida que acabamos de escuchar, al Centre de Promotion de la Recherche Scientifique de l'Université de Toulouse-le Mirail y a todas las instituciones que han hecho posible con su apoyo esta celebración: al Centre National de la Recherche Scientifique, al Centro de las Letras Españolas del Ministerio de Cultura de Madrid, a la Cinemathèque de Toulouse, al Conseil Régional Midi-Pyrennées, al Conseil Scientifique de l'Université de Toulouse-le Mirail, al Excelentísimo Alcalde de Toulouse y a la Direction de la Coopération et des Relations Internationales.

Como hispanistas procedentes de diversos países (Francia y España, Inglaterra, Estados Unidos, Bélgica, Italia, Suiza), nos consideramos dichosos de estar en Toulouse durante estas jornadas, dispuestos a trabajar juntos, con la intención de comprender mejor una de las épocas en que el acercamiento de las literaturas francesa y española resultó más fecundo, sobre todo en la novela.

Óptima prueba de tal proximidad fue la obra maestra de Leopoldo Alas, *La Regenta,* cuya versión francesa acaba de aparecer. Como en toda su obra, Leopoldo Alas atestigua en esta novela su hondo conocimiento de Flaubert y de Zola, aunque también, naturalmente, de Cervantes, Santa Teresa y Calderón, autores a los que la literatura francesa nunca fue insensible.

La traducción de *La Régente* es fruto de la colaboración de Albert Belot, Claude Bleton, Jean-François Botrel, Robert Jammes e Yvan Lissorgues, este último coordinador del trabajo y autor de una introducción sumamente lúcida, como todos los escritos con que ha corroborado la eficacia, bien probada, del hispanismo francés. El mismo Yvan Lissorgues ha sido el inspirador y el organizador principal del Congreso. Ahora nos corresponde a nosotros auxiliarle con diligencia y fervor.

Voy a leer, finalmente, un fragmento de la carta que me escribió el Profesor Henri Mitterand el 26 de octubre de 1987, pocos días antes del Congreso, en la ciudad de Nueva York, donde ambos estábamos:

> Mon cher collègue: Vous allez partir pour Toulouse. Je regrette de ne pas pouvoir vous accompagner ni vous entendre. Je vous serai reconnaissant de transmettre mes excuses et mes regrets à nos collègues. Ce sera un grand et beau colloque.

GONZALO SOBEJANO

CONFERENCIA DE APERTURA:

LES TROIS LANGAGES DU NATURALISME

Henri Mitterand
(Universidad de la Sorbonne Nouvelle, París)

Monsieur le Président, mes chers collègues,

Sans l'usage que Zola a fait du mot *naturalisme,* dont il n'est pourtant pas le père, et sans la campagne vigoureuse et persévérante qu'il a conduite pendant quinze ans —de 1866 à 1881— pour en imposer l'emploi et construire autour de lui une doctrine esthétique, ce mot ne serait sans doute jamais entré, et surtout jamais resté dans le vocabulaire de la critique et de l'enseignement littéraires. On me pardonnera donc, je l'espère, d'ouvrir ce colloque sur la fortune du naturalisme en Espagne par une réflexion sur le naturalisme de Zola.

Mais je ne voudrais pas développer là-dessus un propos, fort modeste d'ailleurs, sans, d'une part, remercier M. Yvan Lissorgues de m'avoir fait le gran honneur de m'inviter à prononcer la première conférence de ce colloque, et sans, d'autre part, présenter à l'ensemble des assistants mes plus vives excuses, pour n'être pas présent en personne. Une mission de longue durée me retient aux Etats-Unis; je n'ai pu la refuser, en dépit de l'accord donné préalablement à M. Lissorgues. Celui-ci a bien voulu cependant maintenir ma présence nominale dans le colloque, et je l'en remercie de tout coeur.

L'étude du naturalisme zolien a toujours souffert d'une ambigüité. De quoi parle-t-on? Des propos théoriques, critiques et polémiques dont il assortit l'emploi de ce mot dans ses articles et ses comptes-rendus du *Salut public* de Lyon, de *L'A-venir National,* du *Bien public,* du *Voltaire,* du *Messager de l'Europe,* repris ultérieurement dans les volumes de 1880-1881? Ou des références intertextuelles —littéraires et scientifiques— qu'il se donne en 1868 et 1869, lorsqu'il construit le projet des *Rougon-Macquart?* Ou des thèmes et des techniques qu'il met en oeuvre lorsqu'il travaille sur un tout autre plan d'é-nonciation, non plus celui du discours sur la littérature, mais sur celui du roman se faisant en pleine fièvre de l'imagina-tion? Ce sont là trois modes d'expression distincts du natura-lisme, j'oserai dire trois naturalismes différents, que toute approche sérieuse de ce courant, de cette période de l'histoire du roman français, doit absolument séparer. Faute de quoi on s'interdit de rien comprendre à l'oeuvre de Zola et à la notion même de naturalisme, et l'on entretient les contre-sens qui se sont installés dans la tradition pédagogique et dans le langage de la critique au jour le jour.

C'est donc, une fois de plus à propos de Zola, un procès à réviser. Révision sémantique: quel sens donner aux mots, quelle extension et quelle compréhension exacte donner aux concepts? Révision historique: quelles sont les sources, que-lles sont les étapes, quelle est la périodisation du naturalis-me zolien?

Lorsque Zola fait entrer le terme dans son vocabulaire, en 1866, il l'emprunte pour l'essentiel à Taine, qui l'a appli-qué à Balzac de manière métaphorique —«Balzac, le natura-liste du monde moral»—; il l'emprunte secondairement à Émile Deschanel, qui a diffusé deux ans auparavant, avec sa *Physiologie des écrivains et des artistes,* ou *Essais de criti-que naturelle,* le projet d'une critique toute explicative, atta-chée à exposer les déterminations «naturelles» —sexe, âge, tempérament, origine géographique, profession, etc.— de l'ins-piration et du génie des écrivains; secondairement aussi à cer-tains critiques d'art, comme Castagnary ou Baudelaire, qui qualifient de *naturalistes* les peintres prenant pour motifs les personnages et les situations de la vie quotidienne, dans leur entourage *naturel,* avec une prédilection pour l'entourage rural: Courbet, Millet, Rousseau, Daubigny... Cependant Zola réoriente sensiblement ses sources, comme on le constate dans ses articles de 1866 et dans sa préface à la seconde édition de *Thérèse Raquin,* qui date du printemps de 1868: d'un côté, il estompe la valeur métaphorique du mot *naturaliste, natu-*

ralisme, pour en faire une étiquette conceptuelle abstraite, haussée au même niveau d'emploi analytique et classificateur que *romantisme* ou *réalisme,* et imposant par là même l'idée d'une école, d'un courant nouveau; en second lieu, se situant à la fois au-delà d'un Baudelaire, pour qui le naturalisme n'est qu'une caractéristique de contenu et de technique repérable chez des artistes dispersés, et au-delà d'un Deschanel, qui, à l'exemple de Taine, ne cherche qu'à donner à la critique une nouvelle méthode, appropriée à l'âge positiviste, Zola entend trouver dans le naturalisme une esthétique et une éthique de la création romanesque, un véritable nouveau modèle de production narrative, déjà en voie d'apparenter entre eux des écrivains comme les Goncourt, Alexandre Dumas fils, Hector Malot, et bien entendu Zola lui-même. Enfin, le concept se précise: il ne s'agit plus seulement d'étudier dans les espèces sociales le jeu des instincts, avec la même précision scientifique, la même impassibilité que celles du zoologiste, ou du «naturaliste», étudiant les espèces animales, encore faut-il affiner l'instrument d'analyse en demandant assistance à ces sciences en développement que sont la physiologie humaine et la psychologie, en médicalisant, somme toute, le roman, en concevant un geste créateur qui n'imagine des personnages que pour en faire les patients, les motifs, les prétextes d'une exploration clinique. Ainsi, de l'étude du désir et du remords dans *Thérèse Raquin,* parfaite illustration, avec *Germinie Lacerteux,* de ce premier naturalisme. Il n'a fallu à Zola que deux ans, en tout cas, pour transformer ce qui n'était qu'une figure, un trope du langage critique, en un concept esthétique, lesté de connotations et de références culturelles modernes, et se prêtant à la recherche de sujets romanesques inédits.

C'est à partir de là qu'il faut suivre une double histoire: celle du discours critique et celle du roman. Encore celle-ci se divise-t-elle, elle-même, en deux versants: le langage des dossiers génétiques, d'un côte, et celui des romans achevés, de l'autre.

On a rarement noté qu'une dizaine d'années s'était écoulée entre les deux campagnes naturalistes de Zola. Celle de 1866 a passé presque inaperçue, en raison de la jeunesse de son initiateur, et malgré le succès de scandale de sa défense de Manet. Les années 1868 à 1870 sont vouées à la polémique politique plus qu'à la théorie de la littérature. Un gran article sur Balzac, en mai 1870, dans *Le Rappel,* montre où va l'admiration de Zola. Mais les années qui suivent sont occupées par les nécessités quotidiennes du journalisme parlementaire et de la chronique d'actualité. Zola doit attendre 1876 et son entrée au *Bien Public,* comme chroniqueur dramatique, pour retrouver une tribune proprement littéraire. Le succès de *L'Assommoir,* qui commence à paraître en même temps, dans le même journal, va offrir à ses thèses une extraordinaire caisse de résonance. Pendant cinq ans, Zola multiplie les définitions, les explications, les commentaires, les justifications, les réponses aux critiques, les attaques et les défenses, amplifiant sans cesse l'orchestration du propos naturaliste, qui s'assure ainsi un succès «médiatique», comme on dirait aujourd'hui, sans précédent, finit par faire croire à l'existence d'une école constituée, et bien entendu se répand au-delà de nos frontières.

Et pourtant, quelques observations simples peuvent aider à prendre du phénomène une vue moins mythique que celle qui a emporté la plume de Zola, sous la double poussée de la conviction idéologique et de la volonté de pouvoir intellectuel. Pierre Bourdieu et ses disciples parleraient peut-être, à ce sujet, de la constitution d'un capital symbolique. Or, ce capital est peut-être moins riche que ne le laisserait penser l'épaisseur des cinq volumes critiques publiés par Zola en 1880-1881, du moins si l'on ne considère que sa substance théorique.

Tout d'abord, les *Soirées de Médan* ne doivent pas faire illusion: il n'y a point d'autre théoricien du naturalisme que Zola; Céard et Alexis n'ont laissé que des commentaires de circonstance, Huysmans, Maupassant, Mirbeau se sont refusés à dogmatiser; seul Zola a assez de puissance conceptuelle et rhétorique, de vigueur polémique, d'audace stratégique, pour bâtir, en pied, un système qui prétend prendre la relève des théories classiques et romantiques de la beauté. Le naturalisme n'est pas le discours d'un groupe, d'une école, mais celui d'un seul homme. Sa fortune, dans l'histoire des conceptions littéraires et de leur enseignement, n'en paraît que plus extraordinaire.

Seconde observation: le naturalisme de Zola —forçons un peu les angles de l'analyse— n'est pas à proprement parler une théorie du roman, de la production du texte romanesque, mais plutôt une réflexion, très didactique, sur la relation de l'art et du réel. Comme si Zola craignait d'apparaître pour ce qu'il est, et pour ce qu'est tout romancier, c'est-à-dire un travailleur de l'imaginaire et un travailleur du récit, il se tait sur ce qui fait la spécificité de l'art auquel il a voué son oeuvre de créateur et de critique: les voix et les voies de l'imaginaire, les règles et les techniques du récit. Il faut à tout prix choisir comme référence Claude Bernard —le savant—, et non pas Homère, le conteur. On perçoit du même coup les limites du naturalisme discursif. *Le Roman expérimental* ne pose jamais toutes les vraies questions. Et s'il entre tout de même en correspondance intertextuelle avec les romans que Zola compose à la même époque —de *L'Assommoir* à *Germinal*—, c'est de manière oblique, déplacée, métaphorique. La nature exacte de ce rapport reste à creuser.

En troisième lieu, précisément, le commentaire littéral des définitions zoliennes du naturalisme se ramènerait à peu de chose. On en est malheureusement trop longtemps resté là: au thème inlassablement développé de la vérité dans la représentation des conditions et des passions, de la logique dans l'enchaînement des situations, et de la liberté à l'égard de tous les dogmes, religieux, philosophiques et esthétiques. En fait, ce sont là des idées sur lesquelles, en tous pays, dans le sillage de Zola, ont pu prendre appui tous les écrivains qui élaboraient une littérature d'enquête psychologique et sociale libérée de la censure des codes et des pouvoirs dominants. Mais elles sont en soi insuffisantes, sous la forme que leur laissent *Le Roman Expérimental* ou *Les Romanciers naturalistes,* pour expliquer la genèse et le succès des plus grandes oeuvres de cette littérature, en France et hors de France.

C'est pourquoi je proposerais une exploration plus globale et plus diversifiée du naturalisme, modulant le texte du discours par le texte et l'avant-texte du roman, de manière à prendre en compte toutes les données du programme romanesque que Zola s'est donné, a réalisé, a partiellement théorisé, et a offert en exemple au monde entier.

A cet égard, la lecture des dossiers préparatoires des *Rougon-Macquart,* rédigés à la fin de 1868 et au début de 1869, est très révélatrice. Elle fournit le chaînon manquant entre la première campagne, celle de 1866, et la seconde, celle de 1876-1881, ainsi qu'entre la première expression d'une intentionnalité dite naturaliste et la constitution du cycle des *Rougon-Macquart.* Ces dossiers —terme du reste un peu trop pompeux— réunissent plusieurs sortes de notes:[1] une première liste de dix romans; des notes générales «sur la nature de l'oeuvre»; des notes de lecture extraites des livres du Docteur Lucas sur l'hérédité, du Docteur Letourneau sur *La Physiologie des passions,* du Docteur Moreau de Tours sur la psychologie morbide; des «notes générales sur la marche de l'oeuvre» et sur les différences que Zola entend marquer entre Balzac et lui-même; enfin les plans sommaires des dix romans prévus. Pour aller vite, disons qu'en ces quelques mois qui s'étendent entre la publication de *Madeleine Férat* et la rédaction de *La Fortune des Rougon,* le parcours intellectuel de Zola, qui n'est plus alors celui d'un théoricien de l'art littéraire cherchant à affirmer une école nouvelle, et pas encore celui du narrateur se laissant porter par son récit, mais celui de l'auteur d'un projet, pesant à la fois ses références, ses objectifs et ses moyens, ce parcours a suivi trois étapes. On le voit d'abord, dans la liste des dix romans, donner une expansion plus largement sociologique à son programme de production romanesque, et organiser celui-ci comme un ensemble ordonné d'unités complémentaires, à la manière de *La Comédie humaine*: «Il y a quatre mondes, écrit Zola: peuple (ouvrier, militaire), commerçant (spéculateur sur les démolitions et haut commerce), bourgeoisie (fils de parvenus), grand monde..., et un monde à part (putain, meurtrier, prêtre, artiste)». Le roman auquel Zola songeait dans sa préface à *Thérèse Raquin* était défini en termes trop étroitement familiaux, et selon une physiologie réduite au seul jeu des quatre tempéraments fondamentaux. Le projet nouveau l'étend jusqu'aux frontières de la profession et de la classe, et fonde le naturalisme, sans le dire explicitement, sur une pensée classificatrice et unificatrice, en harmonie avec le nouvel esprit encyclopédique qui anime un Pierre Larousse, un Littré, ou un Jules Verne.

La deuxième étape s'explicite dans les *Notes sur la nature de l'oeuvre.* Après avoir emprunté à Balzac le schéma général des «mondes», Zola prend ses distances. Le moment est venu de tuer le père... Il faut savoir faire autre chose, dit-il en substance, que «l'analyse courante de Balzac»; il faut s'éloigner du fatalisme, s'éloigner de la philosophie; pas question d'écrire à la lueur de quelque «verité éternelle» que ce soit. «Tout le monde, écrit-il, réussit en ce moment l'analyse de détail» (ce dédain vaut aussi bien, du reste, à l'égard des Goncourt). «Il faut réagir par la construction solide des masses, par la logique, la poussée des chapitres, par le souffle de passion animant le tout, couvrant d'un bout à l'autre de l'oeuvre... Mettre en présence deux ou trois puissances...; établir une lutte entre ces puissances, puis mener les personnages au dénouement par la logique de leur être particulier, une puissance absorbant l'autre ou les autres». Il est clair que le naturalisme programmatique de Zola (à distinguer ainsi de son naturalisme théorique et critique) conçoit désormais un roman de tension, par différence à l'extension balzacienne. Une sorte d'imaginaire darwinien commence à recouvrir le substrat du positivisme déterministe, et assigne aux oeuvres à venir une dynamique inédite, exprimée en termes de *puissance*, de *masse*, de *poussées* et de *luttes*, calée sur une vision tout à la fois énergétique et conflictuelle de l'existence psychique et sociale.

La modernité naturaliste de 1866 n'est plus un idéal suffisant. Il faut mettre au point une autre instrumentation intellectuelle, plus précise et plus spécialisée que celle des images tainiennes. C'est celle qu'offrent à Zola ses lectures de Lucas et du docteur Moreau de Tours, et dont les *Notes sur la marche de l'oeuvre* portent la trace. Au discours sur l'instinct et le tempérament, et à l'imaginaire introverti du «nervosisme», va succéder un imaginaire de la névrose, et, qui plus est, de la névrose familiale, héréditaire. Cette troisième transformation de la machinerie naturaliste n'est pas la moindre. «J'étudie les ambitions et les appétits d'une famille lancée à travers le monde moderne...; une famille qui s'élance vers les biens prochains, et qui roule détraquée par son élan lui-même, justement à cause des lueurs troubles du moment, des convulsions fatales de l'enfantement d'un monde». Le système des dix romans s'articulera donc non seulement sur une distribution cohérente des structures professionnelles et sociales, mais en même temps sur une structure de parenté, ajoutant une dimension anthropologique à la dimension sociologique. Zola ne travaille plus désormais à l'intérieur d'un cercle familial, plan comme tout cercle, mais il se prépare à construire un univers multidimensionnel où le jeu des alliances et des descendances accroîtra à l'infini la circulation des objets de désir, des fluides vitaux et des énergies, ainsi que l'ampleur de la combinatoire romanesque. Tout le régime du roman zolien —et du *programme* naturaliste— s'en trouve transformé: dans son système de personnages, dans sa logique narrative, dans sa temporalité, dans sa relation à la société de référence. C'est à ce moment qu'apparaît, me semble-t-il, la dimension épique de ce qui sera le naturalisme créateur de Zola, et, au-delà, de ce qui sera un des plus puissants courants du roman moderne. À la stratégie globale, horizontale et extensive du roman balzacien, Zola oppose l'attaque en profondeur, sur un front restreint («une seule famille»), mais qui se prêtera plus immédiatement et plus intensément à la diffusion de l'arbre généalogique à travers tous les «mondes», et aux grandes «poussées» de l'invention dramatique.

L'intervention de la satire politique viendra, le moment venu —dès *La Fortune des Rougon*— enrichir et colorer le modèle ainsi préparé. Et surtout, la rédaction des plans et du texte définitif des romans fera apparaître une dimension du génie zolien sur laquelle les écrits théoriques, et même les dossiers préparatoires restent muets, en tout cas fort peu diserts: la compétence narrative, la maîtrise sans cesse affinée des combinaisons du personnel romanesque, du parcours des héros, de la logique des actions, et de ce que Bakhtine appellerait la «chronotopie». On pourra m'objecter que ce savoir technique est commun à tous les romanciers de talent, et ne saurait caractériser en propre la conception naturaliste. Il me semble cependant que le naturalisme tel que l'a pensé et actualisé Zola ne peut être compris et expliqué que de manière intertextuelle: dans l'intertextualité de sa réflexion critique, de sa programmation génétique, et de son écriture narrative. C'est-à-dire dans une intertextualité partiellement contradictoire, conflictuelle. Le personnage de Maheu, dans *Germinal*, saisi et planté dans la trivialité de son être physique, de ses besoins, de ses désirs, de son travail, de sa misère, de ses révoltes, est peut-être un type naturaliste selon l'enseignement du *Roman Expérimental;* mais c'est aussi un rôle archaïque, achronique ou panchronique, une figure millénaire sur l'échiquier des tragédies et des mythes. Pour montrer sans fard les puissances du corps et les violences du peuple, le naturalisme doit à un moment quelconque nier la rationalité de son propos légiférant, pour faire sa part à l'irrationnel, voire à la folie. Le naturalisme est impuissant s'il reste prisonnier de ses propres concepts: la vérité, le réel, la logique, l'observation, l'expérimentation, et tout le reste. Et s'il est créateur d'une oeuvre qui défie les siècles, comme celle de Zola, et sans doute, celle de Clarín, c'est qu'il accepte une double loi, non dite: celle de la rhétorique narrative, avec ses structures imposées et intemporelles du récit, et celle du rêve, qui construit sur les folies psychiques et sociales d'une époque une fiction elle-même quelque peu délirante.

Je termine donc par un voeu sans doute utopique, tellement les vulgates sont durables. Il conviendrait d'en finir une bonne fois avec ce discours univoque, restreint, mutilant, sur le naturalisme, entretenu par la clôture même de l'argumentation de Zola, ne puisant qu'aux sources de la théorie esthétique, ou qu'aux aspects les plus superficiels d'une thématique ou d'une écriture romanesque. Il conviendrait de reconnaître au naturalisme zolien sa triple et indissociable réalité textuelle: l'essai, le soliloque génétique, et le roman; afin d'admettre la multiplicité féconde de ses pentes et de ses codes: réaliste et onirique, documentaire et mythique, rationaliste et mystique, tragique et carnavalesque, optimiste et désespéré, cohérent et inconséquent, et même, tout à la fois, classique, moderne... et post-moderne. Rappelons-nous le télégramme de Paul Alexis: «Naturalisme pas mort...»!

NOTES

1. Bibliothèque nationale, Manuscrits, Nouvelles acquisitions françaises, Ms. 10.345. Les textes sont publiés à la fin du tome V des *Rougon-Macquart*, dans la Bibliothèque de la Pléiade, éd. Gallimard.

ELEMENTOS TEÓRICOS
Y PROBLEMAS DEL LENGUAJE

A PROPÓSITO DEL NATURALISMO: PROBLEMAS DE TERMINOLOGÍA Y DE PERSPECTIVA LITERARIA EN LA SEGUNDA MITAD DEL SIGLO XIX

Jacques Beyrie
(Universidad de Toulouse-le Mirail)

Desde luego, no se van a resumir aquí los problemas, planteados por el naturalismo, que se enumeraban en la primera circular relativa al presente Congreso. Es evidente que son muchos y varios, y que se relacionan con otras nociones tales como las de romanticismo, costumbrismo y realismo, a consecuencia del sistema de oposiciones semánticas que ordena —o intenta ordenar— el curso de la evolución literaria.

* * *

Se considera habitualmente a este propósito que la publicación de *La gaviota,* en 1849, señala una clara línea divisoria. Las numerosas referencias de la autora a su voluntad de realismo (muy presentes en el Prólogo), la fecha, sobre todo, en que se proclaman dichas afirmaciones (fecha coincidente con la ruptura de los ideales románticos, puesta de manifiesto por el fracaso de las revoluciones del 48 en el ámbito europeo), todo parece señalar el advenimiento de otra época.

Notemos, sin embargo, que la autoproclamación de un ideal realista no trae como consecuencia evidente e inmediata la consecución de este fin. Ahí está, por ejemplo, un caso tan característico como el de J. Selgas, que también afirma en términos muy parecidos a los de Fernán Caballero: «Yo no invento [...]. No soy un escritor, sino un escribiente; en vez de imaginar, observo; en vez de crear, copio».[1] Con lo cual se llega a ver que, a pesar de sus repetidas afirmaciones, tales pretendidos realistas no pintan lo que es, sino lo que ven —eterno problema del arte—, es decir, lo que son.

A partir de lo cual se empieza a sospechar que el llamado realismo de F. Caballero, posiblemente, no se debe tanto a sus características intrínsecas, como al contraste formado con el concepto que se llegó a tener del romanticismo de la época inmediatamente anterior. Romanticismo fundamentalmente caracterizado por su tendencia a huir de la realidad, su propensión a evadirse hacia lo lejano en su doble aspecto: evasión en el espacio (exotismo) o en el tiempo (historia).

Pero ahí está el problema. En un texto tan conocido en España como el Prefacio de V. Hugo a *Cromwell* (igual que en la «Carta de Lord ***» de Vigny) se pueden rastrear innumerables referencias al drama romántico que «pinta la vida» y «vive de la realidad», ese drama en que «todo se encadena y se deduce como en la realidad», etc. Porque eso mismo había sido originariamente el romanticismo, no lo olvidemos: una vehemente protesta contra las leyes y trabas que impedían o *falseaban* la libre expresión de la vida real. Ya escribía L. Monteggia, en *El Europeo*, que los espectadores modernos no podían poner interés en ciertas composiciones clásicas porque veían «allí personajes de una naturaleza distinta de la nuestra», sin tener posibilidad de «hacer comparación de tales aventuras con las propias».[2]

Tratar de explicar cómo se llegó a formar luego un concepto tan distinto de este mismo fenómeno exigiría un estudio complejo, imposible de realizar aquí. Sólo diremos, a modo de indicación somera, que frente a la compleja maraña ideológica constituida por el romanticismo, no es del todo improcedente empezar por atenerse a la raíz existencial que permite entender, por comprensión interna, una parte apreciable del fenómeno global. Porque el romanticismo corresponde, en varios de sus aspectos, a una reacción psicológica frente al derrumbamiento de un orden secular.

Ante tal derrumbamiento, es evidente que una primera solución podía consistir en buscar en el pasado, en la historia, elementos de continuidad y estabilidad psíquica. Y esa fue, en efecto, una de las vías predilectas del romanticismo español. Pero quedaban otras más. Algunas —importancia dada al concepto de unidad orgánica, búsqueda en la pasión de una manifestación permanente del yo, tema del carácter consanguíneo del Hombre y de la Naturaleza, etc.— se consideran habitualmente como manifestaciones líricas a secas. Pero otra de esas vías consistía en buscar tal estabilidad entre *las realidades más humildes* que constituían el marco de la existencia cotidiana y se empapaban de presencia humana: casas, calles, tiendas, objetos, etc. Tal orientación no quedó desconocida de los romanticismos europeos («Objets inanimés, avez-vous donc une âme...?») pero conoció un desarrollo espectacular en España, doblemente enfrentada con un problema de identidad, por la dinámica propia de los Tiempos Nuevos y por la mirada inquisitiva de esos «extranjeros [que] se burlan de nosotros», según la expresión del Prólogo de *La Gaviota*.[3] Pues esa fue la vía del costumbrismo, y también la de Fernán Caballero, fiel seguidora de su padre N. Böhl de Faber.

A lo cual convendría añadir todo lo que se llegó a realizar en la misma época —según un proceso claramente identificable desde un punto de vista psicológico—[4] en las obras folletinescas y las novelas populares características del romanticismo social. Pero dejando de lado este aspecto, que se volverá a evocar más adelante, podemos asentar como primer resultado provisional, que la obra de Fernán Caballero no parece representar una verdadera ruptura en el curso de la literatura española y que ésta, por lo tanto, sigue siendo de signo preferentemente romántico durante la era isabelina (incluimos, desde luego, varios aspectos del naciente krausismo en tal afirmación) sin que su interés por la realidad cotidiana pueda dificultar —insistimos en ellos— su adscripción a la corriente romántica.

* * *

Entramos luego en los años setenta y Galdós publica *La Fontana de Oro*, primer hito de una profunda renovación. Renovación basada en el concepto de «clase media», considerada desde un punto de vista político como el crisol en que vienen a fundirse elementos de los antaño anquilosados estamentos sociales, pero vista sobre todo dentro de una perspectiva estética como expresión metafórica del inmenso proceso dinámico de la historia, tan característico del siglo. Con fuerza y agudeza excepcionales, Galdós se da cuenta de que tal proceso genera nuevas modalidades de la existencia, caracterizadas por la inestabilidad, (habla de «incesante agitación» y de «turbación honda» en sus «Observaciones sobre la novela contemporánea en España»),[5] lo cual también implica un nuevo sistema de representación.

Y ahí es donde Galdós se aparta de la corriente costumbrista. El mismo artículo programático se refiere explícitamente al «sinnúmero de cuadros de costumbres que han visto la luz en los últimos años» y nos da a entender, por contraste, todo lo que conviene modificar para llegar a la «gran novela de costumbres». Ahí donde el costumbrismo no veía más que anécdotas, escenas «breves», casos «frecuentemente cómicos», Galdós percibe los elementos de un inmenso *drama*:[6] «el maravilloso drama de la vida actual».[7] Dicho sea con otras palabras, descubre y hace ver a sus compatriotas profundidades abismáticas, bajo la superficie aparentemente monótona y gris (queja constante y casi constitutiva del costumbrismo en su esencialidad) de la nueva realidad.[8] Consecuencia directa, en franca oposición a los «ligeros bosquejos» de la corriente costumbrista, la «expresión artística de la vida moderna» tendrá que ser «obra vasta y compleja».

* * *

Ahora bien, para expresar este «drama», Galdós empieza por acudir a la concepción, típicamente romántica, de la historia percibida como lucha entre fuerzas abstractas, encarnadas por individuos o grupos. De ahí el tipo de novela ideológica o dualista de los años setenta, tipo que viene a ser sustituido por otra forma de relato a principios de la década siguiente, es decir en el momento en que Zola publica *Le roman expérimental* (1880): ¿Coincidencia o relación de causa a efecto?

Frente a tal problema, seguirá sirviendo de base la obra de Galdós (y más concretamente la de los años ochenta, que es cuando el *naturalisme* tiene empuje verdaderamente creador), por ser ésta, sin lugar a dudas, la que abre la vía de todo este proceso renovador. Y ya que de Galdós se trata, conviene apuntar de entrada, con la necesaria nitidez, los numerosos puntos de contacto que se pueden establecer entre el *Galdós de los años setenta* y las declaraciones de Zola divulgadas en la década de los ochenta. El novelista tan deseoso de «resolver ciertos problemas que preocupan a todos», el autor de los *Episodios Nacionales,* de *Doña Perfecta* o de *Gloria* no podía evidentemente descubrir en *Le roman expérimental* la necesidad de dar a la literatura un alcance social y político; lo mismo podría decirse de la lucha contra la imaginación y la retórica huera, así como del énfasis puesto en el papel de la Educación y de varios otros temas procedentes de su común ideología liberal. A un nivel mucho más profundo, la intuición central de Zola, según la cual lo real y verdadero no es objeto de sencilla constatación sino que se descubre y se conquista tras una lenta investigación, también tenía su equivalente en el Galdós de 1870 (de ahí su diferencia con el «realismo» de un Selgas). Hacía falta estar en posesión de su propio sistema de visión (centrado, ya lo sabemos, en la historia) para afirmar que la novela debe «formar un cuerpo multiforme y vario, pero completo, organizado y uno».[9]

Se plantea luego lo que va a ser «la cuestión palpitante». Y es forzoso constatar a este propósito que Galdós no dejó de expresar numerosas discrepancias, igual que los demás novelistas españoles de la época, unánimes particularmente en su rechazo de la noción de determinismo. Reacción simétricamente inversa en boca del principal interesado, o sea del mismo Zola, que expone sus reticencias, y hasta sus denegaciones, cuando se le presenta como derivada de su escuela una novela de N. Oller.[10]

Dicho esto, también conviene tomar en cuenta ¿cómo no? que el discurso teórico de Zola no corresponde exactamente a su práctica novelesca. Con lo cual quedaría la eventualidad de encontrar en la narrativa zolesca algunas prefiguraciones de los cambios que se observan en la novela galdosiana de los años ochenta. De esas prefiguraciones ¿cuáles son las principales? El nuevo tema de las clases bajas del pueblo, apuntado por Clarín en su reseña de La desheredada —«es la primera vez que un novelista de los buenos habla de este Madrid pobre, fétido, hambriento y humillado»,[11] decía exactamente, apuntando de paso la muy anterior (y muchas veces silenciada) aportación del folletinesco romanticismo social— puede ser considerado, en efecto, como una característica de esta novela. Pero no va a constituir, ni mucho menos, una constante de su producción ulterior, fuertemente centrada, como se sabe, en el mundo mesocrático de la Corte. Lo mismo pasa con la noción de «medio». Isidora Rufete aparece efectivamente como una víctima del ambiente que la rodea. Pero Máximo Manso, protagonista de la novela escrita inmediatamente después, es al revés un profesor de filosofía, un a modo de puro espíritu aparentemente liberado de su entorno biográfico.

¿Diremos entonces que las novelas de Zola ensanchan el

territorio novelesco al dar paso, de manera nueva, al tema del Cuerpo y del Deseo, interpretados (ésta sería la verdadera intuición, torpe e insuficientemente expresada a través de la noción de «determinismo fisiológico») desde el punto de vista de un realismo libidinal prefreudiano? El tema viene sugerido efectivamente en *Lo prohibido* (de título más conforme todavía a la pura ortodoxia freudiana) o en ciertos pasajes de *Fortunata y Jacinta*, pero ya aparecía a través del personaje de María Egipcíaca en *La familia de León Roch*, y es evidente que la narrativa galdosiana llama más bien la atención por su extrema reserva en tal materia. La conclusión es clara. No se llega a ver el sistema de visión central que permita establecer una relación de orden deductivo entre la narrativa de Zola y la de Galdós.

* * *

Ya que pasar de Zola a Galdós no da los resultados esperados, puede ser de algún interés seguir el itinerario inverso. ¿Qué hace, pues, Galdós al inaugurar lo que él mismo llama su «segunda manera»? Empecemos por observar que no cambia de terreno. *La desheredada* tiene como telón de fondo el período que se extiende desde la muerte de Prim hasta la Restauración; el tema de la historia se evoca directamente y va a seguir presente en las llamadas «novelas contemporáneas». O sea, que no existe solución de continuidad, desde este punto de vista, con los *Episodios*. Hay más. Conviene fijarse en que la mesocracia madrileña, evidente tema central de este conjunto de novelas, constituye con su vertiginosa inestabilidad (debido a la cesantía) una ejemplar representación simbólica de esa movilidad que hemos encontrado en la misma raíz de la visión estética que Galdós tenía de los tiempos modernos en los años setenta.

Lo que sí cambia, o más bien desaparece, en las «novelas contemporáneas» es la clara finalidad («esto matará aquello» se solía repetir por los años sesenta) que se le atribuía a la historia. Con lo cual también desaparece el tipo de «novela tendenciosa» practicado anteriormente y ahí está, conviene tenerlo muy presente, *el fundamental cambio* que por sí solo parece generar los demás, ya que, poniéndolo aparte, no son ya tan evidentes, ni mucho menos, las demás modificaciones temáticas que se puedan enumerar. Y como está claro, por otra parte, que Galdós no se cuida mucho de practicar el principio de impasibilidad, solución específica a los problemas formales propuesta por Zola, no queda más solución que la de remontarse a la misma raíz del cambio señalado.

Ahora bien, ya que de historia se trata, notemos que en el mes de mayo de ese mismo año 1880, tras una maniobra de acercamiento empezada cinco años antes, Sagasta constituye definitivamente el partido liberal-dinástico o «fusionista» que sube al poder en febrero del año siguiente. Algo más tarde, le da el acta de diputado al propio Galdós. Para quien está al tanto de lo que había escrito don Benito en la prensa durante los años de la Gloriosa, el cambio es de consideración. Alfonso XII, encarnación de los antes llamados «obstáculos tradicionales», ya no era tal cosa, por lo visto; Sagasta, aplicador de «un criterio doctrinario que más que esto podría llamarse reaccionario», según declaraciones hechas en 1869,[12] venía a ser el hombre de «la situación»; en cuanto a Cánovas del Castillo, denunciado por las mismas fechas como capitán de «la vergonzante reacción»,[13] de la manera más imprevista daba ahora al bando liberal, tras el fracaso de los años 72-73, la posibilidad de aplicar parte de su programa. ¿Cómo podía el novelista seguir señalándole una clara finalidad a la historia en sus relatos, en vista de contradicciones tan fuertes aportadas al propio sentir?[14]

Ahora sí —y sólo ahora, a nuestro parecer— están reunidas las condiciones para valorar con más exactitud lo que pudo representar para él la lectura de Zola. «Hace tiempo —declaraba él mismo a propósito de *La desheredada* en *carta fechada en 1879*— que me estaba bullendo en la imaginación una novela que yo guardaba para más adelante. Este asunto es... en parte político».[15] Apuntemos el «hace tiempo», cuya importancia cae por su peso; notemos también que esta noción cronológica corresponde al período en que iba haciéndose más patente el éxito de las iniciativas liberales capitaneadas por Sagasta; conste, por fin, que se trataba efectivamente de algo que era «en parte político». Así las cosas, parece fundamental observar que la dinámica evolutiva del novelista era de origen interno. Porque lo inexacto en lo referente a la influencia de Zola es el «ismo». Claro que Galdós pudo encontrar en las obras del novelista francés ¿cómo no? escenas, situaciones, elementos que le ayudaron a dar con el tipo de novela que iba buscando por esas fechas.[16] Pero no lo que se supone habitualmente, es decir, una preceptiva organizada alrededor de conceptos rectores.

Lo que sí conviene añadir es que, a nivel más general, las ideas de Zola tuvieron una función doble. Tal como estaba, el texto de *Le roman expérimental* no se enfrentaba con los auténticos problemas de la creación literaria, pero ofrecía modelos, o más bien esquemas de producción narrativa, utilizables —y utilizados a veces por novelistas de segunda categoría— en una perspectiva ideológica particular, lo cual, sin embargo, ya no plantea problemas de creación, sino de difusión. También conviene hablar de difusión, desde otra perspectiva. El gran debate suscitado por «la cuestión palpitante» tuvo el mérito de divulgar, evidenciar las técnicas —busca metódica del dato, literatura de encuesta— que Galdós había tenido la obligación de adquirir por cuenta propia en su lento *quehacer histórico* y que aplicaba ahora a sus «novelas contemporáneas», sin que la filiación metodológica saltara necesariamente a la vista. Merced al susodicho debate, al revés, el cuantioso grupo de los novelistas que habían nacido en los años cincuenta (Clarín, E. Pardo Bazán, L. Coloma, A. Palacio Valdés, J. Ortega Munilla, J.O. Picón, etc.) pudo hacerse cargo inmediatamente del alcance de lo que se había conseguido.

* * *

Pero todo aquello sólo representa la parte más aparente del fenómeno. No se alude tan frecuentemente, ni mucho menos, a la pervivencia de rasgos indiscutiblemente románticos en plena época del llamado naturalismo. Ahora bien, no deja de ser curioso, por ejemplo, observar la vehemencia con que doña Emilia o Clarín (es decir nada menos que *los dos partidarios más entusiastas de Zola*) defienden en ciertas ocasiones la tradición romántica.[17] A lo cual conviene añadir, desde luego, la evidencia del colosal éxito de Echegaray. Frente a tal dificultad, se escribía hace unos cuantos años: «sería erróneo pretender, como alguien lo ha hecho, que Echegaray representa *el espíritu* de la sociedad aristocrática y burguesa de la Restauración; si fuera así, el mundo de Galdós sería *una gigantesca mentira,* y sabemos que no lo es».[18] Formulación tajante —cuyos términos posiblemente se invertirían hoy día— que tiene el mérito de poner el dedo en la llaga, al evocar de manera indirecta la cuestión de fondo.

Resulta curiosa, en efecto, tal forma de disyuntiva, en la medida en que implica nada menos que toda la existencia de un *Zeitgeist,* o sea de algún «espíritu de la época», unívoco y sobre todo *excluyente,* invocado (de manera implícita desde luego) en el mismo momento en que se trataría normalmente de constatar la desaparición del sistema de ideas que lo inspiró. Situación lo suficientemente paradójica como para que llegue uno a preguntarse si, a nivel general, no existirían insospechadas huellas de ideología romántica en la misma terminología, así como en la axiomática, que servían (y siguen sirviendo) de base al estudio de la literatura.

Pero dejando de lado cuestión tan compleja que resulta imposible examinar aquí,[19] bástenos observar que no hubo tan clara disyuntiva en el caso español. Tanto el público como los escritores conservaron cierta forma de apego a un romanticismo más o menos consciente, según los casos, cuya permanencia se puede objetivamente observar. Si se examinan las modalidades de tal permanencia, diversas expresiones dan las necesarias indicaciones. Clarín alababa a su «tan amado» Vico por haber seguido «*cantando* al modo calderoniano», mientras doña Emilia notaba un goce divino «oyendo lenguaje tan castizo, rico y jugoso, saludando aquel fraseo noble, caballeresco».[20] Ahora bien, esta reacción no se observa únicamente en tales confesiones episódicas. Los grandes novelistas de la época —ya se sabe, resultaría inútil acumular las citas— proclamaron que actuaban como fieles continuadores de la gran tradición áurea.

Es posible percibir cómo y por qué se llegó a esas afirmaciones insistentes, calificadas a veces de rutinarias. Las peculiares formas de vida de la Corte, por una parte (piénsese en los cesantes) no dejaban de recordar rasgos y episodios que constituían la tónica de la novela picaresca. En una época, por otra parte, en que llegaban a tener tanta importancia en la literatura los casos más o menos patológicos, el *Quijote* requería a todas luces nueva atención. Este mismo *Quijote* del que *Madame Bovary* acababa de proponer una lectura particular, siendo considerado además el propio Flaubert en ciertos casos —en Francia igual que en España, no lo olvidemos— como un emblema del *naturalisme* posiblemente más representativo que el mismo Zola. No faltaban, pues, circunstancias ocasionales para dar coherencia a tales afirmaciones.

Pero la verdadera causa era mucho más profunda y propia de España. A nivel de las literaturas europeas (y especialmente de la francesa) se llega a ver, en efecto, cómo se perfila gradualmente, a partir de la segunda mitad del siglo, un modelo substitutivo que bien se puede calificar de positivista. Modelo literario (abandono de la espontaneidad y de la improvisación, importancia dada a «los hechos») revelador a un tiempo del deseo de acabar con «la era de las revoluciones», según los propios términos de A. Comte, y de la voluntad de fomentar el Desarrollo, (concepto que se sustituye a las inmensas aspiraciones de la época precedente) o sea el Progreso.

Pero por muy llamativo y atrayente que parezca dicho proceso, difícilmente se adapta a la situación peninsular. La considerable expansión económica del Segundo Imperio (fase de incubación del *naturalisme*) y el triunfalismo científico que la acompaña no tienen equivalente en España durante la época isabelina. De ahí la propensión, luego, a que el verbo sustituya a «los hechos» en un país apenas alcanzado por la revolución industrial. Un país de estructuras deficientes, por otra parte, en que la soberanía del Yo —y eso nos parece fundamental—, el concepto de responsabilidad ética individual constituían un elemento clave del sistema ideológico, claramente percibido como absolutamente necesario para asegurar el difícil equilibrio social. De ahí esas novelas en que los personajes aparecen insertos en un «medio» de características más sociohistóricas que biofisiológicas, para permitir el libre albedrío, el victorioso esfuerzo redentor del individuo, así como del país. Un país impregnado en notable proporción de espiritualismo cristiano, por fin, y propenso a manifestar en su comportamiento una concepción muy personalista y hasta providencialista de la existencia.[21] En tal contexto, bien se puede entender (y por lo tanto admitir, con todas las consecuencias metodológicas del hecho) que, fascinada por la nostalgia de un pasado refulgente y frente a un «Progreso» mucho más indeciso, España haya manifestado una vacilación que se puede observar, por ejemplo, a través del éxito simultáneo de Echegaray y de Galdós.

* * *

Bien se puede entender, sobre todo, que las palabras (en especial las palabras claves del positivismo) no iban a tener el mismo sentido a ambos lados del Pirineo. Llama la atención, entre otras cosas, ver como la palabra «ciencia», tan frecuentemente mentada en las polémicas literarias, quedaba no pocas veces de base más especulativa que experimental y estaba sometida a conceptos metafísicos o éticos. Pero más todavía llama la atención el carácter sumamente confuso del debate suscitado por «la cuestión palpitante».

Posiblemente se habrá notado que se utiliza con bastante frecuencia la palabra *naturalisme* en nuestro análisis. ¿Manía, capricho? De ningún modo, sino más bien consecuencia de la confusión creada por el uso tan ambiguo de la palabra española correspondiente. Naturalismo empieza por ser en el debate, en efecto, mera traducción del término francés (lo que vamos a llamar sentido n.º 1 de la palabra). Pero conforme vamos avanzando en la discusión, el mismo vocablo llega a utilizarse para designar lo que se observa en la literatura española del momento (sentido n.º 2 de la palabra) y eso que se observa aparece como bastante diferente de lo venido de fuera. De ahí una constante ambigüedad, ya que todo el problema está precisamente en saber si hay o no hay coincidencia entre el sentido n.º 1 y el sentido n.º 2 de *la misma palabra*. Ante lo cual nos ha parecido que una primera clarificación no del todo inútil podría consistir en utilizar la oposición vocálica e/o, quedando así netamente deslindados los dos polos del debate.

Pero no todo está solucionado con esto. El examen de las condiciones en las cuales se llegó a escoger la palabra *naturalisme*, en los medios literarios franceses de la época, muestra que los novadores tenían clara conciencia de representar algo distinto del secular movimiento realista, y se fijaron en un término cuyas connotaciones se referían claramente tanto a su uso filosófico como fisiológico.[22] Ahora bien, resulta que dichas referencias quedan precisamente excluidas del uso de la palabra española correspondiente. Si se sale de la base de que las mismas causas suelen dar los mismos resultados, esas mismas causas que inducían a fijarse en la palabra *naturalisme* en Francia tendrían que prohibir el empleo de su equivalente directo en castellano.

Se llega a la misma conclusión si se examina el problema desde la perspectiva española. Es frecuente, en efecto, encontrar expresiones tales como la de «naturalismo espiritualista», lo que se puede entender desde cierto punto de vista, ya que el espiritualismo representa efectivamente una componente característica de lo que se llama naturalismo en España. Pero como el mismo vocablo también se usa cuando se refiere uno al pensamiento y a las teorías de Zola, se llega por vía directa a un verdadero monstruo semántico. A no ser que quiera uno meterse en honduras metafisicolingüísticas, al recordar el ejemplo de esos lenguajes en que el valor de ciertas palabras usuales (lo que no es, por cierto, el caso del vocablo analizado) puede adquirir sentidos diametralmente opuestos.

Tal razonamiento lleva a la conclusión lógica (ya sugerida en otras ocasiones por críticos españoles) de que el término «realismo» era el más adecuado al contexto peninsular. Se podría objetar que mientras el romanticismo se presenta las más veces como un fenómeno típicamente decimonónico, el realismo aparece al revés como un rasgo atemporal, lo que puede quitarle parte de su valor expresivo. Escrúpulo inútil. El realismo —«el realismo neto y sano [que] es tradicional en España»[23] según la formula de Pereda— tiene en la península una connotación histórica y cultural bien determinada. Esta misma connotación precisamente que de cierto modo querían dar a su labor los escritores de la época.

* * *

Lo que se juega en tales disquisiciones rebasa, y con mucho, los meros problemas de clasificación. Trátase, según palabras empleadas por Galdós en su Prólogo a la tercera edición de *La Regenta*, de dar «eco» al considerable «esfuerzo» realizado por esos escritores «para reintegrar el sistema» de su tradición literaria.[24] Así se podrían percibir mejor, por encima de la visión contrastada (o escindida) tan frecuentemente expuesta, los claros elementos de continuidad observables en el curso de la literatura española de la época, ya que los novelistas del fin de siglo realizaban, en definitiva, lo que sólo había conseguido a medias la generación de los años treinta-cuarenta, o sea, poner a la altura de las exigencias del tiempo presente una literatura española cargada de toda su herencia.

NOTAS

1. José Selgas, *El ángel de la guarda*. Cuadros copiados del natural, *cit.* por Mariano Baquero Goyanes, «La novela española en la segunda mitad del siglo XIX» en Guillermo Díaz Plaja, *Historia general de las literaturas hispánicas*, Barna, Barcelona, 1958, t. 5, p. 76.
2. Luigi Monteggia, «Romanticismo» en Ricardo Navas Ruiz, *El romanticismo español. Documentos*, Anaya, Salamanca, 1971, p. 37.

3. Fernán Caballero, *La gaviota,* Castalia, Madrid, 1979, p. 42.

4. Véanse, en lo que a eso se refiere, las estimulantes sugerencias de Marthe Robert, *Roman des origines et origines du roman,* Grasset, París, 1972, pp. 105-130 especialmente.

5. Benito Pérez Galdós, «Observaciones sobre la novela contemporánea en España» en *Ensayos de crítica literaria,* ed. de Laureano Bonet, Península, Barcelona, 1972, p. 122.

6. *Ibíd.,* p. 124.

7. *Loc. cit.* El subrayado es nuestro.

8. Se puede consultar a este propósito Jacques Beyrie, «Problèmes du *costumbrismo*: Mesonero Romanos et le roman», *Caravelle,* 27 (1976), pp. 73-81.

9. Benito Pérez Galdós, «Observaciones sobre la novela...», *op. cit.,* p. 124.

10. «J'ai lu, et vous avez écrit vous-même, je crois, qu'il dérivait de nous autres, naturalistes français. Oui, pour le cadre peut-être, pour la coupe des scènes, pour la façon de poser les personnages dans un milieu. Mais non, mille fois non pour l'âme même des oeuvres, pour la conception de la vie. Nous sommes des positivistes et des déterministes». Émile Zola, «Pour *Le papillon,* de Narcís Oller. Lettre au traducteur», *OC,* Cercle du livre précieux, París, 1969, t. 12, p. 634.

11. Leopoldo Alas, Armando Palacio Valdés, *La literatura en 1881,* Alfredo de Carlos Hierro, Madrid, 1882, p. 136 (sub. nuestro).

12. *Las Cortes,* 26 de junio de 1869.

13. *Ibíd.,* 22 de mayo de 1869. Para más detalles sobre el tema, véase Jacques Beyrie, *Galdós et son mythe,* Honoré Champion, París, 1980, t. 1 y 3.

14. Ahí se debe buscar, a nuestro parecer, la causa profunda que le movió a abandonar sus novelas dualistas y a adoptar otra tendencia, calificable de «más oportuna» (posiblemente tenga la terminología clariniana algo que ver con el proceso anteriormente descrito), como varios otros hechos parecen confirmarlo. Conviene subrayar en efecto —por ser éste un tema muy poco tratado en los estudios galdosianos— que el nuevo sesgo observado en la narrativa galdosiana viene acompañado por un a modo de ajuste de cuentas personal, como si Galdós hubiera experimentado la necesidad de ponerse de acuerdo consigo mismo. La novela escrita inmediatamente después de *La desheredada, El amigo Manso,* tiene una enorme y evidente carga de proyección íntima. Fenómeno que conviene tener muy en cuenta ya que se va a repetir en condiciones exactamente simétricas años más tarde, o sea en *Ángel Guerra* (1891), novela inmediatamente posterior al binomio *La incógnita-Realidad* con que se pasa a otra fase literaria. A nivel más concreto, se entiende perfectamente así como tal toma de conciencia de los pasados errores desemboca en el humorismo, tan violentamente contradictorio, a todas luces, con la sensibilidad *naturaliste*. Misma observación a pro-

pósito de las novelas examinadas anteriormente, *La desheredada* y *El amigo Manso*, contradictorias entre sí —lo hemos visto— desde el punto de vista del *naturalisme*, pero perfectamente integradas en la misma *temática del error*, fundamental punto de coincidencia entre Isidora Rufete y Máximo Manso.

15. Carmen Bravo Villasante, «Veintiocho cartas de Galdós a Pereda», *Cuadernos hispanoamericanos*, 250-252 (1970-1971), pp. 31-32.

16. A propósito de ese tema, véase Jacques Beyrie, *Galdós...*, *op. cit.*, t. 2, pp. 325-343.

17. Véase Roberto G. Sánchez, «Clarín y el romanticismo teatral», *Hispanic Review*, XXXI (1963), especialmente pp. 220 y 227.

18. Gonzalo Torrente Ballester, *Panorama de la literatura española contemporánea*, Guadarrama, Madrid, 1961, p. 33 (sub. nuestro).

19. Sobre esos problemas, véase Jean-Marie Schaeffer, *La naissance de la litterature*, con prólogo de Tzvetan Todorov, Presses de l'École Normale Supérieure, París, 1983. Nos limitaremos aquí a entresacar la siguiente frase del prólogo: «Le résultat est que nos idées d'art et de littérature, mais aussi d'esthétique et même de science humaine sont enracinées dans l'idéologie romantique sans que nous le sachions et sans qu'elles nous apparaissent comme des produits idéologiques du tout, puisque nous les prenions pour des réalités empiriques, des faits quasiment de nature, ou bien encore pour la science, intemporelle et indépendante de son lieu d'origine, pour la vérité enfin révélée». *Op. cit.*, p. 9.

20. *Cit.* por Roberto G. Sánchez, *op.cit.*, pp. 218, 219 y 227.

21. Como ilustración de esos rasgos diferenciales se pueden citar, entre otros testimonios aclaradores: «Il faut avoir vécu dans ce pays pour apprécier combien le catholicisme est mêlé à toute la vie du peuple [...]. Ils aiment mieux compter sur une Providence bienfaisante [...]. On ne peut se faire une idée en France de la douleur avec laquelle certains Espagnols assistent à la chute de leur croyance: c'est leur coeur même qui se fend», Gustave Hubbard, *Histoire de la littérature contemporaine en Espagne*, Charpentier, París, 1876, pp. 169-171.

22. Véase Henri Mitterand, *Zola et le naturalisme*, PUF, París, 1986, pp. 22 y 23; Pierre Cogny, *Le naturalisme*, 5.ª ed., PUF, París, 1976, pp. 8-10.

23. José María de Cossío, *José María de Pereda*, Antología de escritores y artistas montañeses, Santander, 1957, p. 109.

24. Benito Pérez Galdós, «Leopoldo Alas», *OC*, Aguilar, Madrid, 1951, t. 6, p. 1.448.

LA RETÓRICA DEL REALISMO: GALDÓS Y CLARÍN

John W. Kronik
(Universidad de Cornell)

Los estudiosos del realismo literario suelen compartir con sus practicantes más excelsos en España juicios como los siguientes: «Imagen de la vida es la Novela [...]». «El semejar la realidad» es «el supremo mérito» de la obra literaria. «El elemento de realidad» en el arte debe parecer «arrancado de la vida misma». El mejor arte deriva de «la verdad mejor copiada, la imitación más fiel del mundo». El naturalismo o el realismo sigue «la soberana ley de ajustar las ficciones del arte a la realidad de la naturaleza y del alma, representando cosas y personas, caracteres y lugares como Dios los ha hecho». No es ningún secreto que estas palabras son propiedad de Galdós y de Clarín, expresión de sus más profundas convicciones.[1]

Pero, ¿es posible saber cómo Dios ha hecho las cosas y las criaturas? ¿Y quién es este dios? Este habitante de las esferas celestiales, ¿puede que sea escritor? Y si, por su parte, el escritor hace de dios, creador de su propio universo, ¿es puro copista, imitador, recreador? ¿Tiene de veras la obligación de ser un esclavo ante el mundo? ¿No tiene ningún poder, ningunos derechos especiales? ¿Cuál es el papel, entonces, de la imaginación, de la capacidad inventiva, de la autonomía artística? ¿Qué quiere decir, a fin de cuentas, ser artista?

Si estas preguntas parecen exageradas, desorientadoras, sólo hay que recurrir a las opiniones de Galdós y Clarín en sus escritos críticos para comprobar su evidente convicción de que la misión del escritor es la detenida observación y recreación de la realidad y que la medida de su éxito es la equivalencia que consigue entre vida y arte. Clarín en sus artículos de crítica literaria defiende siempre y sin vacilar la supremacía del contenido y, separando lo inseparable, supedita la forma expresiva al contenido, el discurso narrativo a la historia. En su serie de artículos titulada «El estilo en la novela», alaba a Galdós y Balzac porque, según Clarín, consiguen «hacer olvidar al lector que hay una cosa especial que se llama estilo [...]; hacerle olvidar que hay allí además del asunto, del mundo imaginado que parece real, un autor que maneja un instrumento que se llama estilo».[2] Galdós, en la poca crítica que escribió, parece compartir este juicio a lo largo de su carrera. En su muy citado ensayo de 1870, «Observaciones sobre la novela contemporánea en España», insiste en que «la sociedad nacional y coetánea» debe ser la fuente de inspiración para el novelista y que el arte literario debe dar expresión a todas las dimensiones de la clase media. Habla de novelas que proyectan hechos naturales, verificables, lógicos; y, según parece, para él las actividades más importantes del creador son la observación y la documentación. En cuanto al lector, la reacción más deseada ante la novela es: «¡Qué verdadero es esto! Parece cosa de la vida».[3] Muchos años y muchas novelas más tarde, en su discurso de recepción a la Real Academia y en su prólogo a la segunda edición de *La Regenta*, resuenan firmes las mismas convicciones. Galdós rotula su discurso de 1897 «La sociedad presente como materia novelable», proclama que la novela es un espejo de la vida y resume el arte de componer novelas en el verbo «reproducir», con lo cual quiere decir reproducir la realidad.

Pero, ¿es esto lo que consigue de veras el autor de *El amigo Manso, Tormento* y *Fortunata y Jacinta*? ¿Lo alcanza el propio Alas en *Doña Berta* o *La Regenta*, en *Su único hijo* o *El dúo de la tos*? Claro que no. Y si lo consiguieran, este absoluto realismo más flaubertiano que el realismo ideal de Flaubert, ¿merecerían más alabanzas sus ficciones? Repito: claro que no. La actitud de Galdós y Clarín concuerda perfectamente con los tópicos sobre el realismo que se han arraigado desde hace cien años ya. Armoniza con las creencias del siglo XIX en un mundo objetivo que el individuo llega a conocer a través de la experiencia de sus sentidos. En tal modelo empírico, aparentemente perceptible, definible y estable, las palabras que se usan para describir ese mundo corresponden a objetos que existen «ahí fuera». Posteriormente, tanto los científicos como los filósofos y los historiadores del arte, como Gombrich, han desacreditado esta postura tan cómoda y tranquilizante.[4] Ahora sabemos que no son estables ni las formas ni los signos ni los conocimientos. La contingencia se ha impuesto en la epistemología; la arbitrariedad y la ambigüedad son los conceptos que se han apoderado de nosotros, de los que nos preciamos de ser modernos o incluso posmodernos. Pero hay que preguntarse si son de veras tan enormes las distancias y tan incompatibles las diferencias que miden entre nosotros y nuestros antecesores de ese otro fin de siglo.

Es curioso que cuando hacen declaraciones teóricas en sus escritos críticos, los dos representantes más hábiles del realismo español expresan una visión mucho más rígida y más estrecha de la que tienen sus propias voces narrativas en sus creaciones artísticas. ¿Es posible que sus narradores y sus criaturas ficticias sepan más que los propios creadores? Así parece, en efecto, pues la práctica, o la teoría *dentro* de la práctica —es decir, la metateoría— es en estos casos más confiable y por cierto más abierta que la teoría como tal. Galdós y Clarín tienen éxito como novelistas en la medida en que fracasa su ideal de reproducción de la realidad. Y la única lectura que hace plena justicia a toda la maestría de su arte es, creo yo, una lectura deconstructiva que revela la feliz subversión de su proyecto imitativo.

El realismo siempre ha sido un concepto equívoco y por eso muy discutido, también en época de Galdós y Alas, que cultivaron casi toda su obra en las décadas de la vigencia de este movimiento. Ya en su vida se produjeron las tensiones críticas entre, por un lado, los que definieron el realismo como un movimiento históricamente delimitado y caracterizado por una postura positivista y técnicas visuales; y, por otro lado, los que concibieron el realismo en términos más sincrónicos, como la propia entraña de la literatura. Hace exactamente treinta años, un crítico norteamericano intentó una redefinición del realismo en un ensayo titulado «¿Qué es el realismo?», donde desenmascaró como simplista la definición del realismo como «la reproducción de la realidad».[5] Desde entonces, el término se ha sometido a un revisionismo total y brutal en manos de la crítica moderna, como veremos. Los más destacados realistas españoles salen enriquecidos si escudriñamos su obra desde esta nueva perspectiva de la retórica del realismo, una perspectiva que tiene en cuenta no sólo la problemática filosófica que encierra la noción de realidad —¿qué es la realidad?—, sino la importancia que tiene la mediación de la realidad por la obra artística —¿qué es la realidad en el arte?—.

La obra realista no anda forzosamente en busca de equivalencias con mundos concretamente existentes, y a la exactitud o inexactitud del presunto retrato frente a la realidad que lo inspiró no debe convertirse en criterio de evaluación crítica. El comportamiento de Ana Ozores tiene que ser lógico y convincente en el contexto de Vetusta, no en el contexto de Oviedo. En honor a la verdad, Clarín y Galdós no se cegaron ante estos hechos. La nebulosidad de las fronteras entre vida y arte, en la cual evidentemente se deleitaron como artistas, produjo incluso contradicciones en sus proclamaciones teóricas. Alas comprendió que el novelista tiene que escribir con una conciencia de su propia artesanía y reconoció en Galdós —por ejemplo, en *La desheredada*— su gran dominio de la técnica narrativa. En su prólogo a *El abuelo*, Galdós, por su parte, admitió la imposibilidad de esconder al autor. «Por más que se diga, el artista podrá estar más o menos oculto —escribió—; pero no desaparece nunca [...]. El que compone un asunto y le da vida poética, así en la novela como en el teatro, está presente siempre [...]. Su espíritu es el fundente indispensable para que puedan entrar en el molde artístico los seres imaginados que remedan el palpitar de la vida.»[6]

Precisamente por su carácter de «mediación extraña», como él la denomina, desconfía Galdós de la narración y duda de su capacidad de proyectar con eficacia la realidad, «el suceso y sus actores», «la impresión de la verdad espiritual».

Este hecho no le molesta nada a José Ido del Sagrario, el escritor de folletines, quien, al final de *El doctor Centeno*, expresa este juicio: «Las cosas comunes y que están pasando todos los días no tienen el gustoso saborete que es propio de las inventadas, extraídas de la imaginación. La pluma del poeta se ha de mojar en la ambrosía de la mentira hermosa, y no en el caldo de la horrible verdad» (Parte II, cap. IV).[7] En una inversión imprevista e insólita, Galdós es aquí irónicamente la víctima de las palabras del personaje que es el blanco de la ironía de Galdós. Parece que en este momento Galdós no reconoce la necesidad de incorporar la postura de Ido a una noción del realismo plenamente abarcadora. Insistiendo en las metáforas culinarias, como recientemente lo ha hecho Lévi-Strauss en su *Lo crudo y lo cocido*, el narrador galdosiano de *Fortunata y Jacinta*, esa gran novela edificada en principios de nivelación, al final se niega a elegir entre fruta cruda y compota —es decir, entre la realidad llevada al lienzo novelesco con o sin la fuerte intervención del novelista—.[8] Diez años más tarde, el respetable académico de la lengua declarará en su discurso que «debe existir perfecto fiel de balanza entre la exactitud y la belleza de la reproducción».[9]

Lo cierto es que la idea de «reproducción» es despistadora en un contexto artístico. Por eso Auerbach, en su importante libro *Mimesis*, habla no de la «reproducción» sino de la «representación» de la realidad.[10] La narrativa de Galdós y de Alas ofrece una amplia demostración de todas las sutilezas y las ricas posibilidades expresivas del arte mimético al mismo tiempo que nos invita a revisar nuestro concepto del realismo.

Sería difícil encontrar un ejemplo más apto para el caso que el muy citado primer párrafo de *La Regenta*. Al recorrer esta asombrosa e inolvidable apertura de la novela de Alas, es probable que el lector vislumbre la existencia de una urbe provinciana decimonónica durante las horas de la siesta. Pero al mismo tiempo es inevitable que le salten a la vista, con impacto aún más poderoso, un conjunto de palabras exquisitamente cinceladas, una ciudad literaria que oximorónicamente hacía la digestión, un baile de basuras metafórico, un párrafo de aliteraciones y personificaciones y de seductores ritmos ascendentes. Luego, cuando el texto evoca un «poema romántico de piedra», que en una circunstancia es un «delicado himno, de dulces líneas de belleza muda y perenne», y en otra es «una enorme botella de champaña», el lector goza simultáneamente de la doble visión del objeto evocado —el edificio, la torre de la catedral— y del objeto evocador, la palabra —poema, himno, botella—. La conciencia de la mediación lingüística y de la mano manipuladora responsable de tal mediación es aquí ineludible y provocativa, y de ninguna manera deja olvidar al lector, para repetir las palabras de Clarín, «que hay una cosa especial que se llama estilo».

Esa cosa tan especial es por una parte la sustancia que define el hecho artístico y por otra parte el instrumento que separa el objeto en la realidad de su imagen en el espejo literario. Paul Ricoeur recalca que Aristóteles concibió la mimesis —la imitación— no como «copia» sino como «redescripción». Para Ricoeur, el referente poético no es denotativo sino especulativo; o en otras palabras, la realidad no es una referencia transcrita sino una reinvención metafórica.[11] Al mismo tiempo, el proceso retórico del realismo es metonímico: con esto quiero decir que las descripciones son una selección de una totalidad que es el mundo real.

Pero en el texto literario solamente se encuentra una realidad: su contexto lingüístico. Fortunata y Ana, Maxi y Don Fermín, Torquemada y la vaca Cordera no son más que manchas de tinta en una hoja de papel. No pasaron nunca por las calles de Madrid o los campos de Asturias. Además, la lengua no es capaz de reproducir una realidad; la lengua no produce otra cosa que palabras.[12] Roman Ingarden ha insistido en el hecho de que la realidad que proyecta la obra literaria existe sólo *dentro* del texto. Esta realidad reside, primero, en la materialidad de las palabras y, segundo, en el mundo *in*material que construye nuestra conciencia a base de estas palabras. En fin, un acto de la conciencia crea un mundo que no tiene previa existencia. (La página en blanco fue su existencia anterior.)[13] La crítica moderna enfatiza este carácter autorreflexivo del texto literario que por su naturaleza diverge de una realidad empírica, palpable. Paul de Man incluso mantiene, en palabras bastantes fuertes, que la inclinación a confundir la ficción con la realidad de que se ha despedido irremediablemente es una percepción equivocada que degrada la ficción.[14] Podemos decir, en efecto, que el texto literario, la ficción, adquiere su identidad precisamente por su condición de *diferencia* de la realidad. Si no fuera así, Galdós y Clarín no se empeñarían tanto, y a veces tan descaradamente, en despertar la conciencia del lector ante la ficcionalidad del relato realista que está leyendo. No diría el narrador galdosiano de Refugio en *Fortunata y Jacinta* que es «personaje de historia, aunque no histórico» (Parte III, cap. IV, sec. 8), ni con referencia al sueño de Mauricia que «Faltó el hecho real, pero no la realidad del mismo en la voluntad» (Parte II, cap. VI, sec. 9). No diría lo siguiente en el momento clave cuando Juanito Santa Cruz va a la casa de Estupiñá, donde por primera vez ve a Fortunata: «Y sale a relucir aquí la visita del Delfín al anciano servidor y amigo de su casa, porque si Juanito Santa Cruz no hubiera hecho aquella visita, esta historia no se habría escrito. Se hubiera escrito otra, eso sí, porque por doquiera que el hombre vaya lleva consigo su novela; pero ésta no» (Parte I, cap. III, sec. 3). En fin, si Galdós no hubiera querido jugar con la doble percepción de ficción y realidad que tiene el lector ante una novela realista, es indudable que no habría escrito *El amigo Manso,* donde el personaje aparentemente autónomo evoca a su propio creador, al estilo de *Niebla.*

La tensión entre la representación de la realidad y la subversión de este ilusionismo es una dinámica enormemente poderosa y atractiva para el lector. Se da la tentación de preguntar si quizás el verdadero placer del texto realista resida no tanto en su creación de grandes personajes y de mundos humanos verosímiles como en sus momentos de anulación del mimetismo. Puede ser que toda gran novela, haciendo eco de la primera, *Don Quijote,* sea al mismo momento modelo del género y antinovela.

Como ya indiqué, Galdós y Clarín predicaron que la observación debe ser el fundamento de la renovada novela de su tiempo, y, efectivamente, el realismo literario se asocia con la observación escrupulosa de lo inmediato, pues la observación es el sostén del proceso mimético. Sin embargo, existe un gran trecho entre este primer paso del impulso creador y el texto literario que es su última consecuencia. El hecho de que la escritura es un acto que depende de un intercesor reduce automáticamente su capacidad imitativa. La *re*-presentación de la realidad es una *nueva* presentación. En primera instancia, el escritor o la escritora realista, marcado como cualquiera por su individualidad, lee el texto que es el mundo tal como nosotros leemos el texto suyo. Los dos —productor y receptor— sufrimos en nuestras respectivas lecturas y en el acto de interpretación todas las limitaciones, parcialidades, prejuicios, gustos y visiones particulares que yacen en el carácter humano. Estamos, por tanto, a doble distancia subjetiva de la realidad. La percibimos a través de la reduplicante intervención de la escritura y la lectura.

Amaestrados por los propios realistas, sucesivas generaciones se han apegado a la costumbre de leer como si la escritura denominada «realista» fuera una verdad incontrovertible, fuente fidedigna de conocimiento absoluto. Es cómodo leer pasivamente, olvidarse de la participación creadora de los respectivos individuos responsables de la recreación de la realidad y que se recrean en esta recreación. El lector debidamente aleccionado se da cuenta también de que la realidad observada pasa por el doble filtro del lenguaje y la imaginación. La transferencia, en fin, efectúa una transformación. Incluso para Aristóteles, a quien maltratamos tanto, la mimesis es una actividad *estética* que se basa en la realidad pero que la intensifica, transformándola. ¿Quién duda de la realidad de Ramón Villaamil o de Pipá, pero quién cree en su existencia extratextual?

Evidentemente, un sistema de convenciones gobierna el realismo, tal como cualquier retórica. Se desarrollan ciertas maniobras y convenciones y una articulación que con el tiempo llega a considerarse normativa para el estilo. A base de estas convenciones, el autor, si las obedece, puede contar con la cooperación de su lector. Traspasarlas es un riesgo que se toman los artistas de más talento, Galdós y Clarín entre ellos. Tal es el caso, por ejemplo, en los frecuentes saltos hacia esferas oníricas, fantásticas, mágicas, irracionales, que se encuentran en sus páginas. Tal es el caso también con la fuerte dimensión lírica que exhiben las narraciones breves de Clarín, o el prurito por la comunicación metafórica que comparten los dos autores. Se aleja Galdós del típico procedimiento realista cuando, en vez de describir al falso Pituso en *Fortunata y Jacinta*, simplemente refiere al lector a un cuadro de Murillo, y lo hace Clarín, aún más racionalmente, cuando se sirve de una técnica protocubista para contar la bajada del Magistral de la torre. La tradición de lo grotesco, profundamente arraigada en el arte español, sale como una constante en la prosa galdosiana y clariniana a pesar de que se suele considerar lo grotesco como la antítesis del realismo. No son menos realistas, ni menos creíbles, ni por cierto menos logradas artísticamente, las ficciones de Galdós y Clarín a causa del feliz matrimonio entre varios estilos que lucen. De hecho, los modos de expresión o estratagemas que no son normativos para el realismo, que incluso se consideran contrarios a su condición, pero que Galdós y Alas y su grupo incorporaron libremente a su narrativa, fecundan su arte al mismo tiempo que desestabilizan cualquier percepción coherente e inmutable del realismo.

Sin duda se puede aplicar al realismo la frase ya citada con referencia a Mauricia: «Faltó el hecho real, pero no la voluntad del mismo en la realidad». El lector se encuentra inmiscuido en esta red de ilusiones y está dispuesto de antemano a interpretar los signos verbales, aunque sean ambiguos y traidores, como verdades de la vida. El estado quijotesco de soñador al que le lanza el acto de leer se puede describir nuevamente con palabras que le sirven al narrador galdosiano para caracterizar el sueño de Mauricia: «¡Qué desvarío! Por grande que sea un absurdo siempre tiene cabida en el inconmensurable hueco de la mente humana» (Parte II, cap. VI, sec. 9). El doble carácter del lenguaje es lo que presta a la novela realista la dualidad que la caracteriza. Es imposible descartar la referencialidad inherente en el lenguaje al mismo tiempo que es forzoso declarar que la única realidad del texto realista es su condición de texto. Un texto literario crea, establece, no reproduce contextos; los evoca y los implica, como lo hace el signo lingüístico. El lector anda a caballo de los dos mundos, el textual y el referencial. Frasquito y Frígilis también: deambulan por las calles de Madrid y Vetusta y por las páginas de *Misericordia* y *La Regenta*.

Por todos estos factores —y otros que dejo en el tintero— podemos llegar a una conclusión perfectamente obvia: que en la retórica del realismo no sólo es fundamental la mimesis sino también la poíesis, no sólo la imitación sino también la creación. No es la naturaleza sino el autor quien ordena los elementos de un mundo novelesco. La teoría aristotélica de la mimesis se complementa por esta necesidad de ordenar: un proceso tiene que acompañar el producto; las partes tienen que organizarse en una totalidad íntegra. El acto de hacer es fundamental. El propio Galdós, al declararse como abanderado del mimetismo, confesó que «grata es la tarea de fabricar género humano recreándonos en ver cuánto superan las ideales figurillas, por toscas que sean, a las vivas figuronas que a nuestro lado bullen».[15]

La conciencia del proceso narrativo como parte del acto imitativo cambia o ensancha nuestro concepto de cómo funciona la mimesis. En novelistas tan complejos y profundos como Alas y Galdós, la empresa de observar e imitar comparte siempre su territorio textual con el impulso poético. No sólo el lector sino Clarín y el propio Galdós tienen que reconocer que el narrador de *Fortunata y Jacinta* se equivoca al asegurarnos que en la creación artística tanto la fruta cruda como las compotas son cosa muy buena. No; el arte *siempre* es compota. No puede prescindir de la mano experta del repostero.[16]

NOTAS

1. Las citas se encuentran, respectivamente, en Benito Pérez Galdós, «La sociedad presente como materia novelable», en *Ensayos de crítica literaria*, ed. de Laureano Bonet, Península, Barcelona, 1971, p. 175; Leopoldo Alas (Clarín), *La literatura en 1881*, A. de Carlos Hierro, Madrid, 1882, p. 198; Alas, *Solos de Clarín*, A. de Carlos Hierro, Madrid, 1881, p. 137; Alas, *Palique*, Victoriano Suárez, Madrid, 1893, p. 11; Galdós, Prólogo a Alas, *La Regenta*, Fernando Fe, Madrid, 1901, p. VI. Véase también Sergio Beser, *Leopoldo Alas, crítico literario*, Gredos, Madrid, 1968, pp. 170-172.

2. *Arte y Letras* (Barcelona, 1 agosto 1882); citado por Beser, p. 176.

3. Bonet, pp. 115-132.

4. Véase, p. ej., Ernst H. Gombrich, *Historia del arte*, Argos, Barcelona, 1951, cap. 27; *Arte e ilusión. Estudio sobre la psicología de la representación pictórica*, Gustavo Gili, Barcelona, 1979; *Ideales e ídolos. Ensayo sobre los valores en la historia y el arte*, Gustavo Gili, Barcelona, 1981.

5. Harry Levin, «What Is Realism?», en *Contexts of Criticism*, Harvard University Press, Cambridge, Massachusetts, 1957.

6. Citado en Bonet, pp. 205 y 206.

7. Por la proliferación de ediciones, remito al lector a los capítulos de las novelas galdosianas.

8. Me refiero a la notable discusión entre Segismundo Ballester y el crítico Ponce durante el entierro de Fortunata. La clausura el narrador con el aviso de que se quedó «cada cual con sus ideas y su convicción, y resultando al fin que la fruta cruda bien madura es cosa muy buena, y que también lo son las compotas, si el repostero sabe lo que trae entre manos» (Parte IV, cap. VI, sec. 16).

9. Bonet, p. 176.

10. Erich Auerbach, *Mimesis. La representación de la realidad en la literatura occidental*, Fondo de Cultura Económica, México, 1950, 1983.

11. Paul Ricoeur, *La metáfora viva*, Cristiandad, Madrid, 1980.

12. Véase a este respecto J.L. Austín, *How to Do Things with Words*, ed. de J.O. Urmsson y Marina Sbisa, 2.ª ed., Harvard University Press, Cambridge, Massachusetts, 1975.

13. Roman Ingarden, *The Literary Work of Art*, Northwestern University Press, Evanston, Illinois, 1974.

14. Paul de Man, *Blindness and Insight. Essays in the Rhetoric of Contemporary Criticism*, Oxford University Press, Nueva York, 1971.

15. Prólogo a *La Regenta*, p. V. *Cf.* Linda Hutcheon, *Narcissistic Narrative*, Methuen, Londres, 1984, y Michael Riffaterre, *The Semiotics of Poetry*, Methuen, Londres, 1980.

16. Quiero hacer constar mi agradecimiento a la John Simon Guggenheim Memorial Foundation, al American Council of Learned Societies y al Comité Conjunto Hispano-Norteamericano para la Cooperación Cultural y Educativa por la ayuda económica que me proporcionaron en varios momentos de la preparación de este estudio. También quiero expresar mi deuda a Yvan Lissorgues por su estímulo y apoyo a este proyecto.

LA QUERELLA NATURALISTA.
ESPAÑA CONTRA FRANCIA

Francisco Caudet
(Universidad Autónoma de Madrid)

Los detractores del naturalismo en España se enzarzaron en una querella con la escuela francesa y sus seguidores españoles, en la que la tajante descalificación y hasta el insulto soez llegaron a campar por sus anchas. Los detractores del naturalismo se sintieron en la obligación de tener que habérselas con sus compatriotas que se hallaban presos, según afirmaban, en las redes de una escuela literaria a la que cabía imputar toda suerte de desviaciones y culpas. Al mismo tiempo, convirtieron a Francia en la diana de sus ataques, entre otras cosas porque, repetían una y otra vez, en ningún otro país hubiera sido posible que se originara aquella condenable, por malsana y perniciosa, corriente literaria.[1] Abundan los documentos, a algunos me referiré en seguida, que testimonian estas argumentaciones, una tal dialéctica antinaturalista.

Pero quienes en España defendieron el naturalismo lo hicieron, primero, cuestionando algunos de sus principios esenciales, lo cual explica que se haya llegado a poner en entredicho la existencia de un naturalismo español, y segundo, sacando a menudo a relucir un prurito nacionalista, algo que se tiende a olvidar, y que resulta sorprendente en la medida en que había una coincidencia en este extremo, aunque variara el grado de intensidad y virulencia, con los antinaturalistas. La presencia de este factor antifrancés en la polémica le confirió unas características muy particulares, que entiendo deben ser tenidas en cuenta.

Antes de entrar en la polémica naturalista, en lo que llamo aquí «la querella naturalista», recordaré muy de pasada, sólo como punto de partida, el debate en torno al idealismo y al realismo que tuvo lugar durante la década de 1870. Ese debate fue, de ahí su importancia para nosotros, el antecedente más inmediato de la mentalidad antipositivista y antifrancesa que iba a caracterizar los términos de la disputa que despertó la llamada «cuestión palpitante».[2]

Gifford Davis, en un artículo publicado en 1969, «The Spanish Debate over Idealism and Realism before the Impact of Zola's Naturalism»,[3] señalaba ya, que en aquel debate sobre el idealismo y el realismo se emplearon los mismos argumentos que luego fueron sistemáticamente utilizados para descalificar al naturalismo. Señalaba Gifford Davis en ese debate tres constantes, de las que quisiera destacar dos: 1) Que hubo una violenta reacción contra la literatura francesa a la que se consideraba una influencia nociva e inmoral. 2) Que un ingrediente fundamental de aquella reacción fue la intrusión de emociones que procedían de la lucha ideológica entre liberales y neocatólicos.

Alarcón, en un artículo de 1858, lanzó duros ataques contra la novela *Fanny* de Ernest Feydeau, relacionando su tema con el estado de decadencia moral de la sociedad francesa, cuyo cadáver «se encuentra ya en plena putrefacción, y de que su fetidez va llegando a nuestras narices».[4] Cuando en 1883 recogió ese artículo en el libro *Juicios literarios y artísticos*, recordó la fecha de su primera aparición con un comentario muy significativo: «Madrid, 1858. *Es decir,* hace veinticinco años; por manera que mi opinión acerca del *naturalismo* es antigua».[5]

Y, en efecto, lo era. Lo atestigua, por ejemplo, su discurso de ingreso a la Real Academia de la Lengua, «Sobre la moral en el arte», leído el 25 de febrero de 1877. En aquella ocasión había llegado a decir:

> En el siglo presente, la literatura francesa ha ido descendiendo, y haciendo descender las Letras latinas, desde el romanticismo objetivo, que predicó *lo inmoral, creyéndolo moral,* hasta los géneros bufo y sucio que enseñan *lo inmoral, a sabiendas de que lo es...* Pero respetemos al delincuente en la hora providencial del castigo... Respetemos el dolor

de un pueblo humillado, y pidamos tan sólo que la pena que le ha impuesto la severidad alemana vaya seguida de escarmiento.[6]

La inquina antifrancesa llegaba, por consiguiente, al límite de celebrar la derrota de Sedan, una especie de castigo —venía a decir— que a fuerza de inmoralidad se había ganado Francia.

Nocedal, en la respuesta al discurso de Alarcón, coincidía con él en esta suerte de lección histórica que había recibido el pueblo francés, entrelazando, con un tono moralizador y de autosuficiencia, cuestiones de carácter históricosocial con otras de carácter cultural y científico. Nocedal, que había establecido en su discurso una relación entre el realismo en las artes y el materialismo en la ciencia, tenía la certeza de que se trataba en ambos casos de un sensualismo peligroso para la sociedad, pues —la referencia a Francia y a la derrota de Sedan es, como en el discurso de Alarcón, bien clara—,

> Las sociedades que caen en el sensualismo están a la puerta de la barbarie, y a disposición del primer conquistador que se digne castigarlas. Un pueblo que se pase treinta o cuarenta años danzando el *can-can,* no solamente en sus bailes de gente perdida, sino en sus dramas, en sus novelas, en sus canciones, en sus cuadros, y hasta en sus edificios, y creyéndose civilizador se entrega a pasear por el mundo su literatura realista, materialista y sensualista, no hay duda, caerá vencido y humillado ante el primer enemigo que con cualquier pretexto le invada [...]. Estos son los frutos del materialismo en la filosofía, del sensualismo en las costumbres, y del *realismo* en las letras y en las artes.[7]

Pero quienes en la década de 1870, como luego en la de 1880, representaban el contrapunto ideológico de un Alarcón, de un Nocedal o de un Menéndez Pelayo, o de los críticos de la revista *La Ciudad de Dios,*[8] no aceptaron plenamente ni el positivismo en la ciencia y en la filosofía, ni el naturalismo en el arte. Así, por ejemplo, Gumersindo de Azcárate, en el artículo «El positivismo en el Ateneo», aparecido en 1876 en la *Revista contemporánea,* terminaba diciendo:

> Lo que hace falta es que el positivismo entre por ancho campo, que tras el fenómeno encuentre la esencia, y que no se oponga a la religión ni a la metafísica, porque la meta-

física y la religión representan lo eterno y lo absoluto, que no pueden morir ni a manos de las escuelas positivistas ni a manos de ninguna escuela.[9]

Manuel de la Revilla, que en 1876 había tenido una dura polémica sobre la ciencia española con Menéndez Pelayo (quien le acusó entonces de haber militado siempre «en las filas de la impiedad»),[10] en el artículo de 1879, «El naturalismo en el arte», decía que la doctrina naturalista pecaba «de exagerada y de exclusiva», reducía el arte «a límites estrechos y arbitrarios», se complacía sólo «en lo vulgar, en lo ruin y lo pequeño», gozaba «de revolcarse sobre el fango», y lo único que le interesaba era representar «lo vil y repugnante». Finalmente, concluía Manuel de la Revilla:

> [...] la nueva escuela se complace en revolver las inmundicias de la vida y sacarlas a público teatro en sus más soeces y repulsivos detalles, haciendo de lo que sólo en secundario término puede admitirse en la pintura, el asunto capital del cuadro.

Y, refiriéndose a *L'Assommoir,* la novela que introdujo el naturalismo en España, fue así de contundente:

> Menosprecio de la forma, olvido del gusto, afectada desnudez en la pintura, artificiosa grosería del lenguaje, marcado empeño en llevar al arte únicamente lo que hay de feo, vil y repulsivo en la realidad: he aquí los fundamentales errores de la escuela naturalista. [...]. Es indudable que si las exageraciones del naturalismo prevalecieran el arte caería en profundo abismo.[11]

La Pardo Bazán, en el Prefacio a *Un viaje de novios,* (1881), también ponía graves reparos al credo de «la escuela de noveladores franceses que enarbola la bandera realista o naturalista», por parecerle «errada y torcida en bastantes respectos». Elogiaba la técnica de «la observación paciente, minuciosa, exacta, que distingue a la moderna escuela francesa», pero desaprobaba

> [...] como yerros artísticos la elección sistemática y preferente de asuntos repugnantes o desvergonzados, la prolijidad nimia, y a veces cansada, de las descripciones, y, más que todo, un defecto en que no sé si repararon los críticos:

la perenne solemnidad y la tristeza, el ceño siempre torvo, la carencia de notas festivas y de gracia y soltura en el estilo y en la idea.[12]

Sin embargo, lo que le parecía más condenable del naturalismo a la Pardo Bazán era el determinismo, la negación del libre albedrío. En la «Coletilla a *La Cuestión palpitante*» (1884) le decía a Luis Alfonso:

> Donde radicalmente me aparto de Zola es en el concepto filosófico. Ya sabe usted que en *La cuestión palpitante*, hace año y medio, me adelanté a rastrear sus doctrinas deterministas, fatalistas y pesimistas, declarando que por esos cerros ningún católico podía seguirle.[13]

Clarín, matices aparte, no estaba demasiado alejado de los juicios de la Pardo Bazán. Pondré un par de ejemplos. En la crítica del drama de Echegaray, *Haroldo el normando,* escrita en 1881, afirmaba:

> El naturalismo como escuela exclusiva de dogma cerrado, yo no lo admito; yo no soy más que un oportunista del naturalismo; creo que es una etapa propia de la literatura actual [...].[14]

En su ensayo «Del naturalismo», publicado en *La Diana* (1882), consideraba un error del naturalismo el que el arte debiera ser,

> [...] como *desideratum* por lo menos, ciencia exacta de observación que ayude, con su modo peculiar de estudiar el mundo, el trabajo analítico de la ciencia. ¿Y qué ciencia es ésta? Según Zola, la ciencia del positivismo, la negación de la metafísica, de las fuentes superiores del conocimiento. No, ni el arte necesita, ni puede jamás llegar a ser ciencia, ni el naturalismo, como arte, es solidario del positivismo. [...]. Ni irá tampoco el arte a confundirse con el positivismo, escuela estrecha, cerrada y de muy poco sólidos fundamentos, como escuela [...]. Pero si el naturalismo no ayuda al positivismo como sistema científico, si es independiente de éste y de todos, y mucho menos aspira a convertirse en ciencia, en cambio, es cierto que sigue la corriente general de la vida moderna, que fuera del dogma estrecho de la negación de la metafísica, ajena a este exclusivismo, tiende en todos los órdenes a preocuparse más con la realidad y a estudiarla y

aprovechar eficazmente a lo que ella es, y no a lo que a priori se supone que sea.[15]

La cuestionable adhesión del autor de *La Regenta* al naturalismo, que los dos textos anteriores evidencia, quedaba una vez más bien manifiesta en el Prólogo a la traducción de *Trabajo* (1901),[16] una especie de testamento literario de Clarín:

> Zola [decía en ese Prólogo Clarín] es el primer novelista de su país, a mi ver, entre los vivos; y acaso también del mundo entero. Tolstoy, espíritu más profundo, no es tan fuerte ni tan variado y abundante como Zola, con serlo mucho. Mi alma está más cerca de Tolstoy que de Zola, sin embargo; tal vez, principalmente, por las fórmulas dogmáticas en que Zola expresa sus aventuradas negaciones... A Zola, en un libro como *Trabajo*, sólo puedo traducirlo yo por espíritu de tolerancia. Zola, en la forma a lo menos, aparece aquí ateo; Zola es materialista, hedonista, y hasta fraterniza, por fin, con el colectivismo y el anarquismo.
>
> Yo creo en Dios, en el espíritu, en el misterio; y las graves cuestiones sociales no creo que hoy se puedan resolver científicamente; porque el adelanto humano, a tanto, no ha llegado todavía. Las rotundas afirmaciones de Zola sobre Dios, el alma, la evolución, el fin de la vida, la llamada cuestión social, las rechazo, aun más por su contenido, por la inflexibilidad dogmática. Zola, como Augusto Comte, del cual es en *Trabajo*, en lo esencial, fiel discípulo, es un católico al revés; y así como se ha probado que el organicismo social positivista era una iglesia católica, con su papa a la cabeza, el mismo Comte; la utopía de *Trabajo* es un catolicismo ateo y hedonista con su pontífice, Lucas.[17]

Pasemos ahora a Menéndez Pelayo. Sus ataques contra el naturalismo eran, en la forma, más crudos y mordaces, pero ¿había, en el fondo, tanta diferencia como se suele pensar con los reparos de críticos liberales como Manuel de la Revilla, la Pardo Bazán o Clarín? Por paradójico que pueda resultar, coincidió con ellos en que el naturalismo fue, desde el punto de vista de la técnica novelística, una fuerza renovadora: «una protesta, en cierto grado necesaria, contra las quimeras y alucinaciones del idealismo enteco y amanerado; una reintegración de ciertos elementos de la realidad dignísimos de entrar en la literatura, cuando no pretenden ser exclusivos».[18] Pero no podía aceptar, tal era el caso de los críticos liberales compatriotas suyos, que se hubiera de acudir a «los cánones científicos del método experimental, como creía disparatadamente el patriarca de la escuela...».[19] Y cuando quiso rebatir a Zola en este campo, si ciertamente empleó un lenguaje bilioso y combativo, su argumentación no estaba muy alejada de la de quienes pasaban por seguidores de la escuela naturalista. Así, lo que en el Prólogo a las obras completas de Pereda decía de los «pecados de Zola», no distaba mucho de las objeciones que sus seguidores le habían hecho:

> Salta a la vista de todo el que haya recorrido sus libros que el patriarca de la nueva escuela, sectario fanático, no ya del positivismo científico, sino de cierto materialismo de brocha gorda, del cual se deduce, como forzoso corolario, el *determinismo*, o sea la negación pura y simple de la libertad humana, restringe deliberadamente su observación (y aun de ello se jacta) al campo de los instintos y de los impulsos inferiores de nuestra naturaleza, aspirando en todas ocasiones, a poner de resalto la parte irracional, o como él dice, *la bestia humana*. De donde resulta el que haga moverse a sus personajes como máquinas o como víctimas fatales de dolencias hereditarias y de crisis nerviosas, con lo cual, además de decapitarse al ser humano, se aniquila todo el interés dramático de la novela, que sólo puede resultar del conflicto de dos voluntades libres, o de la lucha entre la libertad y la pasión.[20]

Había, pues, un rechazo parcial o total del naturalismo. Pero, al mismo tiempo, se empezó a tomar conciencia de que España dependía culturalmente de Francia. Todo lo cual explica que aparecieran unos mecanismos compensatorios, tendentes a potenciar la idea de que existía una tradición realista autóctona, en la que irónicamente se hallaban articuladas las bases de la «escuela naturalista» francesa. ¿Quién influía a quién? ¿De quién era la dependencia cultural? Así las cosas, en la querella naturalista se introducía un factor nacionalista. Veamos.

En el Prefacio a *Un viaje de novios*, se había distanciado la Pardo Bazán —como he recordado más arriba— de ciertas prácticas del naturalismo. Pues bien, la Pardo Bazán, que sabía que «nosotros [somos], los de acá del Pirineo, satélites —mal que nos pese— de Francia»,[21] había reaccionado en ese Prefacio contra la escuela francesa, haciendo una defensa a ultranza de las virtudes del «realismo nacional».

¡Oh, y cuán sano, verdadero y hermoso es nuestro realismo nacional, tradición gloriosísima del arte hispano! ¡Nuestro realismo, el que ríe y llora en *La Celestina* y el *Quijote*, en los cuadros de Velázquez y Goya, en la vena cómico-dramática de Tirso y Ramón de la Cruz! ¡Realismo indirecto, inconsciente, y por eso mismo acabado y lleno de inspiración; no desdeñoso del idealismo, y gracias a ello, legítima y profundamente humano, ya que como el hombre reúne en sí materia y espíritu, tierra y cielo! [...] Me enorgullezco de las facultades de nuestra raza, al par que me aflige el mezquino premio que logran los ingenios de España, y me abochorna la preferencia vergonzosa que tal vez concede la multitud a rapsodias y versiones pésimas de Zola, habiendo en España Galdós, Peredas, Alarcones y otros más que omito, por no alargar la lista nomenclatura.[22]

Galdós también salió, movido por la pretensión de afirmar la originalidad y la independencia de la novela española, en defensa de la tradición realista nacional. En el Prólogo a *El sabor de la tierruca* aseguraba que el naturalismo de Pereda estaba «inspirado casi exclusivamente en corrientes nacionales», siendo como escritor «el hombre más revolucionario que hay entre nosotros». Y poco después añadía:

[...] por sus felicísimos atrevimientos en la pintura de lo natural, es preciso declararle porta-estandarte del realismo literario en España. Hizo prodigios cuando aún no habían dado señales de existencia otras maneras de realismo, exóticas, que ni son exclusivo don de un célebre escritor propagandista, ni ofrecen, bien miradas, novedad entre nosotros, no sólo por el ejemplo de Pereda sino por las inmensas riquezas de este género que nos ofrece la literatura picaresca.[23]

Resulta interesante la coincidencia que había entre estos juicios de Galdós y los de Menéndez Pelayo en el Prólogo a las obras completas de Pereda. Allí, refiriéndose al naturalismo del autor de *Peñas arriba*, concluía Menédez Pelayo que no necesitaba acudir a «tal o cual novelista más o menos soporífico de estos tiempos (Zola, claro está)», puesto que en caso de «buscar Pereda modelos más nobles los tendría dentro de su propia casa [...]» Y poco más adelante, insistiendo en lo mismo, aducía nuevos datos en apoyo de la españolidad del naturalismo de Pereda:

[...] cuando él empezó a escribir sus *Escenas Montañe-sas*, coleccionadas ya en 1864, ni existía el naturalismo como escuela literaria, ni tal nombre se había pronunciado en España, ni estaban siquiera escritas la mayor parte de las obras capitales del género. [...] Pereda, pues, cuando en época ya muy lejana (hacia 1859) empezó a publicar sus cuadros de costumbres en *La Abeja Montañesa* de Santander, no conocía ni aun de oídas a Flaubert, y no podía adivinar Zola, que no había escrito probablemente ni una línea de sus obras. De donde resulta, que si a toda costa se quiere alistar a Pereda entre los naturalistas, habrá que declararle naturalista profético, y darle por antigüedad el decanato de la escuela.[24]

Volviendo a Galdós, en 1901, en el Prólogo a *La Regenta*, insistía una vez más en que

[...] todo lo esencial del Naturalismo lo teníamos en casa desde tiempos remotos, y antiguos y modernos conocían ya la soberana ley de ajustar las ficciones del arte a la realidad de la Naturaleza y del alma, representando cosas y personas, caracteres y lugares como Dios los ha hecho. Era tan sólo novedad la exaltación del principio y un cierto desprecio de los resortes imaginativos y de la psicología espaciada y ensoñadora.

Fuera de esto, el llamado Naturalismo nos era familiar a los españoles en el reino de la Novela, pues los maestros de este arte lo practicaron con toda la libertad del mundo, y de ellos tomaron enseñanza los noveladores ingleses y franceses. Nuestros contemporáneos ciertamente no lo habían olvidado cuando vieron traspasar la frontera el estandarte naturalista, que no significaba más que la repatriación de una vieja idea; en los días mismos de esta repatriación tan trompeteada, la pintura fiel de la vida era practicada en España por Pereda y otros, y lo había sido antes por los escritores de costumbres.[25]

Detectaba Galdós en el naturalismo francés unas variantes empobrecedoras, en particular la falta de humor —«la forma más genial de nuestra raza»—, que los novelistas españoles tenían la obligación de recuperar y potenciar:

Recibimos, pues, con mermas y adiciones (y no nos asustemos del símil comercial) la mercancía que habíamos exportado, y casi desconocíamos la sangre nuestra y el aliento del alma española que aquel ser literario conservaba después de las alteraciones ocasionadas por sus viajes. En resumidas cuentas: Francia, con su poder incontrastable, nos imponía una reforma de nuestra propia obra, sin saber que era nuestra; aceptémosla nosotros restaurando el Naturalismo y devolviéndole lo que le habían quitado, el humorismo, y empleando éste en las formas narrativa y descriptiva conforme a la tradición cervantesca.[26]

Pero Galdós, como la Pardo Bazán,[27] reconocían las muchas barreras que impedían llevar a cabo tal proyecto. Y quizás, en este texto del Prólogo a *La Regenta*, esté la clave explicativa de la desesperada y a la vez impotente defensa de la tradición narrativa española frente al coloso de allende los Pirineos:

> Cierto que nuestro esfuerzo para reintegrar el sistema no podía tener en Francia el eco que aquí tuvo la interpretación seca y descarnada de las purezas e impurezas del natural, porque Francia, poderosa, impone su ley en todas partes; nosotros no somos nada en el mundo, y las voces que aquí damos, por mucho que quieran elevarse, no salen de la estrechez de esta pobre casa. Pero, al fin, consolémonos de nuestro aislamiento en el rincón occidental, reconociendo en familia que nuestro arte de la naturalidad, con su feliz concierto entre lo serio y lo cómico, responde mejor que el francés a la verdad humana; que las crudezas descriptivas pierden toda repugnancia bajo la máscara burlesca empleada por Quevedo, y que los profundos estudios psicológicos pueden llegar a la mayor perfección con los granos de sal española que escritores como don Juan Valera saben poner hasta en las más hondas disertaciones sobre cosa mística y ascética.[28]

Con todo, hacia 1887, año en que leyó la Pardo Bazán en el Ateneo de Madrid la serie de conferencias *La revolución y la novela rusa* y Galdós publicó *Fortunata y Jacinta*, se vislumbró en el horizonte la posibilidad de encontrar una alternativa que conciliara elementos del naturalismo francés con la manera tradicional española de novelar, que Galdós en un capítulo de su novela definía con el término «naturalismo espiritual».[29] El debate sobre el naturalismo entraba en una etapa nueva; los argumentos ya no eran tan viscerales ni se acudía a ellos para salir tanto a la defensiva. Ahora se aceptaba que en la nación española había unas estructuras sociohistóricas y mentales que chocaban con las francesas, de modo que el credo artístico naturalista, inscrito en un proceso de positivación que no se podía dar con la misma intensidad en España, tenía que tener unas características diferenciadas. Según había dicho la Pardo Bazán en sus conferencias del Ateneo:

> La novela es espejo clarísimo, expresión cabal de las sociedades; no me cansaré de repetirlo, y es fácil comprobarlo con sólo fijarse en el estado actual de la novela en Europa. [...] En Francia, donde hoy, a pesar de los esfuerzos de la escuela espiritualista y ecléctica, han prevalecido las tradiciones en la Enciclopedia, el frívolo materialismo sensualista, la novela sigue ese camino; y sin que sea mi ánimo entonar el famoso estribillo de la canción de Beranger:
>
> C'est la faute à Rousseau
> C'est la faute à Voltaire,
>
> aseguro que el *animalismo*, el determinismo materialista, el pesimismo, el decadentismo, pueden explicarse mediante la filiación de los grandes escritores del siglo XVIII, no tanto por su influjo literario, cuanto porque la sociedad que estudian los novelistas actuales es hija de la Revolución francesa, y ésta de la Enciclopedia.[30]

La Pardo Bazán reconocía, por tanto, que a unos específicos hechos sociales e históricos correspondía una determinada producción cultural. Estos hechos separaban a España de Francia. A partir de esta constatación, acudía al ejemplo ruso, a su forma de novelar, como debía ser en el caso español, congruente con unas específicas estructuras de carácter sociohistórico y cultural, estructuras que eran muy similares a las españolas. En consecuencia, decía la Pardo Bazán, había que seguir el ejemplo ruso, hacer una novela auténticamente nacional, insuflando ingredientes «espirituales» en el naturalismo:

> Mas si nosotros —que somos, como Rusia, un pueblo antiguo y a la vez joven, que aún ignora adónde le empujará el porvenir, y no acierta a poner de acuerdo la tradición con las aspiraciones— consiguiésemos llegar a encarnar en nuestra novela no sólo trozos de la realidad fragmentaria, individualismos artísticos, sino el espíritu, el corazón y la sangre de nuestra patria, lo que se elabora, lo que se late en todos nosotros, en el conjunto..., a fe que sería bueno, muy bueno.[31]

El ejemplo ruso —que se descubría, por cierto, en España a través de Francia, del libro *Le Roman russe* de Vogüé (que la Pardo Bazán prácticamente plagió en sus conferencias del Ateneo)—[32] servía para dar una nueva dimensión a esa problemática relación de la novela española con el naturalismo francés. Con la variante espiritualista, la novela española tal vez iba a ser capaz de superar finalmente los demonios del positivismo, y armonizar las tendencias materialistas de la época con las sempiternas elucubraciones idealistas de corte neocatólico o krausista. Como ha observado certeramente Pattisson: «un arreglo entre el idealismo y el naturalismo (al que se llega sobre todo después de conocer la novela rusa) era el *desiderátum* de casi todos».[33] (Es decir, tanto de los novelistas y críticos liberales como de los neocatólicos.)

Pero conviene ya que intente resumir en tres conclusiones provisionales mis opiniones sobre el tema que he venido desarrollando y, de este modo, intentar responder a algunas de las cuestiones que el Profesor Lissorgues nos ha planteado al convocarnos a este coloquio:

1. El naturalismo francés fue una influencia que permitió salir a la narrativa española, a la altura de 1880, del atolladero de la novela «tendenciosa» en que se hallaba presa.[34] Y ello aun cuando hubo que enfrentarse a unos obstáculos que la Pardo Bazán se encargó de denunciar:

> Ni cuantitativa ni cualitativamente se lee novela en España. De la cantidad hablen los autores que imprimen y los libreros que venden; de la calidad hablen los aficionados numerosos que tiene Montepin y los asiduos lectores de folletines traducidos en galiparla. La novela seria y honda muere aquí sin eco: ni la crítica la comenta, ni se entera la gente de su aparición. ¿Existe alguna novela moderna que sea popular, en el verdadero sentido de la palabra, entre nosotros? ¿Ha influido alguna en la vida política, social y moral española?[35]

2. A pesar de la resistencia a aceptar la influencia francesa, su presencia en los novelistas y lectores fue una realidad ante la que no era suficiente alardear de un glorioso pasado, de una supuesta natural superioridad autóctona para el arte de novelar. La Pardo Bazán, en 1899, en «La España de ayer y de hoy», desenmascaraba el falso patriotismo que había en ese tipo de argumentos, que también ella, como hemos podido constatar más arriba, había empleado en alguna ocasión:

Fue *bueno* y simpático el escritor cuando se hizo apologista de la inmovilidad española contra el movimiento europeo: renegar de la cultura extranjera, alardear de españolismo exclusivista y celoso, era camino para abrir a los libros el hogar, al escritor los salones y la Academia; y he oído alabar en un novelista que posee ciertamente otros méritos, el mérito de ignorar los idiomas extranjeros más usuales y de no haber abierto en su vida una novela francesa. No por eso deja de ser España un país donde las novelas francesas se leen bastante, sobre todo cuando meten ruido, y donde se imita, arregla y adapta sin cesar del francés: lo que pasa es que nadie reconoce que ha bebido en las fuentes malditas.[36]

3. España, en el siglo XIX, encontró graves escollos para incorporarse al proceso de positivación que en Francia había hecho posible la aparición de la escuela naturalista. En 1854, José de Revilla, uno de los principales autores del *Plan de Instrucción Pública*, decía que para luchar contra el pobre panorama de la ciencia experimental en España, era menester:

> Crear intereses generales, que liguen, que estrechen a los ciudadanos entre sí; no intereses metafísicos, que por sí propios se desvanecen, sino intereses reales y positivos, en que funden su bienestar, a que por necesidad estén adheridos, y que lleguen a formar sus costumbres y hábitos de moralidad [...]. Cuando en España se lleguen a crear intereses nacionales, esto es, cuando tengamos extenso comercio marítimo, bonancible y creciente la industria y el tráfico, más extensa y próspera la agricultura [...], entonces tendremos ideas propias y fijas; entonces no tocaremos en sistemas absurdos; entonces no iremos a buscar éstos y aquéllas en los libros franceses.[37]

Este desajuste, de tipo estructural, explica el que, por un lado, se pretendiera separar la estética naturalista de la ciencia positiva y que, por otro lado, incluso antes de que se hablara en España de «naturalismo espiritual», se hubiera sido, como sagazmente observó Albert Savine, «toujours spiritualiste, souvent même catholique, jamais pessimiste».[38]

1. No deja de ser curioso que contra esa literatura emplearon también un lenguaje similar sectores de la crítica francesa. Por ejemplo, Ferragus, «La littérature putride», *Le Figaro,* 23 de enero de 1868, artículo escrito con motivo de la publicación de *Thérèse Raquin.* Explica esta coincidencia el que hubiera sectores en la crítica de ambos países que se oponían igualmente a «una concepción del mundo propia de las ciencias naturales y del pensamiento racionalista y tecnológico sobre el espíritu del idealismo y del tradicionalismo». Véase A. Hauser, *Historia social de la literatura y el arte,* III, Madrid, Guadarrama, 1972, pp. 82 y 83; y más adelante, en p. 86, añade Hauser: «Gustave Planche dice francamente en la *Revue des Deux Mondes* que la oposición al naturalismo es una profesión de fe en el orden existente y que, con su repulsa, se rechazan al mismo tiempo el materialismo y la democracia de la época».

2. E. Pardo Bazán, *La cuestión palpitante,* 1882-1883, en *Obras completas,* Madrid, Aguilar, 1973.

3. G. Davies, «The Spanish Debate over Idealism and Realism before the Impact of Zola's Naturalism», *PMLA,* 84, octubre, 1969, pp. 1.649-1.656. Véase también del mismo autor, «The Critical Reception of Naturalism in Spain before *La cuestión palpitante»,* *Hispanic Review,* 1954, pp. 97-108.

4. P. de Alarcón, «*Fanny,* novela de M. Erneste Feydeau», en *Juicios literarios y artísticos,* Madrid, Imprenta de A. Pérez Dubrull, 1883, p. 106. Unas páginas más atrás, 98 y 99, escribía: «*Fanny* es una novela íntima del género realista —así la ha llamado Eugenio Montegu en la *Revista de Ambos Mundos*—. Pero lo que no se le ha ocurrido decir a este crítico eminente es que la frase *novela íntima del género realista* envuelve ya una censura. Semejantes novelas no son novelas: son historias particulares que antiguamente se contaban al confesor; que después fue moda referir *sotto voce* a los amigos. Y que hoy se pregonan desvergonzadamente en los sitios públicos; lo cual da completa idea de las costumbres parisienses».

5. *Ibíd.,* p. 106.

6. P. de Alarcón, «Discurso sobre la moral en el arte», en *Juicios literarios y artísticos, op. cit.* pp. 55 y 56.

7. C. Nocedal, «Contestación» (al Discurso de D. Pedro de Alarcón), *Discursos leídos ante la Real Academia Española,* Madrid, Imprenta Fortanet, 1877, pp. 54 y 55. A. Pidal y Mon, «De la metafísica contra el naturalismo», en *Discursos y artículos literarios,* Madrid, Imprenta y Fundación de M. Tello, 1887, escribía: «¿Cómo se concibe la boga creciente de esa literatura y de ese arte, que, rechazando como antiestética toda inspiración que no sea puramente naturalista, se revuelca con éxito y con placer en el cieno del *realismo* contemporáneo?» (p. 16). «Al *materialismo científico* corresponde el

naturalismo literario, el *realismo artístico,* el *socialismo político,* el *comunismo económico* y el *nihilismo social.* La teología, la metafísica, la jurisprudencia, la medicina, la historia, las ciencias morales y políticas, en fin, hasta las mismas matemáticas, ya lo sabéis, han sufrido el golpe de esta invasión del materialismo en la ciencia, viendo destruido su objeto, o rebajada su dignidad, o puesto en duda el carácter evidente de sus axiomas. Todo está reducido a encontrar en el campo del microscopio, o en los residuos de la retorta, los anillos, invisibles aún, de la eterna transformación de la materia.» (pp. 48 y 49).

8. M. López-Sanz, en *Naturalismo y espiritualismo en la novelística de Galdós y Pardo Bazán,* Madrid, Pliegos, 1985, pp. 31 y 32, recoge textos muy ilustrativos de uno de los críticos de esa revista católica, el padre Muiños.

9. G. de Azcárate, «El positivismo en el Ateneo», *Revista contemporánea,* 15 de mayo de 1876, p. 367.

10. Véanse los artículos de Manuel de la Revilla, Marcelino Menéndez Pelayo y José del Perojo, recogidos en E. y E. García Camarero, *La polémica de la ciencia española,* Madrid, Alianza, 1970, pp. 201-307. La frase de Menéndez Pelayo en p. 242.

11. M. de la Revilla, «El naturalismo en el arte», en J. López-Morillas, *Krausismo: Estética y literatura,* Barcelona, Labor, pp. 170, 179 y 183.

12. E. Pardo Bazán, Prefacio a *Un viaje de novios,* en *Obras completas,* II, *op. cit.,* pp. 571 y 572.

13. E. Pardo Bazán, «Coletilla a *La cuestión palpitante*», en *Obras completas,* II, *op. cit.,* p. 658.

14. Véase L. Alas, *Teoría y crítica de la novela,* (ed. S. Beser), Barcelona, Laia/Libros de Bolsillo, 1972, p. 106.

15. *Ibíd.,* p. 125.

16. Clarín tradujo la novela de Zola en 1901.

17. L. Alas, «Prólogo del Traductor» a É. Zola, *Trabajo* (ed. J. del Prado), Barcelona, Cupsa, 1982, p. 249.

18. M. Menéndez Pelayo, «Don Benito Pérez Galdós», en *Estudios sobre la prosa del siglo* XIX, Madrid, CSIC, 1961, p. 260.

19. *Ibíd.,* p. 260.

20. M. Menéndez Pelayo, «Don José María Pereda», en *Estudios sobre la prosa del siglo* XIX, *op. cit.,* pp. 191 y 192.

21. E. Pardo Bazán, *La cuestión palpitante, op. cit.,* p. 586.

22. E. Pardo Bazán, Prefacio a *Un viaje de novios, op. cit.,* pp. 572 y 573. Y J. Valera, en *Apuntes sobre el nuevo arte de escribir novelas, Obras completas,* II, Madrid Aguilar, 1961, pp. 618 y 619, después de recordar la trascedencia de obras como el *Quijote, Amadís* o *La Celestina,* reflexionaba: «Habiendo, pues, mostrado España tan notable aptitud para las novelas, natural es que aspiremos a escribirlas de nuevo, con la misma abundancia y buen éxito que los ingleses y franceses... [Pero] ¡Infeliz del autor que no escribe según la

moda! Ahora bien: la moda, por la superior importancia de París y Londres, y por el poder de Francia e Inglaterra, viene de dichas capitales. Todo autor, por consiguiente, se halla en la forzosa disyuntiva de escribir fuera de moda, o ser arrendajo de los autores extranjeros, aceptando teorías, métodos y estilos exóticos, por extravagantes que sean. [...] El gusto, el tono, la manera, como quiera llamarse, viene de París. Forzoso es aceptarlo, si no queremos pasar por retrógrados, ignorantes, oscurantistas y tontos. Así fuimos seudoclásicos a lo Boileau, hasta el año treinta y tantos; luego románticos a lo Víctor Hugo, y así tenemos que ser ahora *naturalistas* a lo Zola».

23. B. Pérez Galdós, «Prólogo a *El sabor de la tierruca*», en *Ensayos de crítica literaria* (ed. L. Bonet), Barcelona, Península/Libros de Bolsillo, 1972, pp. 166 y 167. Walter T. Pattison, *El naturalismo español*, Madrid, Gredos, 1965, p. 71, dice que Galdós, en el Prólogo a *El sabor de la tierruca* defiende el naturalismo de Pereda, que estaba «inspirado casi exclusivamente en corrientes nacionales», porque: «El orgullo de don Benito se lisonjea al notar que España no va a la zaga de la nación vecina; no obstante, para gozar plenamente de este triunfo de las letras españolas, será necesario que Pereda se reconozca competidor de Zola, es decir, como naturalista. De otro modo, España tendrá que admitir otra vez la primacía de Francia. Así Galdós espera introducir suavemente a Pereda en la secta de los naturalistas moderados, de que él es el jefe reconocido».

24. M. Menéndez Pelayo, «Don José María Pereda», en *Estudios sobre la prosa del siglo* XIX, *op. cit.*, pp. 192 y 193. P. Muñoz Peña, crítico liberal, escribía en *Juicio crítico de «Fortunata y Jacinta»*, Valladolid, Imprenta y Librería Nacional y Extranjera de H. Rodríguez, 1888, pp. 12 y 13: «Porque no se crea que el naturalismo de Pérez Galdós convierte el arte en albañal inmundo de las miserias y flaquezas humanas, ni de sus novelas resulta ese sabor amargo, hipocondríaco y pesimista, que conduce a los lectores a aborrecer la vida y la sociedad, el mundo y la naturaleza [...], sino que por el contrario el naturalismo de nuestro novelista es pintura de lo real, es observación analítica del hombre y de la naturaleza, pero pintura y observación artística y por lo tanto bella, y en este sentido creemos que el novelista español es mucho más aceptable que los mismos iniciadores y propagandistas de este carácter y nota contemporánea de la novela, y aún superior —¿por qué no lo hemos de decir?— a Zola mismo que de apóstol se ha convertido en sectario del naturalismo...» Véase también el artículo de Ortega y Munilla, en *El Imparcial*, 27 de septiembre de 1887, ampliamente reproducido y comentado por W.T. Pattison, *El naturalismo español, op. cit.*, pp. 140-143. Ortega Munilla declaraba en ese artículo que el naturalismo español competía con el francés e incluso, al no caer en sus excesos, lo aventajaba. Pattison apostilla, p. 142: «El supremo pon-

tífice francés se ha convertido en una especie de Lucifer y sus adictos españoles ya no pueden comulgar con él».

25. B. Pérez Galdós, Prólogo a L. Alas, *La Regenta*, (ed. G. Sobejano), Madrid, Castalia, 1981, pp. 83 y 84.

26. *Ibíd.*, p. 84.

27. Véase más adelante, las notas 35 y 36.

28. B. Pérez Galdós, Prólogo a *La Regenta*, *op. cit.*, pp. 84 y 85.

29. *Fortunata y Jacinta*, parte III, capítulo VI.

30. E. Pardo Bazán, *La revolución y la novela rusa*, en *Obras completas*, *op. cit.*, pp. 875 y 876.

31. *Ibíd.*, p. 879.

32. Publicado en 1886, la mayor parte había aparecido antes, entre 1883 y 1886, en la *Revue des Deux Mondes*. Hay una reciente edición, M. de Vogüé, *Le Roman russe*, (ed. P. Pascal), Montreux, l'Age D'Homme, 1971.

33. W.T. Pattison, *El naturalismo español*, *op. cit.*, p. 125.

34. Esto fue previamente apuntado por S. Beser, en su edición de L. Alas, *Teoría y práctica de la novela*, *op. cit.*, p. 104.

35. E. Pardo Bazán, *La revolución y la novela rusa*, *op. cit.*, p. 879.

36. Texto de E. Pardo Bazán, *La España de ayer y de hoy*, Madrid, s.f., p. 81, que cita M. López-Sanz, en *Naturalismo y espiritualismo en la novelística de Galdós y Pardo Bazán*, *op. cit.*, pp. 24 y 25.

37. Tomo la cita de D. Núñez, *La mentalidad positiva en España: desarrollo y crisis*, Madrid, Túcar Ediciones, 1975, p. 206. L. Alas, en el Prefacio a *Solos de Clarín*, Madrid, Alianza, 1971, p. 19, pedía disculpas, en tono evidentemente irónico, por si había en su libro galicismos y barbarismos: «Pero sírvame de disculpa esta consideración muy atendible: ahora los muchachos españoles somos como la isla de Santo Domingo en tiempo de Iriarte: mitad franceses, mitad españoles; nos educamos mitad en francés, mitad en español, y nos instruimos completamente en francés. La cultura moderna, que es la que con muy buen acuerdo procuramos adquirir, aún no está traducida al castellano; y mientras los señores puristas sigan escribiendo en estilo clásico ideas arcaicas, la juventud seguirá siendo afrancesada en literatura. Traducid al lenguaje del siglo XVI las ideas del siglo XIX, y seremos puristas. En tanto, pues hay que escoger entre el espíritu y la letra, nos quedamos con el espíritu».

38. Tomo la cita de W.T. Pattison, *El naturalismo español*, *op. cit.*, p. 123.

LAS REVISTAS CULTURALES Y LA NOVELA: ELEMENTOS PARA UN ESTUDIO DEL REALISMO EN ESPAÑA

Raquel Asún
(Universidad de Alcalá de Henares)

El carácter que singulariza a las revistas culturales de la Restauración hace que se establezca una dependencia directa entre ellas y la novela, hasta el punto que analizar la relación mutua puede contribuir al mejor conocimiento del período que nos ocupa, justo porque ambas quedan insertas en ese mismo tiempo de debate, de búsquedas, del incesante polemizar sobre la historia. Quisiera destacar varias constantes que por sí mismas justifican el estudio de tan marcada dependencia, a la vez que abren nuevos caminos para situar a la creación en el momento exacto en el que nace, y en las tensiones, influencias, convivencias desde las que se afianza, a las que se enfrenta, supera o asimila.

Se trata, en primer lugar, de la importancia que va adquiriendo la literatura en las secciones que componen la revista —el marbete «científica y literaria» es prácticamente común a todas las españolas y europeas—. Cualquier medio de opinión que estime su dignidad cultural incluirá en sus páginas aquellos textos de creación literaria coetánea que expresen la complejidad del tiempo que se está viviendo. Hasta la reflexión sobre esa misma creación literaria estará vista como dependencia capital y necesaria. No son ajenas a este hecho la valoración decimonónica de las letras y la responsabilidad que pesa sobre el escritor en cuanto intérprete de la sensibilidad del presente. Ambos aspectos coinciden con la naturaleza esencialmente historicista de las revistas, necesitadas de ofrecer al público ideas sobre los logros artísticos que se producen a fin de ajustarse a los propósitos de informar y educar que las inspiran. Valera, Pereda, Alarcón, Pérez Galdós, Pardo Bazán publican sus novelas, con frecuencia, antes en las revistas que en libro independiente.[1] Dejando a un lado que fueran mejor o peor pagados por ello, lo cierto es que satisfacen la exigencia de registrar la actualidad, connatural al periodismo. Y, fundamentalmente, con esa presencia se indica hasta qué punto el novelista está inserto en el proceso de dar forma a las búsquedas de la conciencia justo en el momento en que esa conciencia necesita razones filosóficas, jurídicas, políticas, religiosas mediante las que dominar la historia y hacerla avanzar. Que la novela ocupe tan destacado lugar, orienta, además, sobre cómo el periodismo registró, a la par que la creación, la reflexión o la crítica que ésta motivara logrando que ambas pasaran a formar parte de un diálogo cuyo mejor resultado es, sin duda, haber acertado a instalar al arte —a la novela y al novelista en este caso— en la compleja experiencia del vivir.

No menos relevante es, en segundo lugar, la coincidencia en las revistas de la novela con textos poéticos, relatos costumbristas y bocetos dramáticos. Creo que la proliferación de todos estos textos no puede explicarse sólo porque, de menor extensión, se ajusten con más ventajas a las necesidades tipográficas de la publicación. Me parece, por el contrario, que analizar la pervivencia de tantos elementos de raigambre romántica justo en el momento en el que se da por supuesto que la novela inspirada en la realidad es la expresión por excelencia del momento, contribuiría a explicar mejor el complejo entramado desde el que surge, y cómo, progresivamente, va dominando recursos —el perfeccionamiento del diálogo, el dominio del lenguaje intimista, la minuciosa vitalización de los «tipos»— que los novelistas tuvieron que conquistar rescatándolos de los géneros nombrados para incorporarlos al lenguaje de la novela. La frecuencia con que aparecen los versos y relatos de los románticos europeos[2] en unas publicaciones donde tanto influyen, como veremos, las opiniones de los novelistas, confirma, al menos, la convivencia de nuevos modos literarios con aquéllos de raigambre añeja sin que exista enfrentamiento o exclusión alguna. Es más, creo que la variedad de géneros que se están expresando coincide exactamente con las preocupaciones y debates coetáneos que afectan a la novela en particular, y a la literatura en general. Baste con citar unos pocos ejemplos. Los primeros artículos que hablan con propiedad del realismo se refieren también e inexcusablemente al drama;[3] las polémicas del Ateneo sobre el nuevo arte incluyen a la poesía, al teatro y a la novela;[4] los intentos de Perojo de europeizar la filosofía española, traduciendo a lo más destacado del pensamiento alemán, llevaron consigo el de traducir igualmente a los escritores románticos alemanes y europeos.[5] Desde distintos ángulos, pues, se estaba dando forma a una cultura que, como bien muestran las revistas, no busca tanto la ruptura con logros anteriores o la imposición de un género a costa de la marginación de los otros, cuanto el perfeccionamiento de los métodos, técnicas y medios de expresar, con toda la complejidad que lleva implícita, la naturaleza real del hombre contemporáneo.

Queda, en tercer lugar, otro aspecto por el que es preciso conocer la naturaleza de las revistas y su relación con la novela. Se trata de ver cómo éstas contribuyeron a la difusión de los autores extranjeros y favorecieron un clima apto para la recepción de cuantos fenómenos acaecían en el continente. Creo que no es posible, con rigor, hablar de la presencia de autores realistas y naturalistas hasta que no esté hecho el vaciado sistemático de la prensa. Zola, Turguenieff, Daudet, Eça de Queirós, Tolstoi, por citar sólo unos nombres, fueron conocidos antes en periódicos que en los libros. Incluso se debe a ésa la popularización de autores como Poe que, por cierto, leía Fermín de Pas.

Cualquiera de las constantes, decía, sitúa a la creación en el tiempo exacto en el que nace y en las tensiones e influencias desde las que se afianza, a las que se enfrenta, supera o asimila. A partir de las revistas pretendo, ahora, acercarme a otro aspecto que transcurre paralelo y es derivado de los anteriormente apuntados: cómo, a la par que van publicando los textos, reflejan ellas la defensa de un modelo u otro de novela en un momento de la historia que, por razones de espacio, voy a centrar en los años 1875-1880, entre el inicio de la Restauración y el comienzo de la discusión sobre la acepción naturalista española.

A modo de afirmación previa quiero evitar dos lugares comunes frecuentemente repetidos, el de que no existe una crítica literaria en España que fuera desarrollada como un género, y el de que nunca se realizó una revolución burguesa al modo de las europeas. No porque sean falsas sino porque desvirtuarían la comprensión de lo que sí se produce. Es evidente que no contamos con el Brunetiè, Taine, Hennequin español, y que el 68 no respondió a las esperanzas republicanas, pero no es menos cierto que sí se habló de novela, de arte, de literatura, y que sí se consolidaron unos esquemas burgueses de pensamiento que actuaron en la vida cultural mucho antes de que lo hicieran en la vida política. Existe en España un diseño y tiene unas directrices dominantes reconocibles en una prensa que con mayor o menor libertad —la ley aprobada por el gobierno Sagasta en 1883 abre las puertas al brillante periodismo que llega hasta la II República— responde a las búsquedas de una sociedad en la que han acabado por imponerse criterios idénticos a los del continente. Entre todas las opciones, el intento más ambicioso iba a corresponder al de las revistas culturales, modelos que habían triunfado en Europa para satisfacer las necesidades de un público ávido de conocer los acontecimientos que en su seno se estaban desarrollando. *Revista de España* (1868), *Revista europea* (1874), *Revista contemporánea* (1875) hablan de la consolidación de un pensamiento historicista que venía a demostrar cómo el presente no podía abordarse desde categorías abstractas. El conservadurismo, el catolicismo, el cientificismo, para tener carta de naturaleza, habían de expresarse en un campo de batalla que de antemano aceptara la libertad de expresión, el internacionalismo, el sistema parlamentario..., es decir, las pautas esenciales del pensamiento burgués. Precisamente, la función más destacada de las revistas citadas está en eso: acogerían actitudes más o menos progresistas, católicas o evolucionistas, pero instalaban el historicismo de los hombres del 68 como el único punto de partida; y la realidad y la historia, en sus diversas manifestaciones, como la materia por excelencia. El arte, la filosofía, la ciencia, la jurisprudencia, la medicina y, por supuesto, la literatura comparten la condición de ser expresión de una mentalidad que no puede separar parcelas del saber, porque es precisamente la idea de un mundo que no admite fragmentaciones la que inspira su nacimiento.

La *Revista de España* fue la primera. Fundada, dirigida y editada por José Luis Albareda se propone «difundir conocimientos de interés general», con espíritu abierto y tolerante:

> El principio en que concuerdan todos los colaboradores y redactores de la *Revista de España,* lo que ha de dar cier-

ta unidad a esta obra, es la creencia de cuantos escriben en ella en la marcha progresiva de la humanidad, por donde, sin desconocer las faltas de nuestro siglo, sin hacer pomposos ditirambos de todo lo que forma en conjunto la civilización presente, combatiremos por la ventaja relativa de nuestra edad sobre las anteriores, y por la mayor excelencia y benéfico influjo de las ideas que hoy gobiernan o están llamadas a gobernar las sociedades humanas.[6]

Recelosa ante los resultados de la septembrina, lamentó los incidentes de la primera República y acogió con alivio el sistema que inauguraba la Restauración. Contó con secciones variadas que matizaban la voluntad enciclopédica: Política y Ciencias jurídicas, Filosofía, Filosofía de la ciencia social, Geografía, Matemáticas, Ciencias sociales, Literatura, Biografías, Bibliografía y Crítica literaria alternan en cada uno de los números. Sus colaboradores procedían de núcleos ideológicos bien distintos y, sobre todo en los primeros años, estuvo especialmente atenta a los de origen krausista. Así, los artículos de Giner, Azcárate, Concepción Arenal, F. de Paula Canalejas, convivieron con los de Valera, Cánovas, Amador de los Ríos, Orlando, Eduardo Cortázar y Luis Vidart. Y fue una publicación muy sensible a la literatura de creación dando cabida a abundantes relatos de corte romántico, y a los nombres que habrían de protagonizar el renacer de la novela en el tiempo de la Restauración: Pereda, Galdós —tan vinculado a ella en sus primeros momentos—,[7] Valera, Pardo Bazán, Ortega Munilla, Leopoldo Alas, J.O. Picón[8] confirman esa especial sensibilidad. En su conjunto, la revista —amén de traducciones, bocetos biográficos, caracterización de figuras de la actualidad política— afianzó la constante de estar escrita por autores españoles que comentaban preferentemente autores y temas españoles. Fiel a su nombre, fue siempre un testimonio abierto a la actualidad y, dependiente del momento de su nacimiento, hacía repetidas apologías de la necesidad de las letras, de las ciencias, del progreso, de la superioridad de la confrontación de ideas frente a la violencia y el desorden. Tan marcada personalidad vino a favorecer la aparición de *Revista europea,* que quiso ocupar el espacio que precisaba la traducción de autores extranjeros y el de la discusión entre los que afirmaban o negaban la validez de su actualidad.

Propiedad de los editores Medina y Navarro, salió por vez

primera el 1 de marzo de 1874 como publicación semanal de 32 páginas. Hasta 1880 combinó artículos originales y traducciones, con frecuencia fragmentadas —de Claude Bernard, Ernesto Renan, Darwin, Smith, Spencer, Ferry, Haeckel, Flammarion, Muller—, procedentes de *Revue des deux mondes*, *Edimbourgh review*, *Bulletin de l'Academie des sciences de Bruxelles*, *Revue Scientifique*, *The Athenaeum*, *Journal des savants*, *Revue politique* y *Le correspondant*. En los artículos originales sobresale por dos aspectos: por el protagonismo que las polémicas tuvieron en sus páginas, y por la indiscutida admiración a la figura de Sanz del Río. Ya en el primer número —además del hegeliano artículo de Castelar «La filosofía del progreso»— Manuel de la Revilla presentaba las cartas inéditas que a su padre José de la Revilla escribió el maestro del krausismo. Por ellas —decía el introductor— «se adquirirá mejor que con el resto de sus obras el conocimiento del hombre tanto como el del filósofo y se comprenderá cuanto hubo de abnegación, de sublimidad y de verdadera grandeza en aquella vida tan ejemplar como fecunda, mal entendida por los ignorantes y frívolos, ridiculizada por los que son incapaces de sentir lo grande ni de realizar lo bueno, y calumniada indignamente por los enemigos de la ciencia y de la civilización».[9] Son palabras que indican muy bien la actitud de *Revista europea*, que quiso siempre encumbrar el talante del primer maestro en el crítico momento de las discusiones sobre la libertad de imprenta y cátedra. No es de extrañar que a sus páginas acudieran dos de las polémicas más importantes del momento: sobre el krausismo —naturalmente—, con Campoamor, Canalejas y Revilla; y la de la ciencia española, con Menéndez Pelayo, Laverde, Montoro y Revilla como protagonistas. A la vez, y por tribuna abierta, los artículos de Canalejas, Azcárate, Castelar, Montoro, Labra, Revilla, Pedregal, Perojo, Salmerón la fueron convirtiendo en un extraordinario exponente de la realidad filosófica española al filo de 1875. Fue aquí donde Montoro, Revilla y Perojo publicaron los artículos de tan fuerte incidencia positivista, y donde éste daba a conocer los famosos ensayos sobre el movimiento intelectual en Alemania, indicadores de la distancia que mediaba ya respecto al «racionalismo armónico» y de cómo, en adelante, el pensamiento más progresista iba a estar vinculado a los introductores del positivismo, el neokantismo, a spencerianos y darwinistas. Sin embargo, que *Revista europea* combinara esos ensayos con las abultadas traducciones de Thibergiem o los moderados ensayos de Fabié «Examen del materialismo moderno» —enfrentados a Perojo y a lo que creía «evolucionismo materialista»— forzó la decisión de éste y, junto a Revilla y Montoro, creó *Revista contemporánea*. Conviene precisar, antes de ocuparnos de ella, que *Revista europea* prestó especial atención a los temas literarios, que comentó detenidamente las obras de los autores coetáneos, especialmente las de Galdós, en artículos que firmaron Valera, Clarín y la Pardo Bazán entre otros. Aquí tuvo un lugar privilegiado Alarcón de quien se publicó *El sombrero de tres picos,* el discurso «La moral en el arte», mientras regalaban *El escándalo* a todos los suscriptores de la revista durante el año 1875. Y Palacio Valdés fue casi su protagonista al dirigirla durante cuatro años y ser asiduo colaborador a través de las secciones «Oradores del Ateneo», «Novelistas contemporáneos» y «Poetas contemporáneos», textos importantes por varios motivos, entre ellos porque explica cómo desde la dirección se favorecía una actitud crítica que, al amparo del biografismo, aseguraba una cierta continuidad en el juicio sobre la vida artística del momento.

Revista contemporánea apareció por vez primera el 15 de diciembre de 1875, dirigida por Perojo, y con Revilla y Montoro de redactores-jefes. En 1877 se salvó gracias al apoyo económico de Miguel del Perojo porque el dinero de su hermano José resultó insuficiente. En 1879 la empresa era ruinosa y pasó a manos —a partir del tomo XXII— de José Cárdenas, político conservador que ofreció la dirección a Francisco de Asís Pacheco cambiando por completo la personalidad con la que naciera. Perojo la imaginaba como un medio claramente progresista a través del cual formalizar sus críticas a lo que creía anquilosamiento de la filosofía y la ciencia españolas. Aunque fueron abundantes sus artículos —discípulo de Kuno Fisher, defendía el regreso a las teorías de Kant para, conciliando filosofía y ciencia de la observación, interpretarlo con criterios marcadamente positivistas—, la tarea más sobresaliente estuvo en divulgar el pensamiento germano que, ininterrumpidamente, se fue ofreciendo en la revista. Eso y el apoyo que le prestaron Revilla, con sus «Revistas críticas» y Montoro, con las crónicas de literatura inglesa, lograron que se desvinculara de la influencia francesa, a la vez que la incorporación de los doctores Simarro y Cortezo contribuía a la divulgación de los temas comtianos y spencerianos. Sin duda, esa constante referencia a qué se discutía en Europa, la revisión de los conceptos tradicionales de ciencia y filosofía, la toma de postura frente a la polémica de la ciencia y la del positivismo en España, confieren a *Revista contemporánea* el carácter de avanzada, que Diego Ruiz, López Morillas, entre otros, ya destacaron.[10]

Revistas, las tres, a las que les es común, en síntesis, ese espíritu historicista con el que nacen, el interés por la realidad inmediata de la cultura española, y la voluntad de favorecer el progreso en todas sus manifestaciones intelectuales. El mayor eclecticismo de *Revista de España,* la proximidad de *Revista europea* al talante de Sanz del Río, la dirección claramente positivista de *Revista contemporánea* permiten ver en ellas un resumen del ambiente de la España coetánea y, en especial, permiten analizar las ideas que acompañaron a la creación misma de la novela.

Entre éstas, quiero destacar la relación teoría-práctica narrativa, y cómo aquélla estuvo rodeada de las connotaciones filosóficas comunes al pensamiento español del siglo XIX. Entre 1875 y 1876 abundan las referencias al realismo y sorprende, en las teorizaciones sobre su naturaleza, el intento de armonizar motivos de raigambre idealista —Bien, Verdad, Belleza— con el propósito de conocer la realidad. Destaca, en segundo lugar, la mayor concreción de las discusiones cuando críticos y comentaristas se refieran a las obras que se están publicando y proyecten en ellas sus interrogantes o sus afirmaciones. Ya en estos años, y con mayor rigor a partir de 1877, se comprueba cómo en España, novela y crítica de la novela fueron creciendo a la par, en la entidad de los argumentos y en el progresivo ahondamiento en los temas que directamente afectaban a aquélla: su finalidad, su lenguaje, los medios para hacer posible la «ilusión de realidad» que en el género se pretendía. La publicación en estas fechas de las obras de Galdós,[11] Pereda,[12] Alarcón,[13] Valera[14] y sus consiguientes comentarios, facilita la comprensión del próximo debate sobre el naturalismo que, creo, en los aspectos de mayor originalidad y mayor riqueza argumental, crecerá sobre el poso que el idealismo filosófico había asentado en España y sobre una práctica narrativa que, en constante diálogo entre sus protagonistas, buscaba el perfeccionamiento de sus técnicas y, en suma, el perfeccionamiento de un arte que aspiraba a ser fiel a las inquietudes, frustraciones, esperanzas del tiempo coetáneo. Me gustaría señalar la continuidad de ese idealismo y su distinta adaptación a las necesidades concretas de cada uno de los novelistas.

El 31 de enero de 1875, Emilio Nieto iniciaba en *Revista europea* los artículos sobre «El realismo en el arte contemporáneo», primeros en las revistas que comentamos y creo que, sobre el tema, en la prensa española. En ellos, sumamente reveladores como punto de partida, se reconoce el triunfo de la estética realista y se plantean varios temas que se convertirán en una constante, casi reiterativa, en las teorizaciones que seguirán. El arte, dirá, no puede prescindir de sus componentes idealistas porque sólo con ellos la literatura transciende a la vida y la supera. Sin embargo, el realismo, que ha triunfado en Francia y no ha tenido polémica en España por la especial situación política vivida, merece ser analizado con detenimiento, tratado con rigor:

> Alguna diatriba apasionada escrita a la ligera en un momento de mal humor, más rica en invectivas y sarcasmos que en razones, y propia acaso por su exaltada intransigencia en sentido contrario para inclinar los ánimos a favor de lo mismo que se censura; tal ha sido lo único que a la crítica ha merecido en periódicos y revistas el creciente imperio del realismo artístico.[15]

Por tal vacío, él va a intentar definir, centrar la polémica. Se trata, dice, de un arte «nivelador por naturaleza» para el que la fábula «ha de estar calcada estrictamente sobre el ejemplar del mundo exterior [...] y esto con una minuciosidad tan exquisita que los sucesos que la compongan parezcan como un espejismo de lo que estamos viendo todos los días».[16] Los personajes resultarán «fotografía también de personajes vivos», los lugares, pretexto para un parco reconocimiento, y las pasiones «se han de analizar con mayor esmero cuanto más bajas y mezquinas sean, complaciéndose en exhibir esta disección ante el público con el impudor con que se expone un cadáver sobre la mesa del anfiteatro».[17] A la vez, los novelistas que practican tal recurso serán vistos como «realistas puros», «verdaderos idealistas de lo deforme» y los del «idealismo realista» que para presentar como verdad una idea la «envuelve en una acción cuidadosamente forjada con datos extraídos del mundo real».[18]

Sin embargo, este aparente rechazo del realismo, que adelanta los numerosos reproches que años después se harán al naturalismo, forma parte de una actitud mucho más rica de lo que a simple vista pudiera parecer. Es de subrayar que no existe una condena absoluta y que el recelo no se apoya en razones políticas integristas o antiprogresistas. Por el contrario, Nieto argumenta apoyándose en los lugares comunes de una formación hondamente idealista que tiene a Kant, a Hegel y a Schelling como mentores, y por la cual tratará de buscar una solución de compromiso capaz de unir la necesidad de reconocimiento que tiene el tiempo presente con la necesidad de que éste se identifique con los principios de verdad y de belleza implícitos. En el fondo, y sentando una tradición de eclecticismo igualmente común en los años posteriores, acabará por defender un arte que combine ambos aspectos, realismo e idealismo, legítimos mientras se respeten pero «aberraciones imperdonables en cuanto la una intenta destruir a la otra y erigirse en norte exclusivo del artista».[19] Abría una polémica que me parece hondamente reveladora porque informa de la fuerza que tal actitud, cuando se trataba de abstracciones, lograba en España.

A este artículo seguirá el de Calavia[20] y, en todas las revistas, la reseña y comentario de los debates sobre el tema, que se celebraron en el Ateneo de Madrid entre el 13 de marzo y el 15 de mayo de 1875. Curiosamente, iban a participar los más destacados protagonistas de aquéllas: Rafael Montoro, Francisco de Paula Canalejas, Luis Vidart, Moreno Nieto, Manuel de la Revilla, en distintas sesiones y, cabe decir, sin que los enfrentamientos lo sean por cuestiones específicamente literarias. En los debates y en las colaboraciones periodísticas paralelas se refirieron a una serie de constantes que afectaban a la novela, pero no hay una definición precisa del modelo. Creo que en estas fechas, al eludir la referencia concreta, los nombres, los títulos, lo que se está discutiendo es el optimismo o no que motiva el tiempo presente en todas sus manifestaciones y proyectos, pero, sobre todo, la inserción del positivismo en los principios estéticos del idealismo subrayando, en conjunto —y aunque existieran criterios distintos porque las mentalidades también eran distintas— la necesidad de que perviviera en el arte y en la literatura la idea del Bien, Verdad y Belleza como ineludibles obligaciones del artista. Así, Montoro unía el realismo a la inestabilidad del tiempo presente y veía en aquél, a la par, un espíritu de época y una conceptualización errónea. Remitiendo a Hegel hablaba del mal, del error, de lo feo como términos llamados a definir sus contrarios. Calavia identificaba ese arte nuevo con el individualismo en la esfera social, el positivismo en filosofía, y el escepticismo en materia de religión para con ello lamentar la carencia de ideal y el rastro de asfixia que, dice, seduce y lleva al vacío. Tono tan apocalíptico fue negado por Canalejas que intervendría para llamar la atención sobre el momento histórico, sin catastrofismos ni evasiones. Luis Vidart y Moreno Nieto no fueron ajenos, el uno por su intento ecléctico, el otro por su afán de reprobar al llamado sensualismo francés, a un cierto nominalismo del que sí se salvará Revilla pidiendo la presencia de un modelo artístico que, asumiendo la pervivencia de aquellos postulados, se crezca en contacto con la realidad. Empezaba a centrar el debate porque le reclamaba la carga de historicismo que le iba a ser preciso.

Sin embargo, estas opiniones nos permiten avanzar un paso más: las actitudes progresistas en política no coinciden exactamente con la defensa de un arte como documento, al modo francés. A su vez, resulta evidente que el pensamiento liberal español no prescindió —en este momento y creo que nunca— de las referencias filosóficas que propiciara la incidencia del idealismo alemán en la segunda mitad del siglo XIX. Incidencia que al convivir con el también historicismo de los krausistas —baste nombrar a Giner de los Ríos— configura una de las aportaciones a los mejores logros del arte burgués.

A la vez, la abundancia de abstracciones y la tendencia a un cierto nominalismo cuando se habla de arte contribuyen, por contraste, a destacar cómo hasta el mismo lenguaje que se refería a la novela fue cambiando de sentido conforme crecían las obras que hacían posible concretar principios teóricos y ya éstos se podían reconocer en los textos que les daban forma. Alrededor de 1877, los artículos de Valera y Vidart en *Revista de España,* los de Alarcón, Palacio Valdés y Leopoldo Alas en *Revista europea*, los de Revilla en *Revista contemporánea* muestran, como apuntábamos al principio de estas páginas, que la reflexión más válida sobre la novela creció al amparo de la misma novela, justo porque ésta propició la inserción de las apuntadas referencias previas en la historia de la que surgía. Ambas razones, el fundamento filosófico en su concreción historicista y la naturaleza de la creación novelesca, explican que, a partir de 1879, el debate sobre el naturalismo tenga una entidad que no logró nunca el que le había precedido. No había variado tanto el clima ideológico, pero sí se había consolidado la literatura sobre la que teorizar, esa que, sin renunciar a criterios hegelianos e idealistas, respondía desde el arte a los interrogantes que planteaban la historia y los hombres cotidianos.

Razón tenía Clarín cuando al iniciar su artículo sobre *Gloria* ironizaba sobre los krausistas «nebulosos»[21] porque en ellos se concretaba esa abundancia de referencias abstractas. Él advirtió de los peligros de una filosofía que no sirviera para pensar y conocer la realidad, y de cómo la novela podía ser la gran oportunidad para el ejercicio necesario. Escrito en el momento en que *Revista contemporánea* hablaba por primera vez de Zola,[22] cuando Alarcón preparaba su discurso sobre «La moral en el arte»,[23] y Palacio Valdés escribía sobre autores contemporáneos,[24] indicaba la metamorfosis que se ha producido. La cuestión, conforme nos acercamos al año 1880, no es realismo o idealismo sino, a través de los elementos que ambos proporcionan, saber qué se quiere hacer con la realidad y la historia en ese género ya con plena dignidad artística. Y así, a favor o no de los aspectos docentes primero, de los naturalistas después, las ideas sobre la novela remiten a la novela y sobre ella polemizan o reflexionan.

Las revistas culturales mostraron esa mayor riqueza conceptual que apuntaba antes,[25] consagraron el protagonismo de las obras de creación, y el de las opiniones que motivaban. Era preciso, para ser fieles al propósito que las inspira, dar idea de una historia que busca el progreso y la mejora de la humanidad. Es por ello significativo que no se articulara en sus páginas la defensa de un modelo realista y que —en el momento en que éste debió producirse— sí se hiciera constar la entidad de los presupuestos que directa o indirectamente condicionaron las teorizaciones de los primeros años ochenta. Acaso las constantes señaladas sólo estén indicando la diversidad de factores que acuden a la polémica naturalista, y por qué ésta ha de entenderse como el hito por excelencia en ese proceso mediante el cual la literatura burguesa española buscaba su identidad. Heredaba y planteaba unos problemas que, vigentes en los años anteriores, se afrontaban directamente y con ellos se configuraba la específica acepción del naturalismo en España.

NOTAS

1. Es el caso, entre otros muchos títulos, de *Pepita Jiménez* (*Revista de España*, 28 de marzo; 13 y 28 de abril, y 13 de mayo de 1874, t. XXXVII, pp. 145 ss., 289 ss. y 433 ss; y t. XXXVIII, pp. 5 ss.); *Las ilusiones del doctor Faustino* (*Revista de España*, 28 de octubre, 28 de noviembre, 13 y 28 de diciembre de 1874, 13 y 28 de enero, 28 de febrero, 13 y 28 de marzo, 13 de abril, 13 y 28 de mayo y 13 de junio de 1875, t. XL, pp. 522 ss.; t. XLI, pp. 197 ss., 372 ss. y 526 ss.; t. XLII, pp. 95 ss., 241 ss. y 521 ss.; t. XLIII, pp. 112 ss., 226 ss. y 421 ss. y t. XLIV, p. 83 ss., 236 ss. y 386 ss.); *La sombra* (*Revista de España*, 28 de enero y 13 y 28 de febrero de 1871, t. XVIII, pp. 269 ss., 471 ss. y 601 ss.); *Doña Perfecta (Revista de España*, 28 de marzo, 13 y 28 de abril, 13 y 28 de mayo de 1876, t. XLIX, pp. 231 ss., 374 ss. y 510 ss., y t. L, pp. 49 ss. y 224 ss.); *El sombrero de tres picos* (*Revista Europea*, julio, agosto, septiembre y octubre de 1874, t. II, pp. 129 ss., 161 ss., 201 ss., 265 ss. y 297 ss.); *Doña Luz* (*Revista contemporánea*, 15 de noviembre, y 15 y 30 de diciembre de 1878; 15 y 30 de enero, 15 y 8 de febrero y 15 y 30 de marzo de 1879).

2. En *Revista de España* y *Revista contemporánea* hay abundantes colaboraciones de Hartmann, Goethe, Heine, Byron, Leopardi, Hugo.

3. El artículo de Emilio Nieto «El realismo en el arte contemporáneo», cuya primera entrega apareció en *Revista europea,* n.º 49, 31 de enero de 1875, pp. 425-429, habla también de teatro y poesía.

4. Los debates que se iniciaron en el Ateneo a partir del 13 de marzo de 1875, se anunciaron con el nombre de «El realismo en el arte dramático».

5. Entre ellos, relatos de Berthold Auerbach, W. Hauff, Erckmann-Chatrian y abundantes versos de Heine.

6. *Revista de España,* 13 de marzo de 1868, año I, t. I, pp. 5 y 6.

7. De la relación entre Galdós y *Revista de España* habla el artículo de B.J. Dendle, «Albareda, Galdós and the *Revista de España* (1868-1873)», en *La Revolución de 1868,* Nueva York, 1970, pp. 362-377.

8. Además de los títulos citados en la nota 1, la *Revista de España* contó con la colaboración asidua de Pereda desde 1869 a 1872. Allí publicó *Blasones y talegas* (28 de marzo y 13 y 28 de abril de 1869, t. VII, pp. 270 ss., 321 ss. y 481 ss.), *Dos sistemas* (28 de mayo de 1869, t. VIII, pp. 189 ss.), *Al amor de los tizones* (13 de junio de 1869, t. VIII, pp. 405 ss.), *La mujer del ciego, ¿para quién se afeita?* (28 de julio de 1869, t. IX, pp. 195 ss.), *El peor bicho* (28 de agosto de 1869, t. IX, pp. 528 ss.), *Ir por lana* (13 de noviembre de 1869, t. IX, p. 75), *Las brujas* (13 de enero de 1870, t. XII, pp.

75 ss.), *Un tipo más* (28 de marzo de 1870, t. XIII, pp. 209 ss.), *La mujer del César* (13 y 28 de noviembre y 28 de diciembre de 1870, t. XVII, pp. 18 ss., 180 ss. y 556 ss.), *Un marino* (13 de septiembre de 1872, t. XVIII, pp. 108 ss.) y *Los buenos muchachos* (13 de octubre de 1872, t. XXVIII, pp. 384 ss.). Ortega Munilla lo hizo de *Cleopatra Pérez* (25 de agosto y 10 y 25 de septiembre de 1884, t. XCIX, pp. 523 ss., y t. C, pp. 74 ss. y 190 ss.). Emilia Pardo Bazán, *Pascual López* (13 y 28 de junio, 13 y 28 de julio, 13 y 28 de agosto y 13 y 28 de septiembre de 1879, t. LXVIII, pp. 395 ss. y 547 ss., t. LXIX, pp. 119 ss., 235 ss., 373 ss. y 537 ss. y t. LXX, pp. 110 ss. y 259 ss.), *El rizo del Nazareno* (13 de diciembre de 1880, t. LXXVII, pp. 359 ss.) y *Bucólica* (10 y 25 de julio de 1884, t. XCVIII, pp. 544 ss. y t. XCIX, pp. 51 ss.).

9. *Revista europea*, año I, n.º 3, 15 de marzo de 1874, p. 5.

10. Diego Núñez, *La mentalidad positiva en España: desarrollo y crisis*, Madrid, Tucar, 1975, pp. 43 ss. y López Morillas, *El krausismo español*, México, FCE, 1980, pp. 184 ss.

11. Ya ha publicado en estas fechas *La fontana de oro* (1868), *El Audaz* (1871), *Doña Perfecta* (1876), *Gloria* (1877), *La familia de León Roch* (1878).

12. Pereda ha publicado sus novelas *El buey suelto bien se lame* (1878), *Don Gonzalo González de la Gonzalera* (1879) y *De tal palo tal astilla* (1880).

13. Alarcón, *El sombrero de tres picos* (1874) y *El escándalo* (1875).

14. *Pepita Jiménez* (1874), *Las ilusiones del doctor Faustino* (1875), *Pasarse de listo* (1875) y *El comendador Mendoza* (1877).

15. *Revista europea*, año I, n.º 50, 7 de febrero de 1875, p. 467.

16. *Ibíd.*

17. *Ibíd.*

18. *Ibíd.*, p. 468.

19. *Revista europea*, año I, n.º 52, 21 de febrero de 1871, p. 534.

20. «El realismo en el arte», *Revista europea*, año I, n.º 61, 25 de abril de 1875, pp. 313-315.

21. *Revista europea*, año III, n.º 156, 18 de febrero de 1877, p. 208.

22. El relato de Zola «El ataque del molino», en *Revista contemporánea*, 30 de junio y 15 de julio de 1879. La crónica de C. Bigot es de 15·11·1879.

23. «La moral en el arte» fue publicado en *Revista europea*, n.º 157, 25 de febrero de 1877, pp. 225-237.

24. En noviembre de 1877 empezó la serie sobre «Oradores del Ateneo», y a partir de noviembre de 1878, la de los «novelistas».

25. Como se comprueba en los artículos publicados a partir de 1879, entre los que destacan los de González Serrano «El naturalismo contemporáneo», en *Revista de España*, 28 de marzo y 13 de

abril de 1879, t. LXVII, pp. 215 y 347, Manuel de la Revilla «El naturalismo en el arte», 28 de mayo de 1879, t. LXVIII, p. 164 de *Revista de España,* y en la misma publicación, Luis Vidart «La literatura docente», 13 de junio de 1879, t. LXVIII, p. 342, que preceden a los frecuentes que protagonizará la novela naturalista a partir de 1880.

EL ROMANTICISMO COMO HIPOTEXTO
EN EL REALISMO

Biruté Ciplijauskaité
(Universidad de Wisconsin, Madison)

Al bautizar retrospectivamente ciertos fenómenos observados por los años 1820-1823, Galdós señala una de las dificultades con las que tropieza el investigador que quiere clasificar las obras de sus contemporáneos: ¿dónde situar los comienzos del romanticismo,* el realismo, y el naturalismo cuando falta la consagración de la terminología por el uso?[1] Donald Fanger hace notar que las palabras «romántico» y «realista» se usaban indistintamente en algunos periódicos de los años veinte, del mismo modo que luego se mezclan las dos técnicas.[2] Él propone el término «realismo romántico», que se ha seguido usando en relación con la narrativa de Balzac, y justifica su aplicación a la de los primeros realistas de otros países, como Dickens y Gogol, a los cuales habría que agregar a Turgenev y casi a todos los realistas españoles. Los alemanes prefieren la denominación «realismo poético» para designar el estilo híbrido, según Harry Levin presente en todo escritor moderno, de Otto Ludwig, Adalbert Stifter, Fontane.[3] Por consiguiente, sería tal vez más justo hablar, no de la presencia del romanticismo en la obra de los autores realistas, sino del enfoque especial que cada uno le aplica. Lo intenta Mario

---

* Empleo la palabra porque, si bien no estaba de moda todavía, es la más propia. El romanticismo existía ya, aunque no había sido bautizado.

Praz, señalando el romanticismo latente como fuente del modo dramático —melodramático— en Dickens mientras que Thackeray, «per represso romanticismo», se expresa en el modo irónico.[4]

El romanticismo puede estar presente en una obra realista, sea como una técnica asimilada, sea como tema para criticarlo, sea como caricatura por medio de la cual se parodia tanto el tema como la técnica. A veces una sola obra reúne varias facetas. Así, en *Misericordia* se hace burla del romanticismo de Obdulia y de Frasquito, mientras que el alma romántica de Benina merece admiración. La diferencia se trasluce incluso en los detalles, por ejemplo, la «selva» que instala Obdulia en el piso para estar acompañada de la Naturaleza y que la hace parecer más ridícula, y la escena del prendimiento de Benina en la que la acompaña llorando el cielo. En la parodia, el deseo de ridiculizar es tan fuerte que para conseguirlo se adopta la técnica que se critica: la exageración. Lo ha visto muy bien Philippe Hamon:

> Cette thématique romanesque pourra s'incarner dans l'apparition ou la citation d'un tel ou tel ouvrage célèbre qui sera implicitement ou explicitement condamné ou tourné en dérision. [...]. Le discours réaliste, ne pouvant se situer par rapport à un genre historiquement défini et institué, se situe et se définit en intégrant ce qu'il estime être ses contraires «littéraires» et en les refusant, mais ce refus et ce jeu intertextuel peuvent mener droit à la parodie.[5]

Un buen ejemplo de este enfoque son los *Episodios Nacionales* de la tercera serie, a los que habrá que volver.

Al hablar del realismo romántico es imprescindible tener en cuenta el contexto. La situación específica del autor le permite a Lukács agrupar a Balzac, Stendhal, Tolstoi, contraponiéndoles a Flaubert y Zola. En los primeros, afirma, se manifiesta una percepción que casi participa en la acción (que, para Lukács, siempre es la transformación social), mientras que en la obra de Flaubert y Zola la tensión cede a una observación más impasible, distinción que podría usarse al diferenciar las novelas tempranas y la última obra de Galdós.[6] En Francia, Inglaterra y Alemania, los años de mayor tensión son los del debate realista más animado (1844-1857). La afirmación del realismo coincide con las expectaciones y luego la desilusión causada por la revolución fallada de 1848. En

España, esta desilusión se produce en los años setenta, lo cual explicaría parcialmente la llegada tardía del realismo.

Otro aspecto importante que señala Hans-Joachim Müller como fondo del primer realismo es una cosmovisión que aún admite un universo unido: Dios y mundo aún no se han separado definitivamente.[7] Esto explica hasta cierto punto el hecho de que Balzac, ávido de cambiar e innovar la escritura, haya sin embargo abogado por la monarquía y el catolicismo.[8] En España, el poder de la iglesia y el catolicismo como única religión se prolongan más, y *prises de position* semejantes a las de *Les Chouans* e incluso de *La Cousine Bette* no desentonan completamente en los años sesenta y setenta, cuando el resto de Europa ha rechazado ya tanto el romanticismo como el catolicismo incondicional. Están muy vigentes aún Bécquer y Rosalía; Fernández y González escribe coetáneamente con Galdós. Por otra parte, han aparecido ya las teorías de Darwin y Mendel, y no se pueden ignorarlas.

Este desajuste cronológico da lugar a fenómenos curiosos: mientras que en Francia, Alemania, Inglaterra los movimientos literarios se subordinan a una secuencia cronológica, en España ocurre una superposición/imbricación.[9] Así, Clarín elogia a Zola cuando el entusiasmo por el naturalismo está empezando a menguar en Francia, y coincide con el espíritu neorromántico, mientras que en algunas obras de Galdós hay evidentes afinidades con ciertas características de los noventayochistas. Clarín pide una novela «de sentimiento» que contenga poesía.[10] Galdós produce un héroe romántico, un falso Werther en la persona de Fernando Calpena, quien se va pareciendo mucho al Augusto Pérez unamuniano. En los años cincuenta, cuando Turgenev escribe *La víspera*, una heroína romántica a lo Mariana Pineda, Elena Nikolaievna, aún es posible; el «rasgo» romántico aún se les permite a los héroes de Dostoyevski en los sesenta, ya que las corrientes literarias penetran en Rusia también con algún retraso. Pero en 1881, el romanticismo de Isidora (*La desheredada*) se presenta ya como una denuncia de los males de España. Galdós crea, sin embargo, toda una serie de personajes femeninos que conservan este fondo. Éstos se arrojan a la pasión amorosa —mucho menos frecuentes son los casos de la «clinique d'amour» entre los autores españoles— claman por la libertad, pero a la vez son conscientes de la necesidad de una superficie que quepa dentro de los parámetros de la sociedad burgués-realista e insisten en el epíteto «honrada» (Isidora,

Tristana, Fortunata). Ideal que han heredado de Balzac: «Les courtisanes [...] conservent toutes au fond de leur coeur un florissant désir de recouvrer leur liberté, d'aimer purement, saintement et noblement un être auquel elles sacrifient tout».[11]

En su estudio sobre el realismo romántico, Fanger enumera varios rasgos característicos de este tipo de escritura, que fácilmente se encuentran en el primer Galdós: escenas con misterio folletinesco, uso del contraste y del *chiaroscuro*, énfasis en la metrópolis y en los barrios bajos. Según Marshall Brown, la diferencia entre los dos movimientos estriba en que el héroe romántico es un individuo desarraigado mientras que el protagonista realista tiende a ser un tipo de cierta categoría en su ambiente normal.[12] El individuo desarraigado tiene que luchar contra su destino y la fatalidad. En las novelas contemporáneas, Galdós muestra que esta fatalidad las más de las veces no es más que un vocablo romántico, y que la mayor parte de los sufrimientos del «héroe» son causados no por los dioses —y tampoco exclusivamente por el ambiente— sino por su propia culpa (p.e., todas las elecciones equivocadas de Isidora).

La crítica social realista se sirve frecuentemente de tipos o máscaras, que Fanger y Martel observan en Balzac, y Hamon señala en Zola.[13] Hamon hace notar que muchos personajes de Zola están subordinados a una función precisa, con lo cual pierden algo de su potencial de ente de ficción con personalidad completa. Ésta podría ser una de las causas de la crítica que les aplica Lukács, quien busca el «gran realismo» que combine tipo e individuo. En Galdós hay tipos, pero su Fortunata es muy diferente de todas las «courtisanes» balzacianas o zolescas, precisamente por conservar trazas del individualismo romántico en un ambiente ya no tan romántico. Del mismo modo, don Fermín sobrepasa el tipo del cura mujeriego. Como ha mostrado Gonzalo Sobejano, y sugiere Claire Robin, parte de la fuerza de estos personajes es debida a su romanticismo latente.[14]

La presencia del romanticismo tiene frecuentemente una doble cara. En *Los Pazos de Ulloa*, se ofrece al lector la relación idealista entre Nucha y Julián sin intención paródica, pero desde el principio se ridiculiza la fantasía desmedida en Julián. Valera se sirve de la imaginación romántica para denunciar la falsa vocación de Luisito, pero no denigra el idealismo. Galdós ataca la influencia de la novela y del drama románticos así como el estilo folletinesco, aunque él mismo lo usa sin transposición irónica en las primeras series de los *Episodios nacionales*. A su vez, Clarín, quien tiene palabras muy severas para la exageración y el melodrama, presenta con compasión y compenetración el alma romántica de Ana y de don Fermín. Marshall Brown sugiere que en el primer realismo se busca el «coup de théâtre», que viene como herencia del drama romántico. Roberto Sánchez ha señalado la importancia de procedimientos teatrales tanto en Galdós como en Clarín: técnica que empieza como melodrama y se desarrolla hasta su parodia, convirtiéndose en farsa.[15]

Ricardo Gullón ha designado la esencia de los *Episodios nacionales* de la tercera serie como «novelón romántico», y con esto ha resumido su ambiente: héroe de origen desconocido, amores apasionados con una huérfana controlada por personas que no la comprenden, intrigas misteriosas, escapadas calcadas de novela de aventuras, intervención del destino en forma de noticias de muertes falsas. Todo esto, lo encontramos en muchas novelas de Balzac, donde sirve ante todo para crear *suspense*. Son elementos que entran en los episodios de la primera serie con la misma intención. Cuando escribe la tercera, el país ha atravesado otra crisis, y la ilusión romántica parece doblemente anacrónica. El único modo de enfocar el romanticismo es, pues, la parodia y la desheroización. La estructura profunda de estas novelas será el escepticismo. Llegan a ser, en palabras de Peter Bush, «un comentario irónico a la vez sobre la trama folletinesca y sobre la vida de los radicales románticos».[16] Es decir, el romanticismo entra ahora conscientemente como tema, exagerando sus técnicas para mostrar su ridiculez. En esta misma línea está Mesonero Romanos en «El romanticismo y los románticos», estrategia de la que se vale ya Galdós, aunque con menos saña, en *La desheredada*.[17] Es la exacerbación de la nota cervantina.

Uno de los mejores ejemplos de esta técnica de ironización es *La estafeta romántica*, donde se sirve de puntos de vista superpuestos para conseguir efectos de doble ironía. La palabra «romanticismo» está constantemente presente, las más de las veces en sentido peyorativo. Lo ingenioso es el modo que escoge para presentar una gama completa de reacciones. Así, vemos algunas señoras ancianas para las que el romanticismo es una invención del diablo por demasiado *risqué* y subversivo; se describen escenas en las que actúan los románticos históricos de la entonces joven generación: el suicidio de Larra, la recitación de Zorrilla en su entierro; paralelamente, se hace referencia a los amores románticos de Fernando y Aura, que pertenecen a la misma generación; y se muestra cómo Fernando, al descubrir su origen noble, va asentando la cabeza, olvidando «la pasión de su vida» y disponiéndose a contraer matrimonio con una heredera rica que tiene carácter más bien independiente. En esta trama están presentes todos los elementos de *Don Álvaro*, pero *no* interviene el *sino*, a no ser para disponer cómodamente de Aura. En vez de esto, se habla de «la descomposición de voluntad». De repente, Fernando asume la actitud de Augusto Pérez —«dudo de cuanto existe»— se vuelve veleta, y empieza a entrever felicidad en los amores nuevos.

Hay más de una trama romántica en *La estafeta romántica*, cada una ironizada de un modo diferente: 1) El «secreto» de Pilar se expone con técnicas de folletín que se extienden a su vida actual (la visita a escondidas a su propia casa). Referencias a sus lecturas (Hugo, Sue y otras novelas de este tipo) salen a cada paso. Se muestra que no ha salido del mundo imaginario, posible causa de las desavenencias con su marido. Su soledad es fruto directo de la soledad romántica, sólo que ya no tiene su grandeza. 2) Los «trágicos» amores de Fernando y Aura se enfocan con ironía doble: asimilación de elementos del drama romántico (melodrama) y superpuesto a éste, un comentario sobre la imaginación descabellada en la *literatura* frente a la realidad existente: «y yo desafío a los inventores de dramas románticos a que saquen de su cabeza uno como éste» (XIV). Es decir, se ironiza al personaje que se da cuenta de la exageración en la obra escrita, pero sigue viviendo con la misma exageración. En esta trama sí ocurre un cambio: Fernando se vuelve capaz de evaluar la situación a distancia: «En tanto, mi drama se ha empequeñecido. Dentro de mi espíritu lo veo cada día perdiendo volumen y claridad» (XXI).[18] 3) Por fin, tenemos el ataque a los procedimientos de la novela histórica romántica y, en particular, la desheroización de don Carlos. En su memorable carta donde da cuenta de la situación del país, don Beltrán presenta su definición del pretendiente en una cápsula: «El sino de don Carlos María Isidro era no hacer nada a tiempo y ver silencioso y lelo el paso de las ocasiones» (XXXVI). La guerra carlista se convierte en un juego de sombras chinescas mientras que los cristinos salen en escena ya como claros antecedentes de *Ruedo Ibérico*. Parece significativo que la última carta de esta novela venga de la mano de *doña Urraca*, el personaje menos romántico, quien ha reconstruido la pequeña historia particular de su hermana Pilar, no dejando rienda suelta a su imaginación, sino con la ayuda de documentos escritos que ha encontrado hurgando en el «archivo» de don Beltrán.

La condena del romanticismo es clara en la tercera serie, pero en cuanto éste deja de ejercer su influencia «nefasta», se readmiten sus principios, si no sus técnicas. Sin haber llegado a ser completamente desterrado de la novela realista-naturalista en España, vuelve a ser re-afirmado por las grandes figuras de la generación siguiente a modo de desafío: «¿Quién que es no es romántico?»

NOTAS

1. Benito Pérez Galdós, *Los cien mil hijos de San Luis*, en *Obras completas*, II, Aguilar, Madrid, 1971, pp. 317 y 318. La visión y la crítica retrospectivas son frecuentes en Galdós (véase William H. Shoemaker, *La crítica literaria de Galdós*, Ínsula, Madrid, 1979, pp. 75-88).

2. Donald Fanger, *Dostoevsky and Romantic Realism. A Study of Dostoevsky in Relation to Balzac, Dickens, and Gogol*, Harvard University Press, Cambridge, 1965.

3. Véase Helmut Kreuzer, «Zur Theorie des deutschen Realismus zwischen Märzrevolution und Naturalismus», en *Realismustheorien in Literatur, Malerei, Musik und Politik*, ed. de Reinhold Grimm & Jost Hermand, W. Kohlhammer, Stuttgart, 1975, pp. 48-67; Harry Levin, *The Gates of Horn*, Oxford University Press, Nueva York, 1963, cap. II.

4. Mario Praz, *La crisi dell'eroe nel romanzo vittoriano*, Sansoni, Florencia, 1952, pp. 143-245.

5. Philippe Hamon, «Un discours contraint», *Poétique* 16 (1973), pp. 411-445, p. 435.

6. Georg Lukács, «Erzählen oder beschreiben?» (1936), en *Probleme des Realismus*, Aufbau-Verlag, Berlín, 1955.

7. Hans-Joachim Müller, *Der Roman des Realismus-Naturalismus in Frankreich. Eine erkenntnistheoretische Studie*, Athenaion, Wiesbaden, 1977.

8. Es preciosa la página de su prefacio a *La Comédie humaine* donde explica por qué una mujer católica es más interesante y apasionante que una protestante. («L'Avant-propos» [1842], *La Comédie Humaine*, I, ed. de André Martel, André Martel, París, 1946, XLIX.)

9. Este fenómeno es aun más evidente en los países cuya literatura nacional se ha desarrollado tarde, como Checoslovaquia o Lituania. (Véase Lubomír Dolezel, *Narrative Modes in Czech Literature*, University of Toronto Press, Toronto y Buffalo, 1973).

10. «La novela novelesca», en *Leopoldo Alas: teoría y crítica de la novela española*, ed. de Sergio Beser, Laia, Barcelona, 1972, pp. 163-170.

11. Honoré de Balzac, *Béatrix*, Garnier, París, 1962, p. 369.

12. Marshall Brown, «The Logic of Realism: A Hegelian Approach», *PMLA* XCVI-2 (mar. 1981), pp. 224-241.

13. Fanger, *op. cit.;* André Martel, Préface *La Cousine Bette*, André Martel, París, 1948, pp. V, XII; Philippe Hamon, *Le Personnel du roman. Le système des personnages dans les Rougon-Macquart d'Émile Zola*, Droz, Ginebra, 1983, pp. 27 y 33.

14. Gonzalo Sobejano, «"Madame Bovary" en "La Regenta"», *Los Cuadernos del Norte* II-7 (mayo-junio 1981), pp. 22-25, y Prólogo, *La Regenta*, Noguer, Barcelona, 1976, pp. 11-58; Claire-Nicole Robin, *Le Naturalisme dans «La desheredada» de Pérez Galdós*, Annales Littéraires de l'Université de Besançon, París, 1976.

15. Roberto G. Sánchez, *El teatro en la novela. Galdós y Clarín*, Ínsula, Madrid, 1974; véase también Peter Brooks, *The Melodramatic Imagination*, Yale University Press, New Haven, 1976.

16. Peter Bush, «The Craftsmanship and Literary Value of the thrid series of *Episodios Nacionales*», *AG* XVI (1981), pp. 33-56, p. 35. Alfredo Rodríguez habla de «la incredulidad humorística que impregna por entero la tercera serie» (*An Introduction to the Episodios Nacionales of Galdós*, Las Américas, Nueva York, 1967, p. 111). Hazel Gold hace hincapié en el intensificado uso de la yuxtaposición para «minar la fidedignidad del narrador»: «Letters of Discredit: Epistolarity in the Historical Novels of Galdós», ponencia presentada en Louisiana Conference on Hispanic Languages and Literatures, Tulane University, Nueva Orleans, 26 de febrero de 1987.

17. Según Frank Durand, «A Galdós le interesaba presentar la influencia de novelas románticas y contrastarlas con la realidad social de su tiempo», («The Reality of Illusion: *La desheredada*», *MLN* 89-2 [1974], pp. 191-201, p. 195). Ricardo Gullón ha señalado la semejanza de algunos procedimientos en *La desheredada* y *Mendizábal* («*Episodios Nacionales:* problemas de estructura. El folletín como pauta estructural», *Letras de Deusto* 8 [julio-dic. 1974], pp. 33-59, p. 45).

18. La «cura» se anota unas cartas más adelante: «Mi drama ya no es drama: la última escena conocida se me presenta en forma de leyenda de un color harto lúgubre, sobria en sus líneas, altamente patética» (XXVIII).

EL LENGUAJE
COMO ELEMENTO CARACTERIZADOR
EN LA NOVELA DE LA RESTAURACIÓN

Rafael Rodríguez Marín
(Instituto de Bachillerato a Distancia de Bruselas)

A lo largo del siglo XIX es preocupación constante en los novelistas españoles la búsqueda de un lenguaje apto para expresar el contenido de sus obras. En parte, la dificultad radica en la aparente falta de moldes idiomáticos consagrados para expresar literariamente las nuevas ideas, como ya observa Ramón López Soler en el primer tercio del siglo:

> La obrita que se ofrece al público [*Los bandos de Castilla*] debe mirarse como un ensayo, no sólo por andar fundada en hechos poco vulgares de la historia de España, sino porque aún no se ha fijado en nuestra lengua el modo de expresar ciertas ideas que gozan en el día de singular aplauso.[1]

Pero el principal escollo con el que debe tropezar la lengua literaria en este «siglo de la novela» es de naturaleza bien diferente. Se trata de encontrar el camino para retomar la tradición aparentemente perdida en los dos primeros tercios del siglo (a causa de la supremacía otorgada a otros géneros literarios tenidos entonces por más excelsos, como la poesía o la oratoria) y volver a utilizar unos cauces de expresión poco afectados, que, en palabras de Karl Vossler,[2] siempre han dado personalidad a nuestra lengua, individualizándola frente a las del resto de las culturas europeas:

> Toda la estructura idiomática y literaria de España en
> su siglo de oro se diferencia y descuella sobre la de Italia,
> Francia y Alemania por la solidez de sus fundamentos po-
> pulares, cuyos cimientos se van alzando y elevando como
> unos pilares y sustentan el artificioso ornamento del tejado.

La dimensión de este conflicto es puesta de manifiesto en
las reflexiones de Galdós y Clarín sobre la forma de los mensajes literarios:

> Una de las mayores dificultades con que tropieza la no-
> vela en España consiste en lo poco hecho y trabajado que
> está el lenguaje literario para asimilarse los matices de la
> conversación corriente. Los oradores y los poetas le sostie-
> nen en sus antiguos moldes académicos [...] y de estas ran-
> cias antipatías entre la retórica y la conversación [...] resul-
> tan infranqueables diferencias entre la *manera de escribir* y
> la *manera de hablar,* diferencias que son desesperación y es-
> collo del novelista.[3]

> Pienso en esto al atreverme a decir que el lenguaje litera-
> rio, según está hecho entre nosotros a la hora presente, ofre-
> ce grandes obstáculos a la libre expansión del estilo natural,
> sencillo, expresivo y modesto que en mis artículos anteriores
> recomendaba, como el más propio de la novela.
> El lenguaje moderno de la literatura lo han hecho los ora-
> dores políticos, los académicos, los periodistas y los poetas
> gárrulos. Predomina en las formas una sensualidad aparato-
> sa, una hinchazón que no basta a vencer el más puro inten-
> to de sencillez y naturalidad, y es punto menos que imposi-
> ble escribir de ciertas recónditas materias con el idioma es-
> quinado, duro, de relumbrón que nos dan hecho como
> sagrado inviolable.[4]

Para comprobar hasta qué punto formulaciones como éstas
llegaron a obtener efectos palpables en la práctica del novelar, he querido tomar como objeto de análisis una cuestión
muy específica: el intento de caracterizar las situaciones y,
sobre todo, las criaturas de ficción que pueblan el universo
novelesco decimonónico, a través de procedimientos basados
únicamente en las manifestaciones lingüísticas asignadas a
cada uno de ellos.

Dando por sentado que tales procedimientos no son en ningún caso novedad absoluta en la narrativa del siglo XIX, y
que aun dentro de esta centuria ya fueron llevados a la prác-

tica —aunque con intereses casi exclusivamente costumbristas— por los autores del primer realismo, nuestro examen se centra en la novela de la Restauración. El hecho de que los escritores de este momento histórico sean pioneros en el arte de utilizar consciente y, sobre todo, sistemáticamente los usos verbales como elemento caracterizador, debe relacionarse, entre otros aspectos, con el complejo e inestable mosaico político y social en el que se mueven, cuya tipificación es objetivo imprescindible para quienes pretenden que la novela sea un reflejo del mundo en el que se crea.

Aunque los textos que sirvan como ejemplo a las siguientes reflexiones podrían proceder de casi todas las novelas del período comprendido entre el final del sexenio revolucionario, en 1874, y la entrada de nuestro siglo, existe una serie de obras en las que el asunto abordado adquiere mayor relevancia. De ellas, en consecuencia, proviene lo esencial de mis referencias.

* * *

El lenguaje empleado en el relato puede servir como recurso para dotar de personalidad al ambiente recreado, esto es, para darle «sabor local» a descripciones y narraciones, proporcionando así la necesaria verosimilitud al encuadre; pero, sobre todo, es un medio de inestimable valor para conferir autenticidad a las figuras humanas de la obra. El héroe realista ha de ser reconocible, identificable; no puede contentarse con ser verosímil, debe ser real.[5]

La simple caracterización ambiental es el fin que busca Pereda al salpicar de términos dialectales sus cultas y morosas descripciones de la montaña. Idéntica función de recrear mediante la palabra un ambiente geográfico localizado es la que desempeñan las construcciones de origen gallego empleadas por la condesa de Pardo Bazán en los pasajes descriptivos de las obras que así pueden requerirlo,[6] y los no pocos asturianismos léxicos que aparecen en los cuentos rurales de Leopoldo Alas. Hasta el propio Valera, cuyo estilo ha sido censurado por la falta de adecuación entre los ambientes descritos y el lenguaje utilizado, no duda en manejar este recurso, que en su caso se manifiesta por la aparición —tampoco muy frecuente, desde luego— de términos andaluces en sus descripciones.

Pero, como se acaba de afirmar, donde la correspondencia entre uso del lenguaje e intención caracterizadora resulta más evidente es en la forma de dar vida a las figuras de ficción.

El procedimiento del que se sirven los novelistas en este caso puede adoptar fisonomías distintas.

La más frecuente es, claro está, la caracterización directa, a cargo del propio personaje: las palabras por él pronunciadas —o escritas— van individualizándolo sin que el narrador participe externamente en el proceso. La aplicación de este método puede tener una contrapartida: cuando las realizaciones verbales determinantes corresponden a un personaje protagonista o con papel substancial (como sucede con los casos de don Ramón Pérez de la Llosía —en *Don Gonzalo González de la Gonzalera*—, Amparo, la *Tribuna* o Fortunata), es difícil mantener la suficiente coherencia y evitar una caída en la frecuencia o intensidad de los rasgos caracterizadores, ya tengan estos su origen en factores dialectales, de extracción social o puramente individuales. Quizá este efecto —del que se excluye, entre otros, el usurero Torquemada a quién después se hará referencia—, deba ser relacionado con un hecho cierto: la singularización por medio del lenguaje afecta con mayor frecuencia a personajes secundarios; indudablemente, a ellos aplicada gana en efectividad y no corre el riesgo de caer en poco coherentes altibajos.

Otro método para la definición de los personajes por medios idiomáticos consiste en la participación activa del autor en el proceso, de tal manera que éste, recurriendo al metalenguaje, resalte los elementos lingüísticos que permitirán al lector formarse una idea acerca del modo de expresión que caracteriza a un individuo determinado. De este procedimiento, así como del anterior, encontraremos más adelante ejemplos abundantes.

Un tercer sistema, a medio camino entre los dos anteriores y menos frecuente que ellos, se basa en la formulación de observaciones y juicios sobre la expresión de un personaje a cargo de otro intérprete del relato. La figura de Fortunata, por ejemplo, es objeto repetido de este método:

> —¿Sabes de qué me río? [le dice Jacinta a su marido] De pensar en la cara que habría puesto tu mamá si le entras por la puerta una nuera de mantón, sortijillas y pañuelo a la cabeza, una nuera que dice: «Diquiá luego», y no sabe leer.[7]

Fortunata [le dice ahora el *delfín* a su mujer, curiosa por saber cómo era su rival] no tenía educación; aquella boca tan linda se comía muchas letras y otras las equivocaba. Decía *indilugencias, golver, asín.*[8]

De doña Lupe la de los pavos procede, por último, esta observación:

> Una de las cosas que más gracia le hicieron en Fortunata fue su timidez para expresarse. Se le conocía en seguida que no hablaba como las personas finas, y que tenía miedo y vergüenza de decir disparates.[9]

* * *

Varios son los recursos tradicionales que la narrativa de este momento emplea para introducir por vez primera en la escena a sus personajes: la descripción directa de sus rasgos físicos o morales; las referencias indirectas debidas a otros personajes; el análisis de sus actos o incluso la exhibición de sus gustos (Clarín, por ejemplo, utiliza frecuentemente las preferencias literarias de sus figuras como elemento singularizador).

Junto a procedimientos como éstos, ocupa un apreciable lugar la caracterización inicial de los personajes a través de su propia lengua. Es curioso comprobar cuántos héroes novelescos de la Restauración son presentados directamente a través de su peculiar comportamiento verbal. Propongamos algunos ejemplos, y los tres primeros tomados de la misma obra: *Misericordia*, de Galdós.

Cuando del ciego Almudena[10] sólo sabemos que «es árabe, del Sus, tres días de jornada más allá de Marrakesh»,[11] su entrada en escena se poduce así:

> —¿Tú qué dices, Almudena?
> El ciego murmuraba. Preguntado segunda vez, dijo con áspera y dificultosa lengua:
> —¿Hablar vos del *Piche*? Conocierle mí. No ser marido la Casiana con casarmiento, por la luz bendita, no. Ser quirido, por la bendita luz, quirido.[12]

La actuación verbal del mendigo, mostrando en la práctica lo que Galdós define como *áspera y dificultosa lengua*, es, por tanto, la característica primero resaltada del personaje.

Como lo es también, en el caso de doña Francisca, la ingrata ama de Benina, el peculiar *acentillo andaluz,* «[...] que persistía, aunque muy atenuado, después de cuarenta años de residencia en Madrid».[13] Y, sin salir de la misma obra, la presentación de Frasquito Ponte, el paisano de doña Paca, la lleva a cabo Benina refiriéndose a sus *fisnos* términos, ejemplificados en la expresión que tanta gracia le hace a la anciana: «Siempre echándola a usted de menos, Benina [...] y muy desconsolado cuando *brilla usted por su ausencia*».[14] La descripción por los medios clásicos de este hidalgo venido a menos no llegará hasta... tres páginas más adelante.

Si en estos casos la posposición de la introducción plástica de los personajes podría ser considerada consecuencia del carácter dialogado de la novela,[15] otros ejemplos del mismo uso no se relacionan con una posible formulación dramática de la narración.

Entre ellos podemos destacar la presentación de Carmela, amiga de Amparo, la *Tribuna,* en la novela de Emilia Pardo Bazán que lleva su apodo por título. Antes de reparar en otros aspectos de su fisonomía o su carácter —cosa que hará más adelante—, la Condesa nos la identifica por su forma de hablar, «[...] con un cierto ceceo, propio de los puertecitos de mar en la provincia de Marineda».[16]

De igual modo, uno de los personajes de *La Regenta* sobre cuya caracterización verbal volveremos después, Pepe Ronzal, alias *Trabuco* o *el Estudiante,* realiza su entrada en el relato con una intervención enormemente significativa: «¡Es la Venus del Nilo!», exclama refiriéndose a las buenas hechuras de Ana Ozores ante el interesado círculo masculino que discute el asunto.[17] Tan sarcástica irrupción, mediante la que Clarín, a quemarropa, nos retrata certeramente la catadura de un personaje tan engreído como falto de formación, es muy similar a la que utiliza Galdós para presentarnos a otro tipo, el Marqués de Casa-Muñoz, en muchos aspectos similar a Ronzal. La primera referencia que en *Fortunata y Jacinta* encontramos de este aristócrata de nuevo cuño lleva ya implícito el posterior desarrollo de su fatua personalidad a través de sus palabras: «No hay que *involucrar.* París es muy malo, pero también es muy bueno».[18]

Esta caracterización inicial por medio de los usos lingüísticos podría parecer destinada únicamente a anticipar la introducción «auténtica» trazada mediante recursos considerados más efectivos por la tradición. Lo inexacto de tal dictamen se manifiesta al comprobar en otras ocasiones que, aunque la presentación lingüística sea posterior en el tiempo, aparece como argumento inapelable, como auténtica prueba de la verdad para el conocimiento real de un personaje cuya primitiva caracterización a base de esos otros procedimientos hubiera dejado resquicio de duda.

Así, en su primera descripción, Mauricia la *Dura,* compañera de reclusión y amiga de Fortunata, nos es presentada por Galdós con rasgos a través de los que una impresión propicia logra imponerse sobre trazos menos favorables:

> Aquella mujer singularísima, bella y varonil, tenía el pelo corto y lo llevaba siempre mal peinado y peor sujeto. [...] el que la viera una vez no la olvidaba y sentía deseos de volverla a mirar. Porque ejercían indecible fascinación sobre el observador aquellas cejas rectas y prominentes, los ojos grandes y febriles [...], y la expresión, en fin, soñadora y melancólica.[19]

Sólo aparece la verdad escondida junto con su presentación lingüística:

> Pero en cuanto Mauricia hablaba, adiós ilusión. Su voz era bronca, más de hombre que de mujer, y su lenguaje, vulgarísimo, revelando una naturaleza desordenada, con alternativas misteriosas de depravación y de afabilidad.[20]

Caso muy cercano se produce cuando la Benina de *Misericordia* debe hacer frente a una turba de desheredados e intenta convencerles de que ella no es ninguna rica bienhechora disfrazada como Guillermina Pacheco, la inolvidable «rata eclesiástica» que ya habíamos tratado como amiga de Jacinta. El posible riesgo de confusión entre ambas mujeres es corregido por la propia Benina recurriendo a ese criterio de autoridad que es el lenguaje:

> Si por su traje pobrísimo, lleno de remiendos y zurcidos, por sus alpargatas rotas, no comprendían ellos la diferencia entre una cocinera jubilada y una señora nacida de marqueses, en otras cosas no cabía engaño ni equivocación: por ejemplo, en el habla. Los que oyeran la palabra de doña Guillermina, que se expresaba al igual de los mismos ángeles, ¿cómo podrían confundirla con quien decía las cosas en lenguaje ordinario?[21]

El poder identificador del lenguaje se muestra, asimismo, en la existencia de tipos cuya personalidad a lo largo de una novela se perfila a través de él, prescindiendo casi por completo de cualquier otro recurso para su definición.

Ciertamente, los retratos así obtenidos suelen estar siempre cercanos a la caricatura, como es el caso de los dos «contendientes» verbales que se enfrentan en repetidas ocasiones dentro de las páginas de *Fortunata:* Aparisi y el ya mencionado Marqués de Casa-Muñoz. A uno de estos duelos, que en el relato sirven como procedimiento caracterizador casi exclusivo para ambos personajes, asistimos por medio de Juan Santa Cruz:

> —¡Qué alegre está el tiempo! [dice Jacinta].
> —Es que ha llegado el Marqués, y desde que se sentó en la mesa empezaron Aparisi y él a tirotearse.
> —¿Qué han dicho?
> —Aparisi afirmó que la Monarquía no era *factible*, y después largó un *ipso facto* y otras cosas muy finas. [...].
> —Hijo de mi vida, le mató.
> —¿Quién?
> —El Marqués a Aparisi... le dejó en el sitio.
> —Cuenta, cuenta.
> —Pues de primera intención soltóle a su enemigo un *delirium tremens* a boca de jarro, y después, sin darle tiempo a respirar, un *mane tegel fare*. El otro se ha quedado como atontado por el golpe. Veremos con qué le sale.[22]

La intención caricaturesca es también evidente en los rasgos verbales que sirven como retrato a dos de los personajes bufos de *La Regenta*: el poeta Trifón Cármenes y el ya mencionado Ronzal.

La escasísima personalidad literaria de Cármenes queda definida en la obra a través de un rasgo que se exterioriza mediante el lenguaje: el empleo del *tópico* literario y periodístico; prácticamente nada más nos ofrece la novela acerca del mediocre poeta vetustense que las sartas de lugares comunes divulgadas en el periódico local, de las que encontramos inmejorables muestras en el capítulo XVI, como elementos que subrayan la tristeza que asalta a Ana Ozores en el día de los Santos, o, páginas más adelante (capítulo XXVI), con motivo de la conversión y muerte del ateo Guimarán.

Más complejo es el retrato lingüístico de *Trabuco*, que Clarín construye acumulando a lo largo de la novela despropósitos[23] de muy variada raíz: expresiones vulgares delatoras de su auténtico origen; uso de nombres cultos comunes y propios cómicamente deformados: *manolito* por *monolito*,[24] *plastón* por *plastrón*,[25] *especies* por *especias*,[26] *Hipócrates* por *Sócrates*,[27] citas y expresiones totalmente alteradas en su forma: *espifor* por *esprit fort*,[28] *surbicesorbi* por *urbi et orbi*,[29] o lo que Clarín bautiza con el nombre de «lapsus geográficos», como es el caso del imaginario *general Sebastopol*.[30]

Tanto en el caso de Galdós como en el de Leopoldo Alas, la presencia de estos relatos caricaturescos trazados mediante procedimientos casi exclusivamente verbales parece responder a su intento de definir un tipo cuya característica esencial es la ignorancia falta de todo recato, la estupidez humana en una de sus manifestaciones más frecuentes.[31]

* * *

No ya como recursos que por sí solos puedan dar vida a figuras de novela, sino como métodos para apoyar o enriquecer personalidades creadas por otros medios, encontramos distintos usos lingüísticos frecuentes en la novela de la Restauración.

El empleo del *tópico,* al que acabamos de hacer mención, es uno de esos procedimientos. Salvo en casos como el de Trifón Cármanes, personaje para cuyo desarrollo en la novela es esencial el empleo del tópico, su aparición suele tener una función caracterizadora auxiliar o episódica. El riguroso trabajo de Gimeno Casalduero sobre el lugar común galdosiano[32] nos exime de proponer ejemplos suyos. Baste ahora recordar un caso más, ajeno al autor canario, en que el tópico ayuda a construir una personalidad de ficción. Se trata de la humilde protagonista de *La Tribuna,* cuya «ascensión a personaje político» tiene tanta relación en un momento dado con el empleo de este uso lingüístico:

> Acostumbrábase [Amparo] a pensar en estilo de artículo de fondo y a hablar lo mismo: acudían a sus labios los giros trillados, los lugares comunes de la prensa diaria, y con ellos aderezaba y componía su lenguaje.[33]

También en tanto que elemento distintivo auxiliar, la profusión de *muletillas* características de los personajes es consubstancial a la novela del momento. La importancia de este procedimiento ha sido también señalada con respecto a la obra de Galdós,[34] pero éste no es el único en emplearlas. Clarín utiliza, de igual modo, latiguillos caracterizadores de sus tipos novelescos: *¡Diablos coronados!* es, por ejemplo, el preferido por Visitación Olías (véase, por ejemplo, el capítulo VIII de *La Regenta*); *A mí que soy tambor de marina*, dice la Marquesa de Vegallana y, tratando de imitarla, repite la propia Visita (cf. capítulos XIII y XXI); *¡Por las once mil...!*, oímos varias veces a don Víctor Quintanar (cap. XXX, por ejemplo). Pereda pone continuamente en boca de don Celso, el hidalgo de Tablanca, sonoras y muy reiteradas exclamaciones como *¡Jorria!*, *¡Cuartajo!*, *¡Pispajo!*, mientras que la Pardo Bazán no sólo hace uso del recurso, sino que lo identifica como tal, recordando al lector que, cuando el cacique Trampeta de *Los pazos de Ulloa* repite la expresión *como usted me enseña*, se trata precisamente de una muletilla.[35]

El empleo de *extranjerismos* y, en especial, de galicismos, es asimilable a estos usos en cuanto procedimiento caracterizador accesorio. Salvo cuando su aparición pretende, como es el caso de Valera,[36] recrear ambientes aristocráticos, suele circunscribirse a un determinado tipo de personaje: el que utilizándolos muestra su barniz cosmopolita (por ejemplo, Álvaro Mesía en el capítulo XXIV de *La Regenta*) o el que, sin tenerlo, pretende manifestarlo (Obdulia Fandiño en el capítulo III de la misma obra). Es fácil comprender que de este último uso a la caricatura no hay más que un paso; el que ya ha dado nuestro memorable y bien caracterizado Ronzal al repetir en el casino vetustense su ya citado *espifor* o el más risible *tatiste question* pseudo-hamletiano.

* * *

Tras haber examinado diferentes modos de caracterización verbal podemos plantearnos esta pregunta: ¿A qué ámbitos del lenguaje afecta su empleo como elemento singularizador?

Debe advertirse, para comenzar, que todos los *niveles de análisis lingüístico* (fónico, morfosintáctico y léxico-semántico) son útiles para plasmar de un modo u otro la personalidad de las figuras novelescas. Sin embargo, por su poder plástico y evocador prevalecen los elementos léxicos y fónicos. De los primeros existen estudios y repertorios referidos a distintos autores del momento.[37] En cuanto a los fenómenos del dominio fónico, son material imprescindible para representar con alguna fidelidad las hablas vulgares y dialectales o incluso para definir estas últimas de modo teórico. Es lo que ya hacía Fernán Caballero, en la época literaria inmediatamente anterior a la que estamos tratando, cuando afirma en su prólogo a *La familia de Alvareda*:[38] «El lenguaje, salvo aspirar las *h* y suprimir las *d*, es el de las gentes de campo andaluzas». Es lo que pretende Galdós cuando, por ejemplo, define a Sevilla por su *idioma ceceoso*[39] o, sobre todo, lo que hará Pereda para caracterizar las hablas montañesas: «Como nota característica de aquel lenguaje, las *hh* como *jj* y las *oo* finales como *uu*: verbigracia, *jermosu* y *jormigueru*, por hermoso y hormiguero».[40]

Pero más que esta apreciación de acuerdo con los niveles de análisis lingüístico, nos interesa la relación entre las posibilidades caracterizadoras del lenguaje y sus *ámbitos de uso*.

En la novela de la Restauración no sólo encontramos hechos lingüísticos que responden a realidades dialectales o sociales evidentes, sino que, por sistema, aparecen referencias aplicables a todos los niveles de lengua y registros de habla. Quizá la falta de distinción entre estos dos aspectos, los fenómenos atribuibles a la competencia lingüística de los individuos y aquellos que responden a meras situaciones de habla, hayan restado rigor a buena parte de los estudios sobre el campo que estamos tratando. En especial, la frecuentísima identificación de vulgarismo o popularismo con expresión coloquial o familiar ha supuesto un evidente perjuicio para el estudio de los usos de lengua reflejados por la narrativa, y en particular por la del siglo XIX.

Tomando como modelo la sencilla y clarísima distinción trazada hace tiempo ya por Manuel Seco[41] y aplicada por él mismo al análisis de textos literarios,[42] para definir los *niveles de lengua* habremos de tener en cuenta, al menos, dos tipos de factores, geográficos y socioculturales que condicionan y dan forma a todo mensaje. De esta primera distinción procederán, por una parte, las variedades dialectales de la lengua y, por otra, sus variantes sociales, mucho menos precisas en su manifestación, que se mueven entre dos extremos: el nivel culto y el popular o vulgar. Frente a estas realizaciones, habrá que distinguir las que, independientemente de los factores geográficos o sociales en juego, proceden de las diferentes *situaciones de habla*, las que dependen del medio de expresión, la materia tratada o la atmósfera en que se produce la comunicación, dando lugar a distintos registros idiomáticos, cuyos extremos ahora son el lenguaje formal, de una parte, y el informal, coloquial o familiar,[43] de la otra.

Para comenzar por los efectos que esta última dicotomía tiene en la caracterización lingüística de la obra literaria, recordemos que de ella deriva el obstáculo que Galdós definía en el texto al principio mencionado: cómo reflejar los matices de la conversación corriente, representando la *manera de hablar* en la narración.

El propio Galdós fue, sin duda, quien mejor supo plasmar en sus novelas el amplio abanico de realizaciones que corresponden al registro informal. Sobre este aspecto han incidido no pocos estudios,[44] que de nuevo nos excusan dedicarle aquí más espacio. Naturalmente, no es patrimonio exclusivo de Galdós (ni en este siglo ni, claro está, a lo largo de la historia literaria española) el buen uso narrativo del español coloquial. En la actuación lingüística de los personajes de Pereda, Pardo Bazán, Clarín o la mayor parte de sus contemporáneos,[45] es recurso fundamental su presentación por medio del coloquio. Quizá sea Valero el único que, voluntariamente, se resiste —más en la teoría que en la práctica de sus relatos— a utilizar el coloquialismo de forma libre:

> [...] aunque demos de barato que un novelista retiene y reproduce los distintos modos de hablar, esto no hará gracia ni conmoverá, ni interesará si es reproducido con fidelidad nimia, servil, desmañada y sin la conveniente depuración y primor artístico para buscar y hallar la verdad estética que no es lo mismo que la verdad real y grosera.[46]

Es interesante, eso sí, hacer notar que los autores a los que nos referimos demuestran su conciencia de la distinción entre habla formal y expresión familiar, ya sea haciéndola práctica en caracterizaciones directas (es decir, atribuyendo a sus personajes el empleo de uno u otro registro, según lo exija la situación), o bien comunicándolo de manera efectiva, como hace Clarín varias veces a lo largo de su *Regenta:*

> No hablaban [las tías de Ana Ozores] a solas como delante de los señores *de clase*; no eran prudentes, no eran comedidas, no rebuscaban las frases. Doña Anuncia decía palabras que la hubieran escandalizado en labios ajenos.[47]
> La elocuencia del Magistral en el confesionario no era como la que usaba en el púlpito; ahora lo notaba. En el confesionario aprovechaba las palabras familiares que dicen tan

bien ciertas cosas que jamás había visto ella en los libros llenos de retórica.[48]

Dentro ya de las caracterizaciones correspondientes a los niveles de lengua, las variantes geográficas retratadas en la novela de la Restauración son uno de sus elementos más característicos. Ya nos hemos referido a ellos en cuanto recursos descriptivos para escenificar un ambiente determinado. Su asignación a los personajes, que también contribuye a darle «sabor local» al relato, es un medio caracterizador de primer orden.

Pereda es, entre todos los autores cuya obra vamos mencionando, el que utiliza más el dialectalismo como recurso singularizador. Lo que no significa forzosamente que sea quien mejor lo emplea. Y es que las consideraciones sobre el autor montañés han variado mucho desde que, hasta no hace tanto tiempo, sus obras fueran consideradas como paradigma de las hablas locales cántabras. Una observación más cuidadosa y científica de los fenómenos dialectales que el autor asigna a sus personajes nos lleva a juzgar algunas de sus caracterizaciones lingüísticas como ejemplos de *hiperdialectalismo* (cierres vocálicos inexistentes en plural: rí*u*s, much*u*s, dient*i*s; palabras nunca documentadas en las hablas de la zona descrita, etc.),[49] o bien como intentos de poner en ridículo a determinados personajes —Don Gonzalo González de la Gonzalera, por ejemplo— en función de su ideología.[50]

Más ponderado es el empleo del dialectalismo en las obras de Emilia Pardo Bazán, aunque cuando afirma que se toma como licencia «hacer hablar a mis personajes como realmente se habla en la región en donde los saqué»,[51] sólo dice a medias la verdad, porque sus figuras utilizan con más frecuencia traducciones vulgarizantes que formas dialectales auténticas.[52] Mejor representada está, en cambio, la diferencia de intensidad en el contagio lingüístico dependiente de la clase social aludida: así, mientras los constituyentes de las clases cultivadas suelen contentarse con utilizar préstamos léxicos del gallego, los personajes populares mezclan estos con interferencias fónicas (la *geada* o el *seseo*, por ejemplo)[53] y morfosintácticas (colocación de pronombres átonos con respecto al verbo: guísa*se*, quiéres*te*, se reír, *te* llevar;[54] formas de la conjugación: *hacedes, sabedes,*[55] etc.), mezcla que supone una incapacidad mayor para distinguir las estructuras de las dos lenguas en contacto y, en consecuencia, una menor formación cultural.

El caso de Clarín es algo desconcertante en este aspecto. Mientras el dialectalismo asturiano tiene una innegable importancia —y no como simple manifestación de un costumbrismo desfasado—[56] en la definición de los personajes rurales que aparecen en sus relatos breves, las escasas referencias a las formas dialectales tienen en *La Regenta* unas connotaciones claramente negativas. Así, entre las virtudes del elegante Mesía, el narrador incluye que el galán, «aunque era de Vetusta, no tenía el acento local»;[57] por su parte, Petra, la antipática criada de los Quintanar, «[...] procuraba disimular el acento desagradable de la provincia y hablaba con afectación insoportable».[58]

En cualquier caso, debe constatarse que las realizaciones dialectales puestas en boca de los propios personajes son escasas en la narrativa de Leopoldo Alas. En *La Regenta* sólo aparece un personaje, Pepe el casero, muy episódicamente caracterizado por su habla local.[59] Incluso en los relatos breves son siempre mayoría las formas asturianas atribuidas a los personajes, que llegan a nosotros de forma indirecta, por intermedio del narrador.[60]

La plasmación de las variantes lingüísticas motivadas por diferencias en la situación social y cultural del hablante tiene dos límites bien caracterizados en la novela de la Restauración: el discurso hiperculto por un lado y la formulación vulgar en el extremo opuesto.

Los ejemplos del primer caso suelen acarrear caracterizaciones en las que domina el fin paródico —Aparisi, Ronzal...—, como puede percibirse también en ciertos personajes clericales, siempre con el latinajo a flor de labios,[61] o como es evidente en el erudito vetustente Saturnino Bermúdez, definido en buena medida por su incapacidad para utilizar un nivel de lengua distinto al culto.[62]

Completamente distinta es la función del uso vulgar, cuyos ejemplos se multiplican en las obras comentadas. Mientras que en las caracterizaciones hipercultas antes citadas se busca retratar al individuo en sí mismo, ahora se trata de situar al personaje en el grupo social que le corresponde. Figuras cuya característica más evidente es la abundancia de manifestaciones lingüísticas populares ocupan posiciones privilegiadas en la obra de Galdós: pensemos, por ejemplo, en los protagonistas de *Misericordia,* en los representantes del «cuarto estado», que aparecen en *Fortunata y Jacinta* o en el entorno de su primera figura femenina; vulgarismo y dialectalismo se unen para singularizar por medios lingüísticos a no pocos personajes socialmente desfavorecidos de Emilia Pardo Bazán —las empleadas de la fábrica de tabacos, en *La Tribuna*; los que frecuentan la cocina de los Ulloa— y de Pereda: los contertulios del señor de la Llosía en *Don Gonzalo*, las gentes humildes de Tablanca en *Peñas arriba*. Construcciones populares aparecerán también en *La Regenta*, caracterizando a las gentes más bajas de la sociedad vetustense: los paseantes del *boulevard* o los chicos *de la tralla*, con Bismarck y Celedonio a la cabeza.

Una última —y no por ello menos importante— cuestión relativa a la caracterización lingüística sobre bases sociales es el uso del procedimiento verbal como indicador de la movilidad social. Con ello, la novela de la Restauración no hace más que reflejar los continuos desplazamientos internos que caracterizan a la sociedad española del momento: personajes como el aristócrata nacido del dinero, el indiano opulento, el recién encumbrado por la política, el comerciante enriquecido, o simplemente el pobre que ha dejado de serlo, conforman en este tiempo una parte nada despreciable de nuestro tejido social. La necesidad que estos «tránsfugas» sienten de mostrar a todos su propia superación tiene en la novela correlato evidente: el intento de mejorar su modo de expresión, buscando el refinamiento verbal que adivinan en la buena sociedad ya consolidada.

Ya hemos visto el efecto cómico que esta caracterización puede producir en personajes secundarios (otra vez Ronzal, Aparisi, Casa-Muñoz...). Sin llegar a desaparecer por completo, la humorada deja lugar a efectos más complejos en la presentación de varios individuos desclasados cuyo papel en las novelas donde aparecen no es episódico en modo alguno.

Sobre un fondo ideológico, como ya hemos visto, Pereda se burla ferozmente de su don Gonzalo González, odioso representante de un grupo social emergente, el de los indianos, que para el escritor cántabro viene a socavar el tradicional protagonismo de la hidalguía rural. Ningún recurso mejor para ello que asignar al nuevo rico un uso verbal característico, al que el autor denomina *registro del flauteado*, consistente en un discurso huero, plagado de *pulimentos de palabra* (de nuevo en terminología perediana), es decir, hipercorrecciones del tipo *subterránedos, desplayamientos* o *cercanías*.[63]

De manera en un principio paralela, los intentos del usurero Torquemada por elevarse en la sociedad se manifiestan en los progresos de lo que el propio personaje llama su *explicadera*. Pero, tanto los medios lingüísticos puestos en juego, ahora caracterizados con mucha mayor profundidad,[64] como el efecto literario y humano conseguido, alejan al protagonista de la tetralogía de la simple parodia. Cuando el avaro debe enfrentarse a la realidad, es decir, cuando pierde lo que Galdós llama «la máscara de la finura», el resultado adquiere tintes claramente dramáticos. Pruebas de ello son, por ejemplo, la atávica reacción del usurero ante Donoso durante la petición de las hermanas del Águila[65] o su regresión verbal a los moldes primitivos en el patético momento en que don Francisco ve acercarse la muerte.[66]

No es Torquemada el único personaje que pierde ese «barniz lingüístico» cuando se alteran las circunstancias que le habían impulsado a revestirse de él. Regresión parecida a la que acabamos de mencionar se produce en el habla de Amparo, la *Tribuna,* cuando, perdida la mayor parte de sus ímpetus políticos y percibido el engaño del que le hacía objeto el capitán Sobrado,

> tenían ahora sus palabras, en vez del impetuoso brío de antes, un dejo amargo, una sombría y patética elocuencia. No era su tono el enfático de la Prensa, sino otro más sincero, que brotaba del corazón ulcerado y del alma dolorida».[67]

Otro tanto le sucede a Fortunata en la manifestación lingüística de sus intentos por hacerse un sitio en la sociedad como mujer de Maximiliano Rubín. A través de toda la novela asistimos a sus esfuerzos por conseguirlo,[68] pero, como si de un estigma se tratara, el fondo vulgar de su habla reaparece al menor descuido:

> En el tiempo que duró aquella cómoda vida [con Evaristo Feijoo, alejada de Rubín] volvieron a determinarse en ella las primitivas maneras, que había perdido con el roce de otra gente de más afinadas costumbres. El ademán de llevarse las manos a la cintura en toda ocasión volvió a ser determinante en ella, y el hablar arrastrado, dejoso y prolongando ciertas vocales reverdeció en su boca, como reverdece el idioma nativo en la de aquel que vuelve a la patria tras larga ausencia.[69]
>
> Mucho la cohibía el temor de no saber usar términos en consonancia con los que emplearía la confesora [Guillermina Pacheco], pues en todas las ocasiones difíciles recobraba su

popular rudeza, y se le iban de la memoria las pocas enseñanzas de lenguaje y modales que había recibido en su corta
y accidentada vida de señora.[70]

Ocasiones difíciles como la de su propia agonía, momento
en el que, como Torquemada, el habla de Fortunata vuelve a
revelar su auténtica naturaleza:

> —Pero no sea usted tonto [le dice, moribunda, a Balles-
> ter]. Yo tengo *guita*. Si quiere mandar a paseo a *las Sama-
> niegas*, mándelas [...]. Tenga confianza conmigo... O *semos*
> o no *semos*.[71]

En casos como estos no sería descabellado hablar de un
cierto *determinismo lingüístico:* «pueblo naciste y pueblo serás
toda tu vida»,[72] es la sentencia de Fortunata que mejor puede
ilustrar esta idea. Idea con la que, además, concluimos lo que
ha pretendido ser visión muy general del poder caracterizador que adquiere el lenguaje en uno de los momentos más
destacados de la novela española.

NOTAS

1. Ramón López Soler, *Los bandos de Castilla*, 1830 (ed. consultada: Col. Tebas, Madrid, 1975, p. 7).

2. En *Literatura Española del Siglo de Oro*, México, DF, 1941.

3. Benito Pérez Galdós, Prólogo a *El sabor de la tierruca*, de José
M.ª de Pereda, Barcelona, 1882, Cf. BPG, *Ensayos de crítica literaria*, ed. de L. Bonet, Península, Barcelona, 1972, p. 166.

4. Leopoldo Alas, *Clarín, Del estilo en la novela*, 1882-1883. Véase
S. Beser, *Leopoldo Alas: Teoría y crítica de la novela española*, Laia,
Barcelona, 1972, p. 65.

5. Véase J. Gimeno Casladuero, «La caracterización plástica del
personaje en la obra de Pérez Galdós; del tipo al personaje», *Anales
Galdosianos*, VII, 1972, pp. 19-25. Del mismo autor: «El tópico en
la obra de Pérez Galdós», *Boletín informativo del Seminario de Derecho Político de la Universidad de Salamanca*, enero-abril 1956,
pp. 35-52.

6. Véase M. Mayoral, Introducción a *Los pazos de Ulloa*, de Emilia Pardo Bazán, Madrid, Castalia, 1986, pp. 59-65.

7. Benito Pérez Galdós, *Fortunata y Jacinta*, en *Obras Completas*, Novelas II, Aguilar, Madrid, 1973, p. 486.

8. *Ibíd.*, p. 493.

9. *Ibíd.*, p. 657.

10. Personaje sobre el que, para el asunto que tratamos, debe consultarse D. Lida, «De Almudena y su lenguaje», *Nueva Revista de Filología Hispánica*, XV, 1961, pp. 297-308 y «El habla de los sefardíes en Galdós», J.E. Varey (ed.), *Galdós Studies*, Tamesis Books Ltd., vol. II, 1974, pp. 29-33.

11. Benito Pérez Galdós, *Misericordia*, ed. de L. García Lorenzo, Cátedra, Madrid, 1975, p. 72.

12. *Ibíd.*, p. 79.

13. *Ibíd.*, p. 97.

14. *Ibíd.*, p. 155.

15. Véase L. García Lorenzo, Introducción a ed. cit., p. 22.

16. Emilia Pardo Bazán, *La Tribuna*, ed. de Benito Varela Jácome, Cátedra, Madrid, 1975, p. 72.

17. Leopoldo Alas, *Clarín*, *La Regenta*, ed. de J.M.ª Martínez Cachero, *Obras*, I, Planeta, Barcelona, 2.ª ed., 1967, p. 116.

18. *Fortunata y Jacinta*, p. 452.

19. *Ibíd.*, p. 668.

20. *Ibíd.*

21. *Misericordia*, p. 243.

22. *Fortunata y Jacinta*, p. 523.

23. Véase J. Neira Martínez, «La función del disparate lingüístico y del dialectalismo en *La Regenta*», *Los Cuadernos del Norte*, n.º 23, enero-febrero 1984, pp. 60-63.

24. *La Regenta*, p. 158.

25. *Ibíd.*

26. *Ibíd.*, p. 164.

27. *Ibíd.*, p. 166.

28. *Ibíd.*, p. 158.

29. *Ibíd.*, p. 160.

30. *Ibíd.*, p. 166.

31. J. Oleza, en su ed. de *La Regenta*, (Cátedra, Madrid, 1984, vol. II, pp. 62-63, n.º 7), relaciona esta estupidez con la obsesión flaubertiana por la *bêtise humaine*.

32. «El tópico en la obra de Pérez Galdós», ed. cit.

33. *La Tribuna*, p. 106.

34. Véase V.A. Chamberlin, «The *muletilla:* an important facet of Galdos' characterization Technique», *Hispanic Review*, XXIX, 1961, pp. 296-309.

35. *Los pazos de Ulloa*, ed. cit., p. 356.

36. Véase Rubio Cremades, n.º 95 (p. 275) a su ed. de *Juanita la Larga*, Castalia, Madrid, 2.ª ed., 1986.

37. Por ejemplo, sobre Galdós cf. M. Lassaletta, *Aportaciones al estudio del lenguaje coloquial galdosiano*, Ínsula, Madrid, 1974 y G. Andrade Alfieri y J.J. Alfieri, «El lenguaje familiar de Pérez Galdós», *Hispanófila*, 22, 1964, pp. 27-73. Sobre Pereda, E. de Huidobro, *Palabras, giros y bellezas del lenguaje popular de la Montaña elevado*

por *Pereda a la dignidad de lenguaje clásico español*, 1907. Sobre Clarín, L. Núñez de Villavicencio, *La creatividad en el estilo de Leopoldo Alas, Clarín*, IDEA, Oviedo, 1974.

38. Ed. de Julio Rodríguez Luis, Castalia, Madrid, 1979.

39. *Fortunata y Jacinta*, p. 492.

40. José M.ª de Pereda, *Peñas arriba*, Est. Tip. Viuda e hijos de M. Tello, Madrid, 1895, p. 112.

41. En su *Gramática esencial del español*, Aguilar, Madrid, 1972, pp. 231-233.

42. Véase «La lengua coloquial: *Entre visillos*, de Carmen Martín Gaite» en *El comentario de textos*, Castalia, Madrid, 1973, pp. 357-375.

43. Para una discusión sobre estos términos y amplia bibliografía sobre el asunto, véase J. Polo, «El español familiar y zonas afines», *Yelmo*, n.º 1, agosto-septiembre 1971 y siguientes.

44. Véase entre otros: M.C. Lassaletta, *Op. cit.*; G. Andrade Alfieri y J.J. Alfieri, art. cit.; S. Gilman, «La palabra hablada y *Fortunata y Jacinta*, *Nueva Revista de Filología Hispánica*, XV, 1961, pp. 542-560; T. Navarro Tomás, «La lengua de Galdós», *Revista Hispánica Moderna*, IX, 1943, pp. 292 y 293; J. de Onís, «La lengua popular madrileña en la obra de Pérez Galdós», *Revista Hispánica Moderna*, XV, 1949, pp. 353-363; G. Sobejano, «Galdós y el vocabulario de los amantes», *Forma literaria y sensibilidad social*, Gredos, Madrid, 1967, pp. 105-138.

45. Véase G. Andrade Alfieri y J.J. Alfieri, «El lenguaje familiar de Galdós y de sus contemporáneos», *Hispanófila*, 28, 1966, pp. 17-25.

46. Juan Valera, «Sobre el arte de escribir novelas», *OC*, Madrid, 1947, I, p. 640 (Apud. G. Andrade y J.J. Andrade, art. cit. en n.º 45, p. 24)

47. *La Regenta*, p. 109.

48. *Ibíd.*, p. 217.

49. Véase R. Penny, «El dialectalismo de *Peñas arriba*», *Boletín de la Biblioteca Menéndez Pelayo*, LVI, 1980, pp. 377-386.

50. Véase J.M. López de Abiada, «Las hablas locales montañesas en la obra de Pereda: invención, falseamiento, arquetipos, estereotipos y pesudopopularismo al servicio de la ideología», L. Bonet y otros, *Nueve lecciones sobre Pereda*, Diputación Regional de Cantabria, Santander, 1985, pp. 197-221.

51. Prólogo a *La Tribuna*, ed. cit., p. 59.

52. Véase M. Mayoral, Prólogo a *Los pazos de Ulloa*, p. 63.

53. Por ejemplo, *La Tribuna*, pp. 37, 164-165 y 263-265.

54. Respectivamente, *Los pazos de Ulloa*, p. 243; *La Tribuna*, p. 122; *Los pazos*, p. 311; *La Tribuna*, p. 123.

55. *Los pazos de Ulloa*, p. 127.

56. Véase L. de los Ríos, *Los cuentos de Clarín*, Rev. de Occidente, Madrid, 1966, pp. 115-140.

57. *La Regenta*, p. 161.

58. *Ibíd.*, p. 214.

59. *Ibíd.*, p. 774.

60. J. Oleza, en su ed. cit. (II, p. 473, n.º 6), achaca este uso al distanciamiento, a la impersonalidad narrativa de Clarín, así como a su preferencia por el estilo indirecto libre.

61. Véase, por ejemplo, su divertido uso en los festejos de Naya, que nos relata la Condesa de Pardo Bazán en sus *Pazos de Ulloa*, pp. 181 y 182.

62. Véanse ejemplos de ello en *La Regenta*, pp. 28, 30, 31, 38, etc.

63. Jose M.ª de Pereda, *Don Gonzalo González de la Gonzalera*, Imp. y fundición de M. Tello, Madrid, 1879, p. 175.

64. Véanse los completos estudios sobre este aspecto de D. Rogers, «Lenguaje y personaje en Galdós (Un estudio de "Torquemada")», *Cuadernos Hispanoamericanos*, 206, 1967, pp. 243-273; y de H.B. Hall, «Torquemada: The Man and his Language», J.E. Varey, ed., *Galdós Studies*, Tamesis Books Ltd., Londres, 1970, pp. 136-163.

65. Benito Pérez Galdós, *Torquemada en la Cruz*, OC, ed. cit., p. 1.405.

66. Benito Pérez Galdós, *Torquemada y San Pedro*, OC, ed. cit., pp. 1.617 ss.

67. *La Tribuna*, p. 238.

68. Véanse ejemplos de ello en pp. 586, 607, 608, 654, 657, 695, 794 y 823.

69. *Fortunata y Jacinta*, p. 772.

70. *Ibíd.*, p. 837.

71. *Ibíd.*, p. 996.

72. *Ibíd.*, p. 816.

ANÁLISIS DE CORRESPONDENCIAS: TEXTOS DE 1882 SOBRE EL NATURALISMO

Claire-Nicole Robin
(Universidad de Besançon)

El trabajo que presentamos es puramente experimental. Se trata de analizar las correspondencias, por medio de los medios informáticos, entre varios textos sobre el naturalismo, todos con fecha de 1882.

En cuanto al método empleado, que ya es conocido, sólo indicaremos que hemos entresacado de diez textos todas las frases que llevaban mencionada la palabra *naturalismo* o *realismo,* incluyendo las frases en las que iba sobreentendida, haciendo el pronombre de substituto.

En el programa —creado por el Centro de Cálculo de Besançon— se va analizando el conjunto de las palabras que rodean el tema escogido, hasta el límite de diez palabras, antes y después del concepto elegido.

El resultado es un gráfico que materializa la «nube» de puntos alrededor de dos ejes, 1 y 2, horizontal el primero, vertical el segundo.

De los diez textos, cuatro —6.º, 7.º, 8.º y 10.º— son los más largos e interesantes, porque corresponden respectivamente a «Del naturalismo» de Clarín —artículos publicados en *La Diana*—, «El naturalismo en el arte» de Gómez Ortiz, serie de conferencias publicadas en *La América,* «El naturalismo artístico» de Urbano González Serrano, publicado en la *Revista Hispano-Americana,* y por fin a «La cuestión palpitante» que publicó Emilia Pardo Bazán en *La Época* entre

```
*MIS* SERIE 1 LIM=10
AFC  Graphe des axes 1 et 2 (page 1 )

   1   2   3   4   5   6   7   8   9  10  11  12  13  14  15  16  17  18  19  20
 1                                    determinismo                                1
 2                                         :                                      2
 3                               95  libertad                                     3
 4                           cuando  cual :                                       4
 5                   artista fuera        :                                       5
 6                                         :                                      6
 7                                         :  existencia                          7
 8                       43  obra          :    espiritu                          8
 9                               desde   ZOLA   gusto                             9
10          historia        sin      verdad  vez     moral                       10
11       accion      dice    8   fondo   tambien                                 11
12  20  arte165 ser 100 medio  nos  :   7  132 aun              siglo            12
13        pues       aunque  ha 146 145 134 sobre                                13
14  belleza artistica     real40  al  141 entre        nuestra realismo          14
15  debe   139 ella      46   3  las    los   quien                              15
16----99 127 este35 fin --------algoa   Pero--------tan|------------------------16
17            nadani    para   5  hay     asi PARBAZ82             176      11    17
18            sea 185  6  estudio 201 como   1  bien  PARBAZ81          177       18
19164    toda              72 122 110 CAVIA82 198 cada       novelista           19
20    153 estoestacuestion    200 CLARIN83   75 sinocierto     mi      falta      20
21            hoy 133    escuela otro111 uno  142 30 España                       21
22            nueva              todas        160 fue mayor  dos                  22
23137 sistema puede         :  89  71  118 libros     naturalistas               23
24      leyes esteahora   109 66  aqui    muy                          me         24
25concepto  decir  modo    natural                cosa                           25
26         muchos asunto         :                                               26
   1   2   3   4   5   6   7   8   9  10  11  12  13  14  15  16  17  18  19  20
```

MIS 144 points représentés - 73 points doubles
Axe horizontal: 1 (inertie: 25 %) - Axe vertical: 2 (inertie: 18 %)
MIS Tableau mac1:S1.TAB - 10 colonnes et 207 lignes

num colonnes	sous	ver	hor	pds	Axe1	ctr	cor	Axe2	ctr	cor
1 ALCAZ82	12	18	315	227	24	409	-155	15	191
2 CLARIN83	9	20	415	-75	3	35	-337	95	722
3 ORTMUND82	9	15	80	-80	0	886	26	0	93
4 CAVIA82	11	19	173	120	3	169	-216	16	548
5 CLARI821	9	17	137	-58	0	154	-120	3	662
6 CLARIN82	6	18	2721	-312	399	732	-183	184	252
7 GOMORT82	11	12	1299	110	23	53	236	146	247
8 GONSER82	8	11	1860	-156	68	125	362	492	673
9 PARBAZ81	15	18	157	559	74	743	-169	9	67
10 PARBAZ82	13	17	2837	304	395	875	-75	32	53

| | | | 10000 | | 1000 | | | 1000 | | |

num lignes	sous	ver	hor	pds	Axe1	ctr	cor	Axe2	ctr	cor
11 DAUDET	20	17	7	1032	12	994	-60	0	3
12 Espa^na	16	21	14	691	10	631	-400	4	211
13 Pero	11	16	11	124	0	119	8	0	0
14 ZOLA	11	9	67	114	1	24	-485	31	440
15 a	10	16	301	45	0	218	-50	1	269
16 accion	3	11	10	-671	6	790	302	1	160
17 ahora	6	24	11	-366	2	250	-628	9	736

num	lignes	sous	ver	hor	pds	Axe1	ctr	cor	Axe2	ctr	cor
18	al		10	14	107	50	0	179	107	2	820
19	algo		9	16	16	-35	0	16	-23	0	6
20	analisis		2	12	9	-762	8	759	238	1	74
21	aqui		11	24	16	98	0	24	-608	12	930
22	arte		3	12	110	-628	66	828	262	15	144
23	artista		5	5	15	-477	5	242	763	18	621
24	artistica		4	14	16	-592	8	845	152	0	55
25	asi		12	17	16	209	1	352	-117	0	110
26	asunto		6	26	11	-376	2	199	-718	12	729
27	al	15	10	16	0	0	0	0	0	0	0
28	aun		13	12	12	386	2	287	238	1	109
29	aunque		7	13	8	-252	0	81	191	0	46
30	autor		15	9	597	4	647	-402	3	293
31	belleza		2	14	10	-807	10	942	146	0	30
32	bien		13	18	19	391	4	845	-152	0	127
33	cada		14	19	10	441	3	628	-244	1	192
34	caracter	9	15	18	10	595	5	899	-183	0	85
35	ciencia		5	16	20	-498	7	766	-51	0	8
36	cierto		14	20	10	489	3	587	-314	2	242
37	como		10	18	128	39	0	36	-201	10	963
38	con	3	9	15	143	-10	0	7	59	1	252
39	concepto		1	25	20	-845	21	582	-683	18	380
40	contra		9	14	12	-74	0	249	85	0	329
41	cosa		14	25	7	408	1	205	-672	7	557
42	cosas	10	13	17	8	368	1	323	-90	0	19
43	critica		6	8	14	-378	3	232	571	9	529
44	cual		9	4	27	-50	0	3	849	40	914
45	cuando		7	4	13	-228	1	70	815	18	895
46	cuanto		8	15	16	-181	0	68	13	0	0
47	cuestion		5	20	10	-438	2	604	-346	2	377
48	de	18	10	14	893	62	5	283	95	16	666
49	debe		2	15	15	-762	13	870	83	0	10
50	decir		5	25	11	-450	3	298	-639	9	600
51	del	40	9	14	267	-44	0	76	117	7	542
52	desde		9	9	7	-88	0	22	491	3	707
53	determinismo		8	1	8	-120	0	7	1093	20	594
54	dice		6	11	11	-388	2	351	366	3	312
55	dicho	22	3	12	7	-716	5	804	277	1	120
56	doctrina	47	5	20	13	-483	4	633	-288	2	225
57	donde	32	13	18	16	374	3	685	-182	1	162
58	dos		17	22	10	739	8	666	-423	3	218
59	e	14	11	9	22	102	0	30	487	10	688
60	el	19	9	16	572	-34	0	354	-9	0	24
61	ella		5	15	13	-498	5	545	37	0	3
62	en	15	10	16	472	39	1	138	-47	2	201
63	entre		12	14	22	262	2	346	145	0	106
64	es	5	9	17	178	-86	1	352	-112	4	598
65	esa	19	9	16	7	-107	0	11	-9	0	0
66	escribir		10	24	7	81	0	9	-592	5	526
67	escuela		9	21	46	-88	0	40	-390	14	801
68	escuelas	67	9	21	7	-26	0	3	-400	2	923
69	espiritu		12	8	12	278	1	108	555	7	433
70	esta		4	20	39	-581	20	774	-298	7	203
71	esta'		12	23	12	275	1	232	-500	6	767
72	estas		8	19	8	-204	0	52	-268	1	90

num	lignes	sous	ver	hor	pds	Axe1	ctr	cor	Axe2	ctr	cor
73	este		4	16	31	−519	12	948	−9	0	0
74	esto		3	20	20	−650	12	618	−303	3	134
75	estos		12	20	10	235	0	265	−317	2	483
76	estudio		7	18	9	−237	0	692	−149	0	273
77	estética	8	8	11	27	−145	0	139	335	6	746
78	existencia		11	7	10	100	0	20	606	7	750
79	falta		19	20	8	986	12	861	−295	1	77
80	fin		6	16	13	−332	2	438	0	0	0
81	fondo		9	11	10	−24	0	2	360	2	525
82	forma	15	10	16	7	0	0	0	12	0	52
83	formula	81	9	11	10	−92	0	75	321	2	923
84	fue		14	22	7	413	1	339	−481	3	461
85	fuera		7	5	7	−251	0	90	759	8	830
86	general	70	4	20	12	−546	5	770	−282	1	205
87	gran	69	12	8	11	204	0	61	524	6	404
88	gusto		13	9	8	337	1	175	451	3	313
89	género		11	23	11	192	0	114	−534	6	884
90	ha		9	13	58	−63	0	20	163	3	134
91	hace	10	13	17	10	328	1	865	−63	0	31
92	han	37	10	18	16	23	0	0	−200	1	68
93	hasta	25	12	17	10	227	0	594	−77	0	68
94	hay		10	17	13	68	0	27	−96	0	54
95	hemos		8	3	8	−150	0	22	945	15	910
96	historia		4	10	10	−553	4	484	437	3	302
97	hombre	14	11	9	10	187	0	109	502	5	789
98	hoy		6	21	10	−390	2	431	−401	3	456
99	ideal		2	16	9	−751	7	957	−43	0	3
100	idealismo		6	12	19	−330	3	285	261	2	178
101	idealista	94	10	17	10	56	0	149	−127	0	770
102	la	90	9	13	718	−54	3	61	210	64	937
103	las		10	15	191	75	1	454	14	0	15
104	le	36	14	20	45	440	13	655	−281	7	267
105	leyes		3	24	9	−677	6	520	−586	6	390
106	libertad		9	3	7	−108	0	10	891	12	683
107	libros		14	23	8	476	2	381	−493	4	409
108	lirica	2	9	20	7	−67	0	21	−344	1	557
109	literaria		9	24	16	−26	0	1	−634	13	989
110	literario		10	19	12	93	0	92	−269	1	773
111	literatura		12	21	28	243	2	276	−374	8	654
112	lo	5	9	17	153	−64	0	41	−75	1	56
113	los		12	15	242	248	22	658	13	0	1
114	ma's	110	10	19	89	44	0	29	−240	10	877
115	mayor		15	22	7	575	3	350	−442	3	206
116	me		20	24	14	1112	27	661	−583	10	181
117	medio		7	12	12	−220	0	324	299	2	599
118	mejor		13	23	7	379	1	329	−513	4	604
119	menos	66	10	24	11	0	0	0	−593	8	941
120	mi		17	20	10	795	9	865	−313	1	134
121	mismo	13	11	16	20	111	0	377	−31	0	29
122	moderna		9	19	12	−77	0	30	−250	1	317
123	modo		7	25	9	−274	1	140	−675	8	853
124	moral		14	10	7	436	2	293	412	2	262
125	mucho	17	6	24	8	−333	1	233	−603	6	765
126	muchos		4	26	13	−612	7	378	−779	16	613
127	mundo		3	16	18	−631	11	908	1	0	0

num	lignes	sous	ver	hor	pds	Axel	ctr	cor	Axe2	ctr	cor
128	muy		13	24	18	393	4	277	-630	14	712
129	método	58	17	22	11	765	10	593	-483	5	236
130	nada		4	17	8	-519	3	943	-118	0	48
131	natural		9	25	8	-40	0	3	-667	7	918
132	naturaleza		12	12	10	250	1	75	295	1	105
133	naturalismo		7	21	201	-236	16	267	-372	56	665
134	naturalista		12	13	40	236	3	438	166	2	217
135	naturalistas		17	23	9	771	8	578	-561	5	306
136	ni		5	17	43	-445	13	812	-115	1	54
137	niega		1	23	11	-851	12	685	-557	7	293
138	no	110	10	19	189	0	0	0	-271	28	748
139	nombre		4	15	9	-526	3	990	27	0	2
140	nos		9	12	20	-72	0	44	298	3	768
141	novela		11	14	33	110	0	192	91	0	131
142	novelas	36	14	20	16	456	5	595	-277	2	219
143	novelista		17	19	10	761	9	789	-274	1	102
144	nuestra		16	14	13	618	7	893	153	0	54
145	nuestro		11	13	14	196	0	421	211	1	488
146	nuestros		10	13	8	91	0	19	216	0	109
147	nueva		5	22	9	-464	3	384	-487	4	423
148	o	13	11	16	46	186	2	870	-47	0	55
149	objeto	50	5	25	10	-486	3	328	-648	8	583
150	obra		7	8	15	-305	2	204	583	10	746
151	obras	13	11	16	32	189	1	210	-51	0	15
152	observacion	40	9	14	17	-27	0	29	154	0	964
153	ofrece		2	20	7	-749	6	769	-341	1	159
154	otra	94	10	17	10	55	0	190	-99	0	618
155	otro		11	21	9	110	0	47	-396	2	621
156	para		7	17	76	-279	8	869	-90	1	90
157	parece	1	12	18	8	293	1	257	-152	0	69
158	parte	35	5	16	14	-453	4	964	-27	0	3
159	pero	2	9	20	44	-52	0	23	-303	8	794
160	poesia		13	22	8	332	1	370	-427	3	613
161	poeta	10	13	17	10	333	1	900	-94	0	71
162	por	94	10	17	167	76	1	347	-78	2	366
163	porque	15	10	16	26	57	0	118	-40	0	58
164	positivismo		1	19	11	-922	14	929	-253	1	69
165	primera		4	12	9	-570	4	581	284	1	144
166	propio	139	4	15	9	-526	3	990	27	0	2
167	puede		5	23	18	-441	5	371	-508	9	493
168	pues		4	13	17	-542	7	562	222	1	94
169	punto	150	7	8	10	-255	0	123	565	6	606
170	que	5	9	17	674	-78	6	548	-61	5	335
171	quien		14	15	11	455	3	656	69	0	15
172	quiere	80	6	16	9	-349	1	716	-18	0	1
173	real		8	14	11	-144	0	257	117	0	169
174	realidad	24	4	14	27	-571	13	967	101	0	30
175	realismo		18	14	46	878	54	972	90	0	10
176	realista		18	17	35	909	44	848	-83	0	7
177	realistas		20	18	16	1073	28	914	-133	0	14
178	se	5	9	17	175	-45	0	67	-122	5	493
179	sea		4	18	28	-554	13	793	-187	2	90
180	segùn	81	9	11	8	-10	0	0	372	2	297
181	sentido	100	6	12	13	-379	3	615	245	1	257
182	ser		5	12	40	-443	12	748	256	5	249

num	lignes	sous	ver	hor	pds	Axe1	ctr	cor	Axe2	ctr	cor
183	si	113	12	15	51	208	3	448	72	0	53
184	si'	122	9	19	16	-73	0	33	-241	1	362
185	siempre		5	18	13	-470	4	828	-199	1	148
186	siglo		17	12	8	785	7	367	231	0	31
187	sin		8	10	43	-166	1	141	375	12	722
188	sino		13	20	24	385	5	434	-315	4	290
189	sistema		2	23	9	-764	8	667	-539	5	332
190	sobre		13	13	21	381	4	770	191	1	193
191	solo	18	10	14	26	6	0	0	153	1	456
192	son	33	14	19	27	435	7	629	-245	3	199
193	su	18	10	14	129	53	0	47	127	4	269
194	sus	18	10	14	117	73	0	18	154	5	82
195	tal	147	5	22	14	-438	4	475	-446	5	493
196	también		11	11	10	143	0	50	338	2	282
197	tan		14	16	25	461	8	995	12	0	0
198	tanto		13	19	13	397	3	698	-249	1	274
199	tendencia	8	8	11	13	-136	0	134	324	2	761
200	teoría		8	20	7	-178	0	240	-314	1	747
201	tiempo		9	18	9	-91	0	114	-144	0	286
202	tiene	6	6	18	24	-397	5	694	-195	1	167
203	toda		3	19	15	-643	9	848	-272	2	151
204	todas		10	22	16	1	0	0	-459	6	998
205	todo	15	10	16	39	47	0	50	-43	0	41
206	todos	145	11	13	24	194	1	91	178	1	77
207	un	103	10	15	83	21	0	15	26	0	23
208	una	46	8	15	67	-201	4	575	72	0	73
209	uno		13	21	7	328	1	273	-417	2	441
210	verdad		10	10	26	4	0	0	444	10	973
211	vez		12	10	10	216	0	127	414	3	467
212	vida	29	7	13	34	-279	4	622	187	2	279
213	y	63	12	14	591	257	58	870	96	11	121
214	ya	37	10	18	27	5	0	0	-177	1	373
215	él	15	10	16	19	18	0	1	-20	0	1
216	ésta	173	8	14	7	-146	0	96	89	0	35
217	éste		5	24	8	-455	2	345	-602	6	603

| | | | | | 10000 | | 1000 | | | 1000 | |

noviembre de 1882 y abril de 1883. Sobre estos textos fundamentales y fundadores del naturalismo en España, centraremos este trabajo experimental.[1]

Por otra parte, el texto 1.º corresponde a «Del naturalismo en nuestra novela contemporánea» de José Alcázar Hernández, en la *Revista de España;* el 2.º al prólogo de Clarín para la edición de *La cuestión palpitante* en 1883; el 3.º a un artículo de Ortega Munilla publicado en *El Imparcial* el 20 de febrero de 1882; el 4.º a un artículo de Mariano de Cavia «*Cochon et Compagnie*» que salió en *El Liberal;* el 5.º a un artículo de *El Progreso,* sacado de la sección *Ateneo;* y el 9.º es el prólogo de la misma Emilia Pardo Bazán para su novela *Un viaje de novios* que publicara en 1881.[2]

Como ya dijimos, esencialmente nos ocuparemos de los cuatro grandes textos teóricos de 1882 y 1883. Estos textos ocupan los cuatro planos determinados por la intersección de los dos ejes, lo que permite apreciar sus diferencias profundas, a pesar de las zonas de concordancia y afinidad.

1. Vemos —mirando el peso (pds) del eje 1— que este primer eje lo determinan básicamente los dos textos de la Pardo Bazán —el prólogo a *Un viaje de novios* y *La cuestión palpitante*—, mientras que el eje 2 lo determinan sobre todo los textos de Gómez Ortiz y el de González Serrano.

2. De la disposición de los textos en los dos ejes, vemos que dos textos —los de Clarín y Pardo Bazán— se oponen a los de Gómez Ortiz y González Serrano. Pero por otra parte, en función del eje 2, Pardo Bazán y Gómez Ortiz se oponen también a González Serrano y Clarín. Lo cual deja suponer que existen afinidades a la vez literarias e ideológicas, filosóficas también, a pesar de otras oposiciones. Efectivamente, ambos tienen una formación común, el krausismo, si bien Clarín, por aquellos años, había ya renegado de este sistema. Se puede también deducir que en la forma que tiene de enfocar la «nueva escuela», le quedan a Clarín resabios del método krausista y hasta conceptos de cuño krausista; podemos citar un ejemplo: el concepto de *belleza* cuyo peso determina el eje 2, pero que se sitúa bastante cerca del eje 1, o sea, determinado al mismo tiempo por el texto de Clarín. Y efectivamente, en los artículos de *La Diana*, el concepto estético que tiene Clarín de la belleza con el sutil distingo entre lo bello-útil y la belleza se resiente de la influencia de Giner de los Ríos. Estas zonas fronterizas de los ejes señalan los puntos de afinidad e influencia recíproca de los textos.

Los conceptos claves

En la batalla del naturalismo, se oponían tres conceptos de la literatura, que se pueden resumir en los conceptos de naturalismo, realismo e idealismo.

Lo primero que salta a la vista es que los conceptos de realismo y naturalismo encierran, según los autores, contenidos muy distintos, ya que se hallan totalmente opuestos: *realismo*, con los adjetivos *realista* y *realistas* (176 y 177), en el eje 1, o sea en la zona determinada por los textos de Gómez Ortiz y Pardo Bazán. Mientras que el término *naturalismo* se encuentra en la zona del texto de Clarín. Por otra parte, el concepto de *realidad* se halla en la zona del texto de González Serrano.[3] Por lo cual se echa de ver que el concepto de realidad no entraña la misma significación. Su contenido filosófico, en González Serrano, aparece claramente, cuando se ve que la palabra va acompañada de *belleza* y de *artística*. La realidad, para González Serrano, es esencialmente estética.

Del mismo modo podemos analizar los términos de *historia, siglo, España*, que plasman todos la preocupación fundamental que está en la raíz de la batalla del naturalismo. Si una visión superficial podía considerarlos como equivalentes, encubren en realidad nociones perfectamente distintas: *historia* se halla muy cerca de *idealismo* (100) y *arte*, mientras que *siglo* se halla del otro lado del eje 2, al lado de dos nociones menos especulativas: *realismo* —noción abstracta pero nada especulativa— y *nuestra*, que da una dimensión de contemporaneidad inmediata. Esta contemporaneidad encuentra su expresión máxima en Pardo Bazán y se va concretando en conceptos muy definidos, que poco tienen que ver con el proceder especulativo y filosófico de González Serrano o de Clarín, como lo veremos a continuación. Si el *nuestra* daba al término *siglo* una dimensión de inmediatez temporal, la palabra *España* reduce el de *siglo* a un cuadro, un espacio delimitado, a una preocupación concreta, que se puede asimilar a una meta: en efecto, notamos, con la palabra *España*, otras que precisan perfectamente lo que persigue Pardo Bazán: *falta, novelistas, libros, método* (129). En Pardo Bazán se trasluce una voluntad nacionalista, una voluntad de ver a España recobrar un puesto en la literatura, precisamente en el campo de la novela. Por otra parte, la presencia de *mi*, para-

lelo a *nuestra,* en función del eje 1, recuerda la personaliza-
ción de las intervenciones de Pardo Bazán en la batalla.

A pesar de haber sido Pardo Bazán y Clarín los dos defensores del naturalismo, su ubicación en el gráfico muestra
que los motivos y el concepto que tienen ambos del naturalismo difieren bastante y pueden explicar, hasta cierto punto,
su evolución ulterior. Y, en rigor de verdad, más que puntos
comunes, lo que revela el gráfico son enfoques totalmente dispares.

Si los conceptos de *novela, literatura, España* parecen pre-
dominantes en Pardo Bazán, en cambio en Clarín vemos que
el problema se plantea con otros términos. A *España* corresponde, de modo bastante equilibrado en el gráfico, un *hoy,*
cuya raíz profunda se puede poner directamente en relación
con *historia* y *siglo.* Contemporaneidad, pero desligada de una
preocupación únicamente nacional.

Pero lo más interesante es que el concepto de *naturalismo*
—el tema de la batalla— se encuentra sólo en el espacio delimitado por el texto de Clarín. Y a diferencia de Pardo Bazán,
en cuya zona abundan los términos concretos —*libros, mi,
novela, España, realistas*—, que no *realismo,* lo que domina
en Clarín son, como en González Serrano, conceptos abstractos
que dan fe de lo que él pensaba era el naturalismo: *cuestión,
estudio, escuela, sistema, leyes.* Tiene una visión más intelectual que concreta, lo cual también se puede explicar porque,
si bien ha escrito novelas cortas, aún no ha publicado ninguna novela, a diferencia de Pardo Bazán, que justifique un quehacer personal, insistiendo sobre las consecuencias literarias,
más que sobre la esencia del movimiento. Si bien ella habla
de método, no relaciona, a diferencia de Clarín, este método
con un «sistema» general. Además, podemos ver que si el concepto de naturalismo es céntrico en Clarín —al lado de *hoy,*
como *siglo* al lado de *realismo*— la palabra que se encuentra
en la zona de Pardo Bazán es *naturalistas,* o sea un adjetivo,
calificativo o denominativo, pero no un concepto abstracto.
Es como si los quisiera eludir todos, guardando tan sólo los
adjetivos que conllevan una apreciación más que un dogma o
su expresión. A decir verdad, el único concepto abstracto que
podemos encontrar en Pardo Bazán es el de *método,* sin referencia filosófica alguna.

En cambio, la referencia a una fuente filosófica aparece
claramente en Clarín: es el *positivismo* (164), si bien bastante alejado hacia la izquierda del eje 1. El gráfico, por otra

parte, si permite no asimilar abusivamente, en estos autores, las nociones de realismo y naturalismo, induce a proceder de igual modo con los conceptos de *determinismo* y *positivismo*, ya que el primero determina el eje 2, y el segundo, el eje 1. Sin querer anticipar demasiado y extrapolar, podemos definir el cariz personal de Clarín y Pardo Bazán: ésta, «muy suya», práctica, cuya meta esencial es la novela, escribir novelas —lo que viene corroborado por la fuerza creadora que Pardo Bazán habrá de manifestar en los años siguientes—; y el talante más intelectual de Clarín, que tal vez habrá sido un freno a su poder creador. Un ejemplo se patentiza en el gráfico: la palabra *asunto* —un argumento concreto— se encuentra muy alejado en la zona de Clarín. El adjetivo *natural* excentrado en relación con los demás conceptos, que entraña menos abstracción que el término *naturaleza*, que se encuentra al lado opuesto (132) y supone una aproximación más concreta a la realidad, se ve acompañado de *literaria* (109) y *escribir* (66), lo que demuestra la tentación y el deseo de escribir novelas en Clarín. Por eso vemos que este grupo de palabras, si se aleja de las que rodeaban el concepto de naturalismo, se acerca en cambio al mundo de Pardo Bazán, pasando así de una teoría a una práctica. Otro tanto se podría decir del artículo de Clarín de 1883 —prólogo a *La cuestión palpitante*—, menos teórico, sistemático, más afín a las preocupaciones de Pardo Bazán, más combativo, sin lastre de demostraciones o estéticas o filosóficas.

Pero si Clarín, como autor y futuro novelista ya tiene elementos y conceptos que le acercan a Pardo Bazán, como filósofo o como intelectual —si la palabra filósofo resulta demasiado altisonante— tiene muchos puntos de contacto con González Serrano, y el poder subrayarlo es seguramente una de las aportaciones del método empleado en este artículo. En efecto, vemos que exactamente en el eje 1 se encuentran los vocablos *ideal* (99), *mundo* (127), *ciencia* (35), o sea los conceptos básicos de cualquier discusión filosófica, y al mismo tiempo vemos cómo se van diferenciando ambos autores: el eje 1 aparece como una línea divisoria entre dos vertientes que llevan a dos polos opuestos: el *idealismo* (100) se opone exactamente, en el gráfico, a *naturalismo* (133), y alrededor de estos dos conceptos se organizan los espacios de González Serrano y Clarín. La vertiente filosófica, de tipo hegeliano, de González Serrano —que el hegelianismo es el único sistema idealista que fundó una Estética, heredándolo en parte el krausismo— organiza la discusión alrededor de conceptos que son en sí apriorísticos, como *belleza, artística, arte,* a diferencia de Clarín que sigue más bien el sistema positivista, echando mano del *estudio,* del *sistema* y de las *leyes,* vocablos estos que se resienten de las ciencias experimentales. A pesar de definirse como idealista, —para definir su posición estética y filosófica, emplea González Serrano la palabra *Realidealismus* —[4] no deja de conocer los problemas y las exigencias de la época. Por eso, vemos al lado de *arte, análisis* (20), bastante excentrado, pero significativo, y al lado de *obra, crítica* (43), lo cual manifiesta claramente que se hacía cargo de cuanto se renovaba en la literatura. Un ejemplo de ello son las palabras *medio* y *real,* que se acercan al centro del gráfico, o sea a lo que tienen en común los distintos textos.

A diferencia de Clarín, a medida que se aleja una en el eje 2, se ve cómo se acentúa la vertiente filosófica, dejando la estética de lado para mostrar los fundamentos de ésta: la relación de la libertad y del determinismo y el papel del artista ante este dilema. Varias observaciones se evidencian: como ya lo dijimos, el *determinismo* no es sinónimo de *positivismo,* y a pesar de encontrarse la palabra muy excéntrica, está determinada a la vez por el texto de González Serrano y el de Gómez Ortiz, estableciéndose así una relación o filiación entre ambos. Lo mismo podemos decir de *verdad,* sobre el eje 2, o sea determinado de igual modo por los textos de González Serrano y Gómez Ortiz.

Si consideramos el área en que se sitúa el texto de Gómez Ortiz, podemos observar varias cosas: que pasamos del vocabulario filosófico al vocabulario «moral»: *existencia, espíritu, gusto, moral;* luego, que es el que menos conceptos lleva reunidos. Por fin, que se halla a igual distancia de todos los demás textos, y que de modo más acentuado que los demás autores, tiene dos núcleos de palabras, uno cerca del eje 2 y González Serrano, otro, más reducido, paralelo a otro grupo semejante en la zona de Pardo Bazán. Esto se puede explicar a la vez por la voluntad de Gómez Ortiz de un «decoro» literario, y al mismo tiempo tiene una voluntad deliberada de reflejar el «siglo», la realidad. Esta segunda tendencia es más evidente aún en una obra posterior, aunque del mismo año, de Gómez Ortiz: *El naturalismo en el arte. Política y literatura.*[5] De ello se podría inferir que el realismo, a diferencia del naturalismo, conlleva una responsabilidad moral y personal del autor que ha de reflejar la *naturaleza* (132). Por esto se encuentra el término de *realismo* alejado de Zola, muy cercano a Daudet, y totalmente opuesto a naturalismo, lo cual no deja de sorprender. Esto podría significar —por la proximidad de las palabras *existencia, espíritu, gusto, moral, verdad, naturaleza*— que Zola actuó de revelador de estas nociones, en pro o en contra su literatura, pero que, cuando la batalla del naturalismo, por razones muy diversas, entre las cuales pueden intervenir las del nacionalismo, no funcionó como modelo tanto como se ha creído. Por otra parte, como para corroborar lo dicho, —sin que aparezca en el gráfico por motivos de espacio— el concepto de *hombre* ocupa exactamente el mismo sitio que Zola. Así que, como no era de esperar, Zola aparece, en el gráfico que tiene en cuenta los textos de los cuatro autores, al lado de palabras que expresaban una conciencia moral, en el mismo sitio que el concepto de *hombre*, pero exactamente al lado opuesto de lo que definía el naturalismo. ¿Qué significa? ¿El creador contra su sistema? ¿El sistema contra su creador?

Lo que pasa es que tanto Gómez Ortiz como Pardo Bazán ven en Zola lo aprovechable para sus metas; son, si se puede decir, pragmáticos que, en función de criterios de utilidad inmediata —el siglo, España, la existencia, la literatura, la novela— utilizan a Zola, por lo que supo revelar de la edad moderna. Una frase de Gómez Ortiz en *El naturalismo en el arte. Política y literatura* aclara perfectamente este concepto: «[...] la verdadera revolución literaria de este siglo no está en la forma, ni sólo en los procedimientos, sino que palpita en el fondo de las letras, en el ideal práctico y positivo de las obras de arte, en la transformación radical que el concepto y la naturaleza de las mismas han recibido».[6]

Esta frase, que puede aclarar el gráfico algo escueto, sobre todo en lo tocante a Gómez Ortiz, se encuentra en total desacuerdo con la posición intelectual e interior de Clarín que quiere justificar desde dentro —idealmente— el naturalismo como un sistema lógico, no muy alejado, en esto, de lo que había aprendido de los krausistas. Por lo cual, como hombre de sistema, se encuentra en posición paralela con González Serrano, a pesar de defender ambos posiciones radicalmente opuestas, aunque Clarín reconocía perfectamente lo acertado de la crítica de González Serrano.[7] También conviene recordar que los artículos de *La Diana* y de la *Revista Hispano-Americana* se publicaron casi simultáneamente, lo que puede explicar el paralelismo casi exacto de los conceptos en el gráfico.[8]

En cuanto a Pardo Bazán, que peca por la escasez de los conceptos sustituidos por una práctica real, vemos que le sirve de idea su misma fuerza creadora. Que de los cuatro autores es ella la verdadera novelista, por el empuje de su fuerza creadora, por su práctica, por la ausencia de rigorismo sistemático, sustituido por metas muy claras: España, la novela, y eso fuera de un programa ideológico muy claramente definido o por lo menos bastante contradictorio, como lo notó, acertadamente, el mismo Zola.[9] Por esta contradicción reductora en el plano ideológico, pero fecunda en el plano literario, se halla a la vez del mismo lado que Clarín y Gómez Ortiz, según el eje que se considere. Otro tanto se podría decir de los demás.

Si consideramos lo que determina los ejes, vemos que para el eje 1 son los textos 1, 4, 7, 9, 10, y para el segundo, son el 3, 7 y 8. Si dejamos de lado los textos más cortos del año 82, como son los de Ortega Munilla, etc..., vemos que Clarín se diferencia totalmente de los demás, tal vez por esta voluntad de sistematizar lógicamente una escuela nueva.

Conclusiones provisionales:

Cuatro textos —dejando de lado las aportaciones de los demás— aparecen en el gráfico como complementarios. El gráfico permite revelarnos que la batalla del naturalismo no era sencilla, porque de un lado había presupuestos morales y filosóficos, pero por otra parte, y en el mismo autor, existía la conciencia clara de la necesidad de esta revolución en la literatura. En cierto modo, podemos decir que, a pesar de las oposiciones, todos están de acuerdo, por lo menos sobre determinados puntos. Hay en el centro del gráfico un área de consenso mutuo, área delimitada por cuatro conceptos que resumen la idea central de cada uno, y los puntos que ocupan estos conceptos forman un cuadrilátero casi perfecto: son *idealismo* (100), *moral, novelas* (142) y *naturalismo* (133); y en el interior de este cuadrilátero, se encuentran los conceptos que permiten una comunicación —y una modificación— de las ideas previas.

Tenemos dos ejemplos: el texto de Pardo Bazán del 82 está más cerca del centro que el del 81, lo mismo que el de Clarín del 83; esta evolución era posible porque había, fuera de la cortesía que existía entre las personas, un área común, y en ésta, si consideramos los conceptos que allí se encuentran, son esencialmente literarios. Testimonio de una buena voluntad, de una buena fe, de modo que la batalla del naturalismo en nada se parece a lo que se puede presenciar en Francia. Más precisamente, en 1882, por cierto, hubo una batalla del naturalismo, pero no una polémica enconada como se encuentra más tarde, en 1883 y 1884. En 1882, lo que se juega en España es distinto: no se juega una escuela contra otra, se juega una nueva literatura contra un desierto. Lo que difiere son los motivos, los fundamentos y presupuestos filosóficos o literarios, no la necesidad que todos experimentan de la presencia y existencia de la tal escuela «novísima»

Ciertos críticos han afirmado que no hubo, en rigor de verdad, una batalla del naturalismo en España, lo cual resulta inexacto: porque, si bien supieron guardar los diferentes contrincantes una envidiable cortesía, la batalla del naturalismo giraba a la vez sobre la esencia del naturalismo y la esencia de lo que había de ser la literatura. O sea, que se trataba de un doble problema: de ahí que, por las circunstancias, se hubiera podido establecer una como plataforma común de discusión. De ahí también, la falta de agresividad, que se manifestará en 1884, por motivos aparentemente extraliterarios. Pero nunca después alcanzará el debate tanta amplitud de miras y enfoques, apasionados sin mezquindades, porque todos sabían, utilizando conceptos opuestos filosóficamente, que el verdadero problema era crear, hacer literatura, estar a la altura de los tiempos y los adelantos. Porque, lo repetimos, ese año de 1882 es el año de la esperanza, la esperanza de ver a España, gracias a la llamada de los liberales, encarrilarse sobre los rieles de la modernidad.[10]

NOTAS

1. Los artículos de Clarín en *La Diana* se publicaron entre el 25 de enero y el 10 de junio de 1982, fecha del último artículo. Están recogidos en el tomo de Sergio Beser, *Leopoldo Alas: Teoría y práctica de la novela española*, Barcelona, Laia, 1972, pp. 108-149. *El naturalismo en el arte* de Gómez Ortiz es una serie de tres conferencias publicadas en *La América*, n.º 1, 2 y 3, con fecha del 8 de enero, 28 de enero y 7 de febrero de 1882. *El naturalismo artístico* de Urbano González Serrano se publicó en el tomo V, n.º 19 y 21 de la *Revista Hispano-Americana*, con fechas 16 de marzo y 16 de abril de 1882. Lo incluyó el autor en el tomo de *Cuestiones contemporáneas*, Madrid, 1883.

2. El texto de José Alcázar Hernández se publicó en el tomo 84,

n.º 333, con fecha 13 de enero de 1882, en la *Revista de España.* El prólogo de Clarín a *La cuestión palpitante* se halla en la obra de Sergio Beser, *Leopoldo Alas: Teoría..., op. cit.,* pp. 149-153. El artículo de Mariano de Cavia se encuentra en *El Liberal* del 15 de mayo de 1882, y el de *El Progreso,* el 16 de enero, en la sección *Ateneo.* El prólogo a *Un viaje de novios* se volvió a publicar con la novela en Textos Hispánicos Modernos, Labor, Barcelona, 1971. Como *La cuestión palpitante,* se encuentran fácilmente las obras de Pardo Bazán.

3. Los distintos puntos de la «nube» llevan un peso específico y también un número, así como número de columnas y líneas, con lo cual es fácil situar en el gráfico los puntos que faltan y que forman parte del léxico. Por cuestión de comodidad en el gráfico, cuando no se pone el nombre, se pone el número y así se completa el gráfico.

4. *Revista Hispano-Americana,* TV n.º 21, p. 542.

5. *Política y Literatura.* Memoria leída en el Ateneo de Madrid por el Secretario primero de la sección de Literatura y Bellas Artes, en *La América,* n.º 4, 5 y 6, el 28 de febrero y el 8 de marzo de 1882. Se publicó esta memoria conjuntamente con la primera citada antes *El naturalismo en el arte,* con el título: *Estudios literarios leídos en el Ateneo de Madrid,* Madrid, Est. tip. Montoya y C. Caños, 1, 1882, 195 pp. In-16.

6. *Estudios literarios leídos en el Ateneo de Madrid, op. cit.,* p. 179.

7. *Leopoldo Alas: Teoría... op. cit.,* p. 137.

8. Véase nota 1.

9. *Lettre de M. Zola à M. Savine,* en *La Papallona,* de Narcís Oller, Barcelona, Biblioteca de «Catalunya Artística», 1902, pp. I-V.

10. Véase la tesis microfichada en Lille de Claire-Nicole Robin (1985), en particular el tomo III, sobre el tema *1882: El amigo Manso. Incidencias del debate de la modernidad sobre la creación literaria.*

COSTUMBRISMO
Y MANIFESTACIONES
REGIONALES

«MADRID POR DENTRO Y POR FUERA», COLECCIÓN COSTUMBRISTA DE 1873

María de los Ángeles Ayala Aracil
(Universidad de Alicante)

Desde múltiples perspectivas se analiza la vida social española en las colecciones costumbristas del siglo XIX. Entre la publicación de *Los españoles pintados por sí mismos* (1843) y la aparición en 1915 de otra colección idéntica en el título y en su propósito, median unos setenta años, cifra indicadora de la vigencia e influencia del género costumbrista. Hacia el último tercio del siglo XIX estas colecciones —*Las españolas pintadas por los españoles,*[1] *Los españoles de ogaño,*[2] *Las mujeres españolas, portuguesas y americanas,*[3] *Madrid por dentro y por fuera,*[4] *Los hombres españoles, americanos y lusitanos pintados por sí mismos*[5] y *Las mujeres españolas, americanas y lusitanas pintadas por sí mismas*—[6] se enriquecen con las aportaciones de afamados novelistas, tales como Alarcón, Valera, Galdós, Pardo Bazán... Artículos o cuadros que no sólo sirven para la descripción de un determinado tipo social, sino que también se nos ofrecen como bocetos literarios que se engarzarán más tarde en un mundo de ficción novelesco.

Madrid por dentro y por fuera es una colección dirigida a desentrañar la vida de ese centro neurálgico que es Madrid en 1873. Eusebio Blasco, director de la colección, la califica de «guía de forasteros» y se compromete a «coger por la mano al forastero y por cauto que sea guiarle en los atrevidos pasos que ha de dar por esta villa y corte»,[7] colección, pues, que entronca directamente con el costumbrismo de los siglos XVII y XVIII. Obras como *Guía y avisos de forasteros*,[8] *Los peligros de Madrid*,[9] *Recetas morales, políticas y precisas para vivir en la Corte*,[10] *Los engaños y trampas de sus moradores*,[11] *Los fantasmones de Madrid y estafermos de la Corte*,[12] o *Madrid por adentro y el forastero instruido y desengañado*,[13] pudieron ser muy bien los modelos o ejemplos que llevaron a Eusebio Blasco a tomar la orientación que presenta nuestra colección.[14]

Madrid por dentro y por fuera presenta un total de cuarenta y seis artículos, más una Introducción y un Capítulo último en el que el director, además de despedirse de los lectores, agradece y ensalza a los escritores que han colaborado en la colección.[15] Se publicó, según las palabras del propio Eusebio Blasco, en ocho cuadernillos sueltos que más tarde se reunirán en un tomo único.[16]

Madrid, eje y protagonista indiscutible de la colección, va a ser desvelada a unos supuestos lectores que nunca la han visitado, y esto condiciona en gran medida la elección de los aspectos que interesa mostrar de ella. En una época en la que sólo se desplazan del lugar de origen las personas acomodadas y son ellas las únicas que tienen capacidad económica y competencia cultural para comprar y disfrutar de un tipo de colección como la que nos ocupa, no es de extrañar que los escritores optasen por mostrar lo bello, agradable, divertido o pintoresco de esta ciudad, aunque en medio de todo ello se deslice intencionadamente más de una mordaz crítica a la situación del momento. Esto hace que *Madrid por dentro y por fuera*, al contrario que sus coetáneas, presente un costumbrismo donde la pintura de ambientes, la descripción de lugares y el análisis de la vida urbana madrileña desbancan al estudio del tipo. Sólo en «El guapo de oficio», «El usurero», «El lipendi», «Doña Guadalupe», «Los alabarderos», «La portera», «Los vividores», «El aguador» y «La modista» encontramos tipos descritos desde su aspecto externo al modo de ser y actuar en el estado civil, profesional o social que tratan de ejemplarizar. En algún otro artículo se dibujan unos personajes que se pueden acomodar o agrupar bajo un rótulo general que no constituye en sí mismo, una característica específica de ningún oficio o profesión. Así, por ejemplo, en el artículo de Moreno Godino, «Los trasnochadores», se nos esbozan tenuemente unos personajes que tienen en común una circunstancia concreta: sorprenderles el alba fuera del hogar.

Excepto esta escasa docena de artículos, los tipos que encontramos están siempre funcionando como complemento y ornamento de la escena costumbrista.

Si analizamos el contenido de los artículos encontramos un número considerable de ellos dedicados a describir lugares concretos de la villa madrileña. Teniendo en cuenta que fundamentalmente *Madrid por dentro y por fuera* es una colección concebida para satisfacer la curiosidad de unos lectores que residen en cualquier provincia de la península y que posiblemente añoren la vida madrileña o aspiren a conocerla alguna vez, entenderemos que los escritores se apresuren a esbozar esos núcleos madrileños de diversión que se han puesto de moda entre la aristocracia y la burguesía acomodada, además de mostrar los centros de actividad política y financiera que rigen los destinos de la vida nacional. Así, los lectores van a recorrer partiendo de la madrileñísima Puerta del Sol —primer artículo de la colección— y de la Carrera de San Jerónimo, arterias que condensan la vida madrileña y puntos imprescindibles de reunión para estar al tanto de los acontecimientos que se producen en la villa, los cafés El Suizo, El Imperial y La Iberia,[17] el Teatro del Príncipe, el Teatro Real, la Zarzuela,[18] los jardines del Retiro..., o se acercarán a una sesión en el Congreso o en la Bolsa,[19] entre otros muchos lugares que la pluma de estos costumbristas describe minuciosamente.

La mayoría de estos artículos utilizan la descripción como única vía expresiva, adoptando los autores la técnica de autor omnisciente. Hay que señalar que estos artículos ofrecen toda suerte de detalles sobre la historia que envuelve al sitio observado, desde datos sobre su edificación hasta la descripción misma del inmueble, como si los escritores quisieran fijar la fisonomía que presenta en ese momento, pero dando cuenta a la vez de las circunstancias y cambios operados en ella desde su edificación. Estas notas de nostalgia y añoranza por el pasado son muy propias del costumbrismo, y muchos de los escritores haciendo suyo el tópico de «todo tiempo pasado fue mejor» se lanzan a proporcionar toda clase de datos sobre el edificio y sobre los personajes que a él concurrían y los que ahora lo hacen, reflejando de esta forma los cambios que se han ido introduciendo con el correr del tiempo.[20]

Un ejemplo muy significativo es el artículo de E. Santoyo, «El café de la Iberia», pues en él se nos ofrece una detallada historia del café desde sus orígenes, primer tercio del XIX, época en la que se denominaba Café del Sol y era propiedad de una viuda llamada doña Guillermina. En 1844, D. Eulogio Gómez adquiere el local e introduce en él notables mejoras, cambiándole el nombre primitivo por el que figura en la colección. Al fallecer éste, el local es heredado por su hijo D. Antonio, quien lo traslada al local que ocupa en 1873. El autor se detiene para describir el aspecto material del inmueble, su distribución interior y la decoración de los distintos salones. Enumera además los diferentes círculos de parroquianos que allí concurrían y que ya han desaparecido o se han trasladado a otros locales y el lugar que ocupaba cada uno de ellos en los distintos salones del café. Así, por ejemplo, se nos informa de que en la sala más interior del ala izquierda se reunían los de *La Peña*, individuos del distinguido, y en ese momento disuelto, cuerpo de artillería, reunión que dio vida al círculo militar que con dicho nombre se creó en la calle Sevilla; o que la sala contigua a ésta estaba ocupada hasta hace pocos años por los jóvenes de la aristocracia, a la que acudían a la vuelta del Real hasta que la abandonaron para constituir el Veloz-club. Por último, el escritor se detiene en la descripción del ambiente que reina en esos momentos en el café. El salón central es el más concurrido y en él se agrupan políticos, periodistas, banqueros, agentes de bolsa, literatos, actores... en una bulliciosa amalgama.[21]

La clase social que más veces aparece retratada en nuestra colección es la burguesía acomodada y, sobre todo, la llamada aristocracia del dinero, es decir, la formada por aquellos burgueses enriquecidos que han alcanzado la posesión de un título nobiliario gracias a enlaces matrimoniales o como pago a los servicios prestados a la monarquía.[22] Es precisamente esa «clase alta» la que va a ser puesta en tela de juicio por nuestros colaboradores. No encontramos en nuestra colección demasiadas críticas directas a la aristocracia hereditaria, pues la que sufre los ataques más violentos es esa nueva aristocracia que compra sus títulos y honores con un dinero de dudosa procedencia; por ello, este grupo social no goza en ninguna ocasión de la benevolencia de los escritores de *Madrid por dentro y por fuera*. El artículo de Mobellán de Casafiel, «La Soirée de los Señores de Macaco», es una clara muestra de lo anteriormente señalado. El artículo supone una dura crítica a los métodos tan poco ortodoxos que se emplean para llegar a la aristocracia desde un origen humilde. Las únicas proezas que avalan el ascenso social de nuestro protagonista se reducen a haberse enriquecido de forma fraudulenta y haber prestado falsos servicios a la monarquía de Amadeo.[23] En la segunda parte del artículo se retrata a esa nueva aristocracia en una cena que los Sres. de Macaco ofrecen para celebrar su éxito social. Los asistentes, a pesar de los títulos que ostentan, se nos dibujan como gente grotesca y vulgar, sin modales en la mesa y sin la menor educación ni urbanidad,[24] poniendo así de manifiesto el origen plebeyo de estos nuevos nobles.

Críticas semejantes se encuentran en innumerables páginas de la colección, como las dedicadas al artículo «El guapo de oficio», de Eduardo Saco, en el que se hace hincapié en la fusión, tan corriente en la época, entre aristócratas empobrecidos y ricos burgueses. El protagonista del artículo al ver que sus exiguas rentas no le permiten vivir en el círculo que acostumbra opta, consciente de su falta de preparación para desarrollar un trabajo, por explotar su agradable rostro, su buena presencia, sus esmerados modales y su amena conversación, y se dedica premeditada y pausadamente a buscar una mujer madura y rica con la que contraer matrimonio. Tema, como sabe el lector, harto reiterativo en las novelas de Alarcón, Valera, Galdós...

La usura[25] es, junto a las contratas del gobierno y la Bolsa, otra de las actividades especulativas que más se desarrolló y el origen de muchos de los grandes capitalistas de finales de siglo. Nuestros costumbristas, atentos siempre al entorno real que los rodea, no pueden menos que intentar reflejarlo y nos ofrecen su tipología de la forma más extensa posible, desde el rico usurero al pequeño prestamista o «tasador de miseria» como es denominado en *La casa de préstamos*.

El usurero, claro representante de la pujante burguesía, es el objetivo que se marca Eduardo de Inza en su artículo «El Usurero», intentando prevenir al recién llegado a Madrid de los grandes abusos que éste comete. Desde las primeras líneas del artículo se pone de relieve que, al contrario que en épocas anteriores, el usurero de hoy es una persona aceptada y completamente integrada en los altos círculos sociales que frecuenta. Su aspecto físico en nada difiere del de cualquier noble caballero, excepto en el gusto por la exhibición de grandes joyas. Fijémonos en el retrato que de él se nos ofrece:

Ahora, el caballero que usted necesita, está al lado de usted en el café; puede verle sentado a la mesa redonda del hotel de París a las siete de la noche; más tarde le encontrará usted en el Teatro Real; a la hora de la Bolsa no faltará a la plaza de la Leña; en el paseo de la Castellana su carruaje es de los primeros. En todos los sitios, en fin, adonde concurre lo que han dado en llamar la sociedad más distinguida de la corte, allí se hallará nuestro hombre vestido con lujo insolente, aunque sin elegancia: la gruesa cadena de oro de su reloj se ostentará, formando un cuarto de luna, sobre su abdomen que comienza a tomar ya cierta redondez; en la blanca pechera de su camisa centellean dos deslumbrantes brillantes; y por último, en el dedo anular de su mano derecha, un magnífico solitario del tamaño de medio garbanzo, pone el sello distintivo al susodicho caballero.[26]

La característica esencial que define a este tipo es su enorme astucia, ya que, haciendo constante alarde de desinterés, consigue tender una invisible red en la que caen todos aquellos que en apuros económicos recurren a él. Cuando la pobre víctima se da cuenta de la realidad ya es demasiado tarde y no tiene otra alternativa que abonar hasta un cuatrocientos veinte por cien anual de intereses. Las víctimas más codiciadas por nuestro usurero son jóvenes ambiciosos próximos a contraer enlaces ventajosos o ricos herederos que no tienen paciencia para recibir su patrimonio.

Al lado de la descripción de las diversiones de la clase acomodada —como pueden ser los grandes bailes, los cotillones y los asaltos—[27] aparecen en nuestra colección algunos artículos que nos brindan otros espectáculos que sólo la villa de Madrid muestra a los asombrados ojos del visitante. La romería de San Isidro, la de San Antón, las paradas militares, las recepciones oficiales en la plaza de Palacio, las procesiones, el carnaval, etc., son algunas de las distracciones que las animadas calles madrileñas nos ofrecen, calles bulliciosas y repletas de comercios que muestran al forastero, desde sus cuidados escaparates, las novedades del vestir o los últimos alardes editoriales. Incluso, el viandante puede contemplar o admirar la fisonomía de célebres coristas o destacados oradores del Parlamento a través de los cristales de los modernos y concurridos salones de fotografía.

El Madrid humilde y popular apenas tiene representación en nuestra colección. Sólo dos artículos —«Madrid sin sol y sin gas» y «La fuente de vecindad»— nos van a acercar a ese Madrid tan distinto del que se nos ha presentado en el resto de las colaboraciones. El magnífico artículo de Ossorio y Bernard, «Madrid sin sol y sin gas», es la imagen, plenamente realista, de la cotidianidad madrileña. Tomando como pretexto algo que le sucedió, el autor nos lleva de su mano por el itinerario nocturno que seguía para llegar a su casa desde la redacción de un periódico. Es la vida misma, con sus notas positivas y negativas, la que se convierte en la protagonista del relato. Ante nuestros ojos se cruzan numerosos personajes tan intemporales que hoy todavía se pueden encontrar en cualquier rincón de una ciudad: mendigos que duermen en el portal de una casa, jugadores que se arruinan, guardias que nunca aparecen cuando hacen falta, prostitutas que intentan encontrar desesperadamente algún cliente antes de que termine la noche, borrachos que dormitan en cualquier lugar... individuos en suma que el hambre o el vicio hace coincidir, un poco antes de que amanezca, con los modestos y honrados trabajadores —buñoleras, camareros, carniceros...— que a esas horas comienzan los preparativos de su jornada laboral.

Los escasos tipos populares que aparecen en esta colección —«El aguador», «la modista», «los alabarderos» y «la portera»— son tratados de manera positiva, resaltando sus virtudes frente a los aspectos negativos que también se les imputa. Estamos siempre frente a una crítica benevolente, como si estos modestos individuos fueran más dignos de admiración que los que pueblan las otras clases sociales. Si alguna nota predomina en la pintura de todos ellos es la de su integridad. Viven de su trabajo y no alimentan vanas ilusiones de conseguir riqueza o ascenso social de manera fraudulenta.

Queremos señalar, por último, que el hecho preciso de que esta colección esté dedicada a desentrañar las glorias y ruindades de la vida de la corte, tal como se afirma en el capítulo último, le confiere el carácter de testimonio esencial para conocer las costumbres burguesas de la época. Sus coetáneas —*Las mujeres pintadas por los españoles*, *Los españoles de ogaño* y *Las mujeres españolas, portuguesas y americanas*— no se detienen a explorar tan minuciosa y monográficamente el tipo de vida que lleva esta determinada clase social. Esta puntualidad permite al lector remontarse fácilmente a esas lejanas fechas y reconstruir el ambiente que reinaba en aquellos años que siguieron a la Revolución de Septiembre. Ambientes y personajes que van a aparecer paralelamente descritos en las novelas realistas que con tanta pujanza van a surgir en esta década y las siguientes.

NOTAS

1. *Las españolas pintadas por los españoles*. Colección de estudios acerca de los aspectos, estados, costumbres y cualidades generales de nuestras contemporáneas. Ideada y dirigida por Roberto Robert, con la colaboración de... Madrid, Imprenta de J.M. Morete, 2 vols. 1871-1872.

2. *Los españoles de ogaño*. Colección de tipos de costumbres dibujados a pluma, Madrid, Librería de Victoriano Suárez, 2 vols. 1872.

3. *Las mujeres españolas, portuguesas y americanas*. Tales como son en el hogar doméstico, en los campos, en las ciudades, en el templo, en los espectáculos, en el taller y en los salones. Descripción y pintura del carácter, costumbres, trajes, usos, religiosidad, belleza, defectos, preocupaciones y excelencias de la mujer de cada una de las provincias de España, Portugal y Américas Españolas. Obra escrita por los primeros literatos de España, Portugal y América, e ilustrada por los más notables artistas españoles y portugueses, Madrid-La Habana-Buenos Aires, Imprenta y Librería de D. Miguel Guijarro, 3 vols., 1872, 1873 y 1876.

4. *Madrid por dentro y por fuera*. Guía de forasteros incautos. Misterios de la Corte, enredos y mentiras, verdades amargas. Fotografías sociales. Tipos de Madrid, señoras y caballeros, políticos y embusteros. Lo de arriba, lo de abajo y lo de dentro. Madrid tal cual es. Madrid al pelo, etcétera. Dirigido por Eusebio Blasco y escrito por varios autores, Madrid, 1873.

5. *Los hombres españoles, americanos y lusitanos pintados por sí mismos*. Colección de tipos y cuadros de costumbres peculiares de España, Portugal y América, escritos por los más reputados literatos de estos países, bajo la dirección de D. Nicolás Díaz Benjumea y D. Luis Ricardo Fors, e ilustrada con multitud de magníficas láminas debidas al lápiz del reputado dibujante D. Eusebio Planas, Barcelona, s.a., ¿1882?

6. *Las mujeres españolas, americanas y lusitanas pintadas por sí mismas*. Estudio completo de la mujer en todas las esferas sociales. Sus costumbres, su educación, su carácter. Influencia que en ella ejercen las condiciones locales y el espíritu general del país a que pertenece. Obra dedicada a la mujer por la mujer y redactada por las más notables escritoras hispanoamericanas-lusitanas bajo la dirección de la señora doña Faustina Sáez de Melgar e ilustrada con multitud de magníficas láminas dibujadas por don Eusebio Planas, Barcelona, s.a., ¿1882?

7. *Introducción*, p. V.

8. Antonio Liñán y Verdugo, *Guía y Avisos de forasteros, adonde se les enseña a huir de los peligros que hay en la vida de la Corte*, Madrid, por la Viuda de Alonso Martín: A costa de Miguel Solís, mercader de libros, 1620.

9. Bautista Remiro de Navarra, *Los peligros de Madrid*, Zaragoza, por Pedro Lanaja, Impresor de la Universidad, 1646.

10. Gómez Arias, *Recetas morales, políticas y precisas para vivir en la Corte*, Madrid, 1734.

11. Francisco Mariano Nipho, *Los engaños de Madrid y trampas de sus moradores*, Madrid, 1742.

12. Ignacio de la Erbada, *Los fantasmones de Madrid y trampas de estafermos*. Obra donde se dan al público los errores y falacias del trato humano para preocupación de los incautos, Salamanca, Antonio Villagordo y Álvarez, 4 vols., 1761-1763.

13. *Madrid por adentro y el forastero instruido y desengañado*, Madrid, 1784. Libro anónimo.

14. El tema de los peligros de la vida cortesana para aquel que llega de provincias subsiste durante todo el siglo XIX y prueba de ello es la aparición de la obra de Manuel Ossorio y Bernard, Libro de *Madrid y advertencias de forasteros*, Madrid, 1892.

15. Ofrecemos a continuación el índice de colaboradores por orden alfabético: Asmodeo (Ramón de Navarrete); Barrera, Pedro M.ª; Bedmar, Enrique G.; Blasco, Eusebio; Campo Arana; Cortázar, Eduardo de; Corzuelo, Andrés; Inza, Eduardo de; Lustonó, Eduardo de; Matoses, Manuel; Mentaberry, Adolfo; Mobellán de Casafiel, S. de; Moja y Bolívar, Federico; Moreno Godino, Florencio; Nombela, Julio; Ortí, Vicente; Ossorio y Bernard, Manuel; Palacio, Eduardo de; Palacio, Manuel de; Pérez Echevarría, Francisco; Pérez Escrich, Vicente; Ramos Carrión, M.; Rioja, A.P.; Robert, Roberto; Ruigómez, Andrés; Ruiz Aguilera, Ventura; Saco, Eduardo; Sánchez Pérez, A.; San Martín, Antonio de; Santa Ana, Luis de; Santoyo, E.; Segarra Balsameda, V.; Vital Aza; Ximénez Cros, Pascual.

16. Modalidad idéntica a la de *Los españoles pintados por sí mismos*. En las publicaciones *El Semanario Pintoresco Español, El Laberinto, La Crónica, La Época*, etc., aparecen anunciados estos «cuadernillos» o entregas a los numerosos suscriptores.

17. Mesonero Romanos en su *Nuevo Manual de Madrid, BAE*, Madrid, 1967, pp. 487 y 488, incluye todos estos cafés en su detallada relación sobre los establecimientos o cafés más frecuentados en la época. Los más concurridos eran El Suizo y La Iberia, situados, ambos, en la Carrera de San Jerónimo.

18. En 1849 el Teatro del Príncipe se convierte por Real Decreto en Teatro Español, con una capacidad para 1.200 personas. Dicho teatro fue propiedad de la villa de Madrid.

El Teatro Real se inauguró en la noche del 19 de noviembre de 1850 con motivo de la celebración del nombre de la reina Isabel II, representándose en la noche del estreno la ópera *La Favorita*, de Donnizzetti.

19. El costumbrismo coincidente con la época romántica da cumplida noticia sobre el nacimiento y especulaciones bolsísticas del mo-

mento, como Mesonero Romanos, Antonio Flores, Modesto Lafuente, etc.

20. Rasgo que se convierte en una constante en el quehacer del escritor costumbrista, salvo Larra, autor que llega a censurar los viejos sistemas educativos o sociales, en general, por considerarlos caducos y causa del inmovilismo que sufre España. Como siempre, Larra intentará reformar con sus artículos las vetustas estructuras sociales sin la añoranza de un Mesonero Romanos o Estébanez Calderón, para quienes lo pretérito o pasado es sinónimo de autenticidad y patriotismo.

21. También son muy significativas a este respecto las descripciones que se hacen del aspecto externo que presentaba la Puerta del Sol no hace muchos años desde los artículos «La Puerta del Sol» y «El Café Imperial». Los edificios del Congreso y de la Bolsa también aparecen minuciosamente analizados, brindándosenos la historia de su construcción con todo detalle en «La Tribuna de periodistas» y «La Bolsa», respectivamente. Otro artículo que debemos destacar es el de Adolfo Mentaberry, «Los jardines del Retiro», artículo espléndido, que da cuenta —además de informarnos, como en los anteriores, de su pequeña historia y de la conformación de los recintos— de la celebración de unos espectáculos nocturnos que se habían puesto de moda desde 1868. Existían dos tipos de representaciones; los miércoles y sábados tenían lugar los conciertos de Arbán, Botessini, Barbieri o Dalmau. Estos días la iluminación de los jardines era doble que la de los días ordinarios y la entrada, por consiguiente, también se veía incrementada a dos pesetas. El resto de la semana las representaciones se ofrecían desde otra explanada, y en un pequeño escenario al aire libre se cantaban zarzuelas bufas, se representaban revistas de actualidad o se bailaba el *can-can*, alternando con el fandango, el bolero y otras danzas nacionales.

22. Tanto Isabel II como Amadeo de Saboya van a premiar la lealtad de estos acaudalados burgueses que apoyan financieramente sus proyectos políticos, concediendo títulos de manera harto generosa.

23. El protagonista del artículo es un dependiente de una tienda de comestibles en La Habana. Se casa con la hija del dueño y gracias a una contrata de harinas en mal estado, para el suministro de las tropas, se enriquece y decide regresar a la península. Instalado en Madrid, acaricia la idea de ser incluido en la alta sociedad y para ello nada mejor que conseguir ostentar un título. Con ayuda de un antiguo conocido de La Habana monta una enorme farsa que le llevará a obtener su propósito. Presta dinero al ministerio de Hacienda con todo tipo de garantías y al cuarenta y cinco por cien de interés. Sin embargo, en los periódicos estos tratos aparecerán de la siguiente manera: «La Hacienda se ha salvado. El ministro del ramo ha firmado un empréstito de algunos millones con el afamado capitalista Sr. de Macaco, al ínfimo precio del 8 por 100 y sin garantía

alguna. La abnegación, el patriotismo y el desinterés de este hombre eminente, que arriesga su fortuna y el porvenir de sus hijos para salvar al Tesoro de una bancarrota, es una de las grandes conquistas que ha producido la revolución», p. 112.

24. Desde esta perspectiva se criticaron determinados comportamientos sociales. El artículo de Larra, «El castellano viejo», fue objeto de numerosas imitaciones, siempre realizadas para criticar los usos y costumbres de los tipos descritos.

25. Tema reiterativo entre los novelistas de la segunda mitad del XIX. Recordemos al usurero Elías en *El niño de la bola* de Alarcón, o Torquemada, personaje que hará fugaces apariciones en determinadas novelas de Galdós, como en *Fortunata y Jacinta*, y que más tarde será el protagonista de un ciclo de novelas.

26. *Col. cit.*, pp. 185 y 186.

27. La gracia del «asalto» radica en invitar a una serie de personas a una casa sin que el dueño de ella lo sepa hasta pocas horas antes. Asmodeo en su artículo «Un asalto» nos informa que es una costumbre de origen cubano. Allí los ricos hacendados frecuentemente ven interrumpida su apacible siesta por la llegada de un viejo criado que les anuncia que al anochecer vendrán «a darle el asalto» un grupo de amigos. Esta costumbre tan extendida en las Antillas se ha introducido y arraigado entre la sociedad madrileña aunque con algunas variantes. Aquí los jefes de la conspiración son los hijos de los aristócratas que durante una semana reúnen a un grupo de amigos y acuerdan la fecha del asalto. El secreto se guarda con extraordinario sigilo y hasta muy pocas horas antes los dueños de la casa no saben que por la noche se celebrará un baile en ella.

COLABORACIONES COSTUMBRISTAS DE LOS NOVELISTAS DE LA SEGUNDA MITAD DEL SIGLO XIX

Enrique Rubio Cremades
(Universidad de Alicante)

El artículo de costumbres ocupa un lugar privilegiado en los anales de la literatura española del siglo XIX. La sola mención de Larra es suficiente para corroborar tal apreciación. Larra será, por derecho propio, el primer periodista que figure en nuestra historia literaria por sus escritos costumbristas y no, precisamente, por su novela histórica, obra teatral original o adaptaciones teatrales. Otro tanto ocurre con el resto de escritores adscritos a dicho género, entre los que se podrían citar a los maestros del género, como Estébanez Calderón[1] o Mesonero Romanos,[2] autores modélicos que influyeron de forma decisiva en los escritores de la generación posterior. En la primera mitad del siglo XIX aparecen numerosísimos escritores, que si bien están circunscritos a géneros distintos del cuadro de costumbres, escribieron, sin embargo, estampas o escenas destinadas al análisis de un tipo o de una costumbre. Este sería el caso de E. Gil y Carrasco,[3] Duque de Rivas,[4] Hartzenbusch,[5] Bretón de los Herreros,[6] Zorrilla[7] —por citar tan sólo los casos más significativos— autores que el lector identificará con la novela, teatro o poesía, pero casi nunca con el artículo de costumbres. Circunstancia, en cierto modo, parecida a la actitud de los escritores de la segunda mitad del siglo XIX, conocidos hoy por sus incursiones en el teatro, poesía o novela, pero nunca identificados como costumbristas. En lo que respecta a los novelistas consagrados de dicha época, este hecho también se les puede hacer extensivo, pues escasos son los trabajos que analizan los artículos de costumbres de esta generación literaria. Por el contrario, los repertorios bibliográficos son copiosísimos cuando estudian a los costumbristas coincidentes con el movimiento romántico, deteniéndose no sólo en el análisis de los recursos literarios, técnicas y estilo, sino también en las fuentes del costumbrismo español y la incidencia de autores extranjeros en España. Incluso, no sólo se ha analizado la incidencia de dicho costumbrismo en la novela realista-naturalista desde múltiples perspectivas,[8] sino que también se ha prestado gran atención a las colecciones costumbristas del periodo romántico, en especial a la conocida con el nombre de *Los españoles pintados por sí mismos*,[9] colección que tendrá una gran incidencia en las colecciones posteriores, pues será tomada como pieza modélica del género.

Si todo esto sucede en la primera mitad de la centuria pasada, por lo que respecta a los años inmediatos el hecho supone el anverso de la moneda; silencio en torno a las colecciones costumbristas de la década de los setenta y ochenta, y mutismo, también, en lo que respecta a la producción costumbrista de un Alarcón, Valera, Galdós o E. Pardo Bazán. Se puede afirmar que la casi totalidad de los escritores hoy objeto de nuestro estudio publicaron en los medios periodísticos de la época sus artículos de costumbres, artículos que hoy yacen arrinconados en las hemerotecas o suponen verdaderas rarezas bibliográficas. El vehículo conductor de dicho género será de nuevo el periódico, y si bien *El Semanario Pintoresco Español, El Laberinto, El Museo de las Familias, El Museo Universal,* etc., fueron los perfectos transmisores del artículo de costumbres, en la época analizada sucederá otro tanto. Revistas o periódicos como *El Imparcial, El Globo, Madrid Literario, El Eco de Europa,* etc., publicarán no sólo los artículos objeto de nuestro estudio, sino que también ofrecerán a los lectores novelas, fragmentadas en más de una ocasión por no existir el espacio suficiente para ofrecerlas como un cuerpo unitario. Recordemos, por ejemplo, las novelas galdosianas *La Sombra,*[10] *El Audaz,*[11] *Doña Perfecta...,*[12] publicadas en la *Revista de España.* Incluso sus relatos breves —novelas cortas y cuentos— aparecieron por primera vez en periódicos que tuvieron una gran incidencia en la vida social de la época, como *La Nación,*[13] *La Ilustración de Madrid,*[14] *El Imparcial,*[15] *La Ilustración Española y Americana...*[16] Cuentos, leyendas y novelas eran dadas a la prensa por los autores que en más de una ocasión se quejaban de la lentitud de la dirección del periódico por ofrecerlas en entregas que no tenían una sucesión ordenada, como, por ejemplo, ocurre con la novela de Valera, *Juanita la Larga,* publicada en *El Imparcial.*[17]

La crítica literaria tiene, en ocasiones, gran dificultad en diferenciar determinados artículos de costumbres del género cuento, límites fronterizos de difícil apreciación, como tendremos ocasión de comprobar. Muy pocos autores reunieron o recopilaron en un libro los numerosos artículos de costumbres dispersos en periódicos y revistas literarias. Alarcón sería uno de esos casos excepcionales, pues no sólo se limita a seleccionar y reunir sus artículos de costumbres en un libro —*Cosas que fueron*—[18] sino que también diferencia y segrega los artículos de costumbres de las novelas cortas y cuentos, hecho no tenido en cuenta en su época, pues lo normal era reunir barajados en un volumen cuentos y artículos de costumbres.

Es frecuente encontrar en Alarcón el choque de perspectivas entre interlocutores que analizan una época pasada para contrastarla con el momento actual; incluso Alarcón aventurará o emitirá juicios acerca de un futuro no muy lejano, tiempo venidero que hará posible que nuestras costumbres cambien aun más. Es frecuente también en él la condescendencia con el tiempo pasado, como si el recuerdo dulcificara lo vivido y no existieran en ningún momento visos de pesimismo. Esta añoranza o nostalgia por el pasado la vemos por ejemplo en «Mis recuerdos de agricultor», artículo biográfico que rememora la vida familiar del escritor. Incluso, en el conocido cuadro que trata sobre la educación de comienzos del XIX —*Un maestro de antaño*— el tono condescendiente impregnará la totalidad del cuadro. Ni siquiera el conocido lema «la letra con sangre entra» puesto en práctica por nuestro protagonista empañará la bondad y la incultura de que hace gala Clavijo, militar en una época pasada y maestro por necesidades de subsistencia en la actualidad. Su analfabetismo es tal que llega a crear un mar de confusiones entre los discípulos; aun así, nuestro buen Clavijo se verá libre de toda crítica, pues su bondad natural e ingenuidad harán desaparecer estos aspectos negativos.

Esta visión o análisis del pasado la encontramos también en «La Nochebuena del poeta», pero en esta ocasión el autor hará gala de un acentuado pesimismo. La implacable monotonía del tiempo, la indiferente repetición de los hechos, darán al cuadro un tinte melancólico y pesimista. La muerte, incluso, se enseñorea del cuadro, dominadora del recuerdo y sombra fatal que acude a quienes en un día tan señalado se reúnen para festejar la festividad. El juego y el contraste entre el ayer, hoy y mañana ya había sido tratado con anterioridad, como el conocido cuadro de Mesonero Romanos *Antes, ahora y después,* asunto, por otro lado, ampliamente abordado en la colección de tipos y escenas descritas por su discípulo Antonio Flores en su obra titulada *Ayer, hoy y mañana, o la fe, el vapor y la electricidad. Cuadros sociales de 1800, 1850 y 1899.*

Alarcón es consciente de la influencia de Mesonero Romanos en sus artículos de costumbres e indica, en ocasiones, las diferencias o concomitancias existentes entre ambos. Por ejemplo, en el artículo alarconiano «Las ferias de Madrid» aparecerá en el inicio del mismo el siguiente texto: «No creáis que es un *artículo de costumbres,* a la manera de los discretísimos y famosos de nuestro Curioso Parlante, lo que me propongo escribir hoy. Ni yo tendría fuerzas para tanto, ni teniéndolas, incurriría en semejantes anacronismos».[19] Aunque la presencia de Mesonero Romanos es frecuente en otros cuadros alarconianos, no es aquí, precisamente, donde vemos la huella del conocido escritor costumbrista. Los objetos que aparecen en el cuadro de Alarcón cobrarán vida en el conocido Rastro madrileño, dialogando e increpando a sus antiguos dueños. Este carácter fantástico —el objeto que cobra vida— es propio de la cuentística decimonónica, de ahí que hasta los propios novelistas de la segunda mitad del XIX escriban relatos con motivos idénticos a los del cuadro alarconiano, como, por ejemplo, Valera, Galdós, Coloma, etc.[20]

La influencia de los maestros del género costumbrista en Alarcón es clara en numerosas ocasiones, influencia, por otro lado, que no debe juzgarse desde una perspectiva negativa, pues Alarcón no cae nunca en la servil imitación, aunque sus juicios, defensas o ataques ante cualquier institución o costumbre le aproximen a Mesonero Romanos o Estébanez Calderón.

En Alarcón se ponen en práctica numerosos procedimientos o recursos ya utilizados por la generación anterior de escritores. Como, por ejemplo, la xenofobia, que tendrá en sus *Historietas nacionales* un papel primordial. La defensa del elemento tradicional ocupará también un cierto protagonismo en sus artículoss, como en «La Nochebuena del poeta», en el que al igual que El Curioso Parlante censurará el uso de la chimenea por considerarla elemento extranjerizante y sustitutivo de lo tradicional: el brasero. En estos artículos alarconianos el lector podrá apreciar un profundo pesar y un cierto pesimismo muy próximo al de Larra. Sus reflexiones sobre la muerte y la peculiar idiosincrasia del español serán harto desoladoras. En sus artículos «Diario de un madrileño» o en «Las ferias de Madrid» se podrán observar dichas apreciaciones. La huella de Larra se manifiesta también en sus reflexiones insertas en los artículos a manera de digresión, recurso este muy utilizado por los escritores costumbristas para exponer bien su ideario estético o su propia ideología. En estas digresiones Alarcón se muestra en contra de la pena de muerte y al igual que Larra la censurará enérgicamente; incluso, la calificará de espectáculo bárbaro y trágico con claras connotaciones circenses.

No todos los artículos de costumbres de Alarcón merecerán ser rotulados con tal nombre, pues existen algunos cuadros que son de dudoso costumbrismo, como el titulado «Si yo tuviera cien millones». Otros se asemejarán o aproximarán al cuento o a los conocidos Almanaques de la época, describiendo con toda suerte de detalles las estaciones del año en íntima relación con las festividades y costumbres del momento. En esta galería de escenas y tipos no faltan los artículos que tienen como protagonista un objeto, recurso inmortalizado por Alarcón en su relato «El clavo» y por anteriores escritores costumbristas, recuérdese, por ejemplo, el artículo de Mesonero Romanos «El Retrato». Alarcón escribirá en este sentido un cuadro titulado «El pañuelo», objeto que será analizado en función de la utilidad que le dan las respectivas personas poseedoras del objeto o prenda analizada. Existen también otros artículos destinados al análisis de la política española del momento. No olvidemos que la sátira política suele ser denominador común entre los escritores del género. Alarcón analizará a los políticos de la época desde singular óptica, como la de compararlos a los cometas, de ahí su artículo «El cometa nuevo», destinado al análisis de la política de O'Donnell.

Alarcón, al igual que Valera, Galdós o E. Pardo Bazán, colaboró en las conocidas colecciones costumbristas de la segunda mitad del siglo XIX. Por ejemplo, en *Las mujeres es-*

pañolas, portuguesas y americanas [21] escribirá el artículo titulado «La mujer de Granada», y Valera «La mujer de Córdoba», tipos femeninos que muy bien pudieron ser el esbozo o germen de las heroínas que aparecerán más tarde en *El niño de la bola* o en *Juanita la Larga*. Las colaboraciones de nuestros novelistas en estas magnas colecciones de tipos y escenas obedecen a varias razones, entre ellas la remuneración crematística y el goce de una pronta fama como escritor. El joven Galdós no será una excepción, de ahí sus artículos insertos en las colecciones *Los españoles de ogaño* [22] y *Las españolas pintadas por los españoles*. [23] Para la primera colección escribirá el artículo «Aquel», y, para la segunda, «La mujer del filósofo» y «Cuatro mujeres».

De todos nuestros novelistas en la segunda mitad del siglo XIX son, sin duda, Alarcón junto a Pereda, quienes mayor producción costumbrista ofrecen. El corpus costumbrista de José M.ª de Pereda está formado por las obras *Escenas montañesas*, *Tipos y paisajes*, *Tipos trashumantes* y *Esbozos y rasguños*, obras en las que se describen minuciosamente las costumbres y tipos de la Montaña. Pereda no rehúye lo feo y desagradable con tal de ofrecer una pintura clara y objetiva de los moradores descritos y analizados; de ahí aquellos inolvidables tipos pertenecientes al hampa, sucios, misérrimos y desastrados, o aquellos marinos que se consuelan de los peligros del mar vapuleando a sus mujeres o gastando su jornal en las tabernas. Tipos magistralmente esbozados y escenas de suma belleza, como los descritos en «El raquero», «La robla», «La leva», «El fin de una raza»... pertenecientes a las *Escenas montañesas*. Pereda es tal vez el único escritor de la época que ha sido estudiado por la crítica en función de su producción costumbrista, de ahí que no intentemos reivindicar estos escritos harto conocidos y elogiados siempre por los historiadores de la literatura española. Recordemos el tono elogioso de Menéndez Pelayo que al referirse a «La leva» afirmó que «desde Cervantes acá no se ha hecho ni remotamente un cuadro de costumbres por el estilo». Otro tanto ocurre con los autores que en su día publicaron antologías sobre el costumbrismo, seleccionando de Pereda un buen número de tipos y escenas costumbristas. [24]

Existe un denominador común entre los novelistas de la segunda mitad del siglo XIX, denominador que les une y relaciona entre sí: sus colaboraciones en las colecciones costumbristas de la época. Por ejemplo, y como ya hemos indicado con anterioridad, Galdós colabora en *Las españolas pintadas por los españoles* y en *Los españoles de ogaño;* Valera y Alarcón publicarán conjuntamente en *Las mujeres españolas, portuguesas y americanas;* Emilia Pardo Bazán ofrecerá un artículo —«La gallega»— en *Las mujeres españolas, americanas y lusitanas pintadas por sí mismas.*[25] Existen, por el contrario otras colecciones costumbristas en las que no aparece el nombre de nuestros autores, como, por ejemplo, en *Los hombres españoles, americanos y lusitanos pintados por sí mismos*[26] o en *Madrid por dentro y por fuera.*[27]

En lo que respecta a Galdós, sus artículoss de costumbres ofrecen ciertas innovaciones en relación con los de otros escritores anteriores o coetáneos. Por ejemplo, el uso del peculiar perspectivismo galdosiano a la hora de analizar el comportamiento de la mujer, o la utilización de un recurso típico y característico de los productos subliterarios y novelas góticas o de terror: el misterio. En su artículo «Aquel» se establece un juego entre el autor y el lector para que adivine este último la personalidad y oficio del personaje. De esta forma Galdós en sus especulaciones en torno al protagonista del cuadro puede recorrer un buen número de profesiones y oficios, e, incluso insinúa que su protagonista es un cesante, tipo, por otro lado, que aparece insistentemente en los cuadros costumbristas y en la novelística de la segunda mitad del XIX. Al final Galdós resuelve el misterio y su personaje es el prototipo del vago.

Si las colaboraciones galdosianas en las colecciones costumbristas son bien significativas, no menos importantes son los artículos dados a la prensa nacional y extranjera, trabajos que describen pormenorizadamente los usos y costumbres españolas. Este ingente material galdosiano lo encuentra el lector recopilado en las *Obras inéditas de Galdós,*[28] edición prologada y al cuidado de Alberto Ghiraldo para la editorial Renacimiento. Dicha recopilación, ordenación y catalogación de los artículos dispersos en la prensa contó con el beneplácito del propio Galdós, que demostró un gran interés por la difusión de estos artículos de costumbres, artículos que se encuentran en el primer volumen de la colección con el nombre de *Fisonomías sociales.* Galdós se servirá tanto de la escena como del tipo para la descripción de ambientes, pudiéndose afirmar que el costumbrismo galdosiano sufre las influencias tanto de Mesonero Romanos como de Larra. Incluso, la propia ideología de Galdós, impregnada de un cierto anticlericalismo, asomará en estas páginas costumbristas. Creemos que las *Fisonomías sociales* no tienen nada que envidiar a la obra de El Curioso Parlante, pues, una gran parte de este material costumbrista sirvió como embrión preparatorio de sus novelas.

Existen otros escritores de la época ubicados también en la generación de Galdós que colaboraron en estas colecciones, aunque no de la forma tan copiosa como Alarcón o Galdós. Por ejemplo, Valera apenas presta atención al género costumbrista, aunque demuestre en reiteradas ocasiones su admiración por su fiel confidente y amigo Estébanez Calderón. Creemos que Valera reserva para su mundo de ficción el colorido costumbrista engarzado con sus héroes novelescos. En *Juanita la Larga* Valera se recreará en la presentación de un escenario andaluz, abandonando, en ocasiones, la peripecia argumental. Valera, consciente de ello, pedirá disculpas al lector por tales digresiones, fruto de una añoranza lejana en el tiempo y en el espacio. Nuestro autor colaborará en la colección *Las mujeres españolas, portuguesas y americanas* con el ya citado artículo «La mujer de Córdoba», germen, creemos, de la heroína que aparece en su novela *Juanita la Larga*. En dicho cuadro costumbrista surgen por primera vez el nombre de Juana la Larga y la famosa fuente de Villalegre, topónimo literario que es un fiel reflejo de las villas cordobesas Doña Mencía y Cabra. Incluso en «La mujer de Córdoba» Valera ofrecerá un copioso recetario gastronómico que se remonta a épocas medievales. El arte culinario será uno de los rasgos distintivos de Juana la Larga, mujer solicitadísima por los habitantes de Villalegre para la preparación o condimentación de comidas. Valera analizará el comportamiento de sus personajes desde esta curiosa perspectiva gastronómica, reflejada ya con anterioridad en este cuadro costumbrista. Es en cierto modo un caso idéntico al de E. Pardo Bazán en su análisis de la mujer gallega para *El Álbum de Galicia* con caracteres distintivos y propios de su entorno geográfico. No sólo la describirá minuciosamente, sino que incluirá escenas aisladas para reflejar las costumbres gallegas, como los preparativos de una boda. Es este tipo idéntico al de aquellas rústicas que aparecen en *Los pazos de Ulloa* y en *La Madre Naturaleza*, enraizadas en la tierra con sus creencias y supersticiones.

Existen, finalmente, otros escritores que realizan fugaces apariciones en el género costumbrista como Blasco Ibáñez —recordemos *Alma española*— o Armando Palacio Valdés con sus *Aguas fuertes*, escritos que describen el Retiro de Madrid en la época veraniega. El paréntesis establecido entre el costumbrismo que aparece en los *Cuentos populares andaluces*, de Fernán Caballero, hasta la producción costumbrista de un V. Blasco Ibáñez median varias décadas que nos indican que el costumbrismo no finalizó con la desaparición de Larra o Mesonero Romanos. Bien es verdad que el artículo de costumbres suele perder una buena parte de la dosis descriptiva para convertirse en un cuento o novela corta, como sucede de hecho con los *Cuadros de costumbres populares* del padre Coloma. El costumbrismo con el correr de los años perderá el fundamento ideológico a la manera de un Larra, para convertirse en un medio apto para la descripción de unos usos y costumbres que rayan en ocasiones en lo folklórico. Esto sucede, por ejemplo, en las citadas colecciones costumbristas. Por el contrario Galdós y Alarcón entroncarán con el más puro periodismo de Larra y Mesoneros Romanos, censurando y corrigiendo las costumbres de su época desde esta óptica. Doble vertiente del costumbrismo que tendrá también su exponente en la obra de autores generacionalmente posteriores, como Baroja —*Vitrina pintoresca*—, Azorín —*De los pueblos, De Alma española, De España*—, Gutiérrez Solana, R. Gómez de la Serna —*Elucidario de Madrid*—, Sáinz de Robles, etc., autores y obras indicativas de la permanencia y vigencia del género costumbrista.

NOTAS

1. En lo que respecta a Estébanez Calderón se puede afirmar que su obra costumbrista influye de forma decisiva en ciertas novelas de Valera, autor que manifestó públicamente su admiración por el autor de las *Escenas andaluzas*. En *Juanita la Larga* Valera engarzará admirablemente el escenario costumbrista andaluz con la peripecia argumental de la novela, escenario descrito con anterioridad por Estébanez Calderón.

En idéntico caso al anterior estaría la novela *El niño de la bola*, de Alarcón, relato que nos trae a la memoria aquellas rifas y bailes andaluces descritos en las *Escenas andaluzas*.

2. Muchos de los tipos y oficios costumbristas descritos por Mesonero Romanos aparecerán en el mundo novelesco galdosiano. El cesante, el hortera, la santurrona de oficio, el especulador... cobrarán vida por obra y gracia del arte de Galdós, dotados estos tipos

de vida propia e inmersos en un mundo de ficción. Lo mismo sucede con el Madrid urbano descrito por Mesonero Romanos o con las variantes idiomáticas empleadas por sus habitantes, como de hecho ocurre en tantas novelas de Galdós. Recordemos, por ejemplo, la presentación de tipos y del escenario costumbrista de la primera parte de *Fortunta y Jacinta.*

3. E. Gil y Carrasco, conocido como novelista, escribió, sin embargo, artículos de costumbres para los periódicos más importantes de la época, como en *El Semanario Pintoresco Español* o en *El Laberinto.*

4. El Duque de Rivas, autor del conocido drama *Don Álvaro o la fuerza del sino* escribió para *Los españoles pintados por sí mismos* los artículos *El ventero* y *El hospedador de provincia.*

5. Hartzenbusch describió con gran acierto al tipo que da título a su artículo *El ama de llaves,* inserto en la citada colección costumbrista.

6. Bretón de los Herreros fue uno de los escritores que mayor número de artículos aportó a la colección de *Los españoles pintados por sí mismos,* como, por ejemplo, los titulados «La castañera», «La nodriza», «La lavandera» y «El avisador».

7. El dramaturgo y poeta Zorrilla escribirá, al igual que los anteriores, el artículo *El poeta* para ser incluido en la magna colección costumbrista citada con anterioridad.

8. José F. Montesinos en *Costumbrismo y novela,* Madrid, Ed. Castalia, 1960, afirma que el costumbrismo no sólo no determina el advenimiento de la novela realista española, sino que lo retrasa considerablemente, ejerciendo una influencia deletérea y letal a nuestra novela. Por el contrario, Baquero Goyames en «La novela española en la segunda mitad del XIX», *Historia General de las Literaturas Hispánicas,* Barcelona, Ed. Vergara, vol. V, p. 139, observa en la obra de Montesinos la mezcla de dos problemas distintos. Primero, el de la indiscutible incorporación del costumbrismo a la novela; segundo, el de la calidad de ésta. Para Baquero, el costumbrismo «fue letal en cuanto mantuvo a la novela española *provinciana* y limitada, la señalada por Galdós y Andrenio. Y la verdad es que cuando se piensa en lo que de legítimo y buen costumbrismo hay incorporado al novelar de un Galdós, preciso es confesar que la labor de Larra y Mesonero fue tan útil como fecunda».

9. *Los españoles pintados por sí mismos,* Madrid, 1843.

10. *La Sombra, Revista de España,* Madrid, XVIII, n.º 70, 71 y 72.

11. *El Audaz, Revista de España,* Madrid, XX, n.º 79 y 80; XXI, n.º 81-84; XXII, n.º 85-88 y XXIII, n.º 89 y 90.

12. *Doña Perfecta, Revista de España,* Madrid, XLIX, n.º 194-196; L, n.º 197 y 198.

13. En el periódico *La Nación,* Galdós publicó *Una industria que vive de la muerte, La conjuración de las palabras...*

14. En *La Ilustración de Madrid* se publicó la novela corta *La novela en el tranvía*.

15. En *El Imparcial* se publicaron *La pluma en el viento* y *Trompiquillos*.

16. En *La Ilustración Española y Americana* aparecieron *La mula y el buey*, conocido cuento navideño, y *El verano*.

17. Valera se queja en reiteradas ocasiones de la lentitud del periódico en publicar su novela. El intercambio epistolar entre el propio Valera y sus contertulios así lo corrobora.

18. Pedro A. de Alarcón, *Cosas que fueron. Cuadros de costumbres*, Madrid, 1871. En nuestro trabajo citamos por la edición de *Obras Completas*, Madrid, Ediciones Fax, 1943.

19. *Ibíd.*, p. 1.677.

20. Por ejemplo, el cuento *La muñequita*, de Valera; *Ajajú*, de Coloma; *La princesa y el granuja*, de Galdós, relato en el que su protagonista, Pacorrito, se enamora de una muñeca que ve en un escaparate.

21. *Las mujeres españolas, portuguesas y americanas*. Tales como son en el hogar doméstico, en los campos, en las ciudades, en el templo, en los espectáculos, en el taller y en los salones. Descripción y pintura del carácter, costumbres, trajes, usos, religiosidad, belleza, defectos, preocupaciones y excelencias de la mujer de cada una de las provincias de España, Portugal y Américas Españolas. Obra escrita por los primeros literatos de España, Portugal y América, e ilustrada por los más notables artistas españoles y portugueses, Madrid-La Habana-Buenos Aires, Imprenta y librería de don Miguel Guijarro, 3 vols., I, 1872; II, 1873, y III, 1876.

22. *Los españoles de ogaño*. Colección de tipos de costumbres dibujados a pluma, Madrid, Librería de Victoriano Suárez, 2 vols., 1872.

23. *Las españolas pintadas por los españoles*. Colección de estudios acerca de los aspectos, estados, costumbres y cualidades generales de nuestras contemporáneas. Ideada y dirigida por Roberto Robert, con la colaboración de..., Madrid, Imprenta a cargo de J.M. Morete, 2 vols., I, 1871; II, 1872.

24. Véase, por ejemplo, E. Correa Calderón, *Costumbristas españoles*. Estudio preliminar y selección de textos por..., Madrid, Ed. Aguilar, 1951.

25. *Las mujeres españolas, americanas y lusitanas pintadas por sí mismas*. Estudio completo de la mujer en todas las esferas sociales. Sus costumbres, su educación, su carácter. Influencia que en ella ejercen las condiciones locales y el espíritu general del país a que pertenece. Obra dedicada a la mujer por la mujer y redactada por las más notables escritoras hipanoamericanas-lusitanas bajo la dirección de la señora doña Faustina Sáez de Melgar, e ilustrada con multitud de magníficas láminas dibujadas por don Eusebio Planas, Barcelona, s.a. ¿1882?

E. Pardo Bazán incluirá años más tarde este tipo en la colección *Álbum de Galicia*, Ferrol, 1897.

26. *Los hombres españoles, americanos y lusitanos pintados por sí mismos.* Colección de tipos y cuadros de costumbres peculiares de España, Portugal y América, escritos por los más reputados literatos de estos países, bajo al dirección de don Nicolás Díaz de Benjumea y don Luis Ricardo Fors, e ilustrada con multitud de magníficas láminas debidas al lápiz del reputado dibujante don Eusebio Planas, Barcelona, s.a. ¿1882?

27. *Madrid por dentro y por fuera.* Guía de forasteros incautos. Misterios de la Corte, enredos y mentiras, verdades amargas. Fotografías sociales. Tipos de Madrid, señoras y caballeros, políticos y embusteros. Lo de arriba, lo de abajo y lo de dentro. Madrid tal cual es, Madrid al pelo, etcétera. Dirigido por Eusebio Blasco y escrito por varios autores, Madrid, 1873.

28. Benito Pérez Galdós, *Fisonomías sociales* (Obras inéditas), Prólogo de Alberto Ghiraldo, Ed. Renacimiento, Madrid, 1923. Contiene los siguientes apartados. I. *Ciudades de España:* «San Sebastián», pp. 15-25; «Bilbao», pp. 27-38; «Santander», pp. 39-44; «Madrid», pp. 50-65; «Barcelona», pp. 66-86. II. *Observaciones de ambiente:* «El poder de los humildes», pp. 89-101; «Humanas locuras», pp. 102-105; «El mes de marzo», pp. 106-112; «La fiesta nacional», pp. 113-119; «Vida de sociedad», pp. 120-126; «Solidaridad», pp. 127-131; «El circo y el toreo», pp. 132-134; «Panoramas madrileños», pp. 135-141; «La epifanía», pp. 142-145; «Nuestro sport», pp. 146-153; «Mayo y los Isidros», pp. 154-159; «Peregrinos a Roma», pp. 160-164; «Para ganar el cielo», pp. 169-176; «Crisis políticas», pp. 177-183; «Alegrías de primavera», pp. 184-187; «Divagando», pp. 188-194. III. *Tipos:* «El coleccionista», pp. 197-208; «El parlamentarista», pp. 209-330; «El elegante», pp. 231-242; «El veraneante», pp. 243-255; «El cesante», pp. 256-268.

·

NOVELA REGIONALISTA ESPAÑOLA
Y COSTUMBRISMO VASCO

Jesús María Lasagabaster
(Universidad de Deusto, San Sebastián)

El panorama literario del XIX español es de una complejidad especial. Una razón está sin duda en lo borroso de las
fronteras que marcan la sucesión de los movimientos o períodos que nos sirven para identificar y medir el desarrollo y la
evolución literaria a lo largo del siglo: romanticismo, costumbrismo, realismo, naturalismo...

Pero además, y hasta el final de la centuria, coexisten sistemas literarios diferentes y hasta contradictorios, expresión
sin duda de una situación políticosocial vacilante, indefinida
e incluso contradictoria.

Frente a la crisis irreversible del Antiguo Régimen, la búsqueda de formas políticas adecuadas a las nuevas exigencias
socioculturales de la modernidad está cargada de tanteos, de
contradicciones incluso, de éxitos, ciertamente, y también de
fracasos. La crisis no sólo política sino cultural del Estado es
sin duda el humus en que germinan en la periferia española
fuertes reivindicaciones regionalistas —nacionalistas, en algún
caso—, que constituirán desde finales del XIX una de las asig-
naturas pendientes, como hoy se dice, de la entrada política
de España en la modernidad.

Este abigarrado panorama políticocultural tiene su reflejo, o mejor, se materializa artísticamente en la literatura de
la época.

La tendencia a una cierta uniformización del panorama literario español de la segunda mitad del XIX, si en buena medida se justifica, exige también ser matizada por lo que respecta a realidades socioliterarias que difícilmente se dejarían aprehender y explicar por los modelos generales.

Esto me parece evidente en el caso vasco, que es el que voy a tratar aquí, siquiera sintéticamente.

El romanticismo europeo en general, y de modo particular el español, tiene un carácter eminentemente histórico, es un esfuerzo de rescate y evocación del pasado nacional, que se expresa en el florecimiento de los géneros históricos —novelas, poemas, dramas—, como paradigma de sentimientos y de valores que, desde posiciones ideológicas distintas y hasta contradictorias, se pretende defender.[1]

Este diagnóstico que, por tan general, puede ser válido a propósito del movimiento romántico español de la primera mitad del XIX, exige, desde la perspectiva de la literatura vasca, o, para ser más exactos, desde la perspectiva de la literatura castellana escrita por autores vascos, que es la que aquí fundamentalmente me interesa, alguna mayor precisión.

En primer lugar habría que señalar la uniformidad ideológica de esta literatura, expresión monocorde del romanticismo político más conservador. Las únicas voces discordantes, ya muy al final del siglo, o a caballo entre el XIX y el XX, son las de los escritores vascos del 98, cuyo regionalismo literario, el de *Paz en la guerra* o sobre todo el de *La leyenda de Juan de Alzate,* se inscribe en coordenadas ideológicas y estéticas diferentes.

En segundo lugar, se trata de una literatura que rompe los límites convencionales del período romántico, se prolonga a lo largo de todo el XIX y cede además el testigo a una literatura históricocostumbrista en euskera que se sigue cultivando hasta mediado el siglo XX.

Esta literatura histórica, históricolegendaria más bien, que en su origen no sería más que materialización de un rasgo indistinto y generalizado del romanticismo europeo y español, se hipostasia luego como expresión del fuerte movimiento de reivindicación regionalista que sacude a buena parte de la periferia española —Cataluña, Vascongadas, Galicia— y se convertirá, al menos en el caso vasco, en uno de los soportes ideológicos más fuertes de ese movimiento: es un proceso histórico y una cultura originales lo que la literatura regionalista trata de justificar, defender y mantener, y, cuando a ese movimiento literario se incorpore, tímida y tardíamente, la literatura en euskera, será sobre todo la lengua el elemento esencial especificador de una identidad nacional para la que se busca, más allá o en el contexto de las reivindicaciones culturales, formas políticas de expresión y de existencia.

No es legítimo reducir a mera ideología el discurso artístico de esta literatura regionalista; pero es evidente que sobre unos valores estéticos de discutible calidad en la gran mayoría de los casos, es todo un edificio ideológico el que se levanta en el marco y al servicio de un movimiento de reivindicación política y cultural que se desarrolla sobre todo en las últimas décadas del siglo: la pérdida de los fueros en 1876 tras la segunda guerra carlista, y la obra de Sabino Arana Goiri que cristaliza en la fundación del Partido Nacionalista Vasco en 1895 son sin duda los hitos fundamentales de su trayectoria.

La literatura que surge de este esfuerzo de recuperación del pasado y de autoidentificación en él, adopta dos formas fundamentales: la novela histórica y el relato legendario. Historia y leyenda constituyen así las fuentes donde beben la gran mayoría de los escritores regionalistas vascos,[2] y cuyas aguas a menudo se mezclan en una única corriente, donde ya resulta muy difícil, por no decir imposible, decidir dónde termina lo histórico y dónde empieza lo ficticio. El pasado se recuerda, se mitifica e incluso se inventa. Porque tampoco el «ossianismo» —la tradición inventada— está ausente de esta literatura.

La invención de tradición más flagrante y más decisiva por la influencia que tuvo es la que se contiene en el libro del suletino Joseph Augustin Chaho, nacido en Tardets en 1811, y que lleva por título *Voyage en Navarre pendant l'Insurrection des Basques de 1830-35*.[3]

El *Viaje a Navarra* es, desde luego, una defensa del carlismo vasco, en el que Chaho ve un movimiento de liberación nacional; tiene igualmente elementos de novela o de narración de caballerías y es, finalmente, una colección de leyendas románticas, tomadas del folklore popular algunas, inventadas la mayoría, que más tarde el propio autor u otros escritores del grupo fuerista recogerán y desarrollarán.

De estas leyendas inventadas por Chaho, la que mayor influencia ha tenido en la literatura posterior es sin duda la de Aitor, nombre que Chaho da al mítico fundador del pueblo vasco.[4] Este legendario personaje pasa luego a la literatura y son sobre todo Navarro Villoslada y Arturo Campión los que más contribuyen a popularizarlo.[5]

Pero el ejemplo más claro de «ossianismo» en la literatura vasca es el famoso «Altabizcarreco Cantua» (El Cantar de Altabizcar), sobre el tema de Roncesvalles, que apareció en 1835 en el *Journal de l'Institut Historique.*

El bayonés Eugène Garay de Montglave, autor del texto francés, lo dio a traducir al euskera a su amigo Louis Duhalde y afirmó haber visto una copia manuscrita del Cantar en la biblioteca del ministro francés Garat.

La superchería pasó, y hasta un estudioso tan eminente como Francisque Michel[6] cayó en la trampa, al suponer que se trataba de un texto medieval. Hasta que en 1869 J.E. Blade, en su estudio sobre el origen de los vascos,[7] denuncia la impostura y señala que el Cantar está inspirado en los poemas ossiánicos de Macpherson.

Pero el espacio en que se mueve la literatura fuerista es ambiguo, con unas fronteras borrosas, cuando no inexistentes, entre lo histórico y lo legendario. Verdad y ficción llegan a confundirse, y no tanto por el predominio en literatura de la función poética sobre la referencial, cuanto por el didactismo, o mejor, la servidumbre ideológica de una literatura que funciona como soporte documental de una voluntad colectiva y de un proyecto político y cultural. «Expulsadas de la historia —dice Jon Juaristi— estas tradiciones se acogerán a la literatura que pretende suplantar a la historia misma, arrogándose sus prestigios».[8]

En realidad, historia y leyenda sirven a una única finalidad que es la que justifica a ambas por igual: ser signo de los sentimientos, las creencias, el espíritu en definitiva del pueblo que las protagoniza.

Uno de los representantes más característicos de esta literatura, el guipuzcoano Juan Venancio de Araquistain, lo expresa bien claramente en la Dedicatoria a L.M.N. y M.L. Provincia de Guipúzcoa de su libro *Tradiciones vasco-cántabras,* publicado en 1866. Araquistain subraya la «importancia histórica y moral de los cantos, leyendas y cuentos populares, que son el reflejo de las creencias y el eco fiel de los sentimientos de las generaciones pasadas». Hasta el punto de que son éstos los que hacen la verdadera historia de los pueblos: «Con razón se dice pues, que la nación que reuniera la colección más completa de tradiciones, cantos y leyendas populares, sería la que tuviera la historia más acabada».[9]

De hecho, la leyenda inspira más que la historia a los escritores vascos de esa época. La misma novela histórica es casi siempre una mezcla de ambas, donde el lector desde luego, pero a lo mejor tampoco el autor, parece saber a ciencia cierta dónde se sitúa la frontera entre lo histórico y lo legendario. Seguramente, como acabamos de decir, porque en el fondo no le interesa, ya que no se trata tanto de dar testimonio de una historia, cuanto de representar unos valores, una manera de ser.

La novela más representativa de esta literatura y más leída sin duda entonces y hoy todavía, *Amaya o los vascos en el siglo VIII* (1879), de Navarro Villoslada, es un ejemplo patente de lo que acabo de decir.[10]

Desde José María de Goizueta, que publica sus *Leyendas vascas* en 1851, hasta *Los últimos íberos* (1882) de Vicente Arana, la literatura regionalista vasca se sucede profusamente a todo lo largo de la segunda mitad del siglo XIX con una presencia en el panorama literario español más cuantitativa que cualitativa. Con la excepción de Navarro Villoslada y Antonio de Trueba —éste más por su obra lírica y sus cuentos costumbristas que por su novela histórica *La paloma y los halcones* (1865)—[11] se trata de autores de segunda fila, a pesar de que entre 1851 y 1890 se hicieran cinco ediciones de las *Leyendas vascongadas* de Goizueta, olvidados seguramente sin demasiada injusticia por la historia de la literatura, pero decisivos desde el punto de vista de la historia de las ideas en el País Vasco, y con un peso y una influencia decisivos en la vida y en la evolución política de su tiempo. Hoy, tras estudios como los de Antonio Elorza y Javier Corcuera,[12] no parece discutible la influencia determinante de la literatura fuerista en la ideología nacionalista y en la práctica política de Sabino Arana Goiri (1865-1903).

El pamplonés Arturo Campión (1853-1937) es seguramente el último representante de la literatura regionalista vasca escrita en castellano. Su novela *Don García Almóravid* (1889), sobre las guerras civiles entre navarros y con los francos, en los siglos XIII y XIV, es «la última (y la mejor) de las novelas históricas fueristas».[13] Mereció elogios de la Pardo Bazán,[14] aunque al mismo tiempo la Condesa no disimulara sus críticas a una forma novelesca ya pasada. Esta pudo ser sin duda la razón, o al menos una de las razones que llevaron a Campión ·a intentar en su siguiente novela, *Blancos y Negros* (1898), la vía narrativa de la novela realista de la Restauración.

En lo dicho hasta aquí hemos intentado seguir, en sus manifestaciones fundamentales, una literatura que responde estética e ideológicamente a las convenciones más características del movimiento romántico y que circula paralelamente a la novela realistanaturalista hasta el final del siglo XIX.

Una mínima contextualización sociohistórica de dicha literatura nos ha permitido también inscribirla en ese profundo despertar de la conciencia regionalista y nacionalista, que sacude al País Vasco en la segunda mitad del XIX: la novela regionalista históricolegendaria es la materialización artística más consistente y de más empuje de esa nueva conciencia.

Sin el movimiento fuerista y su radicalización nacionalista, esta literatura habría perdido su razón de ser y su soporte, ideológico y estético a un tiempo, ya que sólo desde la visión del mundo que la sostenía podía la novela regionalista históricolegendaria seguir justificando unas convenciones estéticas y unas formas narrativas que en otro contexto socio-cultural habían resultado hacía tiempo de todo punto inviables.

La literatura «regionalista» —de tema regional, mejor— de los escritores vascos del 98 —Unamuno, Baroja y de algún modo también Maeztu— sería de hecho el certificado de defunción del fuerismo y del nacionalismo literario de las generaciones anteriores, de Trueba a Campión, pasando por Araquistain, Goizueta y Arana.

Pero, curiosamente, el espíritu de la literatura regionalista vasca revive no resucitando de sus propias cenizas, como el ave fénix, sino reencarnándose ahora en un nuevo cuerpo que es el euskera. A finales del XIX es la literatura euskérica la que toma el relevo, continuando, con menos vigor y más timidez, la tradición de la literatura históricolegendaria y costumbrista anterior.

No es éste el espacio ni la ocasión para hablar de lo que ocurre en la literatura vasca en la primera mitad del siglo XX. Pero desde la perspectiva desde la que ha sido planteado y enfocado este trabajo —mostrar ese delgado cauce de literatura romántica que circula paralelo a la caudalosa corriente del realismo a todo lo largo de la segunda mitad del XIX— puede tener interés ver cómo es precisamente esta tradición romántica, y no la tradición realista, el origen de la prosa narrativa euskérica y, más en concreto, de la novela.

La prosa euskérica, documentada desde el XVI, tiene hasta el XIX un cultivo casi exclusivamente religioso: libros ascéticos, catecismos, sermonarios...

En esa especie de renacimiento cultural que es también el movimiento reivindicativo que provoca la pérdida de los Fueros —literatura fuerista, creación de sociedades culturales, aparición de revistas—[15] la lengua es un elemento esencial, como factor primero de especificación colectiva y seña de identidad nacional.

La literatura aparece ahora como un medio excepcionalmente eficaz para la conservación, defensa y promoción de la lengua. Pero no la literatura ascética de las centurias anteriores. Ni siquiera la poesía culta que intermitentemente se ha venido cultivando desde mediados del siglo XVI,[16] y a la que los «Lore-Jokuak» (Juegos Florales), iniciados en el País Vasco francés en 1853[17] y que en seguida pasan a este lado de los Pirineos, dan un impulso importante.

Está surgiendo un lector nuevo, que no es ya el feligrés de las Iglesias de Laburdi, Benabarra, Guipúzcoa o Vizcaya en los siglos XVII o XVIII.[18]

Ese nuevo lector euskaldún es esencialmente un lector de literatura, en el sentido moderno del término, aunque lo que se le ofrece como lectura tenga la dura servidumbre de un claro didactismo lingüístico e ideológico: el euskera y la fe católica son los componentes esenciales del ser vasco y a ellos debe servir, directa e incondicionalmente, la literatura.[19]

Y no es casualidad que esta tímida literatura narrativa —leyendas, relatos y sólo más tarde alguna novela—, que, a fines de siglo toma el relevo de la literatura regionalista en castellano de las décadas anteriores, reciba el nombre genérico de «irakurgaia», es decir, «lectura», aunque la traducción que en ese momento se le da es más bien el castellano «leyenda».

En los *Itz-Jostaldiak* (Juegos literarios), celebrados en San Sebastián en 1879, se convoca un premio para quien «mejor escriba una pequeña historia, una leyenda o sobre algún asunto que merezca ser recordado». («kondairen baten ezagualde labur bat, irakurgai bat, edo gure oitura oroitgarriren baten gañean izkribatzen duenari»).[20]

En los años siguientes la convocatoria se hace para textos que pueden estar escritos en euskera o en castellano y el término euskérico *irakurgai* es traducido por «leyenda o tradición».

La leyenda es por tanto el género que marca el nacimiento de la prosa narrativa euskérica, ya hacia finales del XIX, en sintonía perfecta con lo que había sido la literatura regionalista del período anterior.

Y la primera novela euskérica *Auñemendiko Lorea* (La Flor del Pirineo), de Domingo Aguirre, publicada en 1898, repite también la forma novelesca más cultivada por los escritores fueristas: el género históricolegendario.

Es indudable la influencia que en la novela de Aguirre tuvo la *Amaya* de Navarro Villoslada. Y no ya por la factura narrativa de ambas obras —la ventaja está sin duda del lado del navarro—, sino por la moralidad esencial a la que en ambas novelas se sirve: la fe católica como elemento generador de la unidad nacional, por encima incluso de diferencias étnicas. Aunque bien es verdad que la posición política del carlista Navarro Villoslada en los años de La Restauración, y la del clérigo Domingo Aguirre en pleno proceso de expansión de la ideología nacionalista vasca, no se superponen.

Pero no es el género histórico o históricolegendario el que marcará la trayectoria de la novela vasca en esa etapa que se extiende prácticamente hasta mediados del siglo XX.

El nuevo regionalismo literario —que en el caso vasco se expresa ahora fundamentalmente en euskera y no en castellano— se inspira en ese ruralismo finisecular según el cual, frente a la degradación progresiva de la cultura urbana, es la aldea la depositaria auténtica de la tradición y de los valores.

Ya *Blancos y Negros* de Arturo Campión apunta elementos claramente costumbristas. Pero es sobre todo Pereda, el Pereda de *Sotileza* o *Peñas arriba*, el espejo en que más directamente se mira el iniciador de la novela costumbrista vasca, que es precisamente el autor de *Auñemendiko Lorea*, Domingo Aguirre. En su novela *Kresala* (El salitre), de 1906, escrita en dialecto vizcaíno, Aguirre hace una idealizada y apologética pintura de la vida en un pueblecito marinero de la costa vizcaína (su Ondárroa natal), mientras que su siguiente novela *Garoa* (El helecho), escrita en guipuzcoano y publicada en 1907, es una entusiasta apología de la vida rural y de pastoreo, en la guipuzcoana sierra de Aloña.

Garoa, desde su publicación, ha venido de hecho funcionando, hasta hace treinta años, como un paradigma no ya de novela costumbrista, sino de novela vasca *tout court*.

No sé si en este rápido recorrido por la novela regionalista vasca en la segunda mitad del siglo XIX me he salido del terreno de juego previamente convenido.

En primer lugar, porque me he pasado del sistema literario castellano al euskérico. Y además, porque he rebasado la barrera del siglo XIX y, a propósito del nacimiento de la novela costumbrista vasca, me he instalado serenamente en los comienzos del XX. Aunque en esto del realismo, casi nunca se sabe dónde empieza y menos aún dónde termina. No le faltaba razón a Garaudy cuando defendía «un realismo sin orillas», en cuya infinitud cupieran igualmente los ortodoxos del realismo socialista y los heterodoxos de las vanguardias europeas.

Pero no es éste, creo, mi caso. Mi pretensión ha sido simplemente relativizar la validez del realismo como fórmula de definición literaria de la segunda mitad del XIX español. Al menos, desde la perspectiva del País Vasco, de la literatura que ahí se escribe tanto en castellano como en euskera, la fórmula sencillamente no funciona.

En realidad, es un epigonismo romántico el que inspira una narrativa que por hacerse portadora de una determinada visión del mundo, encuentra precisamente en las convenciones de la literatura romántica históricolegendaria las claves de su forma de expresión más adecuada.

Y cuando surge la prosa narrativa euskérica en pleno período realista, no es tampoco esta literatura la que funciona como modelo, sino por el contrario ese romanticismo epigonal, que se estira así desmesuradamente hasta bien entrado el siglo XX, repitiendo, ahora en euskera, las formas típicas de la literatura regionalista vasca en castellano: la narración legendaria, la novela histórica y costumbrista.

El realismo no es por tanto pertinente para explicar la literatura vasca en castellano de la segunda mitad del siglo XIX ni la escrita en euskera en la primera mitad del XX.

Y el no haber pasado por la experiencia del realismo es, creo yo, una tara que la novela euskérica arrastra desde su nacimiento y cuyas consecuencias está todavía pagando.

Pero esto queda ya tan lejos del espacio de trabajo y de investigación marcado para este Encuentro sobre «Realismo y naturalismo en la España del XIX», que una mínima cortesía hacia ustedes me obliga a poner aquí el punto final de esta breve reflexión.

NOTAS

1. Véase Van Thiegem, *Le romantisme dans la littérature européenne*, Albin Michel, París, 1969, 2.ª

2. Utilizamos el término de «regionalista», más genérico en el contexto del XIX español. También se suele hablar —y los autores que se han ocupado del tema, Juaristi, Amézaga... lo hacen— de literatura «fuerista».

3. Hay traducción española: *Viaje a Navarra durante la insurrección de los vascos*, Txertoa, San Sebastián, 1976.

4. Justo Gárate (*El carlismo de los vascos*, Auñamendi, San Sebastián, 1980) relaciona el nombre de Aitor con *aitaren seme* o *aitoreen seme* (hijo de buen padre, bien nacido, noble). El propio Chaho nos dice que «ce nom d'Aïtor est allégorique: il signifie père universel, sublime».

Jon Juaristi (*El linaje de Aitor. La invención de la tradición vasca*, Taurus, Madrid, 1987) explica esta significación como una derivación del nombre de Aitor de las palabras vascas *aita* (padre) y *oro* (todo).

5. En el Prólogo a la traducción castellana del *Voyage en Navarre*, X. Kintana comenta irónicamente: «Este nombre [...] ha tenido un éxito inesperado en nuestros días, buena prueba de lo cual son los innumerables descendientes que llevan el nombre de un abuelo que nunca tuvieron».

6. *Le Pays Basque. Sa population, sa langue, ses moeurs, sa littérature et sa musique*. El libro se publicó en 1857. Hay una edición facsímil, Elkar, San Sebastián, 1981. «Les Basques —dice F. Michel— n'hésitent pas à présenter comme contemporain de la déroute de Roncevaux le chant d'Altabiscar, destiné à célébrer la victoire de leurs ancêtres. A ce sujet, je ne sais trop ce qu'il faut croire des assertions de M. Garay [...] Je crois pourtant à l'antiquité du chant d'Altabiscar» pp. 234 y 235).

7. En una obra publicada en París en 1869, que lleva por título: *Etudes sur l'origine des Basques* (tomado de J. Juariti, *op. cit.*).

8. *Op.cit.* pp. 58 y 59.

9. J.V. de Araquistain, *Tradiciones vasco-cántabras*, Tolosa; Imprenta de la Provincia, 1866, p. 16. Hay edición facsímil, publicada por Editorial Los Amigos del Libro Vasco, Bilbao, 1983.

10. Navarro Villoslada, por su ideología carlista, no sería propiamente un escritor «fuerista», en el sentido en que lo son otros escritores vascos contemporáneos.

11. En realidad se trata de una reelaboración de *El Señor de Bortedo* (1849). A juicio de Juaristi, tanto esta novela de Trueba como *Doña Blanca de Navarra* (1847), de Navarro Villoslada, serían novelas «regionales» más que «regionalistas».

12. A. Elorza, *Ideologías del nacionalismo vasco*, Luis Haranburu-Altuna editor, San Sebastián, 1978.

J. Corcuera, *Orígenes, ideología y organización del nacionalismo vasco (1876-1904)*, Siglo XXI, Madrid, 1979.

13. J. Juaristi, *op. cit.*, p. 194.

14. Veáse *Obras Completas*, tomo III, Aguilar, Madrid, 1973, p. 930. (Se trata de un artículo titulado «El fuerismo en la novela».)

15. He estudiado la influencia de este contexto cultural en el nacimiento de la novela vasca en «Euskal nobelaren gizarte-konrairaren oinharriak», en *Euskal linguistika eta literatura: bide berriak*, Deustuko Unibertsitateko Argitarazioak, 1981, pp. 343-368.

16. El primer poeta vasco conocido, Bernard Etxepare, publica su libro *Linguae Vasconum Primitiae* —un conjunto de poemas religiosos y amorosos— en 1545.

17. Fueron promovidos por Antoine D'Abbadie. Aunque se trataba de manifestaciones más folklóricas que propiamente poéticas, tuvieron de hecho gran importancia en el desarrollo de la poesía y en la institucionalización de la literatura. Cf. L. Michelena, *Historia de la literatura vasca*, Minotauro, Madrid, 1960, p. 133.

18. Hay testimonios de que la recepción de las obras ascéticoreligiosas por parte de un público no especializado era en muchas ocasiones oral, a través de la lectura que se hacía en las iglesias. Cf. Jesús María Lasagabaster, «La literatura vasca entre 1700 y 1876», en *Noveno Congreso de Estudios Vascos. Antecedentes próximos de la sociedad vasca actual. Siglos XVIII y XIX*, Sociedad de Estudios Vascos, Bilbao, 1983, pp. 251-277.

19. La primera novela vasca (*Auñemendiko Lorea* —La Flor del Pirineo— 1898) termina así: «Aldabaldo prankotarra ta bere seme alaba Mauronto, Clotsenda, Eusebia ta Adalsenda, laurak, bizitza on baten bitartez eriotza on batera eldu ziran, da zeruan daukaguz oraiñ gure bitartekotzat.

Euskaldun guztiok au gertau gaitezela.

Baiña eztaigun aztu euskaldunak garala esanda beste barik ezkarala zeruetan sartuko» (El franco Aldabalo y sus hijos Mauronto, Clotsenda, Eusebia y Adalsenda, los cuatro tuvieron una hermosa muerte por su buena vida, y ahora los tenemos en el cielo por intercesores.

Que todos los vascos nos encontremos allí.

Pero no nos olvidemos de que con solo decir que somos vascos no entraremos en el cielo). (Traducción del autor.)

20. «Euskal izkribatzaleen indar neurtzea», 1879, p. 6.

EL NATURALISMO
EN UN ÁMBITO PROVINCIANO:
ALICANTE, 1875-1900

Juan Antonio Ríos Carratalá
(Universidad de Alicante)

El naturalismo y su consiguiente polémica fueron unos protagonistas esenciales de la literatura española de la Restauración. Una ya relativamente amplia bibliografía sobre los mismos nos permite conocer su significación, importancia y ramificaciones dentro de la vida literaria y cultural de aquella época. Por lo tanto, no voy a reincidir en aspectos más o menos conocidos y analizados. El objetivo de la presente comunicación es la búsqueda de las huellas de la polémica sobre el citado movimiento, en un ámbito provinciano. Las líneas básicas de las distintas posturas enfrentadas acerca del naturalismo no tienen, por supuesto, ninguna particularidad especial en relación con un determinado ámbito geográfico. Pero también debemos reconocer que las cuestiones literarias y culturales se veían con una diferente perspectiva en Madrid y en una pequeña ciudad de provincias. Por razones lógicas, hasta el presente, la bibliografía crítica se ha centrado en los grandes autores que, a través de publicaciones aparecidas mayoritariamente en Madrid o Barcelona, participaron en la polémica sobre la «cuestión palpitante». Sus textos nos permiten conocerla con fiabilidad, pero recordemos que durante el siglo XIX la vida literaria tuvo bastante intensidad en las provincias. Por lo tanto, es lógico que los ecos de la polémica llegaran al ámbito provinciano y que muchos autores, hoy ya olvidados, participaran en la misma. Debemos reconocer que su participación fue generalmente poco brillante y a remolque de lo ya dicho. En el estado actual de los estudios sobre la historia literaria del siglo XIX, apenas podemos pretender encontrar grandes hallazgos, pero sí construir una imagen completa de la misma que no se conseguirá hasta la incorporación adecuada de los distintos ámbitos provincianos.

Con el fin de colaborar en dicho objetivo, publiqué mi libro *Románticos y provincianos. La literatura en Alicante, 1839-1886,*[1] que ha tenido su continuación en otro en prensa sobre la narrativa de dicha provincia durante la Restauración. Ambos trabajos me permiten conocer una creación literaria que, en sus líneas generales, es capaz de matizar algunas afirmaciones demasiado comunes sobre la literatura española del siglo XIX, en especial las relacionadas con la periodización y cronología de la misma. Estos estudios previos han motivado mi elección, aunque tal vez lo sucedido en Alicante se asemeje a lo ocurrido en otras muchas provincias españolas de la época.

La llegada de la Restauración y la aparición de las primeras novelas de la Generación de 1868 apenas tienen incidencia en la narrativa publicada en Alicante. La progresiva implantación del realismo entre los grandes autores nacionales no es obstáculo para que en dicha ciudad se sigan publicando novelas históricas y folletines lacrimógenos. Habría que añadir alguna novela anticlerical, como *El sochantre de mi pueblo* (1890) de Ginés Alberola, o algún panfleto con tintes novelísticos como *Los vencidos* (1892), de Ernesto Bark, el futuro Basilio Soulinake de *Luces de Bohemia.* Pero todo ello dentro de las fórmulas narrativas heredadas del romanticismo, que perduraron sin apenas variaciones hasta el siglo XX. La evolución de la narrativa se estancó al no ser admitidos los elementos renovadores que conllevaba el realismo. No se trata de un desconocimiento, pues a través de la prensa local comprobamos que se leía a Pérez Galdós y sus correligionarios. Pero esa recepción no se plasmó casi nunca en la creación novelística alicantina. Las razones son varias y ya las he comentado en los citados trabajos, aunque aquí cabría subrayar las dificultades ambientales que sufriría un autor de provincias para asumir la estética realista. Hacerlo supondría una marginación dentro de su propio ámbito. Si perseveraba, las opciones se reducían a marcharse a una gran capital o permanecer en su ciudad como un personaje extraordinario en el sentido más literal de la palabra. Entre los autores alicantinos, por el contrario, hubo un conformismo general que les llevó a seguir fieles a una narrativa ya anacrónica, pero vigente para aquellos escritores provincianos que frecuentaban los Juegos Florales, los certámenes de la Diputación y el Casino, el álbum de alguna señorita casadera o los folletines de la prensa local.

Si el realismo apenas cuajó en la narrativa publicada en Alicante, ya imaginaremos que el naturalismo fue una rareza foránea. No hay ningún texto de creación que se pueda relacionar con dicho movimiento, el cual no obstante sí estuvo presente en las preocupaciones de los autores alicantinos. Ninguno de ellos mantuvo una actitud favorable a un naturalismo, que se solía equiparar a casi todos los males imaginables. La consecuencia es la formación de un auténtico frente antinaturalista que reaccionó con especial virulencia contra un movimiento que en su propio ámbito jamás existió. Estamos, pues, ante un eco de la polémica nacional. La gran diferencia es que en este caso la polémica se convirtió en una unánime condena. Si fueron escasas las voces que en España defendieron abiertamente todo lo que suponía el naturalismo, es lógico pensar que en un ambiente más cerrado y restrictivo esas voces quedaran ahogadas.

Al observar esta unanimidad y al recordar que, en palabras de Walter T. Pattison, «La división entre naturalismo e idealismo en literatura reflejaba una escisión más profunda y radical, la del liberalismo y tradicionalismo»,[2] podríamos pensar que todos los autores alicantinos fueron tradicionalistas. Esta conclusión sólo es parcialmente cierta. La razón básica de dicha unanimidad no reside en la ideología, sino en la función que se otorgaba a un autor en una sociedad provinciana de entonces. Éste podría expresarse como un individuo liberal o conservador, pero dentro de los límites del decoro de dicha función que, en lo literario, suponían un rechazo de todo el materialismo, positivismo, realismo, escepticismo, naturalismo... Tal y como en repetidas ocasiones expresan los autores alicantinos, el literato está destinado a embellecer la realidad, a mostrar el ideal de Belleza, Verdad y Bondad —presentadas como inseparables— y en el caso de ejercer la crítica hacerlo elegantemente, generalizando y sin descender a lo real o inmediato. Esta actitud, claro está, tiene una significación ideológica, pero en lo esencial es asumida por todos. Habrá algunas matizaciones, perceptibles en las diferencias entre los apocalípticos neocatólicos y los simplemente defensores del ideal arriba citado, pero todos juntos - forman un frente que es un rasgo de identidad para aquellos autores de provincias.

Son relativamente numerosos los textos encontrados donde se ataca al naturalismo. Sus fechas oscilan entre finales de los ochenta y la década siguiente, comprobándose así que la polémica se prolongó más de lo habitualmente señalado. Si en nuestro título hemos puesto como fecha inicial la de 1875 es porque la actitud que reflejan es inseparable de la mentalidad provinciana de la Restauración, pero los ecos del naturalismo llegaron más tarde. Los autores alicantinos no son originales en cuanto a los peligros que para ellos supone este movimiento. No entran nunca en cuestiones estrictamente literarias y su objetivo es siempre sus supuestos ataques a la moral y su gusto por lo obsceno o desagradable.[3] Jamás se citan los principios de observación, análisis y experimentación, como tampoco se comenta la influencia del medio ambiente o la relación entre ciencia y literatura. Todo ello queda al margen de una condena repetitiva obsesionada por la moral y el respeto al ideal de Belleza, Verdad y Bondad. En consecuencia, no es preciso hacer un repaso exhaustivo y podemos comentar algunos textos seleccionados.

Fray Canelles es un clérigo que publicó en 1892 una curiosa novela titulada *Los cazadores de fámulas y la víctima inocente*,[4] cuyo subtítulo es muy definitorio: «Peligros a que se hallan expuestas las jóvenes sirvientas y veneno que destila el maldito árbol de la concupiscencia». Ya nos podemos imaginar el carácter de la novela sin necesidad de comentarios. En su Prólogo leemos el siguiente aviso:

> Huid jóvenes incautas de la novela hoy en moda, de esa llamada naturalista, estilo Zola, cuyas hojas destilan ponzoñoso veneno, que extingue la fe en el alma y envenena el corazón corrompiendo los sentimientos [p. 4].

Probablemente, sus lectoras no conocían las «nauseabundas» obras del autor francés, pero les avisa por si llegara la tentación. Aviso que se extiende al género novelístico en general, pues, según él, «la experiencia de la vida [le] ha confirmado que la joven aficionada a la lectura de novelas sueña en un mundo de ilusiones, que la hace infeliz, llegando hasta aborrecer la realidad de la vida» (p. 47). Sobre todo, si un

[...] escritor sentimentalista pretende reformar la sociedad, la familia y la mujer, olvidándose de que Dios nuestro Señor al crear el Universo y dictarle leyes, formando ese código inmutable llamado Naturaleza, fijó a cada cosa sus límites, y a la mujer asignó el lugar que debía ocupar como compañera del hombre: «Parirás los hijos con dolor y estarás sujeta a la potestad de tu marido» [p. 48].

Fray Canelles tampoco acepta las novelas que para alcanzar un fin moralizador llegan a presentar los vicios combatidos:

Se alega [...] que conviene presentar la sociedad cual es para hacer más visible el contraste que ofrece la virtud y el vicio. No tiene justificación posible esta excusa, ni se puede sostener bajo ningún concepto que para moralizar y corregir las costumbres sea necesario, además de apuntar los vicios, seguir al vicioso paso a paso y acompañarle en sus desórdenes como le acompaña su conciencia [p. 42].

Estas citas no dejan dudas sobre la actitud de Fray Canelles, y de otros muchos eclesiásticos, ante la novela y, en particular, ante el naturalismo. Aquella siempre es un potencial peligro, pero las novelas «pornográficas», es decir, las naturalistas son demoniacas. Nuestro fraile no distinguiría entre las de Clarín, Zola o López Bago a la hora de dar dicho calificativo, pues su condena se extiende a toda obra permeable a la realidad. Fray Canelles representa, tal vez, un caso extremo, pero no aislado dentro del frente antinaturalista que estudiamos.

Otro caso similar es el del propagandista católico José Pons Samper, médico oculista que escribía y publicaba libros para curar también el espíritu de sus lectores. En 1895 saca un folleto titulado *Interview con un manco*,[5] donde se realiza una entrevista a Cervantes sobre multitud de temas. José Pons aprovecha la oportunidad de ser entrevistador y portavoz del «manco» para atacar al naturalismo, cuya polémica todavía preocupaba a tan ilustre personaje:

P.—De modo que esta literatura llamada naturalista, que se ocupa en remover y presentar las más torpes hediondeces, no será de tu agrado.
R.—Ni serlo puede de ningún modo que bien quiera a su alma y a su cuerpo; pues, fijándote un poco, observarás que

a entrambos acomete esa liviana escritura en su grosera misión de excitar concupiscencias y amortecer los puros sentimientos. ¿Qué importa la galanura del lenguaje si las ideas que en él se acumulan bajas y deformes son? [...]

P.—Tempestad pasajera, al fin, que solamente atrae a los que gustan de espasmos y horrores.

R.—Además que eso no es naturalismo ni realismo, sino simplemente obscenismo que se indigesta y produce picores y náuseas. Sustentan, los que en él militan o le son devotos, que es verdad, y como tal reproducirse debe en el libro, para enseñarla al que la ignora y dotarle con esto de experiencia. A lo que me opongo y digo que hay verdades tan sucias, que más vale no tocarles [pp. 32 y 33].

No hacía falta evocar a Cervantes para llegar a esta conclusión ni para calificar a Zola como «portaestandarte francés del obscenismo literario».[6] La ingenuidad del interview nos hace sonreír, pero indica la persistencia en 1895 de una polémica donde todavía encontramos actitudes de «combate». Un combate en el que se seguían confundiendo los molinos de viento con los gigantes, por lo menos en relación con una narrativa alicantina donde el naturalismo no aparece.

Un trabajo crítico publicado en Alicante sobre el naturalismo que tiene una cierta entidad es el de Juan Bautista Pastor Aicart, titulado *La novela moderna*.[7] Se trata de una recopilación de cartas dirigidas a J. Barcia Caballero durante los meses de la «cuestión palpitante». El autor adopta una postura radical frente a las tesis de la Pardo Bazán y, en general, frente a todos los partidarios del naturalismo. La grandilocuencia y el apasionamiento mostrados rebajan el nivel crítico del ensayo y su interés. Pero queda clara la postura de quien en nombre de la «Belleza y la Verdad», el tradicionalismo estético y, sobre todo, el cristianismo ataca al citado movimiento. El cual es definido así: «Una evolución oportunista del realismo, pesimista e inmoral en el fondo, antiestética en la forma y tendenciosa en sus fines» (p. 17). Los ataques contra la «procaz osadía pornográfica de Emilio Zola» y sus seguidores son tremendistas, pero comprensibles si atendemos a la siguiente declaración de principios de Pastor Aicart:

Idealista soy hasta los huesos, y por ende, enemigo encarnizado e irreconciliable de esa subversiva y provocadora bandería literaria, que, obligada a no respirar sino al lado de la materia y a explicar el drama de la vida humana por

174

medio del instinto ciego y la desenfrenada concupiscencia, quiere forzarnos en el último tercio de este siglo —no tan enclenque, tubercolósico y anémico como le pinta el más desconsolante pesimismo— a formar en la numerosa reata de enfermos y alienados de la simbólica familia de los Rongon [*sic*] Macquart, sin conceder a nadie *mens sana in corpore sano* [pp. 12 y 13].

Los artículos de Francisco Figueras Bushell, periodista granadino afincado en Alicante, sobre Zola, Pardo Bazán y el naturalismo[8] representan lo más sobresaliente del material aquí reunido. No estamos ante un crítico pintoresco como Fray Canelles, sino ante un conocedor de la novelística de su época y de la crítica sobre la misma. Sin embargo, no hemos encontrado referencias a sus textos en la bibliografía especializada, a pesar de la atención que dedicó a la Pardo Bazán y que el mismo Zola le contestara personalmente en 1884 con una carta que fue publicada tres veces en Alicante.[9]

A pesar de estas circunstancias, Figueras Bushell en nombre de «los derechos del buen gusto, de la decencia y de la moral», y desde la militancia en el liberalismo de la época rechaza radicalmente el naturalismo, centrándose en los autores citados. Acusa a Pardo Bazán por haber olvidado el arte de la cocina y de las cosas propias de su sexo para dedicarse a «las liviandades del naturalismo ruso o las repugnantes escenas del realismo francés», así como de ignorancia y falta de competencia crítica.

Zola no tenía la obligación de ser ante todo madre y esposa, pero no por ello se libra de las duras palabras de Figueras Bushell. Éste reconoce la fama y el mérito del novelista, pero le acusa de haber traicionado al verdadero naturalismo. Siguiendo una idea común en la crítica de la época, identifica a éste con el realismo, el cual es considerado como una escuela en la que entrarían desde Cervantes hasta Echegaray. Zola, según él, se ha apropiado de la misma aplicándole un criterio diametralmente opuesto, pues

[...] relega el arte al último término, imprimiendo al realismo de sus producciones un carácter tan desnudo, y tan ceñido en todas sus obras a un mismo género, que rayando en la exageración y traspasando sin el menor reparo los límites del buen gusto, presenta el naturalismo bajo un nuevo prisma, pero falseando el verdadero carácter de esta escuela.

También le acusa de no retratar fielmente la realidad global, limitándose «a poner de relieve los vicios más repulsivos y las llagas sociales más repugnantes». Por eso, Figueras no encuentra «en ninguna de sus obras el consolador espectáculo que tan fácil le sería proporcionarnos, presentándonos el cuadro de la honradez y del trabajo, del decoro y de la dignidad», lo que causa que sus novelas sean inútiles para la regeneración del país. Objetivo fundamental para una sociedad francesa que, a diferencia de la española, está desmoralizada y sin «religión en las escuelas». Esta razón explicaría, en definitiva, que el naturalismo zolesco triunfante en Francia fracasara en España.

Figueras Bushell termina sus trabajos dirigiéndose a las bellas lectoras, a las que invita a evitar todo contacto con las novelas de Zola, pues es necesario defender el candor, la inocencia, el pudor y la santa ignorancia:

> Dejemos, dejemos a la mujer española que lea novelas insustanciales, sí, pero inofensivas; dejémoslas ignorantes de los abismos del vicio y de los detalles repugnantes de la crápula, dejémosla que sea el ángel del hogar, y evitemos con todas nuestras fuerzas que el perfume envenenado y caliginoso que emana en abundantísimos efluvios de las brillantes páginas de Emilio Zola, marchite la pureza de su alma, y lastime las fibras delicadas de la dignidad y del pudor.

Podríamos seguir citando textos contra el naturalismo publicados en Alicante, pero sería repetir lo que básicamente ya hemos leído.[10] El caso de Rafael Altamira, cuyos trabajos críticos aparecieron fuera de su ciudad natal, no es más que una excepción que supera los límites del ambiente literario provinciano. Sería absurdo estudiar la obra del insigne polígrafo como consecuencia o en relación con dicho ambiente. Éste producía actitudes como las ya vistas u otras más matizadas donde un idealismo de base moral y religiosa no daba paso a los tonos apocalípticos. Pero en ningún caso hay un interés por lo estrictamente literario, pues se seguía considerando la obra como vehículo de adoctrinamiento, de propaganda o de incitación al lloriqueo femenino. Esta subordinación de lo literario puede provocar actitudes de rechazo ante un nuevo movimiento, pero nunca el mínimo debate capaz no ya sólo de propiciar la entrada del naturalismo, sino casi de cualquier corriente que contuviera elementos innovadores.

Esta ausencia de debate es, por otra parte, propia de unos autores aficionados cuyos objetivos son a menudo más dignos de un estudio sociológico que literario. Para cumplir dichos objetivos podían valerse de formas narrativas anacrónicas para la época, pero vigentes dentro del mundo pequeño y cerrado donde se desenvolvían. La literatura local se convirtió por entonces en un ritual donde no cabían las innovaciones, sin atender al carácter peculiar de las mismas. El naturalismo no sólo suponía una innovación, sino una ruptura con la función otorgada al literato. Y de ahí en parte lo visceral de las respuestas negativas.

Por otro lado, la influencia de la prensa y, en última instancia, de la opinión pública, contribuiría también en el rechazo al naturalismo. Clarín y Pérez Galdós publicaron sus obras maestras en los folletines de los periódicos, pero la prensa de las grandes ciudades difería notablemente de la de provincias. El caso de la novela titulada *¡Una mártir!*, [11] de Manuel Casal, resulta significativo. A pesar de ser una ortodoxa y folletinesca apología del cristianismo, los lectores de *La Monarquía* de Alicante consiguieron que no se terminara su publicación porque el joven autor había introducido como protagonista a un cura con una hija. De hecho se perdieron el edificante final, pero esta negativa a introducir el «vicio», aunque sea para moralizar, ejemplifica la mentalidad de la época. Ésta también queda reflejada en los temas propuestos para los múltiples certámenes literarios auspiciados por instituciones oficiales o privadas. En los mismos, dedicados siempre a ensalzar la belleza de la mujer local como esposa y madre, o a rememorar a los héroes locales, cualquier atisbo de naturalismo hubiera resultado insólito. Tengamos en cuenta que la prensa y estas celebraciones eran casi los únicos medios de aquellos literatos para darse a conocer y comprenderemos mejor su postura. No pensemos que fueran cínicos en su rechazo, ni mucho menos, pero tampoco tenían otra posibilidad salvo que salieran de Alicante para publicar.

Por otra parte, el rechazo del naturalismo no se extiende explícitamente al realismo. En ocasiones, incluso se hace una distinción contraponiendo lo foráneo del primero frente a lo tradicional del segundo. Pero esta postura nos puede conducir a engaños, pues resulta más aparente que real. Si examinamos los comentarios, veremos que no se rechaza lo peculiar de la estética naturalista. Sólo se cita negativamente la incorporación de unas parcelas de la realidad que no se ajustan a los intereses de los autores alicantinos. Para ellos, la verdadera cuestión no es el cómo de esa incorporación, sino el qué. Una cuestión que, en última instancia, afecta por igual a ambos movimientos literarios. La consecuencia es que el realismo queda implícitamente incluido en esta actitud negativa, lo cual contribuye a que comprendamos la ausencia simultánea de ambos movimientos en la narrativa alicantina.

Sabemos que este frente antinaturalista, en conjunción con el ambiente provinciano, ahogó cualquier intento de crear una narrativa naturalista o realista. Recordemos el caso de Clarín [12] y comprenderemos hasta qué punto las presiones serían ciertas. Pero nos queda la duda de saber hasta qué punto influyeron en las lecturas de los alicantinos. Esta cuestión, no obstante, sería objeto de un trabajo específico que se debería engarzar con otros de parecida índole y que espero ver realizados próximamente.

NOTAS

1. Alicante, Universidad CAP, Alicante, 1987.

2. *El naturalismo español*, Madrid, Gredos, 1969, pp. 19 y 20.

3. Véase M. Etreros, «El naturalismo español en la década de 1881-1891», en Etreros y otros, *Estudios sobre la novela española del siglo XIX*, Madrid, CSIC, 1977, p. 66.

4. Alicante, Imp. de Manuel y Vicente Guijarro, 1892.

5. Alicante, Imp. de Manuel y Vicente Guijarro, 1895.

6. Cfr. con la actitud de Valera ante el «obscenismo» del naturalismo. Véase Luis López Jiménez, *El naturalismo y España. Valera frente a Zola*, Madrid, Alhambra, 1977, p. 157.

7. Alcoy, Imp. Francisco Company, 1886. Sobre este autor véase Nelly Clemessy, *Emilia Pardo Bazán como novelista*, Madrid, FUE, 1982, I, pp. 104, 105, 125 y 126.

8. *Apuntes críticos y perfiles literarios*, Alicante, Imp. de El Liberal, 1890. Se trata de una miscelánea de artículos publicados en varios periódicos alicantinos, especialmente en *El Liberal*, desde 1884 hasta 1890. Algunos de ellos ya habían aparecido en *Notas de mi cartera*, Alicante, Tip. Costa y Mira, 1884.

9. La carta de Zola aparece en *Notas de mi cartera*, pp. 79 y 80, *Apuntes...*, pp. 62 y 63 y en *El Liberal de Alicante* del 23·I·1890. La carta está fechada el 21·VI·1884 en Vidau (Sena y Oise) y el texto dice así:

«He leído su estudio acerca de mis obras. Mi opinión es que las ha juzgado usted algo más fantásticamente, que como resultado de una lectura detenida. Para apreciarlas mejor, hubiera sido preciso que se hubiera usted situado en el laboratorio de un sabio en lugar de juzgarlas desde el punto de vista de un católico. No es justo afirmar que no bosquejo más que los vicios, cuando yo creo que me he esforzado en dibujar todos los accidentes que pueden desarrollarse en una raza, aun la virtud misma.

Desea usted un retrato, y me complazco en incluírselo.

Acepte usted, caballero, la expresión de mis distinguidos sentimientos de aprecio.»

10. Véase, por ejemplo, José M.ª Sarget, *Siluetas de ideas*, Orihuela, Tip. L.P., 1893, p. 85; *Certamen Literario celebrado en Alicante el 20 de agosto de 1894*, Alicante, Tip. de El Graduador, 1894, pp. 96 y 101-107; Miguel Amat y Maestre, *Rimas*, Alicante, Tip. de El Graduador, 1892, pp. IX-X; Carmelo Calvo Rodríguez, *Ecos de Alcoy*, Alicante, Imp. de Moscat y Oñate, 1901, pp. 14, 16, 18, 22 y 23; Blas de Loma y Corradi, *Recuerdos*, Alicante, Tip. de Costa y Mira, 1898, pp. 6 y 7 y el Prólogo del alicantino Antonio Chápuli Navarro a su novela *Pepín*, Madrid, Librería de Fernando Fe, 1892, pp. 11-13.

11. Alicante, Tip. Vicente Botella, 1893.

12. Véase J.M.ª Martínez Cachero, *Las palabras y los días de Leopoldo Alas*, Oviedo, IEA, 1984, pp. 34 y 35.

REPERCUSIONES Y ALCANCE

ESPAÑA, 1880-1890:
EL NATURALISMO EN SITUACIÓN

Jean-François Botrel
(Universidad de Rennes 2)

La palpitante cuestión teórica del naturalismo en España sigue adoleciendo de su exógeno planteamiento inicial: la referencia implícita o explícita al padrón zolesco conlleva de manera casi normativa procesos de identificación o de diferenciación sin que apenas se tenga en cuenta la peculiaridad de la situación en que se desarrollan las expresiones naturalistas en España.[1]

A la dimensión teoricodogmática de un naturalismo «constituido» interesa, pues, añadir otra más histórica y experimentalista, por la observación del medio y de la circunstancia en que se constituye, partiendo por ahora del análisis sistemático del llamado movimiento bibliográfico o sea de la plasmación a nivel editorial de una parte de la producción intelectual y artística en la década de los ochenta.

El método consistirá, pues, en rastrear las aproximadamente 13.000 referencias bibliográficas disponibles para el período 1880-1890,[2] no tanto para aislar posibles manifestaciones literarias del naturalismo, como para caracterizar las corrientes directa o indirectamente constitutivas de un complejo movimiento naturalista español al favorecer, acompañar o... combatir su emergencia y difícil desarrollo.

1. La situación de 1883

Así, por ejemplo, ¿cuál sería la situación del naturalismo en el año de la cuestión palpitante? Podemos recordar que 1883 es también el año de la Ley de policía de imprenta del 26 de junio que restablece la libertad para la prensa y la expresión, con un fuerte aumento del número de libros publicados y de las creaciones de periódicos y revistas..., que el año de la llamada «mano sucia» de la literatura (el naturalismo) lo es también de la «mano negra» y de la creación de la Comisión de Reformas sociales...; que de las 240 obras publicadas en Barcelona, según el catálogo cronológico del Instituto Municipal de Historia, unas cincuenta pertenecen a la categoría «religión»; que se traduce *La peinture de l'amour conjugal* del Dr. M. Venette de la 101 edición francesa y que *El onanismo en la mujer* por el Dr. Pouillet se presenta como un «Estudio medicofilosófico sobre las formas, las causas, los síntomas, las consecuencias y el tratamiento del onanismo en la mujer (placeres ilícitos)»; que se publican estudios médicolegales y libros sobre locura, delincuencia y frenopatía, sobre la masonería, el nihilismo, el krausismo, y que se produce una avalancha de almanaques, muchos de ellos festivos. Hay que recordar también que de las 982 referencias publicadas por el *Boletín de la Librería* de M. Murillo sólo un 12 % tiene que ver con la narrativa; que la mitad de las novelas publicadas son traducciones del francés; que de Emilio Zola se publican dos ediciones de *Nana* (una de ellas, en Madrid, ¡como 8.ª edición!), una de *Pot Bouille,* una adaptación del melodrama *L'Assommoir*[3] y una edición de *El Poquita cosa* de A. Daudet, pero que de Ch. Paul de Kock y X. de Montépin se publican 16 obras en total y de Adolphe Belot, cuatro; que el antiguo novelista «histórico» Antonio de San Martín publica *Las traviatas,* «novelas de costumbres contemporáneas», y que el hoy desconocido Pedro Escamilla produce dos almanaques y cinco obras entre las cuales *El General Bum Bum* («Pan Pin Pun, soy el general Bum Bum» cantará Joaquinito Orgaz en la catedral de Vetusta); que en Barcelona se anuncian los *Misterios del hospital* «narración realista de escenas y lances hospitalarios y patológicos, miserias humanas, etc., entre enfermos, estudiantes y locos, escrita en forma de novela descriptiva, medicofilosófica nosocómica y jocoseria en estilo llano y liso por el Dr. Emilio Sola».[4]

Muchos más detalles de este tipo podrían ser aducidos y comentados para este y otros años; todos servirían para ambientar la «cuestión palpitante», relativizando su impacto con la latencia o el lastre de tendencias ya histócas en muchos casos, y para desdibujar acaso un concepto acuñado por la historia de la literatura y que a nivel editorial no parece haber cundido.

2. Un naturalismo no constituido

Sorprende comprobar, en efecto, que únicamente en tres de las 13.000 referencias examinadas aparece el vocablo «naturalista» como calificativo de una obra, cuando no escasean otras denominaciones como «festivo», «político», «social», «médicosocial», etc. Se trata de: *Narraciones naturalistas. En carne viva,* colección de cuentos de J. Conde de Salazar, José Zahonero y Eduardo López Bago publicadas en 1885 (10.012),[5] de un «boceto naturalista» (*Cazar en vedado* de J. Rivera (11.214) y de un «poema naturalista» (*El amor.... sin velos* de Manuel Valcárcel (10.609),ambos de 1886. Habría que comprobar hasta qué punto el uso del vocablo se corresponde con las orientaciones filosoficoestéticas de las obras en cuestión... Lo cierto es que si el anuncio como «Obras naturalistas» de *Las mancebas* y *Las rameras de salón* de E. Sánchez Seña en el catálogo de J.M.ª Faquineto en 1891 puede concebirse, también es de notar que años más tarde, en 1917, *La novela corta* podrá clasificar bajo el epígrafe «Novela naturalista» obras de Fernán Caballero, Selgas, Alarcón, Pereda, Valera, etc.[6]

Obviamente la escasez de las ocurrencias editoriales de «naturalista» no es rémora para que otras obras merecieran por parte de sus autores o por parte de la crítica dicho calificativo. Ahí están *La desheredada, La Regenta, La tribuna,* etc., que no enarbolan la bandera del naturalismo y no obstante tienen muchas características del mismo.[7]

Pero lo importante en este caso es comprobar que durante el período contemplado no existe *un* naturalismo literario constituido que se anuncie como tal, como «moderna escuela» española, pero sí múltiples manifestaciones o expresiones científicas o literarias, como entonces se decía, que, de una manera u otra, tienen algo que ver con el naturalismo zolesco y español, por postularse claramente la filiación, o por recoger uno o varios de los componentes de dicha corriente, con la consiguiente confusión a la hora de definir los contornos de un concepto muy polisémico, como vamos a ver.

Analicemos, pues, las principales corrientes que teórica o prácticamente pueden tener puntos comunes con el naturalismo dogmático y llegar a constituir un naturalismo o a tener su apariencia.

3. Marginalidad y anticlericalismo

Algunas son casi eternas o tradicionales, como la consabida atracción por todo lo marginal, por «le monde à part» como dice Henri Mitterand, en sus aspectos más enigmáticos o sangrientos revelados por las colecciones de *Crímenes célebres*, de *Crímenes españoles*, de *Causas célebres* o de *Procesos contemporáneos* que siguen publicándose. Interesaría analizar, a este respecto, las posibles expresiones naturalistas en la abundantísima producción impresa acerca del sonado crimen de la calle de Fuencarral en 1889...

Otras corrientes pueden ser tradicionales y latentes y expresarse públicamente con motivo de la liberalización de los años 1881-1883.

Este es indudablemente el caso de la corriente anticlerical que se estructura a través de semanarios como *El Motín*, creado en 1881, y la biblioteca que publica,[8] como *Las Dominicales del libre pensamiento* fundada en 1883 donde se encuentra la primera crítica de *El cura* de E. López Bago, autor de novelas «médicosociales», a cargo del Sr. Miralta «presbítero librepensador». Antes, la publicación, en 1879, de *El jesuita* por el Abate *** (4.678), autor de *El maldito, La monja* y *El fraile* y después, en 1887, la de *El monaguillo* de A. García Vao (11.424) o, en 1889, *La novicia* de Lovelace (13.740) permiten, en su caso, la conjunción en una novela de unas posiciones más o menos relacionadas con la francmasonería y un tratamiento «sociológiconaturalista» para los miembros de tal o cual círculo librepensador o de la Unión española de la Liga anticlerical de librepensadores, clientes, por ejemplo, de la Librería laica anticlerical de Barcelona que, en 1883, publica *Los perros del señor* de Bartolomé Gabarro y Borrás.

No obstante, las manifestaciones estéticas de esta voluntad casi militante de tratar un cuerpo social dominante como «un mundo aparte» no parecen haber tenido a nivel editorial mayores consecuencias, muchas menos en todo caso que la corriente de emancipación intelectual expresada a través de la llamada «mentalidad positiva».

4. La mentalidad positiva

En efecto, aun cuando el pensamiento comtiano y los principales textos de los «padres» del transformismo (Darwin), del evolucionismo (Spencer) y del llamado «naturalismo germánico» (Vogt, Haeckel) ya se han difundido, gracias, en particular, a José del Perojo y a su «Biblioteca científica»,[9] la polémica acerca del darwinismo sigue tan candente: después de la traducción del libro de Hartmann sobre *El Darwinismo. Lo verdadero y lo falso de esta teoría* (4.861), se reedita en 1881, el *Contra Darwin* de M. Polo y Peyrolón (6.521) y otros textos de Darwin o acerca de Darwin se publican en 1880, 1885, 1887 y 1889.

En tal contexto de debate fundamental y enconado, pudo pasar casi desapercibida la introducción en España del método experimental de Claude Bernard con la traducción en 1878 de *La Ciencia experimental* (4.289) y, en 1880, de *Introducción al estudio de la medicina experimental* (5.919).

Sin embargo, la aplicación/aclimatación del método y, al menos, del concepto experimental se puede observar en 1882 en el «estudio experimental» sobre *La función de los conductores semicirculares* (7.658), segunda obra médica realizada por el doctor Jaime Vera antes de redactar, en 1884, el famoso «Informe de la Agrupación Socialista Madrileña ante la Comisión de Reformas Sociales»[10] y en *El cultivo experimental de los garbanzos,* estudio de L. Álvarez Alvistur (7.666). Pero la mayor popularización tal vez la obtenga C. Bernard a través de la cita reproducida en la cubierta de las obras de E. López Bago publicadas en la «Biblioteca del Renacimiento Literario»: «buscar la causa de los males sociales, analizándolos y sometiéndolos al experimento».[11]

Sin embargo, lo que más llama la atención en el año 1880 es, además del auge de la moderna antropología,[12] la dimensión social que va cobrando la ciencia del hombre con el nacimiento de la sociología científica con inmediatas aplicaciones, y el desarrollo de una medicina preocupada por los aspectos sociales de la patología humana.

La fundación en los primeros años del decenio de una sociología científica a cargo de Manuel Sales y Ferré y Urbano González Serrano,[13] corre pareja con sus primeras aplicaciones a varios campos: a la llamada «cuestión social» para la cual la Comisión de Reformas sociales creada en 1883 imagina un tratamiento sociológico[14] pero también a otros problemas/lacras sociales como el bandolerismo,[15] la prostitución (por ejemplo, *La prostitución en la ciudad de Barcelona estudiada como enfermedad social* de Prudencio Sereñana y Partagás, publicado en 1882)[16] o la criminalidad en general (*La criminalidad ante la ciencia* (8.318); *Fisiología del crimen*, «Estudio juridicosociológico», publicado en 1888).

Lo más espectacular editorialmente hablando es sin embargo la aparición de una corriente «social» en la medicina.

Por supuesto, los tradicionales estudios fisiológicos siguen publicándose, sobre todo los que tratan de los aspectos más íntimos y social o moralmente más «nefandos» como *La pintura del amor conyugal* (8.271) o *El onanismo en el hombre* (8.986), *en la mujer* (8.016), *La espermatorrea* (8.825), etc., siempre traducidos del francés, hay que recalcarlo, lo mismo que las *Lecciones sobre las enfermedades del sistema nervioso*, del Dr. Charcot.

Sin embargo, ya en el año 1877, se pueden encontrar estudios «medicohigiénicos» (*Estudio medicohigiénico de la miseria*, por ejemplo) y luego, «médicolegales» (*Estudio médicolegal sobre infanticidio* [9.003], *Estudio médicolegal sobre los delitos contra la legalidad* [7.799], o *sobre la locura* [12.905]). Pero la dimensión más representada es, sin duda alguna, la «médicosocial» aplicada a Sevilla (8.794) o a la comarca de la Serena (13.886), a la borrachera (10.927) y al cólera (15.019), hasta al... escepticismo (9.465), con una relativa hispanización de esta literatura médica.[17]

5. La «socialización» de la literatura

En la expresión literaria, puede observarse la misma evolución, con el tránsito de una perspectiva fisiológica aplicada fundamentalmente a la mujer a una visión social o médicosocial de los problemas derivados de la sexualidad, entre ellos la prostitución, con la permanente ambigüedad del estatuto estéticomoral de dicho tratamiento, entre científico y libidinoso.

O sea de la «novela filosoficofisiológica» *¡¡Adúltera!!* que llega a ser para el editor barcelonés Miret la *Madame Bovary* de Flaubert en 1875 o del «estudio fisiológico no menos interesante al facultativo que al hombre del mundo» titulado *La condesita,* novela de F. de Sales Mayo (7.573) (4.ª ed. en 1882) se llega a un estudio «fisiológicosocial» de *La novicia* por Lovelace (1889).

El texto fundador de dicha corriente no es *Nana* ni *L'Assommoir* sino acaso *La fille Elisa* de E. de Goncourt traducido en 1878 y publicado en la «Biblioteca Miret» bajo el título *La joven Elisa* y con el apócrifo y muy significativo subtítulo «Escenas y consecuencias de la prostitución. Crimen... con un estudio sobre los sistemas penitenciarios y particularmente el de Auburn por F. Orfila» (4.001), o sea la unión de la literatura y de la medicina del acostumbrado novelista parisino y de un español instalado en Francia.

El máximo desarrollo de la «socialización» de la literatura se obtendrá, no obstante, con las novelas sociológicas de Ubaldo Romero Quiñones, las novelas o los estudios «sociales» de R. Vega Armentero, E. Rodríguez Solís, J. Castellano y Velasco, A. Sawa, E. Sánchez Seña, etc. y las novelas «médicosociales» de E. López Bago, etc.

Esta última corriente, también calificada de «naturalismo radical» y estudiada por Y. Lissorgues,[18] tiene teóricamente un método científico y unos fines reformistas. Pero, al menos en su recepción, parece ser que los objetivos a menudo se han perdido de vista, fundamentalmente cuando se aplican a la mujer y al sexo que, en buena medida, representan una clave para la interpretación del naturalismo español.

6. El naturalismo como exutorio: Eros y risa

Aún no se ha hecho un estudio sistemático del tema pero, por ejemplo, no deja de llamar la atención la frecuencia e incluso hiperrepresentación, al menos en la temática anunciada, de tipos femeninos, de heroínas, de mujeres, sobre todo cuando están marginadas.

Sin querer hacer un estudio semioticoestadístico cronológica y espacialmente comparativo de los títulos de novelas, podemos notar el frecuente protagonismo de nombres femeninos o de los calificativos u oficios «del sexo» como entonces se decía, que remiten a este peculiar aspecto: Eva (6.189),

Evangelina (8.661), Mercedes (7.384), Matilde (9.357), Lola (*La camisa de Lola, Lola la costurera*) y las más poéticas o crudas pero siempre llamativas referencias a: *Las extraviadas* (5.468), *Las mujeres de historia* (6.106), *La coqueta* (6.224), *Amor de coqueta* (6.249), *Las pecadoras* (6.489), *Historia de una mujer bonita* (4.651), *Las mujeres que pagan y las mujeres que pegan* (6.309), *Las chulas de Lavapiés* (6.341), *La condesita* (7.573), *La chula* (7.721), *La Venus del Manzanares* (7.282), *Venus granadina* (13.255), *Las traviatas de Madrid* (8.191), *La mujer de todo el mundo* (10.157), *Las rameras de salón* (11.218), *La manceba* (11.218), además de *La prostituta, La querida,* etc. Sorprende realmente descubrir una novela de Manuel Cubas titulada *Thaïs. El marido impotente* (10.907).

La obsesión por el amor venal o por la alcoba es patente y, a falta de una antropología sexual de la época, nos contentamos con mencionar este hecho pendiente de interpretación.

Pero podemos notar que los tratamientos literarios del tema no son uniformes y que se perciben algunos modelos exteriores o anteriores.

Destaca, por ejemplo, la abundancia de cuadros o novelas de costumbres, de «malas costumbres» a menudo, como en el caso de E. Blas o de A. de San Martín, y las referencias parisinas como argumento de novela o de venta: de la *Cleopatra* de A. Houssaye («Historia parisienne» [*sic*]) a un *Croquis parisién* (*sic*) pasando por *Venus granadina*, extraviada... en París.

En el caso del «naturalismo erótico» de López Bago o Zahonero,[19] existe la intención proclamada de «poner de manifiesto las llagas sociales con objeto de buscar el remedio» e interesa observar cómo ambos se esfuerzan por mantener esta categoría «científicoreformista» a su producción. *La vengadora,* dice J. Zahonero, es distinta de «las obras de recreación pornográfica» y López Bago, por su parte, denuncia para diferenciarse «esos librillos que aunque no son de fumar arden en un candil» y que se titulan «Biblioteca Demi-Monde» o «Biblioteca Mascota».[20]

Es impresionante en efecto —y convendría estudiar detalladamente el fenómeno— la avalancha entre 1885 y 1887 de «bibliotecas verdes» y «picantes» más o menos pornográficas y traducidas, como la «Biblioteca Demi-Monde» (10.050, 10.019, 10.237, 11.126, 11.127, 11.328, 11.329, 11.330), la «Biblioteca Non Plus» (10.053), «Sólo para hombres» (9.848,

10.951, 12.032), la «Biblioteca Bocaccio» (10.108), la «Biblioteca clandestina» que «no se pone a la venta» (10.053, 10.308) o también la «Biblioteca Mascota» denunciada por López Bago y no recogida por el *Boletín de la Librería* o *Pimientos picantes* «colección de cuentecillos más frescos que una lechuga» de A. Vinagreta (11.317), libritos todos que nutren la corriente persistente de la literatura más o menos subterránea que a veces ni siquiera llega a los «infiernos» de las bibliotecas públicas. Existe a todas luces una demanda latente, atestiguada antes por la «Biblioteca Miret» especializada en obras de Amancio Peratoner, tales como *El mal de Venus, Venus picaresca, El sexto, no fornicar* o *Los secretos de la generación* de J. Morel de Rubempré (4.875) y después por la «Biblioteca Heros» (*sic*) que publicará, por ejemplo, *Pecado de amor* y *La conquista del amor* de E. Zola a 35 céntimos el volumen.

Interesaría, por ejemplo, comparar el éxito en España de *Safo* y el de otras novelas de A. Daudet, poder comparar el de *La Regenta* y *La prostituta* para apreciar el grado de confusión entre una libido reprimida y la literatura naturalista...

Pero también convendría valorar la importancia vital de otro exutorio muy solicitado y que también forma parte de la situación del naturalismo español: la risa, la corriente festiva cuya profesión de fe es acaso *Vivir para reír*, título de una obra de Francisco Arechavala (10.302), y es abundantemente ilustrada por los almanaques «Quitapesares», «Quitapenas», la «Biblioteca cómica», la «Nueva biblioteca de la risa», la «Biblioteca Cómica» o el *Madrid Cómico* y todas las novelas «festivas», una verdadera explosión que se produce hacia 1884 también.[21]

Lo cierto es que en las obras «naturalistas» consumidas por un público también amigo de la risa, la ambigüedad funcional es fundamental y no cabe duda de que permitió que cundieran mayoritariamente las equiparaciones del naturalismo con el menoscabo del decoro y de la moral. Ciencia, libido y risa serían, pues, las características mayores de una mentalidad que coincide con la década naturalista, y que todas, más o menos, vienen a ser condenadas por la Iglesia católica, eso por supuesto.

7. Heterodoxias y «mano sucia»

Ésta duda todavía entre el rechazo en bloque de toda heterodoxia, empezando por el liberalismo, y el pragmatismo del «mal menor».

De la primera actitud es revelador el combate librado en defensa de la ciencia «española» o contra las ideas darwinistas: de esta tendencia son representativas las obras de Manuel Polo y Peyrolón (*Parentesco entre el hombre y el mono* [4.726], reeditado con el título *Contra Darwin* [6.521]) o la traducción de la obra de J. Bianconi, *La teoría darwiniana y la creación llamada independiente* (4.830). De la segunda, las concesiones al «quinto poder» de la novela aún considerada dogmáticamente como «ladrón doméstico» y cuya lectura se intenta prohibir o controlar (*¿Por qué no he de leer todo lo que quiero?* es el título de un opúsculo católico publicado entonces), pero cada vez más pragmática, lo cual permite la recuperación de valores «seguros» como Trueba, Fernán Caballero, Alarcón e incluso Pereda y sobre todo provoca cierta movilización de las plumas católicas, de las «buenas» plumas, para la producción de una «buena» literatura. Al presbítero Francisco de Asís Renau que publica en 1881 una nueva novela (*Nuevos horizontes. Novela de costumbres contemporáneas* [6.768], se suman el escritor «à tout faire» Manuel Polo y Peyrolón (*Sacramento y concubinato, novela de costumbres contemporáneas*, —nótese el mimetismo a nivel de subtítulo al uso— *Los mayos* [10.448], *Solita* [10.794]), Antonio de Valbuena,[22] el Padre Coloma, redactor de *Lecturas recreativas*, y todos preparan, en cierta medida, la escandalosa pero sintomática consagración oficial de *Guerra sin cuartel* de Ceferino Suárez Bravo en 1885 (¡año del segundo tomo de *La Regenta*!) coincidiendo con la traducción de la réplica de Sirvent y Leverdier a Zola con *La hija de Nana* (9.690) y un nuevo *début* de María del Pilar Sinués.

Pero sobre todo llama la atención, por una parte la pervivencia, bajo la pluma de escritores carlistas, de formas narrativas tradicionales o ya abandonadas casi, como la novela histórica o los episodios históricos (véase por ejemplo los *Episodios tradicionalistas* de C. Constante publicados en 1884 [9.107] o el *Álbum de personajes carlistas* por F. de P.O., además de la literatura de cordel «carlista»), y por otra parte, el interés manifestado por las lecturas «populares» y «edificantes», como si a través de esta producción se intentara preservar a nuevas capas lectoras, del mal representado por la novela más pecaminosa. Ahí están las *Novelas populares* (11.055) y las *Leyendas y tradiciones* (11.656) de F. de P. Capella, las *Lecturas populares* de C. Claravana (14.280) además de las de P. Coloma (9.561), *Las páginas edificantes* de M. Polo y Peyrolón (16.058) y otras bibliotecas y colecciones («Biblioteca ligera», «Hojitas populares», «Biblioteca del bien» de Aurora Lista Granada [16.626], etc.).

En 1891, el Padre Coloma publicará incluso su novela «naturalista» *Pequeñeces...*

Pero a pesar de la publicación por Manuel Polo y Peyrolón —¡otra vez!— de un opúsculo titulado *El naturalismo, ¿es un signo de progreso o de decadencia... en la literatura?* (11.379), la «moderna escuela» no parece preocupar muy específicamente —sino como una obscenidad más— una Iglesia aún preocupada por combatir globalmente obscenidades mayores como el liberalismo, la prensa liberal, la novela, etc., como muy detalladamente lo explica Solange Hibbs-Lissorgues.[23]

8. **El momento naturalista**

De lo observado a través de la producción bibliográfica sacamos, pues, la impresión que existió en España un momento isócrono con la fase del «naturalismo triunfante» señalada para Europa por Y. Chevrel[24] pero de forma dispersa, sin verdadera coherencia doctrinal ni fuerzas, no tanto para defenderlo como para realizarlo. Entre la doctrina importada de Francia a través de Zola y las manifestaciones más acabadas de un naturalismo español, realista pero no determinista, y «con humor», media todo un mundo contradictorio con, por un lado, unos conatos de emancipación con respecto a los academismos y demás tiranías e incluso de transgresión con fines reformistas y, por otro, la ineludible sumisión «final» al orden moral, cuando no estético, imperante.

A la primera actitud corresponden todas aquellas manifestaciones, incluyendo las literarias, de la llamada mentalidad cientificopositiva que viene dando, en la década de 1880, una dimensión social a la ciencia del hombre y soluciones teóricamente científicas a los problemas sociales. También da pie para una aspiración vital a la transgresión imaginaria de los tabúes, dándose a leer —no a ver— el mundo prohibido de las zonas más pecaminosas del mundo humano, con la consabida confusión entre naturalismo, sexo y ciencia, y la desviación que eso supone. La otra cara de esta preocupación física y metafísica individual sería esa risa loca, tonta, vana que acompaña a lo largo del período, como exutorio contrapúntico, las búsquedas más íntimas y angustiadas, socialmente exteriorizadas, de una fracción reducida de españoles deseosos de desbloquear una sociedad ya bloqueada por el sistema impuesto con la Restauración.

La situación naturalista abierta con la manifestación de las fuerzas y potencialidades remanentes del espíritu de libertad del 68, y alentadas por la liberalización de los años 1881-1883, se cierra, pues, con el no advenimiento de una posible pero fallida alternativa social; por eso no plasma una verdadera escuela naturalista española, aun cuando una parte del naturalismo siga utilizándose para la expresión militante de la realidad social bajo la pluma de aquéllos que no temen los aspectos más revolucionarios.

Este momento, sin embargo, no puede entenderse sin hacer referencia a la dimensión moral subyacente en la expresión estética de una mentalidad «naturalista».

En efecto, la asimilación casi inmediata del naturalismo con la «mano sucia», o sea con la obscenidad, y las reservas formuladas incluso por los representantes del naturalismo español, pero también la disconformidad *in fine* con el determinismo genético, remiten a una concepción más o menos moral, ética, metafísica, en la que el catolicismo latente, más que militante, tiene mucho que ver.

El calificativo de «obsceno», «asqueroso», «repugnante» no es exclusivo, como se sabe, de los defensores de la ortodoxia católica más cerrada. Ahí está la censura por Pérez Galdós de la «demasiada lascivia» presente en *La Regenta*;[25] ahí está también la reflexión de Ortega Munilla a propósito de *La prostituta* de López Bago, protestando contra «el error que consiste en pensar que es tanto más naturalista una obra cuanto más obscena», en función de una fundamental ambigüedad en la función desempeñada por dicha literatura, no sólo para el escritor, claro está. A aquellos novelistas que «pretextando poner de manifiesto las llagas sociales con objeto de buscar el remedio que las cauterice, se deleitan en remover el fango en sacar a la superficie lo más asqueroso y lo más repugnante de los vicios sociales» según dice Blas Cobeño,[26] oponen otros «naturalistas» la noción de naturalismo decoroso o sea que no lastime un código implícito que establece lo que se puede mostrar o no, decir o no, con toda una serie de matices cuyas correspondencias se encontrarían a nivel icónico. Se puede llegar a la fórmula más ambigua de un naturalismo que «sabe cohonestar y aun justificar lo crudo y repugnante de ciertas situaciones»: la precisión de la censura moral y la imprecisión del púdico indefinido fundan todo un sistema en el que queda atrapado el minoritario, al fin, lector de un «naturalismo» inacabado, fallido y ni siquiera transitoriamente legitimado.

El malestar que se trasciende de la historia a la hora de interrogarse una vez más sobre lo que es el naturalismo español, ha de ser como un llamamiento para estudiar las manifestaciones estéticas en sus aspectos funcionales de uso, o sea con toda la dimensión social y antropológica que hay que restituir a los seres de carne y espíritu que, en una situación naturalista, sólo pudieron vivir la ilusión de un naturalismo español.

NOTAS

1. Véase en esta misma obra el documentado estudio de F. Caudet sobre «La querella naturalista. España contra Francia».

2. La fuente utilizada para dicho rastreo es el *Boletín de la Librería* de M. Murillo entre 1878 y 1891, pues, a pesar de sus inevitables imperfecciones es, por ahora, la bibliografía nacional corriente más exhaustiva en la época (véase J.F. Botrel, *La diffusion du livre en Espagne* (1868-1914), Casa de Velázquez, Madrid, 1988). Para corregir la subrepresentación de la producción editorial catalana se han introducido datos procedentes del fichero cronológico del Instituto Municipal de Historia de Barcelona.

Para ahorrar espacio, al citar las obras, se remitirá, salvo excepciones, al número correlativo que tiene cada obra descrita en el *Boletín de la Librería*.

3. *La taberna (L'Assommoir).* Melodrama en tres actos y ocho cuadros adaptado a la escena española por D. Mariano Pina Domínguez. Representado por primera vez en Madrid, en el Teatro de Novedades, el 1 de diciembre de 1883.

4. Imprenta de la Renaixensa, en 4.º, 528 pp., 20 y 24 reales.

5. En 1885, el editor José María Faquineto publicará unos «cuen-

tos naturales» de López Bago, Sales, Martínez de la Sagra y... Bocaccio, titulados *¿Pican... pican?*

6. *Ápud* Roselyne Mogin, *Contribution à l'étude d'une collection de nouvelles:* «*La Novela Corta*» *(1916-1925)*, tesis de doctorado, Universidad de Pau, 1987, p. 724.

7. Remito a los clásicos estudios de W.T. Pattison (*El naturalismo español*, Gredos, Madrid, 1965) y Mercedes Etreros («El naturalismo español en la década de 1881-1891», *Estudios sobre la novela española en el siglo* XIX, CSIC, Madrid, 1977, pp. 49-131).

8. Véase, por ejemplo, *Lo que son los curas*, por el cura Jean Meslier (12.096).

9. Véase Diego Núñez Ruiz, *La mentalidad positiva en España: desarrollo y crisis*, Túcar, Madrid, 1975, cap. VI.

10. Véase *Ciencia y proletariado*. Escritos escogidos de Jaime Vera. Prólogo y selección de Juan José Castillo, Cuadernos para el Diálogo, Madrid, 1973.

11. Aún en 1888, Peña y Goñi califica a Clarín de «Claudio Bernard de la sintaxis».

12. Véase Carmelo Lisón Tolosana, *Antropología social en España.* 2.ª ed., Akal, Madrid, 1977, pp. 121 ss.

13. *Ápud* D. Núñez Ruiz, *op. cit.*, quien recuerda que U. González Serrano, autor como se sabe de un ensayo sobre el naturalismo, recoge en *La sociología científica* lo esencial de los debates que habían tenido lugar en el Ateneo de Madrid durante el curso 1882-1883.

14. Véase la reciente reedición de la *Información oral y escrita publicada de 1889 a 1893*, con estudio introductorio de Santiago Castillo, por el Centro de Publicaciones del Ministerio de Trabajo y Seguridad social (Madrid, 1985).

15. Como el trabajo de J. de Zugasti cuyo t. VII se publica en 1878.

16. Refiere entre otras cosas el caso de una joven, Julia, que llega a prostituirse a causa de las «lecturas altamente inmorales» que había hecho de joven (pp. 169 ss.).

17. Conviene recordar aquí los escritos de los doctores Cortezo y Simarro, claro está, pero también las obras de Arsenio Martín Perujo autor de una *Higiene rural* y de *El primer partido. Memorias de un médico joven*, o de E. Mesa, *Prontuario del médico de partido* (9.522).

18. Véase en este libro el estudio así titulado. Véase también de P. Jourdan, «Les manifestations du naturalisme en Espagne. Deux romans de López Bago: *El periodista* y *La prostituta* (1884), *Iris*, 1988/I, pp. 69-105.

19. La expresión es de Mercedes Etreros, *op. cit.*

20. *La vengadora*. 2.ª ed. p. 8; *La buscona*, p. 255.

21. Más detalles en J.F. Botrel, «Le parti-pris d'en rire dans *Madrid Cómico*», *Le discours de la presse*, Presses Universitaires de Rennes 2, Rennes, 1988, y «La narrativa española en tiempos de *Fortu*-

nata y Jacinta. Estadística y tendencias», Universidad Autónoma de Madrid.

22. Véase J.F. Botrel, «Antonio de Valbuena y la novela de edificación (1879-1903)», *Tierras de León*, 55 (1984), pp. 131-144.

23. Véase en este libro su estudio sobre «La Iglesia católica frente al naturalismo».

24. «Peut-on proposer une périodisation du naturalisme en tant que mouvement international?», *Le Naturalisme en question*, Presses de l'Université Paris Sorbonne, 1986, p. 20.

25. Véase M.J. Tintoré, *«La Regenta» de Clarín y la crítica de su tiempo*, Lumen, Barcelona, 1987, p. 311, por ejemplo.

26. *Madrid Cómico*, 262 (25 febrero 1888).

LA IGLESIA CATÓLICA
Y EL NATURALISMO

Solange Hibbs-Lissorgues
(Universidad de Toulouse-le Mirail)

Desde siempre la Iglesia católica había manifestado su profunda desconfianza hacia lo impreso y sobre todo hacia la novela. Por ser obra de ficción, la novela es el género literario más «peligroso», más «perverso» que: «Trastorna el sentido moral y [...] desmorona la sociedad».[1]

Hasta bien entrado el siglo XX, seguirán publicándose, por medio de folletos, de artículos en la prensa católica, numerosos textos teóricos que contraponen las «buenas» y las «malas» lecturas y que denuncian los peligros, para todo buen católico, de entregarse a la lectura de la novela en general.

A partir de 1880, un verdadero debate acerca de la novela como género, y más particularmente de la novela naturalista, se instaura en la prensa católica. Numerosísimos escritos y sermones, publicados en la prensa de aquel momento, fustigan los esfuerzos de la razón por independizarse de la fe y destruir a la Iglesia. Publicaciones católicas tan conocidas como las revistas catalanas *La Revista Popular,* de tono marcadamente integrista y *La Hormiga de Oro*, dirigida por el carlista Luis María de Llauder, denuncian el aluvión de publicaciones «anticatólicas, libertinas y licenciosas» que ha traído consigo la revolución de 1868: «Entre los focos de perversión, hay que colocar en primer término a la novela».[2]

La preocupación de la prensa católica por la novela se debe, a partir de 1880, a la penetración en España de las primeras traducciones de Émile Zola. Walter Pattison en su obra *El naturalismo español,* destaca el interés de los editores de Madrid y Barcelona por las obras de Zola.[3] En España, se presentan en el teatro adaptaciones de algunas obras de Zola como *Nana* en el teatro de la Comedia en 1885. La penetración del naturalismo en España provoca una reacción violentísima por parte de la prensa católica. *La Hormiga de Oro* fustiga las novelas naturalistas de Zola, de Daudet, de Flaubert y de los hermanos Goncourt que se caracterizan por: «[...] los hedores puercos y amoniacales de la carne y de la sangre repodridas en la sentina social, atestada de estiércoles humanos de todos los calibres».[4]

La Academia Calasancia denuncia «las nefandas obscenidades de burdeles y mancebías».[5]

En cuanto al periodista y escritor católico Antolín López Peláez, señala que con «su cebo infame» para atraer a los lectores, Zola había conseguido alcanzar en 1887, tiradas de 65.000 ejemplares para *Pot-Bouille,* 11.000 para *L'Assommoir* y 149.000 para *Nana.*[6]

Pero la polémica sobre la novela como género, polémica omnipresente en la prensa católica de aquellos años, no se explica por consideraciones meramente literarias. Esta preocupación se debe a las circunstancias especiales que atraviesa la prensa católica de la época. La prensa católica, y esto es nuevo, intenta adaptarse a los gustos del público. La literatura «amena» puede ser un «instrumento de combate para el bien», afirman algunas publicaciones católicas. Frente a la prensa de gran circulación y al éxito de la prensa liberal, la prensa católica es consciente de que debe echar mano de nuevos medios para atraer al público.[7]

La Academia Calasancia señala «la pobreza y languidez de la prensa ortodoxa [...] frente a la prosperidad de la prensa racionalista».[8] *La Hormiga de Oro* no vacila en afirmar que la prensa católica debería poder ofrecer: «A ese público que se guía por el utilitarismo, periódicos católicos los más completos, los más variados, los más amenos, lo mejor escritos que existieran en España».[9]

Así es que algunas revistas católicas, como *La Hormiga de Oro* y *La Revista Popular* se esfuerzan por organizar una verdadera «táctica de atracción» del público católico, y dedican parte de sus publicaciones a una crítica literaria de las novelas contemporáneas. También proponen un catálogo de novelas cristianas y edificantes.

De hecho, la variedad de obras amenas propuestas por ambas revistas es muy restringida y las «Notas bibliográficas» o la «Crónica hebdomadaria» de dichas publicaciones reflejan la desconfianza visceral de la Iglesia con respecto a las lecturas, y a la novela. La mayor parte del tiempo, estas dos revistas, así como otras muchas publicaciones católicas, se limitan a una valoración negativa de la novela como género literario. La literatura sólo se enfoca desde una perspectiva moral y apologética. Aunque reconoce que la novela es uno de los géneros más leídos, la prensa católica expresa su repulsa hacia lo que llama: «Un virus venenoso inficionado en la sociedad por la revolución francesa».[10] La novela es el producto típico de la libertad de imprenta, de la sociedad liberal y, como tal, amenaza peligrosamente el «monopolio ideológico clerical».[11] La prensa católica presenta un cuadro dramático de la «perversión» social causada por el auge de la novela: «No hay como ponderar el satánico poder de ese arma homicida, de ese vaso de veneno, de esa peste mortífera».[12]

La novela es un género nefando de por sí porque habla a la imaginación y despierta los sentimientos y las pasiones que son fuente del pecado. *La Hormiga de Oro* no deja de referirse al sensualismo de las novelas modernas que se dirigen: «[...] a las sensaciones, a los ásperos y funestos instintos que afeminan el alma, rebajan los caracteres y conducen las naciones a una rápida decadencia».[13]

La novela sólo puede ser aceptable a ojos de la Iglesia si sirve para hacer atractivas las ideas religiosas y si cumple con un propósito didáctico y moralizador. Antonio de Valbuena define de manera tajante esta visión de la literatura: «Toda obra artística ha de tener un fin, que es el fin general del arte, elevar el alma hacia lo infinito, llevar al hombre a Dios por el sentimiento».[14]

El que mejor resume todas las críticas que hacen los apologistas de este género literario es el obispo de Jaca, Antolín López Peláez. En un libro cuyo título es significativo, *Los daños del libro,* presenta una visión apocalíptica de la sociedad entregada a la irreligión y a la inmoralidad por culpa del «aluvión» de novelas y malas lecturas.[15] El obispo de Jaca recoge las preocupaciones de la Iglesia frente al impacto social de la novela y apunta los peligros que representa para la salud física y moral del hombre que sufre por definición de «anemia espiritual». Antolín López Peláez dedica especial atención a la novela naturalista y afirma: «Que merece especial estudio la novela naturalista [...] es la que más en boga se halla hoy y por ser sus tendencias las más paladinamente contrarias a la doctrina católica».[16]

El obispo de Jaca no hace más que compartir y subrayar la indignación expresada por la prensa católica en general y por algunos escritores que, como el Padre Blanco, denuncian «[...] los desastrosos efectos de la novela naturalista y el inusitado fervor con que la recibieron los adalides del positivismo burgués [...] y la clase proletaria».[17]

A los ojos de la Iglesia, los desbordamientos del género novelístico culminan en la novela naturalista que varios escritores tildan de: «Cloaca impura donde se agitan las inmundas pasiones».[18]

Hasta finales del XIX, la prensa católica centra de manera obsesiva sus preocupaciones en la novela naturalista considerada como un verdadero peligro para la doctrina católica.

Conviene subrayar sin embargo que, a pesar de que la prensa católica así como algunos escritores católicos exponentes del más rancio catolicismo, denuncian la novela naturalista, se va esbozando un intento de recuperación del género naturalista. Como tendremos ocasión de ver, algunas revistas católicas no dudan en declarar que: «El naturalismo al uso puede ser instrumento de bienes prácticos cuando es utilizado por un Coloma o un Pereda».[19]

El Padre Blanco afirma que, exceptuando *Insolación, Morriña* y *La madre naturaleza*, Emilia Pardo Bazán puede ser considerada como «[...] la figura más excelsa del naturalismo español».[20]

El naturalismo anticristiano es el practicado por Zola, y la novela naturalista condenada por la Iglesia es fruto del positivismo filosófico, del materialismo que privan en Francia y han penetrado en España:

> Los españoles no negaron esta vez el asiduo tributo que por costumbre rinden a la moda transpirenaica y siguieron las huellas de Zola con el mismo entusiasmo que en otros días las de Sue, Dumas, Victor Hugo.[21]

Es de notar, una vez más, la identificación tan frecuente en los esquemas ideológicos de la época entre fe y nacionalismo: Francia es tradicionalmente uno de los principales focos de corrupción. Ese naturalismo importado de Francia representa el progreso de la ciencia, tan condenado por la Iglesia.

Los naturalistas siguen: «El método científico que proclama la libertad de pensamiento [...] Los naturalistas sacuden el yugo filosófico y teológico».[22]

Las preocupaciones fisiológicas de la novela naturalista son consideradas por la Iglesia como una «exaltación de la pornografía». El lenguaje empleado por la prensa católica para fustigar lo que se considera como una de las mayores «corrupciones» de la literatura, revela la censura moral y material impuesta por la Iglesia con respecto a toda temática relacionada con el cuerpo humano y la sexualidad. Para la doctrina católica, el cuerpo es tan sólo la envoltura del alma: el cuerpo es el símbolo del pecado original y debe mantenerse oculto y reprimido. *La Academia Calasancia* opone la literatura cristiana «que es el lenguaje del alma» a «los arrebatos convulsivos de la carne».[23] *La Hormiga de Oro* explica que sólo el ideal cristiano, la elevación de ideas, los sentimientos patrióticos y de nobleza pueden ahogar la corriente de «lujuria e inmundicias que amenaza la sociedad».[24] La pasión, el amor físico, el instinto van en contra de los preceptos de mortificación, sacrificio y penitencia contenidos en la doctrina católica.

López Peláez insiste en la necesidad de ocultar todo lo físico en la novela:

> [...] Se ofende a la moral y a la misma naturaleza exhibiendo lo que por inclinación suya debe permanecer oculto. Puede decirse del desnudo en la novela lo que del desnudo en la escultura [...], que es antinatural y en todo y por todo falso, pues ni los hombres andan sin vestidos, ni se encuentran tan despojados de pudor como los retratan los naturalistas.[25]

Esta táctica de la «ocultación» es a ojos de los críticos católicos, una de las «virtudes» de una buena novela. *La Academia Calasancia*, refiriéndose a Pereda, subraya que este escritor, aunque realista de corazón, «[...] idealiza hasta lo más vulgar de la vida».[26]

El obispo de Jaca emplea, para caracterizar a la novela y a los escritores naturalistas, expresiones que reflejan el carácter «maldito», «satánico» de las manifestaciones físicas del cuerpo humano. Los escritores naturalistas son:

> Rebuscadores de cloaca, revolcadores de cieno [...], coleccionan y miran con lentes de aumento [...] el erotismo bes-

tial, el *delirium tremens* de la carne espoleada por la violencia de los más bajos instintos, haciendo de sus novelas sentinas de lujuria [...], gusaneras del vicio.[27]

En cuanto a Zola, que hunde a los lectores «en el lodo y la inmundicia»:

> Ese desdichado que nunca debiera haber nacido no sabe sino rebajar y odiar, causar asco o espanto. El estómago le ha atrofiado el corazón [...]. El vientre, hecho animal, es el puerco [...] hecho escritor, es Zola.[28]

De manera significativa, López Peláez recalca el antagonismo que existe a ojos de la Iglesia entre fe y ciencia, y censura la novela naturalista que ha pretendido apoderarse de los adelantos de la ciencia y: «[...] de la fisiología para descifrar el misterio de la vida humana olvidando los eternos principios».[29]

Según las propias palabras del obispo de Jaca, la novela naturalista es la expresión del positivismo que domina «en las ciencias y en todas las relaciones sociales»; es la consecuencia de las nuevas corrientes naturalistas que han penetrado en España. Esas nuevas corrientes de pensamiento que enaltecen la razón, representan un verdadero peligro para el dogma católico ya que quieren sustituir la sumisión del entendimiento, la aceptación de lo sobrenatural y del misterio, por la libertad de pensamiento, la investigación y el progreso.

No es de extrañar en tales condiciones que la dimensión de análisis o de crítica social de la novela naturalista provoque una reacción de repulsa por parte de la Iglesia. *La Hormiga de Oro* recalca a lo largo de extensos artículos dedicados al naturalismo que la pintura de la sociedad no puede hacerse sin: «[...] la estricta sujeción a la moral cristiana».[30]

La literatura y la novela no pueden ser, como pretende el naturalismo, el reflejo de la sociedad en un momento histórico determinado. El análisis que hace el Padre Conrado Muiños, eclesiástico que colabora en la crónica bibliográfica y literaria de *La Hormiga de Oro*, es muy revelador al respecto. Este eclesiástico explica que la novela naturalista es fuente de «corrupción social» en la medida en que no presenta tipos o modelos ideales; no presenta una trabazón narrativa que se ajuste al orden providencial. Al contrario, al querer retratar la complejidad de la vida, deja al lector indeciso. Al analizar algunas novelas de Galdós, como *Fortunata y Jacinta* o los *Episodios Nacionales*, el Padre Muiños declara que están «inficionadas» por la corriente naturalista y que Galdós presenta caracteres en los que sólo resalta «la vaguedad moral»:

> Después de leer una novela de Galdós, nadie puede sacar en limpio si los héroes son héroes o quijotes, si los malvados son tales o personas sumamente simpáticas. El señor Galdós no muestra ni indignación ni censura, en una palabra no es ni un censor o un moralizador como Pereda o el padre Coloma [...].[31]

López Peláez expresa, con todavía más claridad, el peligro que representa para la Iglesia la novela naturalista que pretende analizar y disecar la sociedad. El novelista ya no es un intermediario entre Dios y el lector, pretende ser independiente y lo que es peor, deja al lector libre en sus juicios:

> El novelista no se permite juzgar los actos de sus personajes. Inútilmente se buscaría en él una conclusión, una moralidad, una lección cualquiera sacada de los hechos. El autor no es un moralista, sino un anatómico.[32]

Al no imponer límites morales o proponer modelos sociales compatibles con la doctrina católica, la novela naturalista representa un incentivo para aquellas clases sociales que ya no creen en la resignación o la desigualdad del hombre, que no se conforman con una visión cristiana de las cosas: «¿Qué han hecho las producciones naturalistas más que envenenar las almas y sembrar aires de pestilencia en la atmósfera social?».[33]

Aunque no lo expresa claramente, el obispo de Jaca intuye que la novela naturalista es el producto de una sociedad en plena mutación. La preocupación de la Iglesia frente a la seducción de las novelas en general, y sobre todo de la novela naturalista, muestra que es consciente de que se están rompiendo los tradicionales esquemas sociales, de que la clase media y una parte cada vez más importante de las clases populares ya no están tan sometidas como antes al control de la Iglesia. López Peláez subraya que, bajo el impulso del materialismo, un gran sector de la población ha olvidado las creencias religiosas para establecer en su lugar un prosaico materialismo, una desmedida apetencia de goces terrenales:

¿Cómo, pues, explicar el favor de que goza la novela naturalista? [...]. Pues porque esta novela es el reflejo del positivismo que domina [...] en todas las relaciones sociales [...]. La numerosa clase proletaria la acogió con entusiasmo porque [...] mira en tales libros canonizadas sus utopías y consagrado el culto de la materia.[34]

Tales palabras reflejan la táctica defensiva y la cerrazón intelectual de la Iglesia en aquel momento. Sin embargo, se van abriendo brechas en el muro de la intransigencia católica. Como subraya J.F. Botrel, en su estudio sobre «Valbuena y la novela de edificación», la Iglesia reconoce la necesidad de utilizar el molde novelesco para transmitir una enseñanza adecuada a sus preocupaciones e intereses.[35] Este intento de adaptación puede resumirse con las siguientes palabras del obispo de Jaca que afirma en 1905 que: «La Iglesia prohíbe novelas pero no las novelas y que no está prohibida clase alguna de manifestación artística o de expresión estética o de honesto deleite».[36]

Como ya mencionamos antes, se produce un intento de recuperación de la novela naturalista. Los críticos católicos de la época no vacilan en reivindicar un «naturalismo a lo cristiano» cuyos mejores exponentes son el Padre Coloma y Pereda. En una entrevista publicada por *La Hormiga de Oro*, el Padre Coloma afirma que cuando la novela o el naturalismo: «se erige en canon literario y artístico [...] los ingenios sanos tienen que aceptarle [...] para sacar de él partido».[37]

El Padre Coloma insiste varias veces sobre la necesidad para la prensa católica de competir con la prensa de gran circulación, y no vacila en definir una prensa que pueda «persuadir agradando».[38]

Por otra parte, el éxito, en 1890, de *Pequeñeces*, obra que la prensa católica tilda de «cristianamente naturalista», no es ajeno a este intento de recuperación de la llamada novela naturalista.[39]

En cuanto a Pereda, los numerosos y extensos artículos que le dedica la prensa católica, incluso las publicaciones más ranciamente católicas, reflejan los intentos de adaptación de la Iglesia a la época, aunque la finalidad didáctica y moralizadora siga siendo la prioridad. Al hacer una reseña de *La Montálvez* de Pereda, *La Hormiga de Oro* reconoce que:

Aunque dicha obra contiene cosas horribles ¿por qué ha de ser pecado decir con la decencia debida, eso y mucho más que fuera cierto? Cuando la inmoralidad no se expone con colores atractivos, sino que se carga sobre ella la indignación de un alma noble y generosa [...] es provechoso y digno de aplauso.[40]

NOTAS

1. «La novela», *La Hormiga de Oro*, III, 16·VII·1890.
2. «La novela», *La Hormiga de Oro*, I, 1890.
3. Walter Pattison, *El naturalismo español*, Madrid, Gredos, 1965, pp. 50 y 51.
4. «La novela», *La Hormiga de Oro*, I, 1892.
5. «Crónica», *La Hormiga de Oro*, 22·IV·1891.
6. «La novela contemporánea», *La Academia Calasancia*, 21·V·1892.
7. *El Imparcial* tiene tiradas de 50.000 ejemplares y *El Liberal* de 25.000.
8. «Cartas al joven Conrado sobre el periodismo católico», *La Academia Calasancia*, 7·XI·1891.
9. «Las dos propagandas, *La Hormiga de Oro*, 20·IV·1884.
10. «La novela», *La Hormiga de Oro*, III, 16·VIII·1890.
11. Antonio Portero, *Púlpito e ideología en la España del siglo* XIX, Zaragoza, Libros Pórtico, 1978, p. 67.
12. «La literatura y la moral», *Boletín de la Obra de Buenas Lecturas*, mayo de 1899.
13. «La novela», *La Hormiga de Oro*, III, 16·VIII·1891.
14. Antonio de Valbuena, *Agridulces políticos y literarios*, Administración Juan Lerín, Madrid, 1893, p. 178.
15. Antolín López Peláez, *Los daños del libro*, Barcelona, Gustavo Gili, 1905, 311 pp.
16. Antolín López Peláez, *op. cit.*, p. 145.
17. Padre Blanco, *La literatura española en el siglo* XIX, Madrid, Sáenz de Jubera Hermanos, 1909, 439 pp.
18. Antolín López Peláez, *op. cit.*, p. 209.
19. «Crónica», *La Hormiga de Oro*, 22·IV·1891.
20. Padre Blanco, *op. cit.*, p. 537.
21. *Ibíd.*, p. 530.
22. Antolín López Peláez, *op. cit.*, p. 209.
23. *La Academia Calasancia*, 21·V·1892.
24. «El naturalismo», *La Hormiga de Oro*.
25. Antolín López Peláez, *op. cit.*, p. 224.
26. *La Academia Calasancia*, 21·V·1892.

27. Antolín López Peláez, *op. cit.*, p. 207.

28. *Ibíd.*, p. 208.

29. *Ibíd.*, p. 243.

30. «La novela», *La Hormiga de Oro*, III, 16·VIII·1890.

31. «Realismo galdosiano», *La Hormiga de Oro*, 30·VIII·1890.

32. Antolín López Peláez, *op. cit.*, p. 226.

33. *Ibíd.*, p. 229.

34. *Ibíd.*, p. 247.

35. Jean-François Botrel, «Valbuena y la novela de edificación (1879-1903)», *Tierras de León*, n.º 35, León, 1984.

36. Antolín López Peláez, *op. cit.*, p. 251.

37. «Crónica», *La Hormiga de Oro*, 22·IV·1891.

38. «Vino *El Mensajero del Sagrado Corazón de Jesús* a nuestras manos con una tirada de 300 ejemplares, y hoy la tiene de 18.000: ¿Cómo, pues, había de hacerse este milagro sino valiéndose de las armas de sus competidores, es decir, procurando el interés y la amenidad?», «Crónica», *La Hormiga de Oro*, 22 de abril de 1891.

39. El mismo Coloma subraya este éxito de su novela y afirma, en 1891, que ya se habían vendido 30.000 ejemplares.

40. «La novela», *La Hormiga de Oro*, 1890.

EL CONCEPTO DE REALISMO
Y DE NATURALISMO EN ESPAÑA

Francisco Ayala
(Real Academia Española)

Hará ya unos treinta años que publiqué, a propósito de Galdós, un largo estudio acerca del realismo literario en España, destinado a lograr una interpretación de este concepto —realismo— menos laxa e imprecisa de lo entonces corriente. Me movía a emprender ese estudio mi disconformidad con uno de los tópicos más establecidos y asentados por aquellas fechas, y ligado a cierta manera de entender las literaturas nacionales: el que caracterizaba de fundamental y específicamente *realista* la española, a cuenta de adjudicar ese rótulo a sus más destacados productos, desde el *Cantar de Mio Cid* y el *Libro de Buen Amor,* para amparar bajo él tanto a Cervantes como a Mateo Alemán o Quevedo.

A semejante confusión contribuyó sin duda Galdós mismo, no sólo al predicar el carácter realista de la literatura española en general, sino al atribuir a este pretendido realismo la nota de peculiaridad. Citaba yo para mostrarlo las conocidas frases de su prólogo a la novela de Pereda *El sabor de la tierruca* donde, en 1882, dice del autor:

> [...] por sus felicísimos atrevimientos en la pintura de lo natural, es preciso declararlo portaestandarte del realismo literario en España. Hizo prodigios cuando aún no habían dado señales de existencia otras maneras de realismo, exóticas, que ni son exclusivo don de un escritor propagandista,

ni ofrecen, bien miradas, novedad entre nosotros, no sólo por el ejemplo de Pereda, sino por las inmensas riquezas de este género que nos ofrece la literatura picaresca.

De no menos interés al respecto es lo que, años más tarde, en el de 1901, escribirá, prologando ahora una tercera edición de *La Regenta,* a saber:

> Escribió Alas su obra en tiempos no lejanos, cuando andábamos en aquella procesión del naturalismo ... — ... luego se vio que no era peligroso ni sistema, ni siquiera novedad, pues todo lo esencial del naturalismo lo teníamos en casa desde los tiempos remotos, y antiguos y modernos conocían la soberana ley de ajustar las ficciones del arte a la realidad de la Naturaleza y del alma, representando cosas y personas, caracteres y lugares, como Dios los ha hecho.

Este sería, sin embargo, el problema a dilucidar: ¿Cómo ha hecho Dios el mundo? O, en otros términos: ¿Cómo es la Naturaleza?, ¿qué es la realidad? Lo cierto es que los escritores españoles empeñados en la segunda mitad del siglo XIX en la tarea de reivindicar frente a Zola la precedencia histórica del supuesto realismo nacional se estaban moviendo quieras que no, a sabiendas o sin saberlo, dentro del pensamiento filosófico francés —esto es, dentro de la comtiana filosofía positiva— sobre que se apoya la teoría del naturalismo literario; en algún caso, como el de Emilia Pardo Bazán, con la patética incongruencia de un naturalismo católico, pero en otros casos, como el del mismo Galdós, habiendo asumido la metafísica materialista que considera la materia como realidad básica a partir de la cual evolucionarían las formas de la vida desde lo elemental hasta lo más complejo, desde lo inanimado e inerte hasta la más sutil espiritualización.

Según esta creencia, que impregnaba todas las mentes de la época, las cosas son tanto más reales cuanto más próximas a la base material primigenia, tanto más ilusorias cuanto más alejadas de ella; y así, el realismo adjudicado a nuestros clásicos se apoyaría en su regodeo —o si se prefiere, encarnizamiento— al tratar los aspectos ingratos y aun abyectos de la humana experiencia, que tal vez sea en ellos debido mejor a la escatología cristiana (dando simultáneamente acaso sus dos distintas acepciones a la palabra «escatología»).

Galdós era hombre bastante refractario a la especulación abstracta y, como buen creador literario, se complacía en expresarse con ambigüedad. (Recordemos su citado «como Dios los ha hecho» para referirse a la práctica del realismo.) Conocido su desdén irónico hacia las rígidas construcciones intelectuales de la Teorética, no dejó de causar sorpresa la revelación que, a propósito de su *Marianela*, vino a hacer Joaquín Casalduero en un libro memorable, mostrando de modo irrefutable cómo esta novela, que Menéndez Pelayo había calificado de «idilio trágico», con las notas de «poético y delicado», y en la que suele advertirse un agudo sentimentalismo romántico, responde exactamente a la concepción comtiana de la evolución de la Humanidad según la ley de los tres estados. En efecto, tal cual el análisis de Casalduero demostró cumplidamente, *Marianela* constituye una ilustración rigurosa, o representación fiel a lo vivo, de las ideas expuestas en el *Cours de philosophie positive* de Auguste Comte, y todavía, por si fuera poco, del símbolo virginal correspondiente a la última fase de su pensamiento desarrollada en el *Système de politique positive instituant la religion de l'humanité*.

En cuanto a Leopoldo Alas, resueltamente naturalista en *La regenta*, se cuidó a su vez de puntualizar en el prólogo que escribiera para *La cuestión palpitante* de Pardo Bazán, sus disentimientos frente a esa ortodoxia, declarando lo que a juicio suyo *no* es el naturalismo, en contradicción con algunas posiciones del jefe de la escuela en cuanto al método propugnado por Zola.

Todos ellos procuran, pues, establecer una distancia con el «escritor propagandista», pero todos ellos están marcados, sin embargo, cuando no por su manera de entender *le roman expérimental*, sí por las convenciones generales de la época acerca de lo que bien pudiéramos llamar «el ideal realista» en la creación literaria.

Por lo demás, este ideal perdería pronto su vigencia; antes, incluso, de que los grandes novelistas españoles adscritos a él hubiesen concluido su personal ciclo creativo. En la última etapa de su producción novelística ya acusa Galdós, como es sabido, el efecto de su perplejidad frente a las nuevas tendencias estéticas que comenzaban a hacerse presentes. Y en cuanto a Clarín, ha señalado Carolyn Richmond en su edición de *Su único hijo* cómo esta segunda gran novela escrita por el autor de *La regenta* muestra claramente el impacto de las actitudes artísticas que estaban desplazando al realismonaturalismo. Por más que los españoles hubieran aceptado éste a regañadientes y bajo la coartada de un supuesto realismo esencial y tradicional de la literatura patria, no me parece dudoso que su obra encaja dentro de su marco y está condicionada —ello no hubiera podido dejar de ocurrir— por los supuestos culturales de su tiempo. Problema distinto —y problema éste de crítica literaria— es el de la medida en que siguieron o no, al componer esa obra, los métodos propugnados por Zola —quien acaso no los siguiera él mismo demasiado estrictamente—, y sobre todo, el del logro y consiguiente mérito artístico alcanzado por cada autor en cada una de sus novelas.

POESÍA NATURALISTA: EL RURALISMO PREMODERNISTA DE FIN DE SIGLO

Francisco Javier Díez de Revenga
(Universidad de Murcia)

Parto de la base de que plantear la existencia de una «poesía naturalista», además de ser asunto bastante insólito entraña serias dificultades, razón, sin duda, por la que la cuestión, en este caso nada «palpitante», brilla por su ausencia en la bibliografía sobre el naturalismo como movimiento literario en España. Es lógico que así sea, sobre todo cuando se puso en duda incluso la posibilidad de que existiese un naturalismo en el teatro, como con toda seguridad debatió Émile Zola en alguno de sus más conocidos escritos.[1] Si se pudo poner en duda la existencia del naturalismo más estricto en el teatro, lógicamente también se ha cuestionado, e incluso se ha negado, la existencia de una poesía naturalista.

Antes de introducirnos en una serie de planteamientos que someto a la reflexión de todos, reconozco, y no voy a repetir aquí por archisabidos, la fuerza de cuantos argumentos se esgriman para demostrar un alejamiento necesariamente intrínseco entre las tendencias de pensamiento y de estilo, de carácter realista o verista, y la poesía, imaginativa por naturaleza. Desde luego, comprendo perfectamente, en el mismo orden de cosas, cuantas observaciones se me puedan hacer en cuanto a una relación de términos, quizá antagónicos, como «naturalismo» y «poesía». Pero no puedo olvidar que fue el propio Émile Zola el que en algún momento de su obra habló de Homero como «poeta naturalista» y el que aseguró que:

El naturalismo data de la primera línea que escribió el hombre. Desde este día, se planteó la cuestión de la verdad. Si concebimos la humanidad como un ejército en marcha a través de las edades, lanzado a la conquista de la verdad, en medio de todas las miserias, de todas las enfermedades, habrá que poner en vanguardia a los sabios y a los escritores. Sólo bajo este punto de vista es posible escribir una historia de la literatura, y no bajo el punto de vista de un ideal absoluto, de una medida estética común, perfectamente ridícula.[2]

Este afán zolesco por defender el naturalismo como una tendencia literaria general que puede afectar a todas las manifestaciones del escritor, tiene en la naturaleza la base de su esencia y de su existencia en el pensamiento naturalista. Las palabras de Zola son significativas:

El naturalismo es la vuelta a la naturaleza, es esta operación que los sabios realizaron el día en que decidieron partir del estudio de los cuerpos y de los fenómenos, de basarse en la experiencia, de proceder por medio del análisis. El naturalismo en las letras es, igualmente, el regreso a la naturaleza y al hombre, es la observación directa, la anatomía exacta, la aceptación y la descripción exacta de lo que existe. La tarea ha sido tanto para el escritor como para el sabio. Uno y otro tuvieron que reemplazar las abstracciones por realidades, las fórmulas empíricas por los análisis rigurosos.[3]

La cuestión queda planteada con toda claridad. Se persiguieron unos fines y se consiguieron determinados objetivos, aunque, como es sabido, no todo fue oro y lo que relució muchas veces se apartó del estricto dogma naturalista, dando entrada a excepciones que hicieron la regla válida y que aún hoy nos sobrecogen y nos subyugan como lectores.

Un aspecto muy interesante de todo este asunto lo constituye, desde luego, el examen de la posibilidad de existencia de una poesía naturalista. Hemos avanzado que en principio ambos conceptos no son fácilmente allegables. Parece que poesía y naturalismo son antagónicos y, sobre el papel, evidentemente se formulan como entes contrarios. Pero lo cierto es que en España existió una manifestación poética que no se dudó en denominar naturalista, y que, desde luego, responde a un tiempo y a un espíritu relacionados con el naturalismo. Fue José María de Cossío quien, en 1958, no dudó en adscribir a esta corriente a aquellos poetas que, a falta de otro marchamo más digno e inencasillables en otras denominaciones, habían sido considerados costumbristas o regionalistas, basándose más en un criterio geográfico o lingüístico que en un criterio estrictamente ideológico o literario. Y es curioso que el propio Cossío, que fue en definitiva el que les dio el nombre de naturalistas a poetas como Vicente Medina, o Gabriel y Galán, tampoco esté muy seguro o sea muy firme en su decisión. Asi escribía el apreciado estudioso en 1958:

> Una corriente poética merece apuntarse, que nacida a fines del siglo XIX, tiene su mayor desarrollo ya dentro del nuestro. Es lo que pudiéramos llamar *naturalismo rural,* y lo fomenta, a más del ejemplo del naturalismo en la novela, el renacimiento de los idiomas y dialectos regionales característicos de este período.[4]

El objetivo de las presentes páginas no es otro que confirmar que no debemos temer a la hora de utilizar tal adscripción a poetas hoy prácticamente olvidados del público lector como Vicente Medina o Gabriel y Galán, tantas veces injustamente maltratados y relegados a un encasillamiento regionalista que los ha reducido a ser lectura de nostálgicos y neurasténicos eruditos locales. La historia tiene siempre sus razones, pero intentaré demostrar con los documentos suficientes que en aquellos años finales de siglo las cosas fueron de manera muy distinta, y con el nacimiento de la poesía de Vicente Medina se quiso ver la aparición de una poesía que a muchos convenció por su sinceridad y que no se dudó en allegar al naturalismo, entonces tan de moda, tan discutido y tan denostado.

Antes de avanzar más sobre aquellos años, volvemos de nuevo a nuestro tiempo, a 1986, para advertir que la adscripción hecha por Cossío no fue prédica en el desierto, y observar que hoy se toma en consideración, en el último manual que ha aparecido de literatura española, la clasificación que nos ocupa, aunque eso sí, con toda clase de reservas. Pedraza y Rodríguez señalan lo siguiente en el volumen que dedican a literatura «fin de siglo»: «El otro aspecto que trataremos en este capítulo es el de la poesía regionalista y dialectal [como vemos, Pedraza-Rodríguez insisten en clasificaciones basadas en criterios geográficos —regionalista— y lingüísticos —dialectal—, pero no literarios]. Este movimiento —continúan— hunde sus raíces en el siglo XIX. Tiene relación con el resurgir de las lenguas vernáculas que desató el romanticismo y con el propósito verista que es propio del realismo. Cossío —terminan— recoge estas formas líricas bajo el significativo título de *naturalismo rural*».[5]

En los años finales de siglo los críticos tuvieron menos dudas. Relacionaron a Vicente Medina con las corrientes próximas al naturalismo, lo cual tampoco fue muy difícil, sobre todo si tenemos en cuenta que el poeta fue al mismo tiempo conocido como dramaturgo, y como autor de dramas rurales, especie próxima a corrientes naturalistas. Si puede haber dudas de la existencia de una poesía naturalista, también las hubo sobre la posibilidad de un teatro naturalista, y aún hoy percibimos el apasionamiento con que Zola defendió la realidad de una escena próxima a su movimiento.[6] Pues bien, como recuerda Mariano de Paco, el editor actual de aquel teatro naturalista del poeta,

> [...] cuando Vicente Medina escribe sus obras dramáticas [en los años últimos del XIX] gozan de un notable desarrollo en la escena española dos subgéneros teatrales: el drama rural y el drama social. En el origen de este último se advierte la influencia del naturalismo y del costumbrismo regional, tan extendido en los años finales del siglo XIX.[7]

Y lo más curioso es que tanto formas como temas, sobre todo el amor y la honra, se desarrollan en este género «reflejando las pasiones humanas en un estado primario que la ambientación favorece decisivamente».[8] Con tales supuestos, quien desde luego lo tenía muy claro es el propio Medina que no dudaba, en uno de los numerosos escritos teóricos de aquellos años, en afirmar su incuestionable, para él, adscripción. En 1902, relataba el poeta sus comienzos literarios ya serios después de muchos ensayos y ponía de relieve cómo cuando tenía esbozado el drama *El rento* se dedicó, señala con cierto tono científico muy de la época, a hacer «unos estudios del lenguaje que iba a emplear en el [drama], escribiendo algunos romances en el habla de la huerta».[9] Es cuando surge su primer, y luego tan famoso poema, «La barraca», al que seguirían «En la cieca», «La novia del sordao», «Isabelica la guapa», «Carmencica», etc. Terminado el drama y estrenado, el poeta fijó entonces, decidido y consciente, lo que habría de ser su estilo:

Desde entonces quedó definido claramente mi carácter literario. Géneros: la poesía y la dramática. Escuela: la naturalista. Asuntos: la vida actual, sus luchas, sus dolores y sus tristezas. Tendencias: radicales. En mi labor, dos literaturas, al parecer: regional y general; a mi entender, una sola: la popular.[10]

Creo que el texto merece algunos comentarios, y ya sobre él se han hecho objeciones interesantes tanto por Mariano de Paco como, más recientemente, por Manuel Alvar. Aseguran ambos que en algunas cosas acierta aunque en otras estaría un tanto desorientado.[11] Pero lo que ahora nos llama la atención es la seguridad con que afirma que su escuela será *la naturalista*, y los asuntos, *la vida actual, sus luchas, sus dolores, sus tristezas*. Y la rapidez con que trata de desprenderse de la etiqueta de regional para preferir la más prestigiosa, incluso ideológicamente, de «popular». Que consiguiera o no crear esa escuela de dramática y poesía naturalista es otra cuestión, pero desde luego lo que sobresale es su seguridad en la adscripción literaria al naturalismo.

Partiendo de la consideración de los «asuntos» antes señalados (la vida actual, sus luchas, sus dolores, sus tristezas), vamos a introducirnos en algunas de las notas características que definían esta nueva poesía por lo menos en el plano de lo teórico. José María de Cossío delimitó con bastante acierto, ya en 1958, cuáles eran las aportaciones más originales del poeta:

> Vicente Medina [escribe el ilustre crítico] se enfrenta con la naturaleza y las gentes de su tierra, y para interpretar su belleza o sus sentimientos, elige el camino directo que es el del propio dialecto de sus modelos, y además, en sus giros y en su léxico más plástico y popular [...]. El dialecto venía a ser así el idioma de las pasiones y sentimientos generalmente elementales de las gentes del pueblo, y es explicable que la lengua poco elaborada literariamente, encontrara dificultades para la descripción o el análisis delicado de las pasiones. Lo cierto es que Vicente Medina no pretendió otra cosa. Sólo expresar la verdad, la verdad de una lengua recogida directamente del pueblo, aunque hay que asegurar que su propósito no era filológico sino verista. Con razón Manuel Alvar ha asegurado que la lengua empleada por Medina no es dialectal en sentido lato sino castellana con dialectalismos en sentido estricto, como lo es del resto de la poesía dialectal española de nuestro siglo.[12]

Un escritor se destaca entre los que pusieron en relación a Medina con el naturalismo. La autoridad de Clarín en estos terrenos es valiosa a la hora de comprender cómo se entendió a Medina en aquellos años. El día 20 de julio de 1899, en un artículo de *La vida literaria* escribía Leopoldo Alas palabras que hoy son clarificadoras, sobre todo a través de unos subrayados que sobresalen en su texto. Para Clarín,

> Medina no pretende nada; no tiene escuela, no tiene vanidad... Casi no tiene más que dolor. Casi siempre habla de las penas que le vienen a los humildes de su propia pobreza, por culpas del ancho mundo, tan difíciles de determinar, que parece que caen de las nubes todas las desgracias, y que culpable no es nadie o es el viejo *fatum*. No es Medina tendencioso; no cultiva el arte por la sociología; no es poeta socialista, ni anarquista, ni... *ácrata*, como se llaman ahora algunos. Por lo mismo causan más impresión los [y aquí vienen subrayadas tres palabras] *hechos*, los *documentos*, las *pruebas*, que en sus versos se acumulan a favor de la causa de los desvalidos.[13]

Tales *hechos*, *documentos* y *pruebas* ponen inevitablemente en relación a Medina, en la mente de Clarín, con el naturalismo, una de cuyas vertientes, la rural, es a la que con más facilidad es posible adscribir a nuestro poeta como a Gabriel y Galán. Recuérdese que Cossío hablaba de «naturalismo rural», y lo cierto es que el campo entra de lleno en la literatura nuevamente, ahora desde un ángulo de análisis estrictamente experimental y verista. El ejemplo de Zola y su novela *La tierra*, la existencia del drama rural y su conexión con el naturalismo ponen de moda en ciertos niveles lo que podríamos denominar «ruralismo». Medina fue siempre muy consciente de su especialización en este campo y, todavía en 1932, el poeta se mantenía fiel a su concepto de la poesía que él denomina «agraria», caracterizada por «la lucha y el amor por el terruño».[14] Y en los años que nos ocupan, en el paso de un siglo a otro, la posición de Medina a este respecto era valorada por su originalidad y su valentía. Así, el poeta Teodoro Llorente, a raíz de la aparición de *La canción de la huerta* (segunda serie de *Aires murcianos*)[15] no duda en referirse al carácter nuevo de esta poesía tanto por su contenido humano como por su nuevo enfoque, alejado desde luego de un costumbrismo regionalista y superficial:

Aunque la huerta murciana [escribe Llorente] se presta mucho a la pintura del paisaje, Medina no es paisajista; es un pintor de género. No le interesa la Naturaleza, sino el hombre; no es el poeta del campo, sino el poeta de los campesinos. Ni en sus primeros *Aires murcianos*, ni en los que ahora ha publicado, hay una sola composición meramente descriptiva; todas son escenas de la vida humana a las que da realce el lugar en que se desarrollan, pero este agradable escenario sólo es el fondo del cuadro: el interés de éste estriba en las figuras, pintadas siempre, con tan delicados toques de observación, que parecen vivas y quedan imborrables en nuestra memoria.[16]

Relacionado con el ruralismo, y con la interpretación exacta de la realidad, se destaca la sinceridad, la autenticidad de los ambientes recogidos en la poesía naturalista, pero sobre todo la desnudez de sentimientos expresados sin alambiques ni artificios. Clarín, por ello, afirmaba con rotundidad el valor del arte de Medina:

El arte divino reservado a tan pocos, de trasparentar el dolor real en poesía inspirada, breve, natural, sencilla; con la retórica eterna que sólo conocen los que saben demostrar la sinceridad absoluta de una manera evidente. El *si vis me fieri* de aquel Horacio a quien muchos creen pedantón, pedagogo en verso; a quien llamaba tonto, o cosa así, hace poco no recuerdo qué ignorante muy *modernista* (!)...

Lógicamente, «modernista» va subrayado y seguido de una admiración entre paréntesis y unos puntos suspensivos.[17]

Si para Llorente era el campo y los campesinos lo que llamaba la atención de Medina, frente a la Naturaleza con mayúscula como decorado, para Clarín es la tierra subrayada también lo que define al poeta: «Este tomo de *Aires murcianos* ¡es tan español! Tan universal también, pero ¡tan español! Así es el arte mejor; del mundo entero... y además de *su tierra*».[18]

Otro de los grandes admiradores de Medina y de lo que traía a la literatura fue Azorín, cuando todavía no era nada más que J. Martínez Ruiz. Precisamente, los diferentes artículos en los que se refirió al poeta durante sus primeros pasos habían destacado las cualidades a que nos estamos refiriendo como nuevas. Así, justamente en 1898, Azorín señala que por un lado nuestro poeta «es un artista cabal, enamorado del arte, entusiasta de la naturaleza, del campo, de los paisajes de su tierra», por otro asegura que es un poeta delicado, genial y conmovedor que sabe llegar al alma, para expresar «la ternura, la infinita ternura de los hombres y de las cosas».[19] Pero, junto a esa emoción, para Azorín también es valiosa la presencia de la realidad tanto en la poesía («Nada más estético, más esencialmente artístico, que esta melancolía, esta ansia de vivir del que muere, este anhelo hacia algo soñado, hacia el ideal que no perece —desequilibrio entre la vida de la realidad y la vida a placer forjada»)[20] como en el teatro, dado a conocer en esos años («el drama del labriego, de la ruda gente del campo, embrutecida por el trabajo feroz de todo el día, explotada por el amo»). «Yo he sido campesino también —añade Martínez Ruiz—; yo he vivido en el campo y he visto la miseria horrible de esa gente; la he visto extenuada por la fatiga, pálida, cubierta de harapos, pidiendo un pedazo de pan, de puerta en puerta; la he visto emigrar a tierras apartadas, abandonado el pedazo de suelo en que nacieron.»[21]

El verismo y la autenticidad llamaron la atención de los contemporáneos de Medina que elogiaron su estilo. Para Clarín, «Cansera» era «una de la más *reales* [subrayado] poesías de la lírica española del siglo XIX», [22] aunque el poeta siempre prefirió hablar de espontaneidad. Todavía en 1932 aseguraba:

> Soy un poeta genuinamente popular: no he pasado por las aulas, me he formado espontáneamente... Más que preparación he tenido instinto para las letras, para la poesía. Popular de procedencia y por temperamento, creo que acerté al inclinarme a la poesía popular, por haber encontrado en ella un filón casi inexplotado de motivos, sentires, imágenes, palabras, todo ello saturado de sentimiento y frescura.[23]

Aun así, Cossío, en 1960, valoraba positivamente lo que para él era más original. Así, refiriéndose al patético poema «Murria», señala que «el género es singularísimo y dentro de su inevitable realismo la fuerza patética de los temas y su directa expresión dan vislumbres de auténtica poesía que la sentimos cuando nos parecía estar alejados de su ambiente».[24] Recuerda Cossío las conocidas palabras de Unamuno en las que comparaba los poemas de Medina con los *idilios* griegos «en sentido helénico», es decir, poesía del campo, pero distingue muy atinadamente el crítico santanderino que

[...] en este paralelo le falta a Medina refinamiento retórico, sentido clásico de la medida y le sobra efusión, desmesura de pasiones y sentimientos, primitivismo. Pero con estas armas [concluye Cossío] puede conquistar la estimación de todos los apasionados de la poesía, hasta de los melindrosos y refinados que repugnan lo directamente rural y rudo.[25]

Obsérvese bien que los calificativos de Cossío son certeros y permiten poner en relación lo que Medina quería aportar con las corrientes de signo realista y naturalista. Lo que para él era espontaneidad, merece para su crítico de sesenta años después los calificativos de primitivo, rural, rudo, tan alejados, desde luego, del concepto convencional que podemos tener de poesía y lirismo.

A la hora de situar lo que Medina ofrecía a la literatura de su tiempo, es fundamental tener en cuenta cómo se difundió su obra, a pesar de residir en una provincia alejada de los centros editoriales madrileños. Sus primeros poemas aparecieron en alguna revista tan extendida como *Madrid cómico* y, aunque su primera edición de *Aires murcianos* apareció en Cartagena en 1898, pronto fue incluida una selección de tales *Aires* en la Biblioteca Mignon, con la que se abría la colección de libros que se haría famosa. Cuando se publica, al año siguiente, 1900, la segunda edición en tal biblioteca, percibimos que Medina encabeza, en Madrid, la colección más significativa en esos años que difundía la última literatura realista y naturalista. En ella había aparecido en tan corto espacio de tiempo una buena serie de tomitos con obras como *¡Solo!* de Palacio Valdés, *Las dos cajas* de Clarín, *El pájaro verde* de Valera, *Cuentos* de Jacinto Octavio Picón, *Tremielga* de José Ortega y Munilla y *Para ser buen arriero* de José María de Pereda. Los tomitos iban ilustrados por pintores de la época como Francisco Cidrón, Torres García, Saiz Abascal, Sedano o Apeles Mestres. Como señalan Pedraza-Rodríguez, el editor, el indiano catalán Rodríguez Serra, también apoyó a los jóvenes incluyendo luego en esta diminuta biblioteca obras de Baroja, Enrique de Mesa, etc. y publicando en otras colecciones las primeras ediciones de *Camino de perfección* y de *Antonio Azorín*.[26]

Habría que hacer referencia finalmente a otras tendencias de la época de Medina, en las que ha sido imposible encuadrarlo, por más que se ha intentado. Es frecuente la tendencia de historiadores y críticos de encasillar a los poetas de una época en determinados movimientos, con el fin de facilitar, metodológicamente, el entendimiento de todos los escritores de un tiempo sujetándolos a determinadas características. Pero hay casos en que tal actitud es imposible. Es lo que ocurre con Vicente Medina y con el que Unamuno y Maragall consideraron su seguidor, Gabriel y Galán. Cualquier intento de clasificación de ambos escritores como autores del 98 o modernistas ha fracasado totalmente. Pero han resultado muy clarificadoras las observaciones de aquellos que al ponerlos en relación vieron enseguida las notables diferencias.

Un caso singular a este respecto lo constituye la relación Vicente Medina y generación del 98. Sobre ella se han ocupado Valbuena Prat, de forma muy somera, y sólo comentando alguno de los escritos de Azorín[27] y Justo García Morales, que lo ha hecho con profundidad e intuición, aunque sin llegar a dar con la clave del asunto, que es su adscripción como «poeta naturalista». Es notoria, porque es algo muy conocido en la crítica de Vicente Medina, la buena amistad que el poeta mantuvo con Azorín y sobre todo con Unamuno, amistad esta última que duró hasta los años de nuestra Segunda República, poco antes de morir ambos, con muy pocos meses de diferencia (diciembre de 1936 y agosto de 1937). Pero la relación de amistad no supone sin embargo una misma actitud ante las cosas.

En la primavera de 1960, cuando Vicente Medina estaba totalmente olvidado y postergado por razones más que claras hoy día, Justo García Morales (él mismo reconoce este hecho en las primeras palabras de su trabajo —«su memoria está un tanto oscurecida por los inevitables y hasta provechosos vaivenes de la vida [...] es preciso ir pensando en volver a considerar y valorar justamente su poesía [...]»—) planteó la adscripción a una tendencia literaria de las figuras de Vicente Medina y Gabriel y Galán. El trabajo de Soriano —una ponencia en un congreso regional— se tituló nada menos que «Vicente Medina y el otro 98», creando para explicar la no adscripción de Medina y Galán (que eran de la misma edad que los del 98) al grupo famoso y tan en boga en aquellos años —finales de los cincuenta— (se citan como novedades dos libros de Laín y S. Granjel en sus ediciones de 1959), el concepto que figura en el título de su ponencia. Unas palabras de este último sobre Medina le parecen interesantes porque nos permiten entrever un 98 desacostumbrado:

ya no se trata de los escritores cultos de la ciudad que
en trenes desvencijados y mortecinos van en busca del
campo, del paisaje. Estos autores han nacido en la gleba; el
paisaje surge espontáneamente en sus versos sencillos y muy
parecidos, aunque no iguales a los otros que las buenas gentes cantan.[28]

Lo cierto es que Morales asimila a Medina con los del 98
en la vivencia del desastre colonial pero con una diferencia
fundamental: que «Vicente Medina, a diferencia de los escritores considerados hasta ahora exclusivamente del 98, vivió
personalmente el Desastre antes de que ocurriera en su cara
y en su cruz».[29] La cara, su voluntariado en Filipinas; la cruz,
las huertas desoladas que habían visto partir a los jóvenes
hacia la guerra.

El otro movimiento con el que se ha relacionado a Medina —el último en hacerlo ha sido el manual de Pedraza-
Rodríguez, por lo menos en el uso de la silva arromanzada—
ha sido el modernismo, aunque, como hace María Josefa Díez
de Revenga, la relación es de profunda separación y desprecio. Según señala la citada estudiosa, Medina se mantuvo «al
margen de la renovación modernista, cuya poesía, por otra
parte, no debió entender. Esto me lo hace pensar la insistencia con que el poeta murciano rechaza lo que él llama poesía
«afilagranada».[30] Pero es sobre todo Clarín el que, ya en 1899,
dejó claro, con indudable satisfacción, que Medina se hallaba
bastante lejos de las nuevas y preocupantes modas:

> No necesito decir [escribía Leopoldo Alas en las páginas
> de *La vida literaria*] que a mí los sencillos versos de Medina
> me hacen mucho más efecto que las contorsiones rítmicas
> de otros que ni sienten ni padecen... más que su vanidad, o
> un prurito escolástico; y escriben con *cincel*, como ellos dicen,
> o lo ven todo azul. Entre estos señoritos los hay que han
> llegado a adquirir una rara habilidad que a mí... acaba de
> hacerme gracia. Consiste esa diablura en escribir de manera
> que sus poesías, originales sin duda, parecen traducciones
> de versos franceses, correctos gramaticalmente, pero con el
> sello del *galicismo* en el estilo.[31]

Frente a tales poetas, indudablemente los modernistas,
se sitúa Medina, que, para Alas, es «un joven muy modesto,
muy sensible, muy *natural* (también esta última palabra,
subrayada).[32] «Para mí —escribía el poeta todavía en 1932—

la belleza insuperable está en lo natural: concisión, claridad, sencillez». Y precisamente esa sencillez, y esa rudeza que Cossío veía como algo poético, fueron las que produjeron el rechazo de don Juan Valera que, naturalmente, tenía otro concepto de la poesía y recomendaba a Medina que puliese su obra: «A mí, más que obras acabadas, me parecen bosquejos, apuntes, rico material acumulado, para componer más tarde con el esmero y primor que se requieren, unas admirables poesías».[33] Está claro entonces que Medina emitía en una onda muy diferente de lo que pudiera sonar a artificioso, recargado, bello en su forma. Él siempre prefirió, frente a las nuevas modas o a las antiguas, las cosas como son, el realismo llevado a su extremo más natural, por lo que no dudó en autoclasificarse como perteneciente a la escuela naturalista, título que la posteridad no le ha respetado, prefiriendo hablar de él, como de Gabriel y Galán, como poetas regionalistas y dialectales, y a lo sumo como costumbristas.

No estoy seguro, ni tampoco lo pretendo en ningún modo, que Medina a partir de ahora sea considerado un naturalista. Creo, que a pesar de todo lo señalado, hay también muchos argumentos en contra, que aumentarían cuando tratásemos de Gabriel y Galán. Pero creo que hacer sonar el nombre de tan valiosa escuela literaria a la hora de hablar de esos poetas ruralistas aclara un tanto las cosas en el panorama de la poesía premodernista, cuando ya los primeros simbolistas españoles, anteriores a Rubén, como Salvador Rueda, Ricardo Gil o Manuel Reina, estaban dando a conocer una poesía nueva, distinta, muy distinta de este poeta olvidado, de este lector juvenil de las novelas de Emilio Zola.[34]

NOTAS

1. Émile Zola, «El naturalismo en el teatro», *El naturalismo*, ed. de Laureano Bonet, Península, Barcelona, 1972, pp. 109 ss.

2. Émile Zola, *op. cit.*, p. 110.

3. Émile Zola, *op. cit.*, p. 113.

4. José María de Cossío, «La poesía en la época del naturalismo», en *Historia General de las Literaturas Hispánicas*, Vergara, Barcelona, reimpresión 1969 (1.ª ed. 1958), vol. V, p. 45.

5. Felipe B. Pedraza y Milagros Rodríguez, *Manual de literatura española. VIII generación de fin de siglo: introducción, líricos y dramaturgos*, Cenlit Ediciones, Tafalla, 1986, p. 146.

6. Émile Zola, *op. cit.*, pp. 109 ss.

7. Mariano de Paco, Introducción a su edición de *Teatro* de Vicente Medina, Academia Alfonso X el Sabio, Murcia, 1987, p. 11.

8. Mariano de Paco, *op. cit.*, p. 11.

9. Vicente Medina, «De mi vida», en *La canción de la vida*, Tip. El Porvenir, Cartagena, 1902, p. 17.

10. Vicente Medina, «De mi vida», *op. cit.*, p. 17.

11. Mariano de Paco, *op. cit.*, p. 11, Manuel Alvar. «Sobre el teatro de Vicente Medina», *Estudios sobre Vicente Medina*, Academia Alfonso X el Sabio, 1987, pp. 9 ss.

12. José María de Cossío, «La poesía de la época del naturalismo», p. 46. Véase también Manuel Alvar, «Los dialectalismos en la poesía española del siglo XX», *Estudios y ensayos de literatura contemporánea*, Gredos, Madrid, 1971, p. 317.

13. Recogido en Vicente Medina, *Poesía. Obras escogidas*, Librería Bant, Cartagena, 1908, p. 10.

14. Vicente Medina, *La poesía agraria*, Ateneo de Madrid, Madrid, 1932. Véase F.J. Díez de Revenga, «Vicente Medina en el Ateneo de Madrid (1932)», en *Estudios sobre Vicente Medina*, Academia Alfonso X el Sabio, Murcia, 1987.

15. Véase Vicente Medina, *Aires murcianos*, recopilación completa 1898-1928, edición de Francisco Javier Díez de Revenga, Academia Alfonso X el Sabio, Murcia, 2.ª ed., 1985.

16. Recogido en Vicente Medina, *Poesía, op. cit.*, p. 55.

17. *Ibíd.*, p. 10.

18. *Ibíd.*, p. 10.

19. Recogido en Vicente Medina, *Aires murcianos*, *La Gaceta Minera*, Cartagena, 1898, p. 11.

20. Recogido en Vicente Medina, *Aires murcianos*, p. 11.

21. Recogido en Vicente Medina, *El rento*, Tipografía La Tierra, Cartagena, 1907, p. 7.

22. Recogido en Vicente Medina, *Poesía*, p. 11.

23. Vicente Medina, *Velada poética*, Ateneo de Madrid, Madrid, 1932. Véase F.J. Díez de Revenga, art. cit.

24. José María de Cossío, *Cincuenta años de poesía española (1850-1900)*, Espasa-Calpe, Madrid, 1960, vol. II, p. 1.252.

25. *Ibíd.*, p. 1.253.

26. Felipe Pedraza y Milagros Rodríguez, *op. cit.*, p. 82.

27. Ángel Valbuena Prat, «Vicente Medina y la generación del 98», *Murgetana*, 20, 1963.

28. Véase María Josefa de Revenga, *La poesía popular murciana en Vicente Medina*, Universidad-Academia Alfonso X el Sabio, Murcia, 1983, pp. 61 ss.

29. Justo García Morales, «Vicente Medina y el otro 98», *Prime-

ra *Semana de Estudios Murcianos,* Academia Alfonso X el Sabio, Murcia, 1961, p. 124.

30. María Josefa Díez de Revenga, *op. cit.,* p. 16.
31. Recogido en Vicente Medina, *Poesía,* p. 11.
32. *Ibíd.,* p. 10.
33. *Ibíd.,* p. 22.
34. Vicente Medina, «De mi vida», *op. cit.,* p. 7.

SENSIBILIDAD DECADENTISTA
EN EL REALISMO ESPAÑOL:
EL CASO DE «UN VIAJE DE NOVIOS»

Maurice Hemingway
(Universidad de Exeter)

El punto de partida de esta ponencia es un libro de Noël Valis y un artículo de Yvan Lissorgues.[1] En su libro sobre Alas, Valis adelanta la tesis de que las dos novelas de Clarín están impregnadas de los tipos y la sensibilidad de la decadencia francesa. No sugiere que Alas sea un escritor decadentista *tout court*, sino que se encuentra en sus novelas una curiosa mezcla de repugnancia y fascinación hacia la mentalidad de los tipos decadentistas. Lissorgues ha manifestado su desacuerdo con tal lectura, por lo menos con respecto a *Su único hijo*. Señala que Alas ni admiraba ni siquiera conocía las obras de los llamados decadentistas, que no existe tal ambigüedad por parte del autor hacia la decadencia de ciertos personajes, y que el héroe decadente, para ser tal, tiene que ser un intelectual refinado que goza de los placeres carnales más con el espíritu que con los sentidos.

Aquí nos encontramos con el eterno problema de las definiciones. El decadentismo se define, a partir de *A rebours* de Joris-Karl Huysmans, mediante una constelación de tipos y tópicos bien conocidos: nervosidad, desilusión amorosa, búsqueda de lo artificial y lo exótico, odio a la vida moderna burguesa, desviación sexual, etc. Huelga decir que algunas de estas características se pueden atribuir tanto al romanticismo como al decadentismo, y, efectivamente, Mario Praz enfoca el decadentismo como una vuelta al romanticismo.[2] Sin embargo, existe una distinción fundamental entre los dos movimientos. Como señala A.E. Carter, los decadentes se rebelaron contra un punto esencial de la teoría romántica: la divinización de la naturaleza y del amor.[3] De capital importancia en este cambio de sensibilidad fueron Darwin y Schopenhauer.[4] Después de Darwin, la naturaleza había dejado de ser (para una minoría de la minoría intelectual, desde luego) nuestra madre benévola, para convertirse en un sistema brutal de supervivencia de los más fuertes. Después de Schopenhauer, el amor pasó a ser un mecanismo en un proceso inconsciente de autopropagación. Dentro de este proceso, el individuo y el amor individual no tenían ninguna importancia y la única forma de evitar el dolor era el aniquilamiento de la conciencia reflexiva, exclusiva a la especie humana y causa de su sufrimiento. Por supuesto que Darwin y Schopenhauer no originaron esta revolución ideológica (los cambios intelectuales no se producen de la noche a la mañana). Sin embargo, estos dos pensadores (teniendo en cuenta que, en este aspecto, Schopenhauer fue, de los dos, el más influyente) aceleraron el proceso. Parecían haber derrocado a los dioses románticos de la naturaleza y del amor o haber ocasionado, como dijo Paul Bourget, «la banqueroute de la nature».[5] Dentro de este contexto se pueden explicar el culto de lo artificial, el odio a la reproducción orgánica, el renunciamiento a la vida y la abulia de tantos héroes decadentistas.

Emilia Pardo Bazán tenía sus defectos, pero de abúlica no tenía nada. En una carta a Narcís Oller, del 7 de julio de 1885, refiere una conversación que tenía con Edmond de Goncourt en su tertulia «Le Grenier»:

[Goncourt] me agradó por su original carácter, por sus graciosas manías e inocentes pesimismos. Hizo todo lo posible por convencerme de que, no estando en 2.º grado de tisis o 1.º de locura, no era posible tener pizca de talento: y que, si yo no era triste, maniática y llena de esplín, tenía que ser... una bruta. (No lo dijo claro, pero se sobreentendía.) Yo le saqué el argumento de los griegos, que fueron un pueblo de los más intelectuales y finos, y sin embargo cultivaron y poseyeron la alegría y la salud, los privilegios más hermosos del ser humano, en mi entender; él me replicó que los griegos no sabían las cosas lúgubres que la ciencia nos había enseñado a nosotros; le repliqué que entonces era mejor dar al olvido todo eso, y vivir, vivir contentos y olímpicos, a lo cual yo me sentía dispuesta: él me habló con envidia y despecho de mi color saludable y de mi aire *bien portant*: yo, exagerando la tesis para hacer más donosa la escaramuza, le dije que prefería digerir, respirar, sentir correr la sangre roja y tibia, a esos delirios y refinamientos enfermizos que ellos gastaban.[6]

Da gusto imaginar la escena: allí está Goncourt rodeado de sus contertulios Daudet, Huysmans, Rod, todos quejándose de sus nervios, de lo prosaico del mundo moderno, pensando en el fin próximo de la civilización occidental. De repente entra doña Emilia, tan *bien portant* como siempre, y se pone a reprenderles su falta de energía y fibra moral, un poco a lo Margaret Thatcher en una cumbre del Mercado Común.

De este delicioso diálogo se infiere que doña Emilia rechaza los dogmas de la mentalidad decadente e insiste en los deleites que le proporcionan los procesos orgánicos (¡qué horror!). No obstante, como vemos, extrema sus argumentos «para hacer más donosa la escaramuza». En realidad, no se sentía del todo hostil al decadentismo contemporáneo. Declaró en *El porvenir de la literatura después de la guerra* que «la fase decadente de la literatura me interesa en lo hondo, y siempre hallo en sus mejores documentos algo que hace vibrar mi espíritu».[7] Además, aunque condena los «delirios y refinamientos enfermizos» de Goncourt y sus amigos, en carta a otro amigo, Juan Montalvo, admite que ella tenía «una imaginación y [...] una sensibilidad realmente excepcionales y enfermizas».[8] John Kronik ha demostrado que en sus obras críticas la Pardo Bazán juzgaba a los decadentistas de un modo ambiguo. Admiraba a auténticos poetas cuyo decadentismo expresaba sinceramente sus propios sentimientos, pero despreciaba a la falsa secuela. También se disociaba de la inmoralidad como fuente de inspiración, mientras que al mismo tiempo elogiaba el elemento religioso presente en muchos escritos decadentistas.[9] Tal ambigüedad se encuentra no sólo en sus obras críticas, sino también en sus novelas. Ya ha señalado la crítica que las últimas novelas de Pardo Bazán giran alrededor de tipos y tópicos decadentistas. Pero se ha reconocido con menos frecuencia que aparecen indicios de su interés por el decadentismo desde casi el principio de su carrera. Es decir, en pleno realismo. John Kronik observa que la admiración que sentía doña Emilia por Gautier representa su admiración por un rasgo esencial del decadentismo «la búsqueda de lo raro, lo refinado, lo artificial, la expresión de lo que había sido hasta allí inexpresable, el culto de la belleza creada como un medio de transcender a la naturaleza».[10] En *La cuestión palpitante*, Pardo Bazán cita el prefacio de Gautier que encabeza *Les fleurs du mal* de Baudelaire para explicar su devoción por el estilo plástico y sensual.[11] En este aspecto, aún más influencia ejerció sobre doña Emilia el estilo colorista de los hermanos Goncourt. De Gautier y de los Goncourt proviene una de las características más importantes de sus primeras novelas: la brillantez de impresiones visuales y la representación de objetos naturales en términos de obras de arte o artefactos.[12] La ascendencia decadentista del estilo de doña Emilia y del estilo realista en general es un tema muy amplio al que no me atrevo a hacer más que aludir aquí. Querría más bien centrarme en la presencia de la temática decadentista en su obra.

El ejemplo que más salta a la vista es el tratamiento de la degeneración de la aristocracia gallega en *Los pazos de Ulloa*. El decaimiento del mismo pazo, la degeneración moral del llamado marqués y el ambiente moral de la casa de los Limiosos que produce en don Pedro, Nucha y Julián «da tristeza inexplicable de las cosas que se van»;[13] estos ingredientes pueden recordarnos la preocupación típicamente decadentista por el supuesto estado agónico, tanto de individuos como de la civilización occidental en general. Además, las páginas iniciales de la novela, donde un jinete se acerca a una siniestra casa señorial, tienen cierta semejanza con el comienzo de *The Fall of the House of Usher* de Edgar Allan Poe, así como con el de *En rade* de Joris-Karl Huysmans.[14] Sin duda estos elementos se inspiran en parte en la literatura contemporánea, pero probablemente son más la manifestación de una nostalgia romántica, que de las visiones apocalípticas de los decadentistas. Escribe doña Emilia en 1904:

> En Galicia [...] los prosistas (desde los tiempos del romanticismo) hemos sentido la belleza del feudalismo persistente de la aristocracia decaída, la más ilustre de España quizás, en las viejas residencias nobiliarias, llenas de nostalgia y de recuerdos.[15]

Si, como es de suponer, al escribir esto, pensaba en *Los pazos de Ulloa*, se puede deducir que dicha novela tiene muy poco que ver con el sentido filosófico del decadentismo.

En 1880 la autora gallega se fue a Vichy por razones de salud. En ese año empezaron a publicarse por primera vez en francés obras enteras de Schopenhauer,[16] y, puesto que tal acontecimiento suscitó mucho interés, es muy verosímil que fuera en Vichy donde doña Emilia llegase a conocer la obra de Schopenhauer. Lo cierto es que el impacto de Schopenhauer se trasluce en *Un viaje de novios* (1881), reelaboración de sus apuntes de viaje tomados en Vichy. En esta novela, la novia, Lucía, al encontrarse separada de su marido, se enamora de un desconocido, un hombre del todo excepcional. Este hombre, Artegui, establece sus credenciales decadentistas al decir que su madre padecía de «ataques de nervios, melancolías y trastornos», y que «ella soltó parte del mal, y yo lo recogí».[17] Como personaje es evidentemente un reflejo de la filosofía schopenhaueriana. Habiendo perdido su fe religiosa, se ve afligido por una gran tristeza, no como consecuencia de desgracias personales (al contrario, ha sido mimado por la suerte) sino porque tal tristeza «está en nosotros [y] forma la esencia de nuestro ser mismo» (p.149). Para buscar el remedio a su falta de entusiasmo, ha viajado por Europa, el Oriente y los Estados Unidos, se ha dedicado a la industria, a la medicina, se ha comprometido con la causa carlista, pero le sigue acosando lo que él llama «el cansancio moral» (p. 150). Conversando con Lucía, explica que no cree sino en el mal, que es «el eje del mundo y el resorte de la vida» (p. 152). Según él, la única forma de vencer este «dolor universal» es buscando la muerte: «El dolor no concluye sino en la muerte: sólo la muerte burla a la fuerza creadora que goza en engendrar para atormentar después a su infeliz progenitura» (p. 153). La muerte se propone como único remedio al mal porque representa la disolución de la conciencia reflexiva. Antes de llegar a Vichy, Artegui y Lucía paran en Bayona y por la noche contemplan juntos las estrellas. Para Artegui parecen tristes; para Lucía son más bien pensativas: las estrellas meditan en Dios. Para refutar la interpretación optimista de la realidad que hace Lucía, Artegui responde como sigue: «¡Meditar! lo mismo meditan [las estrellas] que ese puente o esos barcos. El *privilegio* de la meditación —Artegui subrayó amargamente la palabra *privilegio*— está reservado al hombre, rey de los seres» (p. 139). La ironía de Artegui indica que el humano privilegio de meditar no es ningún privilegio y que en vez de ser rey de los seres más le valdría disfrutar la inconsciencia del mundo inanimado, para no ser juguete de lo que llama más tarde «la traidora naturaleza» (p. 160).

Para Mariano Baquero Goyanes, el personaje de Artegui ejemplifica «el más trasnochado romanticismo» (p. 41), pero parece claro que es más acertada la opinión de Nelly Clémessy, quien defiende que «il fait siennes les idées de Schopenhauer sur la vie et sur la souffrance de l'homme», aunque ella está de acuerdo con Baquero Goyanes al ver en el pesimismo de Artegui otro rasgo romántico.[18] Para mí, sin embargo, Artegui tiene más de decadente que de romántico. La visión pesimista de la naturaleza que comparte con Schopenhauer es la antítesis de la idealización del amor y de la naturaleza propia del romanticismo. En su diálogo final con Lucía afirma que el amor es «la más tenaz e invencible [ilusión] de cuantas la naturaleza dispone para adherirnos a la vida y conservar nuestra especie», y que «sostiene y conserva y perpetúa la desdicha, rompiendo para eternizarla, el reposo sacro de la nada...» (pp. 264 y 265). Por lo tanto, Artegui, creyendo que era un deber disminuir la suma de dolores y males, ha huido de las mujeres y renunciado a tener hijos. En cambio, busca la disolución del yo: «La nada, la desaparición, la absorción en el universo, disolución para el cuerpo, paz y silencio eterno para el espíritu» (p. 265). Tal renunciamiento absoluto, casi budista, sin ningún tipo de ideal que dé sentido a la vida, corresponde no al romanticismo, sino a la mentalidad decadentista. Es más: se puede decir que el deseo de destruir el pensamiento individual, de alcanzar un estado de inconsciencia, es uno de los rasgos fundamentales del decadentismo.[19]

La presencia en la segunda novela de Pardo Bazán de esta figura de parentesco decadentista es en sí misma una indicación interesante de cómo se mantenía doña Emilia al tanto de los debates intelectuales franceses. Aún más interesante desde el punto de vista crítico es la actitud del autor implícito hacia Artegui y sus ideas. Sería lógico que esta excarlista y crítica de Darwin se horrorizase ante este representante del nihilismo schopenhaueriano. Pero no es así. La novelista lo presenta como inteligente, honrado, noble y generoso. Al declarar a Lucía su credo nihilista lo vemos «alzado el brazo, erguida la estatura, mirando con doloroso reto a la bóveda celeste», y se nos dice que «pareciera un personaje dramático, un rebelde Titán, a no vestir el traje prosaico de nuestros días». Aquí sí aparece la nota romántica, introducida evidentemente para atraer las simpatías del lector. Más tarde, cuando Artegui afirma que su amor por Lucía le ha salvado del suicidio, se nos dice que «su alta estatura, su ademán de indignación suprema, la [*sic*] asemejaran a bello mármol antiguo, si la bata de merino negro no borrase la clásica semejanza» (p. 266). Es curioso que en los dos casos (romántico uno, clásico otro) doña Emilia atenúe la asociación mítica al aludir al traje moderno del héroe. Pero con todo, falta la nota irónica: Artegui es un personaje de fuerza de carácter y gran nobleza. Además, su reto al cielo es «doloroso»: es incrédulo a pesar suyo. Éste no es el ateo topiquero de la novela católica española, como se encuentra, por ejemplo, en las novelas de Pereda o, a veces, en las de Alarcón. Pero Pardo Bazán no era ni Pereda ni Alarcón. Tenía una mentalidad mucho más tolerante y abierta al mundo moderno. Por otra parte, compartía no poco del pesimismo de Schopenhauer, hasta el punto de declararse, en una carta a Luis Vidart, «algo discípula de Schopenhauer y Leopardi».[20] Como dice muy bien Marina Mayoral, para doña Emilia el amor era «una esperanza ilusoria de felicidad en la tierra», y el idilio de la cacería de las liebres en *Los pazos de Ulloa* sugiere que «los seres humanos, creyendo correr en pos de sus deseos, corren en realidad hacia el dolor y la muerte».[21] Este no es momento de investigar las razones de tal desilusión, que contrasta tan sorprendentemente con la imagen de sí misma que proyectaba en «Le Grenier» de Edmond de Goncourt. Baste decir que el personaje de Lucía y su experiencia infortunada del matrimonio parece ser en parte proyección de la experiencia de la propia novelista.

Al principio de *Un viaje de novios* Lucía es una muchacha inocente y feliz, pero a medida que avanza la acción se va contagiando del pesimismo de Artegui. Acaba de casarse sin amor y ahora, sin saberlo, se enamora de otro hombre. Se ve confrontada con el concepto schopenhaueriano del amor, amor que se aprovecha del individuo para el bien de la especie, sin ocuparse de la felicidad individual. Como consecuencia de su situación le vienen a la imaginación ideas casi suicidas. Al contemplar un parque otoñal se le ocurren las reflexiones siguientes:

> ¡Y cuán grata debía de ser la muerte, si parecida a la de las hojas; la muerte por desprendimiento, sin violencia, representando el paso a más bellas comarcas, el cumplimiento

de algún anhelo inexplicable oculto allá en el fondo de su ser! [pp. 193 y 194].

Luego, al entrar en una iglesia, asiste al entierro de una joven con quien, según parece, mentalmente se asocia.

> Y entonces [leemos] como en el parque, volvía a su mente la idea secreta, el deseo de la muerte, y pensaba entre sí que era más dichosa la difunta, acostada en su ataúd cubierta de flores, tranquila, sin ver ni oír las miserias de este pícaro mundo —que rueda y rueda, y con tanto rodar no trae nunca un día bueno ni una hora de dicha—, que ella viva, y obligada a sentir, pensar y obrar. [p. 231].

Lucía se siente invadida por el anhelo de la inconsciencia ya articulado por el gran nihilista, Artegui. Con esta coincidencia de pensamientos del librepensador y la católica el autor implícito insinúa que la interpretación pesimista de la vida no es solamente consecuencia de la falta de fe de un Artegui, sino que puede ser la respuesta apropiada a una situación objetiva. La vida es, efectivamente, un valle de lágrimas. El amor sobreviene de un modo arbitrario y rara vez nos aporta la felicidad. Y es aquí donde la novelista católica se asoma al texto. Lucía reconoce su amor por Artegui pero se niega a acompañarle en un exilio ilícito. Artegui, que confía en la fuerza irresistible de la naturaleza, está convencido de que ella finalmente vendrá a él «arrastrada como la piedra» (p. 269). Sin embargo, Lucía no se cree una piedra y por eso rechaza el fatalismo de Artegui; invoca la gracia de Dios y acepta con resignación el sufrimiento que le ha deparado la naturaleza en esperanza de la gloria futura.

Además, está encinta. Artegui interpreta este hecho como el triunfo de la naturaleza y ve en la Lucía encinta «la personificación de la gran madre calumniada, maldecida por él, que, risueña, fecunda, próvida, indulgente, le presentaba la vida inextinguible encerrada en su ser» (p. 267). Pero lo que para Artegui es una derrota, para Lucía es la promesa de un consuelo, de alguien que la quiera. De aquí se sigue que aunque el amor sexual conduzca al desengaño, el amor maternal puede aportar a la mujer bienes reales. Aquí se vislumbra otra vez la nota autobiográfica. Y no se olvide que 1881 es la fecha de la publicación no sólo de *Un viaje de novios,* sino también de *Jaime,* esa celebración lírica que hace doña Emilia de la maternidad.

Así, pues, en *Un viaje de novios* no impugna la concepción negativa de la naturaleza propia de los decadentistas, sino que, en una curiosa anticipación de la trayectoria espiritual de algunos de los decadentes franceses, la cristianiza, asimilándola a la doctrina de la caída del hombre. En su estado caído el hombre debe sufrir y, como ser humano, está condenado a tener conciencia de su sufrimiento; pero la naturaleza misma ofrece sus consuelos y, más significativamente, esta naturaleza caída ha sido redimida por la gracia divina.

El amor como engaño cruel es un tema sobre el que doña Emilia seguirá haciendo variaciones a lo largo de su carrera. Reaparece en *Los pazos de Ulloa, La madre naturaleza, Insolación, Morriña,* el ciclo *Adán y Eva* y *La quimera*. Artegui, el héroe decadente, tiene varias reencarnaciones, con afiliaciones cada vez más claramente decadentes: Gabriel Pardo, Mauro Pareja y más de un personaje de las tres últimas novelas.[22] El que la autora gallega volviese con tanta frecuencia al mismo tema durante un período de treinta años, nos obliga a extraer la conclusión de que el impacto del decadentismo en ella era considerable y una de las claves de su ficción.

Vuelvo a mi punto de partida y aquí no puedo hacer más que señalar una posible extrapolación. Aunque Clarín no era un decadente ni conocía las novelas de Huysmans, sí conocía las obras de los prototipos decadentistas, Baudelaire, Flaubert y los hermanos Goncourt, y la visión pesimista del amor que encontramos en *La Regenta,* por ejemplo, así como las imágenes nauseabundas de que se vale Alas para comunicarlo (el beso de Celedonio, el sapo) encajan perfectamente dentro de la sensibilidad decadentista. Hablando en términos más generales y volviendo al problema de definiciones a que aludí más arriba, es erróneo dar por sentado, como a veces ocurre en las historias de la literatura, que «naturalismo» y «decadentismo» denotan territorios bien definidos y mutuamente exclusivos: al contrario, coinciden en muchos puntos por la sencilla razón de que son reflejos del mismo *Weltanschauung* finisecular.[23]

1. Véase Noël Valis, *The Decadent Vision in Leopoldo Alas. A Study of «La Regenta» and «Su único hijo»*, Louisiana State University Press, Baton Rouge y Londres, 1981; Yvan Lissorgues, «Ética y estética en *Su único hijo*», en *Clarín y su obra*, ed. Antonio Vilanova, Universidad de Barcelona, 1985, pp. 181-210 (p. 196).

2. *The Romantic Agony*, 2.ª ed., Oxford University Press, 1970.

3. *The Idea of Decadence in French Literature, 1830-1900*, University of Toronto Press, 1958, p. 150.

4. Charles Dédéyan, *Le nouveau mal du siècle de Baudelaire à nos jours*, Société d'Édition d'Enseignement Supérieur, París, 1968, pp. 163-185; Jean Pierrot, *L'imaginaire décadent (1880-1900)*, Presses Universitaires de France, París, 1977, pp. 74-80; Guy Sagnes, *L'ennui dans la littérature française de 1848 à 1884*, Librairie Armand Colin, París, 1969, pp. 400-419.

5. *Essais de psychologie contemporaine*, I, París, Librairie Plon, 1926, p. 13. Véase también Sagnes, *op. cit.*, pp. 418 y 419.

6. Carta depositada en el Instituto Municipal de Historia, Barcelona, número de catálogo, NO-I-1.147.

7. Emilia Pardo Bazán, *Obras completas*, III, ed. Harry L. Kirby, Jr., Aguilar, Madrid, 1973, p. 1.550.

8. Antonio Jaén Morente, *Juan Montalvo y Emilia Pardo Bazán. Diálogo epistolar*, Colón, Quito, 1944, pp. 25 y 26.

9. John W. Kronik, «Emilia Pardo Bazán and the Phenomenon of French Decadentism», *Publications of the Modern Language Association*, 89 (1966), pp. 418-427.

10. Artículo citado, p. 42.

11. *Obras completas*, III, p. 613.

12. Véase mi *Emilia Pardo Bazán, The Making of a Novelist*, Cambridge University Press, 1983, cap. I.

13. *Los pazos de Ulloa*, ed. Nelly Clémessy, Espasa-Calpe, Madrid, 1987, p. 267.

14. *En rade* se publicó en 1887 después de *Los pazos de Ulloa*, y por lo tanto no puede tratarse de una influencia directa de Huysmans en Pardo Bazán. Probablemente los dos novelistas acudieron a la misma fuente (Poe).

15. «La nueva generación de novelistas y cuentistas en España», *Helios*, 2 (1904), pp. 257-270 (p. 264).

16. Véase Sagnes, *op. cit.*, p. 401.

17. *Un viaje de novios*, ed. Mariano Baquero Goyanes, Labor, Barcelona, 1971, p. 156. De aquí en adelante las referencias a esta edición se incluirán en el texto.

18. *Emilia Pardo Bazán, romancière (la critique, la théorie, la pratique)*, Centre de Recherches Hispaniques, París, 1973, p. 554.

19. Maurice Spronck, comentando el héroe de *Mademoiselle de Maupin* de Théophile Gautier, dice que «devant ses amours, ses

croyances, ses espérances détruites, l'homme se prend de la passion furieuse de se détruire lui-même, de tuer sa pensée individuelle, de se plonger tout entier dans le sommeil sans rêve [...] cette léthargie absolue, où l'être perd toute capacité de souffrir parce qu'il a perdu toute possibilité de sentir». Citado por Pierrot, *op. cit.* p. 59. Del artista decadentista dice Pierrot (*op. cit.*, p. 67): «Victime d'un fatal dédoublement, il tue en lui toute spontanéité, se condamne à être déchiré entre une partie de lui-même qui éprouvet intensément, douloureusement même, toutes les impressions de la vie, et une autre qui les juge en observateur lucide et désabusé».

20. Véase mi artículo de próxima aparición en *Anales galdosianos*, «Emilia Pardo Bazán, Luis Vidart and Other Friends. Eight unpublished letters and Two Cards». En una carta a Francisco Giner de los Ríos, fechada el 21 de marzo 1877, doña Emilia escribe: «V. me parece sobrado delicado de epidermis interior para no sufrir bastante en este mundo, que en mis ratos de mal humor me inclino a considerar con los ojos de Schopenhauer». Archivo Giner, Real Academia de la Historia, Madrid, caja 2. Esta cita indica que ya en 1877 tenía doña Emilia noticias del pensamiento de Schopenhauer, por lo menos en sus líneas generales.

21. *Los pazos de Ulloa,* ed. Marina Mayoral, Clásicos Castalia, 1986, p. 68.

22. Véase mi artículo «Naturalism and Decadence in Zola's *La Faute de l'abbé Mouret* and Pardo Bazán's *La Madre naturaleza»*, *Revue de littérature comparée,* 61 (1987), 31-46, y mi libro *Emilia Pardo Bazán,* cap. 7.

23. Véase Suzanne Nalbantian, *Seeds of Decadence in the Late Nineteenth-Century Novel. A Crisis in Values,* The Macmillan Press, Londres, 1983.

EL «NATURALISMO RADICAL»:
EDUARDO LÓPEZ BAGO
(Y ALEJANDRO SAWA)

Yvan Lissorgues
(Universidad de Toulouse-le Mirail)

Para tener una idea más completa de la realidad literaria
y cultural del último tercio del siglo XIX, sería preciso subir
a contracorriente el cauce labrado por la posteridad para de-
sempolvar y estudiar algunos estratos novelescos sepultados
ya en los aluviones del tiempo. No se emprendería la tarea
con el propósito de poner en tela de juicio los fallos de la
posteridad. Bien sabemos hoy por qué Galdós y Clarín siguen
actuales —esté cada día más— bien sabemos por qué siguen
interesándonos Emilia Pardo Bazán, Valera, Pereda, Palacio
Valdés, Blasco Ibáñez..., también sabemos por qué se alejan
de nosotros el Padre Coloma, Picón y otros. Pero no sabemos
nada, o casi nada de Zahonero, Romero de Quiñones, Vega
Armentero, Sánchez Seña, López Bago, Peyrolón, etc. Recientemente, Iris Zavala[1] y, sobre todo, Allen Philipps[2] consiguieron rescatar a Alejandro Sawa, más por su figura representativa de fin de siglo, que por su obra naturalista, pero es una
excepción. Como ha mostrado Jean-François Botrel, es importante para esbozar una historia cultural de la España de la
Restauración saber cuántos y qué libros se publicaron durante el período, pero sería preciso también intentar un análisis
cualitativo de la totalidad de lo publicado. Tal vez así podríamos calibrar mejor las varias tendencias, los varios niveles
que se cobijan bajo la denominación bastante vaga de realismo. Tal vez veríamos mejor cómo se yuxtaponen o se mez-

clan costumbrismos, descripciones realistas, romanticismos, idealismos, naturalismos, rasgos folletinescos... Podríamos determinar con mayor exactitud lo que significan esos epígrafes de *novela de costumbres, novela política, novel social, novela médicosocial,* estampados en las portadas. También habría que rescatar y analizar la producción novelística que el sector tradicionalista lanza en la batalla a partir de los años 1875-1880 para contrarrestar el avance de «las nuevas ideas», tan peligrosas para el buen equilibrio de las almas y de la sociedad.

La obra de Eduardo López Bago ofrece un ejemplo significativo de tal tipo de investigación, que no carece de interés, ya que permite descubrir la presencia en España de un naturalismo ofensivo, que se denomina a sí mismo naturalismo radical o naturalismo de barricada, y que puede considerarse como la plasmación literaria de aquel positivismo agresivo que a partir de los años ochenta, ataca, escalpelo y pluma en ristre, e invocando los santos nombres de ciencia y naturaleza, todo lo que, a sus ojos, es falsificación social o humana. Considerada desde este ángulo, la obra de López Bago (a la que habría que añadir los relatos naturalistas de Alejandro Sawa, *La mujer de todo el mundo* (1885), *Crimen legal* (1886), *Noche* (1888), *Criadero de curas* (1888), y algunas novelas de Remigio Vega Armentero[3] y Enrique Sánchez Seña)[4] merece la atención del investigador.

De la vida de Eduardo López Bago sabemos muy poco. Los contemporáneos, Clarín,[5] A. Sawa, Rubén Darío,[6] y Pío Baroja[7] nos proporcionan algunos datos puntuales o dan algunos breves juicios críticos sobre el hombre y su obra. Federico Sáinz de Roble, en el tomo II de *Ensayo de un diccionario de la literatura española,* consigue dedicarle media página, de la que sacamos que nuestro autor nació en 1855 y murió en Alicante en 1931, que estudió medicina en Madrid y colaboró en varios periódicos y revistas literarias. Pattison, Mercedes Etreros y Allen Philipps en sus respectivos y conocidos estudios intentan, de pasada, caracterizar y enjuiciar el naturalismo de López Bago y A. Sawa. Más recientemente, Miguel Ángel Lozano Marco,[8] en la presentación de un «texto olvidado de A. Sawa», estudia de manera pertinente el naturalismo radical de López Bago y de A. Sawa a partir de tres obras de aquél: *La prostituta, La pálida, La buscona.*

Del conjunto, podemos sacar algunos pocos datos bio-bibliográficos que (aparte los que recoge M.A. Lozano Marco) no siempre pueden aceptarse sin previo examen. Queda pues asentado que nuestro autor nació en 1855 (pero ¿dónde?) y murió en 1931 en Alicante. Es casi seguro que estudió medicina pero no sabemos a punto fijo si en Madrid. Fue periodista político y literario durante algunos años y colaboró en *El parlamento, La revista contemporánea* y *La reforma,* según afirmación de A. Sawa, y también, como revela él mismo, en *La correspondencia ilustrada.*[9] Se alude a menudo a un viaje de varios años por la América Hispánica, pero se adelantan fechas contradictorias.

Afortunadamente, y a falta de otros documentos, tenemos los numerosos Apéndices que el escritor suele colocar al final de casi todas sus novelas, y en las que expone su concepción de la literatura, se desahoga y lanza imprecaciones contra la Justicia, los políticos (conservadores), los escritores idealistas y románticos, los críticos académicos, etc., etc. También, de paso, suelta algunos datos biográficos que aclaran ciertos aspectos de su itinerario.

Publicó su primera novela, ya «escandalosa»,[10] *Los amores, obra entretenida,* en 1876, a los veintiún años y en Sevilla. De aquí, la hipótesis de que era un sevillano que se trasladó, todavía joven a la Corte. De su experiencia periodística madrileña sacó en 1884 su primera novela *El periodista,* primer y único título conocido de una serie que pensaba titular *Cuadros de la vida política.* Poco después, emprendió «la campaña naturalista» con la redacción de *La prostituta.* Ésta se publicó también en 1884 y levantó en seguida un tremendo escándalo que, de golpe, hizo popular a López Bago, considerado por el sector más progresista como el «temperamento más heroico de la época», según palabras de A. Sawa. La obra fue denunciada por el ministerio público y sometido su autor a un proceso criminal, por escándalo, ataque a la moral, a la decencia pública y a las buenas costumbres. Pero alcanzó, en 1885, el sobreseimiento libre en el Tribunal Supremo, cuya sentencia fue siempre considerada por el autor como una victoria de la «libertad del libro».[11] Es de suponer que después de publicar *El periodista* y *La prostituta,* abandonó el periodismo para dedicarse enteramente a escribir novelas y no dejó de esgrimir, por lo menos hasta 1895, su título de *literato de profesión* para manifestar su desprecio a los aficionados, los Valera, Alarcón, Núñez de Arce, «políticos o diplomáticos que se dedican a la literatura».[12] Además, afirmar que vive «fieramente» (como escribe) de lo que produce la venta de su trabajo, viene a decir que las novelas naturalistas se venden bien y que, desde luego, la «buena causa» progresa.

En 1895, en el Apéndice de *El separatista* dice que vuelve a España «después de siete años de emigración voluntaria y viajes por las repúblicas hispanoamericanas». Salió pues en 1888, probablemente rumbo a Buenos Aires, donde publicó la primera novela de la serie *La trata de blancos, Carne importada (Costumbres de Buenos Aires)*, en 1891 o 1892, ya que en la Advertencia final, alude a la muerte de «su *ex-amigo*, Pedro Antonio de Alarcón, ocurrida en España» y «le parece conveniente felicitar a Leopoldo Alas por *Su único hijo*, novela naturalista» *(sic)*. Ahora bien, de la reseña de las novelas publicadas por López Bago,[13] que aparece al final de la primera edición (la única conocida) de *Carne importada* se deduce que, de 1884 a 1888, nuestro autor dio a luz las tres series de *La prostituta* (4 novelas), de *El cura* (3 novelas), de *La señora de López* (3 novelas) y las cuatro novelas sueltas (o sin continuación): *El periodista, El preso, Luis Martínez, el Espada, Carne de nobles* y la traducción de *Safo* de Alfonso Daudet.

En último término, esa ímproba tarea de investigación bio-bibliográfica permite afirmar que de 1884 a 1895, nuestro autor publicó:

1) Dos novelas de costumbres: *El periodista (costumbres políticas)*, 1884, primera novela de una serie que no tuvo continuación; *Luis Martínez, El Espada (En la plaza), La torería, novela social*, 1886, primera parte. La segunda, *En la sociedad*, aunque anunciada, no se publicó.

2) Dos novelas de costumbres, subtituladas *médicosociales: Carne importada, Costumbres de Buenos Aires*, 1891, primera novela de la serie *La trata de blancos*. La segunda, *Un vencido*, anunciada en prensa al final de *Carne importada*, no aparece en ninguna parte; *El separatista*, 1895 (costumbres de La Habana), primera y única novela publicada de una tetralogía anunciada. Las demás, *El bandolero, La gente de color, El gobernador General* no se escribieron, pues la evolución de la guerra en Cuba dio al traste con todas las certidumbres planeadas en la primera.

3) Doce novelas *médicosociales* escritas y publicadas en Madrid entre 1884 y 1888.

4) Hay que añadir una *novela social, Los asesinos*, s.a.,[14] publicada en Madrid (Juan Muñoz y Cía). Es una enorme obra en dos tomos de mil páginas cada uno, primorosamente

adornada con una serie de acuarelas intercaladas. Este nove-lón combina todos los ingredientes folletinescos (hijos del pue-blo arrastrados en una cascada de aventuras inverosímiles en mancebías, sociedades secretas...) con los temas de moda del naturalismo (bestia humana, prostitución...).

5) En la lista de «Libros recibidos» de *El Motín* del 2 de septiembre de 1888 se anuncia la reciente publicación de *«¡Esto no es un hombre!,* novelita de López Bago, *Bibliote-ca Demi-Monde,* un tomo en 80».

Hay que subrayar, pues, que con catorce (o quince) nove-las en cuatro años (de 1884 a 1888), Eduardo López Bago, bien merece el elogio admirativo de «prolífico autor» que le tributaron varios contemporáneos, a no ser que merezca el irónico y depreciativo título de *grafómano* que, sin nombrar a nadie, otorga Clarín a esos naturalistas que «publican li-bros y más libros, llenos de hechos *sorprendidos de la reali-dad»* y «cargados de apuntes por todas partes; viajan mucho y recogen tronchos de verdura en los mercados de hortalizas para copiarlos en casa, del natural».[15] Efectivamente, si damos crédito a sus propias palabras, hay que concluir que López Bago es un autor verdaderamente «fulminante». En el Apén-dice de *El separatista* confiesa que llegó a La Habana a fina-les de enero de 1895, empezó a escribir la novela en marzo, y se publicó el libro en mayo. Y lo confiesa para poder excla-mar con energía: «Así acostumbramos a escribir los que de esta profesión vivimos en España.»

* * *

López Bago escribe mucho y de prisa; es, como se califica a sí mismo, un «obrero de la pluma» que vive de su traba-jo. Pero es de observar que la publicación de cada novela le-vanta una polvareda de escándalo y todo pasa como si nues-tro autor se apresurara por asestar tiros contra cuanto le parece lacra social o humana: «la inútil aristocracia», «la bur-guesía nociva», «el absurdo clero»,[16] la prostitución, la luju-ria, la codicia, la miseria y sobre todo la bestia humana. Efec-tivamente, a partir de 1884, un valiente escuadrón compues-to por varios «temperamentos», López Bago, A. Sawa, Vega Armentero, Sánchez Seña, etc... sale a la palestra desde el frente ofensivo abierto desde algunos años por *El Motín, Las dominiciales del libre pensamiento* y mantenido por la infor-mal coalición de cierto progresismo y del positivismo anticlerical. Los «nuevos combatientes» eligen el campo literario y su bandera es lo que ellos mismos llaman «naturalismo radical» o «naturalismo de barricada». Entre ellos, según calificación de A. Sawa, López Bago es «el campeón», «el temperamento más heroico de la época».[17] Nuestro autor, por su parte, tiene muy alta conciencia de su papel de soldado del «irresistible movimiento literario de Europa»,[18] pues con *La prostituta,* él inició la campaña, levantando la «barricada naturalista». En el discurso desarrollado en los varios Apéndices de López Bago, en el texto crítico «Impresiones de un lector» de Sawa, como en los «Anuncios bibliográficos» de *El Motín* abundan esas violentas declaraciones metafóricas de beligerancia que manejan el naturalismo como si fuera un arma de combate ideológico.

Para comprender que hubiese podido desarrollarse en España, durante cierto tiempo, un «naturalismo radical» sería preciso situarlo en el contexto histórico y estudiar todas las manifestaciones que patentizan la ruptura profunda que se produjo en la sociedad y en las mentalidades a partir de la conmoción del sexenio revolucionario. La restauración de la monarquía es una vuelta al orden, pero no es el restablecimiento del antiguo régimen catolicoaristocrático. Por debajo, las fuerzas liberales y progresistas siguen ganando terreno. No se trata, ni mucho menos, de un frente ideológico unido, sino de una yuxtaposición de elementos que, cada uno a su manera y según su propia posición, tienden a subvertir lo establecido. Desde el punto de vista del tradicionalismo, y aun del conservadurismo, la reivindicación del libre examen, la difusión del ideal institucionista, la propagación del positivismo, son peligrosas manifestaciones de una «modernidad» amenazante. Sobre todo, entre los intelectuales de clase media, se afirma la conciencia de que constituyen la avanzada en la lucha por una renovación de la sociedad española.

Así es como la literatura viene a ser un combate, según la conocida expresión de Clarín. Pero, Galdós, Clarín, la Pardo Bazán, etc... conservan siempre una alta concepción del arte novelesco, concepción que les permite discernir en el naturalismo teórico de Zola lo que puede ser enriquecimiento, y rechazar lo que les parece mero discurso ideológico, extraño al arte. Henri Mitterand acaba de sugerir que Zola novelista es un naturalista relativamente inconsecuente, en la medida en que se otorga en el momento de la creación una libertad de imaginación de la que hace caso omiso en sus escritos teóricos.

Pues bien, López Bago quiere ser un naturalista rigurosamente consecuente. Esgrime como dogmas intangibles los preceptos teóricos de Zola y saca de ellos las últimas consecuencias. Lo único importante en la novela es la verdad, y la mejor novela es la que se acerca más a la reproducción fotográfica de la realidad. Por lo demás, añade el paladín de la nueva escuela, las obras del naturalismo son impropiamente llamadas novelas «porque no tienen nuestras obras el carácter de obras de amenidad sino de estudio».[19] El estilo no es fundamental. El *estilo inimitable* de Alarcón, Selgas, Valera es tan sólo un ropaje retórico para disfrazar falsedades. La *novela bonita*, por ejemplo *La pródiga, El escándalo, Pepita Jiménez, El doctor Faustino*, etc..., es novela falsa, donde los buenos se casan al final, y cuya moral se parece a un marbete puesto en «un frasco en venta en todas las perfumerías». Esos libros de *boudoir*, añade nuestro crítico, presentan a personajes que son atildados figurines de la *Moda Elegante*, cuando no son como los de Valera, «autómatas de ventrílocuo».[20]

Incluso como mentor de la nueva escuela, o como capitán del nuevo batallón, el autor de *La prostituta* se cree obligado a enmendarle la plana al fogoso «nuevo combatiente» Alejandro Sawa, pues el estilo de su primera novela naturalista, *Crimen legal*, está «cargado de inutilidades», meros embelecos que proceden de la casa romántica. Esas «genialidades» estorban al luchador de las «nuevas banderas».[21] Hay que acostumbrar a los lectores a no hacer diferencia entre la obra literaria y la vida; por eso, los personajes deben hablar como se habla en la calle. En *Carne importada (costumbres de Buenos Aires)* y en *El separatista*, los argentinos y los cubanos hablan como se habla en su patria y el novelista da las explicaciones necesarias a pie de página. Para López Bago, no tiene razón Galdós cuando en *Torquemada y San Pedro*, pone en boca de su personaje reticencias del tipo *ancajo, zancajo, recuajo...* cuando en la calle se dice: ¡*carajo!*[22] Cuidado, pues, «con las afeminaciones a que nos quiere llevar la escuela idealista o la escuela romántica!».[23]

Así que la única belleza es la de la verdad y la mejor novela naturalista es la que pinta las cosas «sin las galanuras retóricas del talento literario» porque bastan «las sanas desnudeces de la verdad».[24]

Pero ¿cuál es la verdad?, o mejor ¿qué verdades nos muestran las novelas de López Bago y de Alejandro Sawa? Todas las novelas *médicosociales* llevan como epígrafe la famosa frase de Claude Bernard: «La moral moderna consiste en buscar las causas de los males sociales, analizándolos y sometiéndolos al experimento». López Bago, hombre serio y convencido, aplica al pie de la letra el precepto del experimentalista francés. Su obra novelesca muestra que efectivamente ha buscado los males humanos y sociales, los ha analizado a partir de sus propios conocimientos y después ha armado una construcción novelesca con relato y descripciones para dar cuenta del dato humano o social estudiado. La primera consecuencia es que la noción de personaje se ve sustituida por la *idea* de temperamento: la literatura se «medicaliza» (si vale el neologismo). La segunda, es que sólo los males sociales o humanos son objeto de atención. Así, sólo se ve en la sociedad y sólo aparece en la novela la parte enferma. Sería preciso reseñar todas las «enfermedades» medicinadas en el conjunto de la obra. En tan corto espacio no es posible dar cuenta de todas las fichas hospitalarias o criminales que se explotan en las varias tetralogías o trilogías que se disparan de 1884 a 1895. Pero A. Sawa, en «Impresiones de un lector» publicado en el Apéndice de *El cura,* nos proporciona una sugestiva visión de conjunto de la sociedad estudiada por López Bago en *La prostituta* y *La pálida.* Esta sociedad

> [...] es fea, esencialmente fea, monstruosa y huele más al pus a los desinfectantes de las salas clínicas que al aroma de los campos [...] ¡Ah! El crimen es realidad; la navaja goteando sangre es realidad también; la madre que vende a su hija, el esposo que vende a su mujer, el pensador que vende a su conciencia, las ansias del borracho, los ayes del sifilítico, las agudas estridencias de la virginidad desgarrada, la imbecilidad del que hereda de sus padres malos humores [...]; el temperamento sexual, priápico, que se retuerce desesperadamente como si estuviera encadenado [...]; la sangre viciosa, emporcada, sucia, miserable, que arroja al cerebro [...] cuanta porquería arrastra consigo [...].[25]

Es de notar que Sawa no acepta una visión tan exclusivamente negativa de la vida. Concede que el mal es una realidad, pero añade que lo es también «la naturaleza, toda la naturaleza bruta, tan opulenta, tan espléndida de perfecciones». «La realidad es lo feo y lo bonito combinados.»[26]

De hecho, el mundo novelesco de Sawa es mucho más «equilibrado». Hay en él temperamentos regidos por un implacable determinismo atávico (Ricardo de *Crimen legal* es el brutal resurgimiento, en la segunda generación, de los malos instintos de su abuelo y, como éste, es «carne de horca»), hay bestias humanas porque sí, sin explicaciones, como el cura Gregorio de *Noche*, hay muchos casos de semiidiotez (como don Francisco de *Noche*, embrutecido además por las costumbres católicas), etc. Pero hay también personajes matizados y vistos por dentro que experimentan sentimientos auténticos y sienten confusamente la poesía de las cosas. Es el caso de Juan, el padre del malvado Ricardo, «uno de los pocos personajes que merecen ser calificados de buenos en toda la galería», según Allen Philipps,[27] o de Carmen, la joven prostituta, sensible y afectuosa, de *Declaración de un vencido* (1887).

Varias veces, ocurre también que el médico López Bago quiere demostrar algo y arma un experimento a partir de una especie de hipótesis.

El voto de castidad a que está sometido el cura es antinatural. El postulado «científico» lleva a la hipótesis: ¿puede haber sacerdote casto? Y nuestro sabio prepara cuidadosamente una experiencia. He aquí un joven que acaba de salir del seminario con el cerebro perfectamente pertrechado con preceptos, dogmas, y buenos trozos de Biblia. Es inteligente y sabe lo que es el pecado. Pero tiene un temperamento fuerte, sanguíneo, y vive en Madrid con su joven hermana, de «naturaleza prepotente», otro temperamento sanguíneo. ¿Qué puede pasar? Se entabla en el joven una lucha titánica entre las oscuras y violentas fuerzas de abajo y los artificiales preceptos que lleva en la mente. Vence la naturaleza, como es natural. Y nuestro autor concluye que la demostración está clara: el celibato eclesiástico es una aberración que puede originar graves estragos (los que se analizan en las otras novelas de la serie: *El confesionario* [satiriasis] y *La monja*). El único remedio es el concubinato: «Todo sacerdote que tiene manceba irá en contra de lo decretado por la Iglesia, pero es en aquella parte en que la Iglesia decreta la guerra a la sociedad y a la familia, menosprecia lo infalible de la ciencia y ataca a la razón natural».[28] Puede que tenga razón nuestro autor, pero la «demostración» estriba en una peligrosa confusión entre ficción y experimentación, porque «experimentando» así se puede demostrar cualquier cosa y lo contrario. En las novelas del naturalismo radical, es lo que pasa a menudo, por no decir casi siempre.

¿Puede llegar a ser feliz una joven honrada y buena, en el fondo, pero que es hija de una buscona de ministros? La experimentación a que se somete el caso en *La desposada* muestra que no, que no es posible. El separatismo cubano es una enfermedad del temperamento isleño, producto de una compleja mezcla de razas. Bien lo muestra la novela y como ésta es mera expresión de hechos, expuestos «con inexorable indiferencia de opinión»,[29] colorín colorado.

Parece mentira. La fe del autor en su ciencia le lleva a esas aberrantes confusiones entre literatura y ciencia. Y aun habría que ver de qué ciencia se trata.

Sin embargo, la intención es buena. La novela naturalista es algo muy serio ya que tiende a abrir los ojos a los lectores. «¡Qué humanitario, qué digno, apartar a la juventud de los escollos de la vida!»,[30] exclama, Luis Albareda, un turiferario de López Bago, en el Apéndice de *La desposada*. Esas páginas del señor Albareda son a veces un espeluznante poema épico en salsa de Lombroso: «No hay medio de corregir los vicios sin que el vicioso sufra algún castigo».[31] He aquí otra cita, cómica ésta, si se quiere: la novela naturalista «sale a la calle y con la frente serena y la celada sobre la penachuda cimera, cuantas veces ve pasar a un bribón o a una ramera sin cartilla, toma un puñado de lodo y lo arroja sin piedad ni compasión sobre aquellos que lo merecen».[32]

* * *

Para López Bago (y también para Sawa pero en éste de manera no tan exclusiva) los únicos criterios referenciales para estudiar la realidad son la naturaleza y la ciencia. Pero ¿qué es la naturaleza? Y ¿de qué ciencia se trata?

Del conjunto de la obra de López Bago, se deduce una clara concepción mecanicista tanto del hombre como de la ciencia. La naturaleza humana, como enseña un positivismo rastrero, es un conjunto compuesto por un cerebro, cuya función es secretar ideas, y por un organismo. En general, lo que rige ese conjunto llamado hombre son las leyes que gobiernan el organismo. «Luis Martínez era uno de esos hombres que son hombres solamente pensadores, cuando no sienten o desean porque sus sentimientos o sus deseos avivados tienen fuerza tal que lo arrollan todo».[33] Incluso en los personajes más equilibrados y hasta cultos como este mismo Luis Martínez, el *Espada* (cuyo modelo es, sin lugar a dudas, Luis Mazzantini, el torero que llegó a ser gobernador de Guadalajara y de Ávila), o el joven amante de Rosita Pérez, Miguel Loitia, en quien «cariño y bondad tenían en su espíritu la medida de lo humano», [34] o Lico Godinez de *El separatista* que piensa bien porque tiene las mismas ideas que el autor, todos, cuando lo exige el organismo se convierten en *bestias humanas.* Valga sólo un cita:

> [...] ¡Lujuria! [...] Una gran cosa si no embruteciera. Niéguese al hombre lo que pide, y le veréis llegar por gradaciones del instinto, hasta el punto que llegan los licántropos. Sentir deseos de aullar como un lobo hambriento y ponerse en cuatro pies. Veréis la bestia.[35]

Excusado es decir que todos los curas en el universo de López Bago, como en el de A. Sawa, son bestias humanas ensotanadas. Así el padre Lasoga, especie de monstruo lascivo y violento que es socio de la *Botica,* asociación secreta de sifilíticos *(La pálida),* o el cura de *Noche* de Sawa, ese don Gregorio que aprovecha el confesionario para pervertir a las jóvenes bonitas e inocentes, como Lola, y en el momento oportuno se echa sobre su presa: «De un salto, el chacal, el sacerdote, aquella hiena, se había apoderado de la joven, la había rodeado la cintura con una de las patas delanteras [...]».[36]

En cuanto al pueblo, mera acumulación de organismos, sólo le merece desprecio a López Bago: «El pueblo entero jamás fue sensato ni en Cuba ni en otra parte».[37] El público es siempre brutal y grosero y hay que satisfacer sus bajos instintos dándole el espectáculo de las corridas.[38] La contemplación del peligro le es necesaria al hombre y «más grosera es la naturaleza humana» más «necesarios son para ella esos estremecimientos del sistema nervioso».[39] Lo mejor sería, pues, aplicar en grande y sin contemplaciones la teoría de Lombroso: ya que la humanidad se reduce a «una gran cantidad de carne [...] sería obra de misericordia quitar[la] de en medio».[40] ¡La solución final para los malos a fin de que los pocos buenos que cojean puedan redimirse de su cojera!

Parece caricatura grotesca, pero no lo es. López Bago es un autor muy serio, un hombre al parecer totalmente refractario al humor. Además, tiene absoluta fe en su ciencia. Esa ciencia tiene explicación positiva para todo: «Obedece la naturaleza a leyes invariables y los sentimientos lo mismo». Así se explica el amor entre Luis y María personajes de *El periodista:* «sucedió lo que sucede en el mundo físico cuando se encuentran dos átomos. Hubo atracción mutua y unión [...]

pero unión forzosa, inevitable, que sigue los mandatos de las leyes naturales».[41] ¿Qué es el separatismo en Cuba por los años de 1895? Un sueño, «una enfermedad que producen el sol y el aire, las flores con sus embriagadores perfumes y las mujeres con su incitante hermosura».[42] En los que viven en la isla, se juntan «la impureza mulata, la lujuria africana, los amargos dejos de la esclavitud que no era ya, pero que había sido».[43] Es evidente que para López Bago, hay razas superiores y razas inferiores como reza el positivismo de entonces... y el de ahora. Y no deja de citar a Gustave Le Bon que explica las insurrecciones con que tuvo que luchar Francia en Oriente por «el error que cometió llevando las reformas más liberales y las ideas más modernas de Europa a pueblos destinados a la inmovilidad asiática».[44]

Finalmente, y para abreviar, la obra de López Bago es cifra y compendio de todas las ideas pretendidamente científicas propagadas por un positivismo cerrado y agresivo, tan exclusivo, y por eso tan peligroso, como cualquier fanatismo. Desde tal punto de vista es ejemplar la novelística de López Bago.

* * *

Porque efectivamente se trata de literatura, casi lo habíamos olvidado, y planteamos en el último momento la pregunta que había de ser tal vez la primera: ¿Cómo consigue el médico social López Bago construir un mundo novelesco?

Cuando se pretende licenciar la imaginación *re-creadora*, la que penetra en el objeto literario para informarle desde dentro, hay que acudir, como puntales necesarios, a sucedáneos meramente exteriores, que en el caso de nuestro autor proceden del costumbrismo o del folletín. Hay numerosas páginas costumbristas, y algunas acertadas, como por ejemplo la pintura de la vida de los toreros en *Luis Martínez, El Espada* (antecedente en muchos puntos de *Sangre y arena*) o la descripción de un trasatlántico que lleva a Argentina un contingente de desgraciados de España «que se han dejado seducir por las promesas halagüeñas de los agentes de inmigración»[45] o la descripción de las calles de Buenos Aires *(Carne importada)*. Para dar idea del efectismo folletinesco que hace las veces de argumento, basta evocar al devotísimo y sifilítico marqués de Villaperdida, propietario de cuarenta burdeles que explota escrupulosamente para enviar las ganancias al Vaticano. Se introduce, de noche, por falsas puertas, en la mancebía y después regresa a su estrafalario palacio para ponerse en manos de su confesor y de su médico.[46]

Excusado es decir que casi siempre habla un narrador superomnisciente, movido por absolutas certidumbres, lo que no le impide establecer contacto con el lector (como en el folletín), de manera artificial con frases del tipo: «Nuestra imparcialidad de cronista...», «Ahora, hay que explicar cómo...», «aunque tarea difícil para mí explicar eso...». El narrador se confunde siempre con el autor y la seriedad de éste impide cualquier distancia irónica o humorística con respecto a lo narrado, y son frecuentes los comentarios, los juicios, cuando no las imprecaciones. Muy contadas veces se asoma el narrador-autor a la vida interior de sus personajes (en general, más temperamentos que personajes); pero cuando ocurre, cuando consigue hablar desde casi dentro, entonces se aproxima a la verdadera dimensión humana. Es también el caso de Sawa que, cuando no sigue la línea del recto determinismo, roza las borrosas honduras del ser. Lo más logrado, creo, en el mundo novelesco de López Bago, es la historia y la pintura de la familia Pérez. En *La pálida*, los prejuicios de la clase media, ese «quiero y no puedo» que precipita en el vicio a la hija, Rosita, resulta bien observado. Hasta, en las otras novelas de la serie, *La buscona* y *La querida*, Rosita llega a ser un personaje patético al revelarse sinceramente enamorada cuando ya se sabe socialmente condenada por buscona. Entonces, el narrador casi está en simpatía con su personaje... Pero eso sucede muy pocas veces.

* * *

En resumen, la obra de López Bago estriba en una serie de confusiones, confusión entre ciencia y literatura, confusión entre ciencia y dogmatismo positivista, confusión sobre la literatura a la que se niega, por tomar la doctrina al pie de la letra, todo lo que hace su especificidad.

Además, a López Bago le faltó tiempo para penetrar en las cosas, le faltó distancia humorística, y tal vez le faltó todo eso porque le sobraba teoría y le sobraba buena intención.

Clarín la emprende, en 1889, con los «naturalistas de portal», los «*attachés* del realismo», los «naturalistas de misa y olla», los «naturalistas de escalera abajo».

Para ellos [escribe] no hace falta saber inventar; la imaginación sobra; la inspiración es un mito de la psicología vulgar, el genio, una farsa, el verdadero genio es la paciencia;
la musa, la asiduidad en el trabajo. Combinad esas dos ideas
con un poco de positivismo de boticario o de orador de sección y saldrá un revulsivo infalible [...]. La culpa de todo
ello no la tiene Zola, es claro, sino la vanidad y la ignorancia
de los que se ponen a escribir prescindiendo de un requisito
indispensable: el ingenio. Porque sin ingenio, señores, no hay
nada.[47]

Y además, la obra de Eduardo López Bago (y de otros
autores) puede verse, desde hoy, y guardando las proporciones, como la manifestación de otra forma de fanatismo, como
la representación de una especie de *integrismo positivista*, ex-
traviado en la literatura y casi tan corto, tan cerrado y tan
exclusivo como el otro, el integrismo católico. La verdad es
que se parecen en varios puntos: los dos se aferran a una
verdad absoluta (y siempre es peligroso), los dos quieren moralizar, pero cortando por lo sano.

NOTAS

1. Alejandro Sawa, *Iluminaciones en la sombra*, edición, estudio
y notas de Iris M. Zavala, Madrid, Alhambra, 1977.
2. Allen Philipps, *Alejandro Sawa, mito y realidad*, Madrid, Turner, 1976.
3. Véase, por ejemplo, *El fango del boudoir* (1887) y *La Venus
granadina* (1888) de Remigio Vega Armentero.
4. De Enrique Sánchez Seña cabe citar: *La manceba (Páginas
de la deshonra y vicios sociales)*, 1886, y *Las rameras de salón (Páginas de la deshonra y vicios sociales)*, 1886.
5. Clarín alude sólo una vez a López Bago (*Mezclilla*, p. 336),
pero en varios artículos censura a los «naturalistas de escalera abajo»
(en *Mezclilla*, «Lecturas», p. 19, «A muchos y a ninguno», pp. 175-194
y en *Nueva Campaña*, «Los grafómanos», pp. 45-58).
6. Rubén Darío, *«Novelas y novelistas»* en *Obras completas*, Madrid, 1950, p. 1.119.
7. Pío Baroja, *Memorias*, Madrid, Minotauro, 1955, p. 94.
8. Miguel Ángel Lozano Marco, «El naturalismo radical: Eduardo López Bago. Un texto desconocido de Alejandro Sawa», *Anales
de Literatura española*, n. 22, Universidad de Alicante, n.º 2, 1983,
pp. 341-360. Véase también el estudio detallado de *El periodista* y

La prostituta de Pierre Jourdan: «Les manifestations du naturalisme en Espagne: deux romans de López Bago...», *IRIS*, 1988/1, CERLIAM, Université Paul Valéry, Montpellier, pp. 69-105.

9. La novela *El periodista* (1884) va dedicada «A la memoria de José de Alcántara, compañero de redacción en la *Correspondencia Ilustrada*».

10. «La censura eclesiástica ha incluido en el índice de obras prohibidas la novela *Los amores* del escritor señor López Bago, como contraria a la moral cristiana y a los preceptos de la Iglesia Católica» (*El Correo Catalán*, n.º 156, 19·IV·1877).

11. En 1891, en la «Advertencia final» de *Carne importada,* escribía: «La libertad del libro, que sólo de nombre existía en España hasta que yo conseguí sentar (o asentar) jurisprudencia de ella por sentencia del Tribunal Supremo».

12. Apéndice de *El cura.*

13. Reproduzco esta reseña publicitaria. En cuanto a fechas, la completo, entre corchetes, utilizando los datos proporcionados por la «Sección bibliográfica» o «Libros recibidos» de *El motín.* (*El confesionario,* núm. del 17·I·1886; *La querida,* 14·II·1886; *La monja,* 14·IV·1886; *La señora de López,* 28·X·1886; *El preso,* 28·VI·1888).

Novelas publicadas de Eduardo López Bago

La prostituta [1884], novela médicosocial (esta obra fue denunciada por el ministerio público y sometido su autor a un proceso criminal, por escándalo, ataque a la moral, a la decencia pública y a las buenas costumbres. Alcanzó el sobreseimiento libre en el Tribunal Supremo). Octava edición.

La Pálida [1884 o 1885] (segunda parte de la anterior y objeto de iguales persecuciones, siendo también favorable y absolutoria la sentencia). Novela médicosocial. Séptima edición.

La buscona [1885] (tercera parte de *La prostituta*), novela médicosocial. Séptima edición.

La querida [finales de 1885 o principios de 1886] (cuarta parte y última de *La prostit..ta*). Novela médicosocial. Séptima edición.

El cura [?] *(Caso de incesto)* (también procesado y absuelto). Novela médicosocial. Séptima edición.

El confesionario (satiriasis) [finales de 1885 o principios de 1886] (segunda parte de la anterior). Séptima edición.

La monja [principios de 1886] (tercera parte de *El cura*). Séptima edición.

La señora de López [1886]. Cuarta edición.

La soltera [1886?] (segunda parte de la anterior). Cuarta edición.

La desposada [1887] (tercera parte de *La señora de López*). Tercera edición.

Carne de nobles [1887, según *Enciclopedia* Espasa-Calpe]. Cuarta edición.

Luis Martínez, El Espada [1886] (costumbres de la torería).

El periodista [1884]. Tercera edición.

Los amores [1876] (agotada).

El preso [1888]. Estudios de la vida humana en cárceles y presidios.

[Primera y única novela médicosocial de la serie anunciada, *La Inquisición moderna*.]

Safo [1884]. Traducción de Alfonso Daudet. Segunda edición. [La cuarta edición consultada —Madrid, Fernando Fe, 1897— viene con un interesante prólogo sobre el naturalismo, de Eugenio Olavarría y Huarte, XVI pp.]

Carne importada [1891] (costumbres de Buenos Aires). Primera novela de la serie *La trata de blancos*.

En prensa:

La segunda novela de *La trata de blancos* titulada *Un vencido* (costumbres de Buenos Aires y Montevideo).

[Al parecer, esta novela no se publicó.]

Para una bibliografía completa, hay que añadir:

—*Los asesinos* (1887), novela social, Madrid, Juan Muñoz y Compañía, 2 tomos.

—*¡Esto no es un hombre!* (1888), novelita, Biblioteca Demi-Monde.

—*El separatista* (1895), novela médicosocial (primera parte de una tetralogía). La Habana. Las demás novelas anunciadas *(El bandolero, La gente de color, Gobernador general)* no se escribieron.

En 1895, en el Apéndice de *El separatista*, López Bago revela que es autor de 17 novelas que, añade, «se están vendiendo con suerte». Pero confiesa que «hay que escribir mucho para mal vivir» ya que «de los mejores libros a lo sumo llegan a imprimir 10 o 12 mil ejemplares» [!].

14. Según el anuncio publicitario puesto al final de *La desposada* (1887), *Los asesinos* se vende por entregas por aquella fecha.

15. Leopoldo Alas, «Los grafómanos», *Nueva Campaña*.

16. «Análisis de la novela titulada *Crimen legal*», publicado al final de esta novela de A. Sawa.

17. A. Sawa, texto publicado al final de *El cura*, «Impresiones de un lector».

18. López Bago, «Análisis de... *Crimen legal*», *op. cit.*

19. *Ibíd.*, p. 256.

20. *Ibíd.*

21. *Ibíd.*

22. López Bago, Apéndice de *El separatista*, p. 204.

23. Apéndice de *El periodista*.

24. «Al lector», *El separatista*.

25. A. Sawa, «Impresiones de un lector», *El cura*, p. 305.

26. *Ibíd.*, p. 306.

27. Allen Philipps, *op. cit.*, p. 165.

28. Apéndice de *El cura*, p. 260.

29. «Al lector», *El separatista*.

30. Luis Albareda, Apéndice de *La desposada*, p. 255.

31. *Ibíd.*, p. 252.

32. *Ibíd.*, p. 240.

33. *Luis Martínez, El espada*, p. 229.
34. *La querida*, p. 41.
35. *Ibíd.*
36. A. Sawa, *Noche*, p. 138.
37. *El separatista*, p. 193.
38. *Luis Martínez, El espada*, pp. 27 ss.
39. *Ibíd.*, p. 289.
40. *Ibíd.*, p. 27.
41. *El periodista*, p. 52.
42. *El separatista*, p. 22.
43. *Ibíd.*, p. 197.
44. *Ibíd.*, pp. 268 y 269.
45. *Carne importada*, p. 15.
46. *La prostituta* y *La pálida*.
47. L. Alas, Clarín, «A muchos y a ninguno», *Mezclilla*, pp. 176 y 186.

TEATRO Y ARTE

TEATRO Y ARTE

EL REALISMO ESCÉNICO A LA LUZ
DE LOS TRATADOS DE DECLAMACIÓN
DE LA ÉPOCA

Jesús Rubio Jiménez
(Universidad de Zaragoza)

El teatro realista español del siglo XIX parece haber caído prácticamente en el olvido. Pocos capítulos tan rutinarios en nuestra historia literaria como los dedicados a este tema. Si de lo tradicionalmente considerado literatura —análisis inmanente de los textos dramáticos, arropado de una sucinta contextualización— pasamos a otros aspectos del hecho teatral, entonces puede hablarse de olvido casi absoluto.

El contenido de esta ponencia, por ello, no carece de cierta marginalidad. Es sintomático que en todo el coloquio tan sólo se dedique al teatro esta comunicación. Entiendo, sin embargo, que es oportuno llamar la atención sobre la necesidad de abordar el estudio de la historia del teatro español —y por supuesto no sólo de este período— con criterios amplios y adecuados, prestando atención a todos los elementos del hecho teatral. Los *tratados de declamación* son precisamente uno de los más olvidados, utilizando de momento los términos con un sentido amplio, para englobar escritos de carácter teórico en los que se ensayan definiciones del arte escénico, concediendo una especial atención al trabajo de los actores y, en general, al proceso seguido desde el texto a la realización del espectáculo.

Nunca, que yo sepa, se han estudiado ni se ha ensayado siquiera su cuantificación y ordenación, salvo en el *Tratado de tratados de declamación* (1914), de Luis Milla Gacio, que cierra la relación que incluimos al final, y que es muy incompleto e impresionista, aunque marca un hito notable. Presento aquí una recopilación amplia, medio centenar de entradas, que corresponden casi a otras tantas obras, puesto que en algunos casos he estimado conveniente consignar las sucesivas ediciones de un mismo tratado, para indicar de algún modo cuáles fueron los más difundidos, al menos a primera vista. La cifra nos parece amplia, sobre todo, si se tienen en cuenta las abundantes y rutinarias opiniones que se han vertido durante décadas acerca del arte de representar en la centuria pasada. Opiniones en las que se insiste hasta el cansancio en una supuesta carencia de formación de los actores y en su baja calidad interpretativa. Esta abundancia de textos teóricos inclina, de entrada, si no a pensar de otro modo, al menos a suspender las valoraciones hasta que se estudie la importancia e incidencia de estos tratados. Tanto más cuanto que esta relación es el resultado de una primera aproximación al tema, y estamos seguros de que otros tratados han escapado a nuestras pesquisas, aparte de otros muchos textos que han quedado excluidos por diversos motivos.[1] Con todo, los incluidos son una muestra significativa, cuyo análisis aquí apenas será abocetado, ya que —lo adelanto— la finalidad de esta comunicación es, ante todo, sacar del olvido esta serie de obras, que pueden contribuir a un mejor conocimiento del realismo decimonónico.

La relación se inicia con una referencia a las *Memorias literarias de París* (1751), de Ignacio de Luzán, que en su capítulo XI tradujo un fragmento de *El arte del teatro*, de François Riccoboni, publicado en París en 1750.[2] Este texto se refiere a la gestualidad del actor, al movimiento armónico de sus brazos. Todo el capítulo en realidad es una descripción del modo de representar de las buenas compañías francesas, que Luzán propone como modelo, insistiendo en el camino hacia la *naturalidad* y la *propiedad* que se estaba produciendo en Francia, hacia lo que él llamaba una «natural representación».[3]

El texto de Luzán es altamente significativo porque denuncia el olvido de la reflexión sobre el arte de representar que había en España, y abre en cierto modo un período nuevo que estará marcado por la traducción de textos foráneos primero, y luego por la incorporación también de tratadistas españoles. No es un capricho, pues, remontarnos tanto en el tiempo, sino que en el siglo XVIII se encuentra la justificación filosófica y el inicio del realismo escénico burgués.

El arte del teatro, «traducido del francés» por Joseph de Resma en 1783, no es otro que el tratado de François Riccoboni completo. Santos Díez González y Manuel de Valbuena tradujeron a su vez a Lauriso Tragiense (1798), apareciendo en 1800, firmada por Fermín Eduardo Zeglircosac, una obra que se pretendía original en gran parte.[4] De las mismas fechas es la traducción de las *Memorias* (1800) de Clairon, conocida actriz de la Comedia Francesa. Habrá con todo que llegar a los años de la plenitud romántica —una vez atenuada la inestabilidad del país y manifiestamente mejorada su industria editorial— para encontrar un goteo constante de estos libros hasta el presente. Su producción y difusión se encuentra estrechamente vinculada a la institucionalización de la enseñanza del arte escénico con la creación de escuelas de actores y conservatorios.

El Conde de Aranda fue el promotor de las primeras para abastecer de cómicos a los teatros de los Reales Sitios durante su presidencia del Consejo de Castilla, pero su implantación definitiva se produjo con la creación, en 1831, del Real Conservatorio de Música y Declamación de Madrid y luego el del Teatro del Liceo de Barcelona en 1839.[5] El inevitable mimetismo hizo que se abrieran con el tiempo otros en diversas ciudades, y otras veces fueron sociedades dramáticas de aficionados las promotoras de un estudio más cuidado de la *declamación*, como es el caso de la compañía dramática del Liceo Artístico y Literario de Madrid o la *Sociedad Dramática El Teatro* en el cambio de siglo.[6]

Es hoy por hoy imposible calibrar la influencia de las cátedras de declamación de los conservatorios en la vida teatral española, ya que carecemos de estudios sobre su trayectoria. Tradicionalmente se les ha achacado una inoperancia casi absoluta, ya que no eran las cátedras más apoyadas y se encomendaron con frecuencia a primeros actores de prestigio, que no solían cumplir con rigor su trabajo. Aunque no debe confundirse buen actor con buen profesor de declamación, la concesión de estas cátedras a actores distinguidos no era una idea descabellada. En la práctica, sin embargo, lo fue, ya que habitualmente este primer actor, retenido por sus compromisos profesionales de actor, director e incluso empresario, buscaba un racionista y éste se encargaba de la cátedra, repartiendo el sueldo con el primero.

Maestros del Conservatorio de Madrid fueron Carlos Latorre, Julián Romea, Antonio Vico o Fernando Díaz de Mendoza, entre los actores. Matilde Díez o Teodora Lamadrid, entre las actrices.

La casuística de las sustituciones es inacabable, ya que si en ocasiones los sustitutos tenían buena formación —como Felipe Carsi durante algunos años sustituto de Díaz de Mendoza— era más frecuente lo contrario: Mariano Fernández suplió con frecuencia a Vico y su trabajo se reducía a contar anécdotas de la vida de la farándula a los alumnos. Teodora Lamadrid, ya decrépita, daba las clases en su casa. Vico transmitía su efectismo o compensaba su absentismo permitiendo que los alumnos asistieran gratuitamente al teatro Español donde actuaba con Rafael Calvo... Fue costumbre que continuó Díaz de Mendoza al sustituirle en 1902, introduciendo también la enseñanza teórica, para lo que llevó al Conservatorio a Comba como profesor de indumentaria y a Rodríguez Solís para explicar literatura e historia del teatro.[7] Redujo los seis cursos de la carrera y organizó ejercicios públicos solemnes imitando las costumbres francesas.[8] Pero esto nos trae ya a nuestro siglo, desbordando los límites de este ensayo.

Durante años se siguió el repertorio que fijara Romea, en el que Tamayo era el autor favorito. Los alumnos de primero empleaban el curso en estudiar el *Manual de declamación*, de Julián Romea (lo cual explica las varias ediciones que consignamos) y montando *Un drama nuevo*, que solía alternar con *Consuelo*, de Ayala. En segundo, durante años, *La bola de nieve*, de Tamayo, fue obra de estudio obligatorio. Las cosas no habían cambiado mucho a comienzos de siglo, ni lo hicieron en los años siguientes como puede seguirse en las memorias anuales citadas más arriba. Es pura anécdota que en un momento dado Manuel Bueno y Valle-Inclán arreglaran *Fuenteovejuna* para los estudiantes del conservatorio o se intentara introducir algunas enseñanzas nuevas. Faltó siempre un apoyo institucional importante. Y, en cualquier caso, no se trata de minimizar la labor del Conservatorio —que como se ha indicado está por determinar— sino de señalar, aunque sea de pasada, la pervivencia de unas fórmulas dramáticas altamente conservadoras en todos sus aspectos.[9]

No sólo actores se ocuparon de la declamación en los Conservatorios, sino también otros docentes, a primera vista más preparados teóricamente, ya que a ellos se deben algunos de los tratados más consistentes como los de Vicente Joaquín Bastús (1833 y ss.), Andrés Prieto (1835), Antonio Guerra y Alarcón (1884), Juan Risso (1892), profesores en Madrid o

Barcelona. Lo mismo ocurrió en ciudades menos importantes. Luis Lamarca, «socio de mérito» del Liceo Valenciano, dedica su folleto (1841) «a los individuos de la sección de declamación» del mismo; o Antonio Capo (1865) se encuentra vinculado al Real Conservatorio de Sevilla.

En otros casos fueron literatos, publicistas o críticos quienes escribieron estos libros, de modo que, en una primera ordenación, cabe distinguir entre los escritos por actores y los escritos por no actores.

En el primer grupo se han de incluir, además del dieciochesco tratado de Riccoboni (traducción de Resma, 1783), los escritos de Carlos Latorre (1839), Julián Romea (1858, 1859, 1865, 1866, 1879), Manuel Catalina (1877), Antonio Vico (1886); y las traducciones de las memorias y reflexiones de grandes actores extranjeros sobre su arte, de las que he recogido aquí una muestra indicativa: Clairon (1800), Talma (1879), Eleonora Duse (1903), Henry Irving (1905), Coquelin (1910)... Son tratados poco sistemáticos, a medio camino entre las memorias y la explicación del propio método de trabajo, pero tuvieron una importancia notable y son muy citados por los otros tratadistas, para ejemplificar sus teorías, y con su inevitable carácter modélico.

En el otro grupo la variedad es grande y el contenido de las obras no es fácil de resumir en un rápido repaso como el presente. Los ensayos de Centrillón (1832) y Milà i Fontanals (1869) tienen un sólido soporte literario. El de Castro y Segond (1856) es un prontuario médico con consejos de higiene, y los de Manjarrés (1875), Carner (1890), Bertrán (1910) sólo parcialmente se ocupan del tema.

Circunstancias concretas alentaron la escritura de algunos de los tratados. Así, el de Bretón surge al amparo de la reforma promovida por el conde de San Luis, o Lombía escribe su folleto como respuesta al decaído estado del teatro que observa en el país y con ánimo de proponer vías de regeneración.

La amplitud y calado de los diversos escritos también varía sustancialmente de unos casos a otros. Van desde breves folletos —como ocurre habitualmente en el caso de los actores— a cumplidos volúmenes, que sobrepasan las quinientas páginas. En algunos la parte del león corresponde a excursos históricos, con lo que resultan rudimentarias, pero interesantes historias del teatro español: Lombía (1845), Valladares y Saavedra (1848) o Enrique Funes (1894), que dedica quinientas de sus seiscientas cincuenta páginas a historiar el teatro español desde su aparición al siglo XIX.

La variedad, sin embargo, es más superficial que profunda, pues todos ellos son consecuencia y a la vez causa de una forma de entender el teatro: el realismo escénico, de algunas de cuyas premisas nos ocuparemos en las siguientes páginas.

Un término controvertido: declamación

Como es sabido, desde la antigüedad, el arte del comediante se incluyó en los tratados de retórica destinados a los oradores —*De Oratore,* Cicerón; *Institutio Oratoria,* Quintiliano— y se asoció con frecuencia al arte de decir bien un texto, con lo que el actor era ante todo un *buen decidor.*

Otra corriente, sin embargo, en la línea de la *commedia dell'arte* condena este arte de decir bien un texto y preconiza el del *intérprete,* es decir, el arte de quien ante todo representa bien una situación y no se preocupa solamente de decir bien el texto.

Son dos posiciones extremas de difícil conciliación y de relación siempre polémica, que se han concretado en el transcurso del tiempo de diversas maneras. Una de ellas en el término *declamación* (del latín *declamatio,* ejercicio de la palabra). En un principio designaba lo concerniente a la profesión del orador del tipo que fuese y los procedimientos de organizar el discurso para convencer al receptor. Desde fines del siglo XVII se consideraba como una forma ampulosa y enfática de decir un texto y por este camino no tardó en adquirir un sentido peyorativo, asociándose en el teatro con manera muy enfática y cantada de pronunciar un texto.

Las distintas acepciones coexistían e hicieron correr abundante tinta ya en el siglo XVIII, cuando se fundamentó el arte del comediante que aquí nos ocupa. Se discutía su carácter peyorativo, si abarcaba tan sólo la dicción o, por el contrario, todo el arte del comediante. En cualquier caso, fue el término que con más frecuencia se utilizó en los títulos de los tratados sobre el arte de representar o de las instituciones donde se educaba a los cómicos.[10] De tal modo que, aun reconociendo sus insuficiencias y ambigüedades, el término puede ser mantenido para designar el arte de representar en el período estudiado a falta de otro más comprensivo tal como ya entonces aceptaba a regañadientes Talma en sus *Memorias*:

> Aquí puede ser oportuno destacar la inadecuación de la palabra *declamación*, de la cual nos servimos para expresar el arte del actor. Este término, que parece designar algo distinto de una forma natural, que conlleva la idea de cierta enunciación convencional y cuyo empleo se remonta probablemente a la época en que la tragedia era en efecto cantada, ha dado a menudo una falsa dirección a los estudios de los actores jóvenes. De hecho, declamar es hablar con énfasis; por ello el arte de la declamación es hablar como no se habla [...] Me sería embarazoso sustituirla por una expresión más conveniente. *Hacer tragedia* («jouer la tragedie» en el original francés) da más bien la idea de una diversión que de un arte; *decir tragedia* («dire la tragedie») me parece una locución fría y que sólo expresa la elocución sin la acción.[11]

En el ámbito español, el proceso ha sido similar aunque con cierto retraso. El término *declamación* se utilizaba sin mayores precisiones en el siglo XVIII. Así, Resma en el «Prólogo del traductor»:

> [...] me ha parecido haría un buen obsequio al Público [...], en traducir a nuestro vulgar idioma un tratado que aunque conciso, describe con todo primor y exactitud las verdaderas reglas del arte del teatro, y demás géneros de declamación, en que el autor se hallaba perfectamente instruido [p. XVII].

Resma asumía literalmente los valores tradicionales del término y los que el propio Riccoboni le da, refiriéndose a la emisión modulada y controlada de la voz:

> [...] los antiguos entendían mal la palabra declamación, y su etymología hacía ver, que solamente llamaban declamadores a aquellos que hablaban gritando. Es necesario reflexionar, para no engañarnos en el verdadero sentido de dicho término; porque no es la fuerza de la voz la que forma el grito, y sí la manera de producir el sonido, y sobre todo la freqüente recaída en los intervalos de la misma especie [pp. 28 y 29].

Riccoboni no acepta la vehemente declamación anterior —que considera paradójica en Francia, el país de la dulzura— y aboga por una declamación natural y modulada en la que no se conserve siempre una igualdad chocante, porque «un tono uniforme jamás podrá ser aprobado» (p. 35). Ni la monotonía ni la vehemencia son aconsejadas, sino que se identifican con la mala declamación, y, por contra, propone que se interprete con *naturalidad*, sin olvidar que el teatro tiene sus convenciones y que

> Se llama expresión la destreza por la qual se insinúan al espectador todos los movimientos de que se quiere parecer penetrado, digo que quiere parecerlo, y no verdaderamente lo está. [p. 50]
> Es indispensable conocer perfectamente cuales son los movimientos de la naturaleza en los demás hombres, y mantenerse siempre sobre sí para poder a su voluntad imitar los agenos; siendo éste el verdadero arte de donde nace aquella perfecta ilusión, a la cual los espectadores no se pueden resistir y que les arrastra contra toda su voluntad [pp. 58 y 59].

Fermín Eduardo Zegliorsac (1800) utiliza *declamación teatral* (p. 4) con el sentido genérico de lo que debe conocer y ejercitar el cómico para cumplir dignamente en su oficio y en similares términos se expresa Bretón de los Herreros (1852), recalcando el carácter de imitador del comediante:

> Aceptemos ante todas las cosas el vocablo *declamación* a falta de otro más adecuado y expresivo, para significar el arte de representar obras dramáticas, excluyendo de ellas, por supuesto, las líricas, pantomímicas, [...] y con más razón otras aun más inferiores en categoría que las últimamente nombradas, no obstante su afinidad más o menos remota con el drama; esto es, hacer la imitación viva, ora hablada, ora cantada, ora gesticulada de la vida y costumbres de la humanidad [p. XXIX].

Bastús es el tratadista que mejor delimita el término, diferenciando por un lado el uso general del término y por otro, distintas acepciones referidas a la declamación teatral. Aplicada al arte escénico era apropiada para expresar las representaciones del tiempo de griegos y romanos por el énfasis de sus representaciones, pero ahora que la *naturalidad* ha reemplazado a la afectación, *declamación* no le parece término apropiado por lo que sugiere que sea sustituida por *representación*, que utilizará como sinónima.[12] Distingue igualmente entre declamación *sagrada* y *profana,* y dentro de ésta entre *parlamentaria, forense* y *teatral.* La teatral a su vez, *lírica* y *dramática,* definiendo esta última:

> La declamación teatral es la que por medio de la voz, del semblante y de la acción, espresa los afectos del personaje que el actor representa. Esto debe hacerse con toda exactitud, con toda la variedad, y con todas las modificaciones que exige la edad, el carácter, la situación y las demás circunstancias en que se supone hallarse la persona que se intenta representar [p. 77].

Y aún realiza una última distinción entre la *declamación antigua* (en la que el actor accionaba sin hablar, mientras un esclavo leía el texto) y la *declamación moderna* en que un mismo personaje realiza ambas cosas, las *representa,* prestándoles su voz y su figura. Ciertos resabios clasicistas le llevan a sobrevalorar aún al actor trágico frente a los de otros géneros, pero en definitiva, sostiene la necesidad en todos los casos de una formación rigurosa, además de unas cualidades innatas. El actor

> Por medio de la sensibilidad conseguirá poderse afectar y conmover hasta llegar a identificarse con el personaje que va a representar, y su imaginación se exaltará hasta el extremo de agitarse su naturaleza, y dar a sus facciones, a su voz y a su accionado, la verdadera espresión, el tipo natural de la pasión que está espresando.
> Mas como esta misma sensibilidad pudiera conducir al actor a un punto demasiado adelantado, es menester que vaya acompañada de una suma inteligencia.
> Después que la sensibilidad haya inflamado, digámoslo así, la mente del actor, y le haya puesto en disposición de poderse abandonar a todo ímpetu de la pasión; por medio de la inteligencia enfrenará aquella y la circunscribirá a sus verdaderos y convenientes límites [pp. 79 y 80].

Con estas palabras formula Bastús uno de los problemas centrales de la declamación heredado del siglo XVIII: la búsqueda de un equilibrio entre identificación y distanciamiento del actor respecto al personaje que representa.

Luigi Riccoboni había postulado la identificación del actor con el personaje con ciertas restricciones: no descendiendo «a gli atti usati da la bassa gente» y siguiendo «da via di mezzo», es decir, evitando los excesos.[13] A Riccoboni no le preocupa-

265

ba la realidad objetiva, sino su representación idealizada en la escena, tal como resume en un verso:

Natura si, ma bella dee mostrarsi

Naturaleza, buen sentido y decoro son sus preceptos más constantes. Y por razones prácticas justificará la distorsión de lo natural, que atenúa su principio de identificación del actor con el personaje:

> J'ai toujours cru que la nature toute simple et toute pure serait froide sur le scène, et j'en ai eu l'expérience en plusieurs comédiens, ainsi, suivant ce principe, j'ai pensé qu'il fallait un peu charger l'action, et, sans trop s'éloigner de la nature, ajouter quelque art dans la déclamation: de même qu'une statue qu'on veut placer dans le lointain doit être plus grande que nature afin que malgré la distance les spectateurs la distinguent dans le point d'une juste proportion. Ainsi les acteurs ont l'art d'enfler, pour ainsi dire, la verité précisément comme il faut pour la faire paraître dans le lointain de manière à me faire juger que c'est la pure vérité qu'ils m'exposent.[14]

Mediante su *sensibilidad* el actor sentirá al personaje y será capaz de transmitir emociones al espectador.

En el extremo opuesto de la sensibilidad riccoboniana se suele situar la insensibilidad propuesta por Diderot unos años más tarde en *La paradoja del comediante*, cuya tesis sería que el actor no debe identificarse con su personaje, sino representarlo mecánica y distanciadamente. Un análisis pormenorizado de sus ideas dramáticas, sin embargo, descubre que esta formulación no se encuentra sino al final de la elaboración de sus ideas dramáticas en cuyo proceso existen momentos de búsqueda de la identificación actor-personaje por su creencia en el hombre sensible.[15]

A la postre, aun en los representantes de posiciones extremas se descubren fisuras, y una tendencia a buscar un equilibrio conciliador. Ni la identificación ni el mecanicismo absoluto resultaban satisfactorios, y al hablar de la *naturalidad* habremos de volver sobre el problema. El término medio, también en este punto, fue la aspiración de los decenios siguientes.

El concepto de declamación no tuvo en España a lo largo del siglo XIX más diferenciaciones que las señaladas por Bastús, sí en todo caso, algunos intentos de sustituir el término por otros huyendo de sus connotaciones peyorativas. Así, por poner un caso, Carner (1890) preferirá *arte escénico*, limitando el uso de *declamación* a aspectos muy concretos del trabajo del actor (pp. 39-43).

Un eje conceptual básico: la naturalidad

Hoy día, de Barthes a Strehler, el carácter histórico y en consecuencia relativo de la noción de *natural* es prácticamente reconocido por todos. Refiriéndose a la naturalidad del actor, escribe Strehler:

> Chaque acteur, à chaque époque, s'oppose à l'acteur précèdent et le «réforme» sur la base de la *verité*. Ce qui était ou semblait simple vingt ans plus tôt devient rhétorique, emphatique vingt ans plus tard. La collectivité émet des jugements selon le critère de vérité de *son* moment historique: celui qui se situe en dehors de ce moment joue mal. Il n'existe pas de vérité *unique* pour l'acteur.[16]

La crítica admite y es consciente de su historicidad, pero no es menos cierto que la categoría *natural* permanece paradójicamente como uno de los criterios con los que se evalúa un espectáculo. Se impone un esfuerzo para descubrir la pluralidad de *naturalidades* que la historia ha ido produciendo. En cada momento histórico se ha manejado una noción distinta de lo natural, que en el caso concreto del siglo XVIII estuvo en muy primer plano por el gran desarrollo de las ciencias experimentales y la nueva filosofía, aunque para ir a parar de hecho a un contradictorio naturalismo idealista, puesto que los tratadistas insistieron en la imitación de la naturaleza, pero restringiéndola a sus partes más bellas.

Esta concepción distorsionada de lo natural condicionó también las transformaciones de la interpretación teatral. La verosimilitud interpretativa se hizo obsesiva y la misma dignidad de los personajes trágicos fue limitada y acercada a formas más ordinarias de comportamiento. Ya Luzán en las *Memorias literarias de París* (1751) se hacía eco de la inequívoca tendencia de la declamación francesa hacia la *naturalidad:*

> [...] *Barón*, un célebre cómico, que fue de la Compañía de *Molière*, conoció lo defectuoso de semejante modo de re-

presentar [el de la tragedia], y procuró introducir, al principio de este siglo, la naturalidad, y propiedad.

Al mismo tiempo una Cómica famosa en París llamada *Lecouvreur*, que murió cerca de veinte años ha, insistió más en la natural representación, y ahora generalmente se sigue este modo, que es el mejor, o el único, especialmente para las comedias [p. 117].

De aquí que cuando los Riccoboni —padre e hijo— escribieron sus tratados la naturalid era ya la norma suprema, y puede sintetizarse con estas palabras de François Riccoboni:

> Todo el arte del teatro consiste en un muy pequeño número de principios. Es necesario siempre imitar la naturaleza. La afectación es el mayor de todos los defectos. Por más que éste sea el más común, únicamente el gusto nos puede contener en los estrechos límites de la verosimilitud [p. 144, trad. de J. de Resma].

Ahora bien, existía clara conciencia —ya apuntada— de que imitar la naturaleza no suponía una identificación:

> Se llama espresión la destreza por la qual se insinúan al espectador todos los movimientos de que quiere parecer penetrado, digo que quiere parecerlo, y no que verdaderamente lo está: con cuyo motivo voy a descubrir a Vmd Señora, uno de estos errores brillantes, de que se han dexado seducir, y a que un poco de charlatanería de parte de los Comediantes pudo haber contribuido mucho.
>
> Quando un actor representa con la fuerza necesaria los sentimientos de su papel, el espectador ve en él la más perfecta imagen de la verdad. Un hombre que se hallara verdaderamente en igual situación, no se explicaría de otro modo; y por lo mismo hasta este punto es indispensable llevar la ilusión, para representar bien. Admirados de una tan perfecta y verdadera imitación algunos la han tomado por la verdad misma, y han creído al actor penetrado del sentimiento que representaba, y de consiguiente le han llenado de elogios que el Comediante merecía; pero a aquellos que se dexan llevar de una falsa idea, y al Comediante que halla su ventaja en no abandonarla, los han dexado en el error apoyando su dictamen [pp. 50-52].
>
> Es forzoso que la espresión sea natural: esto no obstante se cree muy comúnmente, que no se debe ceñir a los límites exactos de la naturaleza; porque realmente harán poco efecto, y sólo producirán una representación fría.

Mi padre tenía costumbre de decir, que para hacer impresión es preciso caminar dos dedos más allá de lo natural; pero que si se excede una línea de dicha medida, se hace en el mismo instante fastidioso y desagradable; cuya manera de hablar explica maravillosamente el riesgo en que el actor se halla continuamente al representar, ya por demasiada, ya por corta expresión [pp. 59 y 60].

Es este el punto donde siempre los defensores de la *naturalidad* llegan en un callejón sin salida: no es suficiente en el teatro la mera imitación, es necesario controlarla. No se vive, se representa. No se produce una identificación con el personaje, sino una construcción más o menos distanciada. Lo fugitivo del arte del comediante impide precisar *a posteriori* mucho más dado que la propia idea de naturalidad *cambia*.

El concepto aristotélico de *imitación* atraviesa en estos tratados los siglos XVIII y XIX con diversos matices según los autores. Para Bretón de los Herreros (1852) «La imitación es la esencia de todas las artes» (p. XXXI), pero en el teatro, para el actor su realización es especialmente difícil, ya que es un arte en el que

[...] no le basta al que lo profesa ser apto para mostrarse poseído de las pasiones humanas, sino que en su imitación han de tener en cuenta las diferentes modificaciones, los distintos matices y accidentes que exige cada personaje, según su carácter, su educación, su categoría, y según las diversas situaciones en que el autor le ha colocado; para lo cual necesita el actor estar dotado de una sensibilidad exquisita, y al mismo tiempo de la rara virtud de subordinarla al decoro de la escena, que siempre pide verosimilitud en semejantes espectáculos, pero muy rara vez consiente en ellos la desnuda y rigorosa verdad [p. XXXI].

Esclavo de la memoria, nunca le es lícito al cómico manifestar sus sentimientos con otras palabras que las que aprendió, ni aunque quisiera le sería posible hacerlo sin que en aquel punto se terminase la función entre silbidos estrepitosos. En una palabra, ha de fingir con toda la propiedad posible que habla y acciona por inspiración propia; pero, como no le es dado fingir en las tablas ni más ni menos que lo que otro fingió sobre el papel en su gabinete, es hombre perdido si cuando habla olvida que está fingiendo [*Ibíd*].

Amparándose en supuestos más morales que literarios, Bretón acaba restringiendo aún más las posibilidades del actor:

Ya hemos hecho observar que el actor tiene que seguirla
[la imitación] más de cerca que otro cualquiera artista, y eso
precisamente constituye la mayor dificultad del arte; pero su
objeto como el de todas las demás, es copiar a la naturaleza, con tendencia a embellecerla, y descartando del cuadro,
o por lo menos sombreando todo lo posible los objetos inno-
bles y repugnantes [p. LXI].

La consideración del teatro como *escuela de costumbres*
—las de la burguesía obviamente— viene a condicionar también el trabajo del comediante. Las restricciones morales sub-
yacen siempre en las reflexiones de los tratadistas. La verdad reproducida por el teatro burgués es convencional tanto
moral como en otros niveles. El arte escénico tiene unas limitaciones físicas insalvables y en consecuencia es artificio por
definición, pero no es a estas limitaciones a las que nos referimos, sino al peculiar modo de entender el teatro y su función que desarrolló la burguesía desde el siglo XVIII.[17]

Las argumentaciones son similares en todos los tratadistas.[18] Y todo ello condujo a lo que acabó llamándose el *justo
medio*, la *medida exacta*, que debía serlo tanto moral como
literariamente. En lo que al actor se refiere, este ideal se concreta en un actor moderado, refinado por el estudio, un profesional cumplidor que ha asimilado las lecciones del conservatorio y ahora las aprovecha. La institucionalización de la
educación del actor es también una forma de control social
e ideológico que no debe ser subestimada, al igual que la
creciente presencia a lo largo del siglo XIX de dramaturgos e
instituciones y cargos administrativos. Los tratadistas escri-
bían teniendo en mente este modelo de actor y en ocasiones
hasta rechazan explícitamente otros modos de entender la profesión, sobre todo si no conduce a la placidez y mediocridad
burguesa.

Los ilustrados habían comenzado reescribiendo los textos
clásicos, traduciendo piezas francesas y creando un repertorio propio en la línea del *drama familiar* teorizado por Diderot, convirtiendo la escena en una *representación de lo privado*.[19] En tanto que Rousseau negaba el teatro por su artificialidad, Diderot o Moratín desde una posición distinta lo
sostuvieron siempre que representara la nueva sociedad y le
proporcionaran sus personajes modelos de conducta. Los personajes del drama burgués encarnaban la nueva sensibilidad
y eran considerados por ellos naturales, ya que además de

racionalidad demostraban sensibilidad, dos cualidades que ocupan un lugar privilegiado en la nueva sociedad.

La paradoja del comediante de Diderot se asienta sobre estos supuestos, de modo que el actor ideal de un lado debía ser sensible —capaz por tanto de expresar los sentimientos, de identificarse con su personaje— pero simultáneamente racional, esto es, capaz de distanciarse del personaje, controlándolo.

El vaivén entre naturalidad y artificio, entre espontaneidad y oficio es acaso irresoluble. Cuando dominó la naturalidad no controlada se produjo una *declamación romántica*, apasionada. Cuando por contra lo hizo el artificio se produjo una declamación de escuela, de oficio. La tendencia dominante —que realmente es la que mejor corresponde a la sociedad burguesa— fue la búsqueda constante del *justo medio* entre ambas. Es habitual por ello, que dos términos se reiteren especialmente al definir las características del actor —aparte de su «proporción en la figura»— y son *sensibilidad* e *inteligencia*. Escribe Bastús:

> Para que el actor pueda llegar a ejercer con inteligencia y verdad la profesión dramática, [...] es menester [...] que la naturaleza lo haya dotado de una extraordinaria sensibilidad y de una profunda inteligencia.
>
> Por medio de la sensibilidad conseguirá poderse afectar y conmover hasta llegar a identificarse con el personaje que va a representar, y su imaginación se exaltará hasta el estremo de agitarse su naturaleza, y dar a sus facciones, a su voz y a su accionado, la verdadera espresión, el tipo natural de la pasión que está espresando.
>
> Mas como esta misma sensibilidad pudiera conducir al actor a un punto demasiado adelantado, es menester que vaya acompañada de una suma inteligencia.
>
> Después que la sensibilidad haya inflamado, digámoslo así, la mente del actor, y él haya puesto en disposición de poderse abandonar a todo el ímpetu de la pasión; por medio de la inteligencia enfrenará a aquella y la circunscribirá a sus verdaderos y convenientes límites.
>
> El que no haya nacido con esta esquisita sensibilidad para comprender e interpretar el pensamiento del poeta, y luego remontarse y verificar en su alma con prontitud todas las grandes emociones que el escritor se ha propuesto hacer sentir a sus personajes para transmitirlas a los espectadores; y carezca por otra parte de aquella inteligencia necesaria para juzgar de sus efectos y modificarlos o ensancharlos según

convenga, no podrá hacer muchos progresos en la carrera dramática, particularmente en el género trágico [pp. 79 y 80].

En pocas palabras:

> [...] el actor debe aparentar sentir las pasiones con la misma naturalidad y verdad que si estuviera poseído de ellas, pero no es conveniente que las sienta para no verse privado de la facultad de espresarlas [p. 89].

Sólo los grandes actores consiguen tras muchos años de arduo trabajo el equilibrio porque

> Si bien la expresión del actor ha de ser natural, se cree no obstante que no debe ceñirse a los límites exactos de la naturaleza; porque en ciertos casos haría poco efecto, o resultaría una representación fría. Así es que se ha de tener para esto un cuidado particular y un tacto delicado, a fin de llegar a la medida exacta, sin escederse nada de ella, pues en este mismo instante pasaría a ser la expresión desagradable y fastidiosa [p. 93].

Diderot lo había explicado sosteniendo que aunque la escena está llena de elementos familiares —acontecimientos, oficios, personajes— sin embargo, éstos no deben representarse familiarmente sino modélicamente, extrayendo sus pautas generales y abstractas. A la postre *teatro* y *vida cotidiana,* o si se quiere, el teatro como representación de lo privado, acaban contrapuestos. Juan Carlos Rodríguez esquematiza:

> «¿Paradoja?». Sí, literalmente, pero nunca en sentido profundo. Digamos pues: la teoría escénica (artística) básica en Diderot se resuelve a partir de las siguientes categorías: 1.º) el arte (el teatro) no «es» la vida; pero 2.º) el arte (el teatro) debe ser un modelo de (y para) la vida cotidiana. Y en consecuencia 3.º) ese modelo (ese «molde») tiene que ser extraído desde la realidad cotidiana (la verdad natural) a la que la escena va dirigida, y no debe por tanto, ser sólo producto de los «espectros» o los «fantasmas» de un poeta más o menos «imaginativo».
> *Distancia* e *Ilusión* se unifican así en este proyecto. Al ser el «arte» (la escena) modelo de la «vida», ambos términos no se pueden identificar nunca entre sí. Aquél debe ser una superación (extractada, por decirlo así) de ésta; la vida concreta (la «naturaleza») constituye por su parte, la fuente

directa del «arte» (de la escena), de la que hay que beber siempre para no producir fantasmagorías.[20]

El actor, puesto que nada de lo que pasa sobre la escena ocurre igual que en la naturaleza, realiza un trabajo que no es *natural*. Se inspira en la realidad cotidiana —más adelante me referiré al estudio de las pasiones— pero después interpreta sublimando y modelizando, logrando que el espectador se identifique con lo representado. Es la paradoja de la naturalidad realista: no es sino un modo de artificialidad.

Diderot encontró en David Garrick (1717-1779) el actor modelo de la verdadera declamación racionalista y distanciada. Y otro tanto le ocurrió a Moratín con Máiquez. Cuando lo vio actuar escribió entusiasmado: «Es el Garrick español». Y de Máiquez arranca efectivamente la mejor escuela declamatoria del siglo XIX español. Seguidores suyos se declararon buena parte de los mejores actores, algunos de los cuales escribieron tratados de declamación. Carlos Latorre abre la serie con sus *Noticias sobre el arte de la declamación* (1839) donde anota: «La naturaleza debe ser el modelo que se proponga imitar siempre el actor, y por consiguiente el objeto constante de sus estudios» (p. 8).

Dos cualidades distinguen al actor de «las clases humildes», la *sensibilidad* y la *inteligencia*, de tal modo —dirá— que «el actor que posea estas dos cualidades será perfecto» (p. 18). Todo el folleto es, en consecuencia, una sarta de consejos de cómo perfeccionar el propio arte sin perder nunca de vista *lo natural,* incluso cuando sean consejos referentes a la interpretación de la tragedia.

Julián Romea, por su lado, en *Ideas generales sobre el arte del teatro* (1858) al referirse a las dotes del actor destaca su «sensibilidd esquisita» (p. 40), su «instinto particular de observación» (p. 40) y su «inspiración» (p. 41). Su regla de oro será estudiar con detalle las impresiones para acercarse a la verdad. Diderot es traído a colación de manera concluyente: «Es grande actor el que posea el arte de imitarlo todo, pero sin sensibilidad alguna» (citado en p. 53).

Cuando Romea habla de *verdad* o de *naturalidad* utiliza estos términos tal como provienen de la tradición dieciochesca:

> Animado a seguir el camino de la verdad, me dediqué a estudiar, con toda la fe y el ardor de quien, como yo, idolatra

su arte. Fruto de este estudio son mis actuales convicciones de que «el arte es verdad», y tan hondamente están arraigadas en mí, que no sólo las practico, sino que las difundo y enseño.[21]

El carácter modélico del teatro sigue también en primer plano; debe ser «escuela de costumbres»

> [...] retratando las pasiones, las virtudes, los vicios, los hábitos y cuanto forma, en fin, esas mismas costumbres, enseñándonos lo bueno de ellas para seguirlo, y lo malo para evitarlo, ya entre las grandes proporciones de la tragedia y del drama, ya entre la risa y el punzante ridículo de la comedia.[22]

Lo mismo que los actores, los otros tratadistas insistirán en la *sensibilidad* e *inteligencia* de los actores como cualidades imprescindibles para la realización de su trabajo, además del constante aprendizaje del oficio. Escribe Luis Lamarca, apoyándose en Voltaire, quien sostenía que es mucho más difícil ser actor que escribir dramas dignos de ser representados:

> Y tenía razón; porque si la dificultad de un arte puede calcularse por la suma de conocimientos que debe reunir el que haya de egercitarle con acierto, desde luego se habrá de convenir en que bajo el concepto de dificultad, debe ocupar el primer lugar el arte del actor. A éste con efecto, no le basta haber recibido de la naturaleza una inteligencia y una sensibilidad esquisitos; necesita otra porción de dotes, cuya falta en nada perjudica a los demás artistas, y ha de pasar su vida en el estudio profundo y continuo del hombre considerado en todas sus relaciones con la sociedad, en todas sus condiciones, en todas las situaciones posibles de la vida, en todos sus aspectos físicos y morales.[23]

Antonio Barroso recalca estas cualidades ya en el prólogo de sus *Ensayos* (1845) y Valladares y Saavedra en sus *Nociones* (1848), apenas altera sensibilidad por sentimiento:

> [...] son precisos para el actor el sentimiento, que da el poder de expresar bien, y la inteligencia que regulariza el sentimiento, y presta colorido y gradación [p. 39].

M.M. en su *Manual* (1848) distingue entre las cualidades que contribuyen a formar el sentimiento (sensibilidad, imaginación) y las que sirven para comunicarlo: voz sensible, figura conveniente, fisonomía agradable, que el ejercicio práctico desarrolla y el estudio perfecciona.

Capo Celada, que se declara deudor de Latorre, Romea, Lombía y Barroso vuelve a insistir en la *inteligencia* y en la *sensibilidad,* y todavía en 1890, Carner en su *Tratado de arte escénico* cuando se refiere a las «condiciones del artista» sigue insistiendo en que

> Lo que constituye el artista es desde luego una extrema sensibilidad, sin la cual nada sería, ni aun aficionado al arte; lo constituye además un deseo, una necesidad tal de experimentar las emociones que emanan de su arte, que ejercido por otro no le bastaría; así es que tiene una irresistible necesidad de ejercerle por sí mismo, sentimiento que aún no diferencia al artista de profesión del aficionado.
> Constituye, en final, artista sobre todo el poder de comunicar a los otros sus propias emociones, de hacerles gozar sus goces, de hacerles sufrir sus dolores, en una palabra, el don de imponer soberanamente a los demás sus sensaciones, sus ideas [pp. 107 y 108].

Ello no se obtiene más que aparte de las condiciones innatas, dedicando toda la vida al aprendizaje y al perfeccionamiento, ya que

> [...] las cualidades del actor serán de dos especies: las que contribuyen a formar el sentimiento y las que sirven para comunicarlo. Figuran entre las primeras la sensibilidad, la imaginación y el talento que regula las cualidades anteriores, previene sus extravíos y les presta sus auxilios tomados de la observación y del estudio. Entre las segundas cuéntanse la voz, la figura y la fisonomía; la primera ha de ser sensible, vigorosa y flexible; la figura ha de ser conveniente y la fisonomía agradable y móvil [p. 112].

Hacia la construcción del personaje: el estudio de las pasiones

El hincapié que se hace en la sensibilidad del actor es herencia de la filosofía del siglo XVIII, que prestó gran atención al estudio de la naturaleza de las sensaciones, de los sentimientos y de las pasiones.

Por mimetismo de las ciencias experimentales los tratadistas de declamación proceden a clasificaciones taxonómicas de las pasiones y a su descripción con el fin de que el actor, conociendo sus mecanismos, pueda después expresarlas mejor. El asunto es complejo por sus muchas implicaciones y su relación con diversas ciencias. En los tratados llega a ocupar la mayor parte de las páginas, en muchos casos como una manifestación más de la aspiración de la época a conocer en detalle el funcionamiento de la naturaleza humana.

F. Riccoboni, distanciándose de su padre, se sitúa ya en la línea de quienes sostendrán que para representar una determinada pasión, no es necesario que el actor la sienta, sino que

> Es indispensable conocer quales son los movimientos de la naturaleza en los demás hombres, y mantenerse siempre sobre sí para poder a su voluntad imitar los agenos [p. 58].

Y en esta actitud funda su análisis del *amor* y la *ira*, sentimientos que considera dominantes y origen de todos los demás (pp. 64 ss.). Los sentimientos que reciben del amor su carácter principal son tiernos, los derivados de la ira son fuertes. Riccoboni no entra en muchos detalles, insistiendo en todo caso en la sobriedad con que deben ser representados, pero en conjunto, las páginas que dedica a la *terneza* (término con que Resma traduce la *tendresse*) y a la *fuerza (force)*, el *furor (fureur)*, el *entusiasmo (entousiasme)*, la *nobleza (noblesse)* o la *majestad (majesté)*, constituyen un rudimentario tratado sobre las pasiones y cómo se manifiestan somáticamente.

Habiendo observado, por ejemplo, la manifestación natural del *furor*, dado que «en semejante caso es quando un personage se halla arrebatado fuera de sí, y debajo de la humanidad»,

> El Comediante en tales lances no debe observar medida alguna, ni guardar lugar alguno sobre la escena. Los movimientos de su cuerpo deben mostrar una fuerza superior a todos los que le rodean. Sus ojeadas deben encenderse y pintar el descarriamiento. Su voz necesita ser algunas veces vigorosa, y algunas veces sofocada; mas siempre sostenida de una extrema fuerza de pecho. Sobre todo deberá moverse continuamente; pero nunca extendiendo los brazos, y temblando sobre sus pies, que de esta suerte demuestra el retrato de un loco [pp. 73 y 74].

No sólo las pasiones, sino el carácter dominante del personaje debe ser estudiado por el actor, porque

> El carácter influye tan fuertemente sobre todas las personas, que da a aquel de quien es dominado una fisonomía particular, una postura que le es propia, un ayre en que su modo de pensar ha formado en sí mismo un hábito, y sobre todo una voz, cuyo tono no podrá convenir a un carácter diferente [p. 87].
> [...] la timidez da una voz débil y turbada; la necedad produce un tono dominante, y de una confianza irritante. El hombre grosero tiene la voz llena, y la articulación tosca; el avaro, que consume la noche en contar su dinero, debe tener una voz ronca [p. 88].

Este tipo de apreciaciones que en Riccoboni son espontáneas no tardaron en sistematizarse, presentando los tratados extensas clasificaciones y, a veces, incluso láminas que ilustraban la expresión de distintas pasiones, prestando especial atención al rostro del actor, que ya Riccoboni destaca (pp. 105-111).

Así, en 1800 Fermín Eduardo Zeglirscosac publicaba su ensayo cuyo largo título es una descripción ajustada de su contenido: *Ensayo sobre el origen y naturaleza de las pasiones, del gesto y la acción teatral [...] adornado con trece láminas que contienen 52 figuras, las cuales demuestran los gestos y actitudes naturales de las principales pasiones que se describen.*

Luis Lamarca (1841) no dudará en considerar imprescindible para el actor que estudie junto con su lengua patria, poética y oratoria, historia general antigua y moderna, «Historia natural del hombre, señaladamente en la parte que concierne a las pasiones» (p. 3). Para Lamarca:

> La historia natural del hombre no puede menos de ser útil al actor; porque debiendo ser el hombre el objeto de su continuo estudio y observación, le importa en gran manera conocer su organización, sus facultades físicas y morales, el modo como le afectan los objetos esteriores, el origen de sus pasiones, en una palabra todo lo que puede ayudarle a formar una idea exacta de su naturaleza: y recomiendo principalmente la parte relativa a las causas y efectos de las pasiones, porque la espresión adecuada de éstas es el primero, o más bien el único obgeto del arte del actor [p. 4].

La vieja idea de la imitación aristotélica se revestía así, mucho antes del naturalismo y de la difusión del positivismo filosófico de ropajes científicos. Y puesto que el teatro debía representar las pasiones humanas, nada mejor que apoyarse para su definición y descripción en la historia natural y en autoridades como Buffon, como hace Lamarca (pp. 6-8). El cotejo de los textos aducidos del célebre estudioso de la naturaleza con las descripciones de las pasiones y su manifestación —que omito por razones de espacio— descubre abun-. dantes similitudes.

Muy cuidado es el capítulo IX que Barroso dedica en sus *Ensayos* (1845) al estudio filosófico de las pasiones, partiendo de la idea de que son las diferentes sensaciones o movimientos del alma. Bastús (1848) les dedica casi doscientas páginas en la que sin duda es la descripción más completa y ambiciosa del tema en todo el siglo XIX, sin que desmerezcan las de Badioli (1864) o Capo Celada (1865), que ensaya una ambiciosa clasificación distinguiendo pasiones intelectuales, animales y sociales. Incluso los más breves tratados no suelen excluir un apartado sobre el tema.

Los autores fueron enriqueciendo con el tiempo sus apreciaciones aprovechando las ideas y conceptos nuevos que distintas ciencias iban elaborando, llegando alguno de estos libros a un rigor extraordinario como *La mímica,* de Cuyer, que tradujo al castellano Alejandro Miquis. El interés y la seriedad con que algunos tratadistas cultivaban su disciplina les llevaba a la lectura y análisis de bibliografía de materias muy diversas. Para ilustrarlo bastará aquí mencionar la nómina que arroja el recuento de los autores citados por Bastús. No olvida autores clásicos como Horacio, Cicerón, Aristóteles, Tito Livio o Quintiliano. O la experiencia transmitida por los grandes actores: Garrick, Lekain, Talma, Máiquez, Luna, Prieto, Clairon, Latorre o La Rive. Sin embargo, propende más a citar autores filósofos o científicos reconocidos (Descartes, Leibniz, Herder, Condillac, Helvecio, Voltaire) en curiosa y no sorprendente coyunda (habida cuenta el carácter educador que se otorgaba al teatro) con moralistas como Bossuet, Pascal y sobre todo La Rochefoucauld y La Bruyère.

Con todo, la presencia de autores científicos o pseudocientíficos es más numerosa y reiterativa. *La medicina de las pasiones,* de Descuret, es un pilar básico de sus conceptos, junto con autores como Le-Brun (supongo que sus *Idées sur le geste et l'action théâtrale*), Herant Sechelles o los escritos sobre fisonomía de Lavater. En lo referente a la voz cita, además, a Dorat y Dubroca y en su exhaustiva definición de las pasiones desde frenólogos como Gall y Spurzheim a estudiosos de la fisiología muscular, como Sarlandiere y una larga lista de autores, que puede verse entre las páginas 210-214 especialmente.

En definitiva, se mezclan ciencia y moral, pseudociencia y apreciaciones subjetivas, reproduciendo siempre la voluntad de la época de conocer lo mejor posible la naturaleza humana, para mejor representarla, pero sin olvidar el inevitable axioma burgués, que considera el teatro ante todo como una escuela de costumbres.

De estas consideraciones generales del teatro como imitación restrictiva y embellecedora de la naturaleza o del estudio de las pasiones, descienden los tratados a multitud de temas más concretos, supeditados a los primeros y cuya finalidad era siempre que *la ilusión* y *el efecto teatral* se produjeran. Van desde observaciones sobre la dirección teatral al servicio de la escena, desde la indumentaria a la explicación del proceso que se inicia con el reparto de los papeles y concluye con el estreno del espectáculo, desde referencias a dramas concretos a consideraciones sobre la evolución de los géneros teatrales. El carácter casi enciclopédico de algunos convierte sus primeros capítulos en historias del teatro español, con lo que su lectura facilita el estudio —por hacer— de la recepción del teatro clásico durante el siglo XIX...

Todo ello hace necesario el estudio de esta *literatura,* salvo que se pretenda seguir escribiendo una historia del teatro español parcial y confusa. En definitiva, estos tratados son un testimonio inequívoco de cómo se iba descubriendo cada vez más la complejidad del arte escénico, literatura sólo en parte y en ocasiones, a regañadientes.

Relación cronológica de obras sobre declamación

1751   Ignacio de Luzán, *Memorias literarias de París,* Madrid, Gabriel Ramírez, 1751.

1783   *El arte del teatro, en que se manifiestan los verdaderos principios de la declamación teatral, y la diferencia que hay de esta a la del púlpito y tribunales, etc., traducido del francés por D. Joseph de Resma,* Madrid, MDCCLXXXIII, por D. Joachin Ibarra impresor de Cámara de SM con las licencias necesarias.

1798   Lauriso Tragiense, *Conversaciones sobre los vicios y defectos del teatro moderno y el modo de corregirlos y enmendarlos.* Traducción del italiano por Santos Díez González y Manuel de Valbuena. Madrid, Imprenta Real, 1798.

1800   *Reflexiones de Mma. Clairon, actriz del teatro de la Comedia Francesa sobre el arte de la declamación,* Madrid, Ortega, 1800.

1800   Fermín Eduardo Zeglirscosac, *Ensayo sobre el origen y naturaleza de las pasiones, del gesto y de la acción teatral, con un discurso preliminar en defensa del ejercicio cómico, escrito por D. Fermín Eduardo Zeglirscosac, y adornado con trece láminas que contienen 52 figuras, las cuales demuestran los gestos y actitudes naturales de las principales pasiones que se describen, grabados por el profesor D. Francisco de Paula Martí,* Madrid, Imprenta Sancha, MDCCC.

1832   Félix Centrillón, *Principios de literatura acomodados a la declamación,* Madrid, 1832.

1833   Vicente Joaquín Bastús, *Curso de declamación,* Barcelona, 1833 (1.ª edición).

1835   Andrés Prieto, *Teoría del arte cómico y elementos de oratoria y declamación para la enseñanza de los alumnos del Real Conservatorio de María Cristina,* Biblioteca Nacional de Madrid, ms. 2.804, 1835.

1839   Carlos Latorre, *Noticias sobre el arte de la declamación,* Madrid, Imprenta de Yenes, 1839.

1841   Luis Lamarca, *Apuntes sobre el arte de representar, dedicados a los individuos de la Sección de declamación del Liceo Valenciano por el socio de mérito del mismo D. Luis Lamarca,* Valencia, Imprenta de López y Cía., 1841. Se publicó igualmente como «Apuntes sobre el arte de representar», *Revista de teatros,* 12, 13, 14 (febrero-marzo de 1841).

1845   Antonio Barroso, *Ensayos sobre el arte de la declamación,* Madrid, Imprenta del Colegio de Sordomudos, 1845.

1845   Juan Lombia, *El teatro, origen, índole e importancia de esta institución en las sociedades cultas,* Madrid, Imprenta de Sanchiz, 1545 (pero 1845).

1848   Ramón de Valladares y Saavedra, *Nociones acerca de la historia del teatro desde su nacimiento hasta nuestros días; antecediéndola de algunos principios de poética, música y declamación. Obra elemental coordinada en preguntas y respuestas por...* Precedida de un prólogo escrito por D. Manuel Cañete. Madrid, Imprenta Publicidad, 1848.

1848   M. M., *Manual de declamación,* Barcelona, Imprenta Pons y Cía., 1848.

1852   Manuel Bretón de los Herreros, *Progresos y estado actual del arte de la declamación en los teatros de España,* Madrid, Mellado, 1852.

1852　Vicente Joaquín Bastús, *Curso de declamación (Obra que SM ha mandado sirva de texto para la enseñanza, en vista de los favorables informes de los profesores del Real Conservatorio)*, Barcelona, Imprenta de Don Juan Oliveres, 1852 (2.ª edición).

1856　Juan de Castro y L.A. Segond, *El libro de los oradores y actores, causas principales de la debilitación de la voz y del desarrollo de varias enfermedades y modo de precaverlas, precedido de la higiene para conservar la salud en todas las edades, por medios fáciles y al alcance de todos*, Madrid, Imprenta de Pedro Montero, 1856.

1858　Julián Romea, *Ideas generales sobre el arte del teatro (para uso de los alumnos de la clase de declamación del Real Conservatorio de Madrid, por el profesor de la misma Don Julián Romea, director del teatro particular de SM la Reina)*, Madrid, Imprenta de F. Abienzo, 1858.

1859　Julián Romea, *Manual de declamación para uso de los alumnos del Real Conservatorio de Madrid, por el profesor Don Julián Romea*, Madrid, Imprenta de F. Abienzo, 1859.

1864　Lorenzo Badioli, *Declamación sagrada, forense, académica, popular, militar y teatral con un apéndice sobre el canto en general*, Madrid, Imprenta de Manuel Galiano, 1864.

1865　Vicente Joaquín Bastús, *Curso de declamación o arte dramático*, Barcelona, 1865 (3.ª edición).

1865　Antonio Capo Celada, *Consejos sobre la declamación*, Madrid, Imprenta del Colegio de Sordomudos y Ciegos, 1865.

1865　Julián Romea, *Manual de declamación para uso de los alumnos del Real Conservatorio*, Madrid, 1865.

1866　Julián Romea, *Los héroes en el teatro (Reflexiones sobre la manera de representar la tragedia)*, Madrid, Imprenta de Francisco Abienzo, 1866.

1867　M. Martínez de Velázquez. *Consejos a los aficionados al arte de la declamación*, Granada, 1867.

1869　Manuel Milà y Fontanals, *Curso de mímica y declamación*, Barcelona, 1869.

1875　Joaquín Manjarres, *El arte en el teatro*, Barcelona, Librería de Juan y Antonio Bastinos, 1875.

1877　Manuel Catalina, *Los actores*, Madrid, Imprenta de V. Sáiz, 1877.

1879　Julián Romea, *Manual de declamación para uso de los alumnos del Real Conservatorio*, Madrid, 1879.

1879　Talma, *Reflexiones sobre el arte teatral* (¿traducción de Enrique Sánchez de León?), Madrid, 1879.

1884　Antonio Guerra y Alarcón, *Curso completo de declamación o enciclopedia de los que se dedican al arte escénico*, Madrid, Imprenta de F. Maroto e Hijos, 1884.

1886　Antonio Vico, «Isidoro Máiquez, Carlos Latorre y Julián Romea. La escena española desde comienzos de siglo. La declamación en la tragedia, en el drama y en la comedia de costumbres», en *La España del siglo XIX. Colección de conferencias históricas*, Madrid, Ateneo, 1886 (corresponden al curso 1885-1886).

1886   Julio Nombela, *Proyecto de bases para la fundación de una escuela especial del arte teatral*, Madrid, Imprenta del Hospicio, 1886.

1888   Eduardo Minguell y Tell, *Mímica melodramática. Bocetos didácticos. Primera serie: Gramática mímica*, Barcelona, Imprenta de Luis Tasso Serra, 1888.

1890   Sebastián J. Carner, *Tratado de arte escénico*, Barcelona, Establecimiento Tipográfico de La Hormiga de Oro, 1890. Prólogo de D. Francisco de A. Rierola.

1892   Antonieta Tschudy, *Tratado de declamación italiana y de la mímica unida al canto*, dedicado al Conservatorio de Música y Declamación del Liceo Barcelonés, Barcelona, 1892.

1892   Juan Risso, *Breves apuntes para el estudio del arte dramático*, Barcelona, Establecimiento Tipográfico de Mariano Galve, 1992.

1894   Enrique Dunes, *La declamación española. Bosquejo histórico crítico*, Sevilla, 1894.

1899   Lorenzo Prohens y Juan, *Indicaciones sobre la declamación*, Palma, Tipografía de Umbert y Mir, 1899.

1903   Eleonora Duse, «La misión del artista», *Helios*, 1903, pp. 110 y 111.

1903   E. Rodríguez Solís, *Guía artística. Reseña histórica del teatro y la declamación y nociones de poesía y literatura dramática*, Madrid, Tipografía Hijos de R. Álvarez, 1903.

1905   Henry Irving, *El teatro tal cual es y el arte de representar*, Madrid, 1905 (traducción de Isabel de Oyárzabal).

1908   Alfons Maseras, *Les pasions en el teatre*, Barcelona, 1908.

1909   J. Ferràn Torras, *Llibres del actor*, Barcelona, Bartomeu Baxarias, 1909.

1910   Coquelin, *Arte del actor*, Barcelona, 1910 (traducción de Luis Castillo).

1910   Eduardo Cuyer, *La mímica*, Madrid, 1910 (traducción de «Alejandro Miquis»).

1910   Marcos Jesús Bertrán, *Entre el telar y el foso*, Valencia, Sempere, 1910.

1911   Eduardo Zamacois, *Desde mi butaca. Apuntes para una psicología de nuestros actores*, Barcelona, Maucci, 1911.

1914   Eduardo Zamacois, *La carreta de Thespis. (Autores, comediantes, costumbres de la farándula)*, Barcelona, Casa editorial Maucci, 1914.

1914   Luis Milla Gacio, *Tratado de tratados de declamación*, Barcelona, Biblioteca «Teatro Mundial», 1914.

NOTAS

1. Es el caso de obras generales de retórica y poética o de obras que tratan de la declamación no teatral como Antonio de Capmany, *Filosofía de la elocuencia* (Madrid, Imprenta de D. Antonio Sancha, 1777), el *Tratado de declamación oratoria para oradores sagrados* (Vich, Imprenta Soler Hermanos, 1865), o el *Arte de hablar en prosa y verso*, de Hermosilla, cuya influencia fue permanente en la manera de recitar los distintos tipos de versos y estrofas. A él remite, por ejemplo, siempre Julián Romea cuando se refiere a este aspecto.

2. Ignacio de Luzán, *Memorias literarias de París*, Madrid, Gabriel Ramírez, 1751, pp. 115-122.

El libro que cita Luzán es *L'Art du théâtre, a Madame ****. Véase ahora: François Riccoboni, *L'art du Théâtre suivi d'une lettre de M. Riccoboni fils à M *** au sujet de l'art du théâtre*, Ginebra, Slatkine Reprints, 1971. El texto traducido por Luzán en pp. 11-13. François Riccoboni era hijo del célebre actor y director teatral Luigi Riccoboni, que marcó un hito fundamental en el camino hacia el teatro burgués. Escribió diversos estudios sobre el arte dramático de los que aquí interesan en especial: *Dell'arte rappresentativa* (1728) y *Pensées sur la declamation* (1738), que sirven de referencia al tratado de su hijo que citamos.

Defensor acérrimo de la naturalidad y de la identificación del actor con el personaje, Voltaire o Diderot se nutrieron de sus ideas. Véase, Salvatore Cappelletti, *Luigi Riccoboni e la riforma del teatro (Dalle commedia dell'arte alla commedia borghese)*, Ravenna, Longo Editore, 1986, en especial, pp. 63-98.

3. Desde Luzán estos términos quedaron aclimatados definitivamente y fueron ganando adeptos en las décadas siguientes.

4. Bretón de los Herreros, sin embargo, ya anotó en *Progresos y estado actual del arte de la declamación en los teatros de España* (1852): «Por el año de 1800 se publicó un *Ensayo sobre el origen y naturaleza de las pasiones, del gesto y de la acción teatral*, que aunque dado a la luz como obra original, descubre a tiro de ballesta ser una mala versión del francés». (p. LXI). Y su mismo autor advierte que se basa en M. Le Brun, *Idées sur le geste et l'action théâtrale*.

5. Véase mi ensayo, «El Conde de Aranda y el teatro: los bailes de máscaras en la polémica sobre la licitud del teatro», en *El Conde de Aranda y su tiempo*, Zaragoza (en prensa).

6. Entre sus promotores solían figurar autores de primera línea y alguno de los tratados que estudiamos fue escrito precisamente pensando en estas sociedades. Así, Luis Lamarca (1841) dedica su folleto «a los individuos de la sección de declamación del Liceo Valenciano».

La sociedad dramática *El Teatro* publicó durante algunos años a comienzos de nuestro siglo un curioso y detallado *Boletín*, y de ella salieron algunos hombres de teatro importantes en el paso hacia los teatros artísticos vanguardistas.

7. Consecuencia de las enseñanzas de éste, fue su *Guía artística. Reseña histórica del teatro y la declamación y nociones de poesía y literatura dramática*, Madrid, Tipografía Hijos de R. Álvarez, 1903.

8. Véase al respecto las memorias de los sucesivos cursos: *Conservatorio de Música y Declamación. Memoria del curso 1901-1902, precedida del Discurso leído por el Comisario Regio Tomás Bretón y Hernández en la solemne distribución de premios que los alumnos obtuvieron en el expresado curso*, Madrid, Imprenta Colonial, 1902 ss.

9. Hubo sucesivos proyectos acerca de cómo debía organizarse la enseñanza del arte escénico, pero todos ellos quedaron en letra muerta. Véanse al respecto las obras de Julio Nombela, *Proyecto de bases para la fundación de una escuela especial del arte teatral* (1886); las pp. 113 y ss. que Carner dedica al tema en su *Tratado de arte escénico* (1890) o los pesimistas comentarios de Guerra y Alarcón (1884) o Funes (1894) sobre la escasez de medios con que contaba el Conservatorio.

10. Véanse los diversos usos que le dieron los tratadistas italianos, franceses y alemanes en el siglo XVIII en la *Enciclopedia dello spectacolo*, Roma, Le maschere (dirigida por Silvio D'Amico), 1954. Voz, *declamazione*. O en P. Pavis, *Diccionario del teatro*, Barcelona, Paidós, 1983. Hoy, como señala O. Asslan (*El actor en el siglo XX*, Barcelona, Gustavo Gili, 1975, p. 30) ha permanecido sobre todo el sentido peyorativo de *declamación*, identificándola con discurso ampuloso y sustituyendo el término en el argot teatral por *dicción*.

11. Tomo la cita de P. Pavis, *op. cit.*, pp. 113 y 114.

12. Similar es el planteamiento de Luis Lamarca en sus *Apuntes sobre el arte de representar:* «Le doy esta denominación, porque me parece más exacta que la de *Arte del teatro, de la declamación*, o *del cómico* que hasta ahora he visto usados».

13. Tomo la cita de Salvatore Cappelletti, *op. cit.*, p. 69.

14. *Ibíd.*, p. 72.

15. H. Dieckmann, «Le thème de l'acteur dans la pensée de Diderot», *Cahiers de l'Association Internationale des études françaises*, junio 1961, pp. 157-172 y Jacques Chouillet, *La formation des idées esthétiques de Diderot, 1745-1762*, París, Armand Collin, 1973, en especial, «La periode d'expansion dramatique», pp. 418-490.

16. G. Strehler, *Un théâtre pour la vie*, París, Fayard, 1980, p. 154.

17. Por seguir con el mismo Bretón, que era muy consciente del carácter artificioso que conlleva el teatro: «No se olvide que entre el traslado artístico y la realidad hay siempre algo de convencional; y téngase muy presente que aun contra la misma verdad, cuya imagen

debe el teatro representarnos, se pecará infalible y gravemente si el actor se propone seguirla a todo trance y sin ninguna restricción. La óptica y la acústica del teatro exigen que la voz se esfuerce algún tanto y a la gesticulación se dé cierto relieve, sin lo cual se pierden muchas inflexiones de aquella y a veces y en ciertos lugares no se oye la mitad de lo que en la escena se articula, y también pierde mucho de su vigor y eficacia el juego de la fisonomía». (pp. LXI-LXII).

18. Los textos que se podrían aducir son muy numerosos y reiterativos. Varios de cada tratado. Basten unos ejemplos. Lamarca (1841): «Imitar embelleciendo algunas veces a la naturaleza: a esto está reducida la ciencia del actor» (p. 6). Barroso (1845), todo su capítulo VIII, «De la naturalidad: cómo debe entenderse» (pp. 105-112): «La naturalidad se recomienda mucho, no sólo por los que poseen el arte de la declamación, sino también por los que no le conocen. ¡Cuántas veces habremos oído censurar la falta de naturalidad, y cuán pocas la de escesos de naturalidad! [...] La estremada llaneza conduce a una trivialidad ridícula, y puede decirse desdeñosa, que no debiera nunca tolerarse al actor; así como la afectación desmedida raya siempre en una absurda petulancia» (p. 105).

M.M. (1848): «Todas las bellas artes reproducen la naturaleza; pero la reproducen embelleciéndola; he aquí las dos cualidades necesarias a las obras creadas por cualquiera de ellas: *verdad* y *belleza*. Verdad en cuanto son reproducción de la naturaleza, y belleza en cuanto esta reproducción debe ser embellecida. La unión completa de estas dos cualidades forma el tipo de perfección a que deben aspirar todos los artistas» (p. 3).

Badioli (1864): «¿Queréis una guía segura en la expresión de los afectos? Seguid la simple naturaleza, y si es preciso ennoblecedla con el auxilio del arte, haced que el magisterio de este último no se aperciba» (p. 109).

«Cuidad de no ser exagerados; mas no abandonéis una justa medida de entusiasmo. Los que representan sin entusiasmo y sin expresión, hablan a la mente, pero nada dicen al corazón» (p. 110).

Martínez de Velázquez (1867): «La naturaleza es a la que debemos observar como regla general para el teatro» (p. 25). Manjarrés (1875): «En el teatro, la verdad de la Naturaleza, esto es el actor en su personalidad, está en contacto con la verdad del arte, esto es el escenario y las decoraciones; y cuando en la imaginación pasiva se le ofrecen ambas verdades reunidas, la ventaja no está por la del arte».

Risso (1892): «Naturaleza quiere decir verdad, y nunca será natural la manifestación de una pasión, de una acción, de un gesto que carezca de verdad» (p. 25).

19. Véase, Juan Carlos Rodríguez, «Escena árbitro / estado árbitro. (Notas sobre el desarrollo del teatro desde el siglo XVIII a nuestros días)», *La norma literaria*, Diputación de Granada, 1984,

pp. 124-192. Escribe: «Lo que sí resulta indudable es que el escenario teatral no se equivoca nunca; por el contrario, el escenario teatral, desde que se establece en el siglo XVIII como una transparencia de lo privado, como una transcripción de las relaciones familiares, siempre considera a estas relaciones como un efecto de algo que va más allá de ellas, como un efecto condensador y privilegiado, eso sí, de toda estructura social en que esas relaciones familiares se segregan; y ello precisamente porque el teatro al convertirse en doméstico, en privado, tiene que hacer un enorme esfuerzo».

20. *Ibíd.*, p. 155.
21. Julián Romea, *Los héroes en el teatro* (1866).
22. Julián Romea, *Manual de declamación* (1859), p. 25.
23. *Apuntes sobre el arte de representar* (1841), pp. 2 y 3.

MOVIMIENTO NATURALISTA DURANTE «LA RENAIXENÇA»: EXPRESIONES PICTÓRICAS

Marie Llado
(Universidad de Orleans)

Sabido es que a partir de 1854 empieza en Cataluña un largo período de expansión económica que va a durar hasta 1888, año de la primera Exposición universal en España con sede en Barcelona; son conocidos los diez últimos años de este período con el nombre de «Febre d'or».

Su arranque biológico, económico, científico y social tenía que despertar forzosamente un fenómeno paralelo en el campo de la cultura. El desarrollo afecta la literatura, la filosofía, las artes y las ciencias. Al mismo tiempo, el llamado romanticismo europeo repercute en Cataluña impulsando un renacimiento —«la Renaixença»— de sus valores culturales que los catalanes buscarán en las gestas históricas, en las expresiones artísticas del románico y gótico —de gran riqueza en el país— así como en la contemplación, bucólica primero y científica después, del mundo que les rodea. Durante la segunda mitad del siglo conocen las ciencias un gran desarrollo y el gusto por la *naturaleza* con cierto matiz panteísta atrae a los científicos, que se reúnen formando asociaciones. El catalán es científico pero también artista; contempla y dedica versos y esbozos al panorama que analiza minuciosamente, animado el poeta por la restauración de los «Jocs florals» en 1859. Los pintores reciben la formación estética en la escuela de la Llotja. Dependiente primero de la Junta de comerç de Barcelona se transforma luego en una academia aneja a la Escuela de Bellas Artes. (Es interesante ver la conexión que existe entre el desarrollo económico y el arte: en efecto los dibujantes estaban al servicio de las fábricas textiles.)

Hacia los años cincuenta la doctrina estética que se imparte en ella es neoclásica. La mayoría de los profesores de dibujo y pintura habían estudiado en Barcelona hacia 1800, con maestros de la escuela de David exiliados de la Revolución francesa. Imperan sin embargo dos grandes corrientes artísticas importadas de los dos principales centros europeos: París y Roma. La influencia italiana llega a Barcelona a través del llamado *antinaturalismo* de los nazarenos alemanes representados por Overbeck y su discípulo Claudio Lorenzale (1816-1889), que había trabajado ocho años en Roma y que ocupó la cátedra de pintura, en la Llotja, a partir de 1844. Le sustituyó, en 1851, Pau Milà i Fontanals de su misma escuela artística. Siguió también esta línea Marià Fortuny (1838-1874) conocido sobre todo por sus composiciones miniaturistas, tal su célebre *La vicaría* pero que hubiera sido, a mi parecer, un gran paisajista de haber seguido su gusto por la *naturaleza*, como lo atestiguan sus delicadas acuarelas de 1857.

A pesar de la influencia de Overbeck en aquellos profesores que a su vez influirán en los jóvenes pintores nacidos en la primera mitad del siglo, David marcará también esa joven generación. Las dos corrientes, procedentes una de Italia y otra de Francia, impedirán que se desarrolle la llamada entonces *pintura de país*. En realidad los primeros paisajistas aparecen tarde y no representan más que una minoría. Las obras de tres pintores fallecidos el mismo año —1894— nos servirán para seguir la evolución de esa pintura representativa del *naturalismo:* Lluís Rigalt (1814-1894), Ramon Martí Alsina (1826-1894) y Joaquim Vayreda (1843-1894).

Al lado de aquella otra enseñanza llamada clásica, representada por Lorenzale en la Llotja, el «país» empieza a despertar cierto interés: inicialmente como fondo de una composición religiosa o histórica, y luego como tema único valorado por el sentido patriótico de cada rincón, en el que destacaban, primero, algunas figuras que después irán desapareciendo totalmente del cuadro.

En la primera mitad del siglo ocupaba la cátedra de Paisaje y perspectiva, en la escuela de Bellas Artes, Pau Rigalt que conservó siempre una concepción clásica del arte: el «país» era únicamente un decorado de la composición, por lo tanto artificial, construido. En cambio, su hijo Lluís, pintor como él, será el primero que pintará un paisaje despojado de todo elemento humano. En 1832 había éste encontrado a un discípulo de Turner, el pintor escocés David Roberts, que le transmitió el gusto por los efectos de luz cambiante según la hora del día. Por eso encontramos ya en los primeros dibujos de Lluís Rigalt una claridad que no existe en las obras de sus contemporáneos. Su gran facilidad por los esbozos rápidos al aire libre le hace detenerse para captar cualquier rincón incluido en el itinerario de sus excursiones. Dibuja calles, casas, árboles; toda la naturaleza que rodea Barcelona es para él fuente de inspiración: Manresa, Montserrat y, más tarde, alejándose hacia otras comarcas, Vic y Tarragona, recorriéndolas desde 1841 hasta 1845, año de su entrada en la Llotja como profesor. Sin embargo, esos dibujos todavía son más los de un arqueólogo, que los de un pintor. Le gustan sobre todo las ruinas, lo que nos llevaría a calificar esos primeros paisajes de *románticos*. Siguiendo esa misma línea, *construye*, a imitación de su padre, esas calles de Barcelona dejándose llevar por su fantasía residuo de los estudios de composición escenográfica realizados en Bellas Artes.

En 1844, Lluís Rigalt participa con Lorenzale y Pau Milà i Fontanals en la primera exposición de pintura que tiene lugar en Barcelona en la «Junta de comerç». De este año es su dibujo de la Catedral de Barcelona.

En 1845 ocupa la cátedra de Perspectiva y paisaje, donde algunos de sus discípulos descubren gracias a él, el género *paisaje*. En pintura empieza por emplear la técnica a base de *bitume* que tenía la ventaja de igualar los tonos sin aceptar demasiados contrastes, lo que convenía perfectamente a la visión de la época. Esboza Rigalt en plena naturaleza pero termina los óleos en el taller, lo que no le permite captar los colores de la atmósfera aunque los esclarezca por influencia de David Roberts, el discípulo de Turner. Sin embargo, se da cuenta de su fallo y más tarde empieza y termina sus lienzos frente a la fuente de inspiración, demostrando así su gran cualidad de autodidacta y adelantándose a sus contemporáneos.

En 1849 presenta sus «países» en la exposición anual organizada por la Sociedad de amigos de Bellas Artes creada tres años antes en Barcelona a ejemplo de las existentes en Francia. De las once telas expuestas seis llevaban el título de *País*, tres de los cuales nos llaman ahora particularmente la atención: *Salida de sol, Mediodía* y *Puesta de sol,* al recordarnos aquellos dados por algunos impresionistas a sus obras. Como Monet, Rigalt ya había querido estudiar la luz en las distintas horas del día. Aunque no quede rastro de esos cuadros fuera de los catálogos, sabemos que son los únicos paisajes presentados en dicha exposición ya que las demás obras eran composiciones religiosas, históricas, o bien retratos.

Dos años más tarde, en 1851, vuelve a exponer un cuadro titulado *País* junto a ocho cuadros *Recuerdos de arquitectura,* ruinas románticas cuyo tema no abandona fácilmente. Interesante es en esa exposición la presencia, por primera vez en Barcelona, de un pintor suizo, Alphonse Robert, ginebrino que presenta un conjunto de ocho paisajes cuatro de los cuales llevan el nombre de *País, recuerdo de Suiza* y cuatro *País, recuerdo de Cataluña.* La presencia de ese pintor abrió seguramente nuevos horizontes a los catalanes. La paleta de Rigalt se fue transformando optando por tonos más claros. A partir de ese momento rechaza el *bitume* y empieza a emplear colores más fríos pretendiendo que sus cuadros estén más cerca de la *realidad.*

En 1855 viaja a París para estar presente en la primera Exposición universal donde estaban expuestas algunas obras de Díaz de la Peña, Troyon, Appian y Diday, el pintor suizo. Rigalt pudo comprobar en la capital francesa que los jóvenes artistas se inspiraban como él en la naturaleza, abandonando los grandes temas históricos y religiosos aunque éstos fueran premiados, tales las obras de Ingres. Después de 1855 Rigalt no volvió a París. Su obra fue, a partir de entonces, completamente personal ya que siempre estuvo al margen de las tendencias oficiales, dedicándose sobre todo al paisaje.

Raimon Casellas, amigo y biógrafo del pintor, habla del interés con que Rigalt siguió, al final de su vida, las tendencias impresionistas que conocía por los periódicos. «A los 79 años —escribe R. Casellas— poco antes de morir preguntaba cómo trabajaban esos jóvenes artistas de los que se empezaba a hablar. Cómo conseguían pintar sólo con los colores del prisma, sin mezclarlos y aplicándolos directamente en la tela.» No se dio cuenta seguramente del alcance de su curiosidad, o quizás fue una posición voluntaria por no querer apartarse de su enfoque *naturalista.* Suponía éste el captar la naturaleza tratando de copiarla en sus mínimos detalles. Ese naturalismo excesivo es lo que transformó sus paisajes en románticos. Tal su obra *El castellot* de 1873.

El segundo pintor al que quiero aludir fue discípulo de L. Rigalt en la Escuela de Bellas Artes. Ramon Martí i Alsina nació en 1826 y llegó a ser con el tiempo el mejor representante del movimiento *naturalista* catalán.

A los catorce años había demostrado una gran facilidad por el dibujo asistiendo a las clases nocturnas de la Llotja ya que trabajaba de día en una fábrica. Abandonó muy pronto la enseñanza clásica, que le parecía estricta y aburrida, prefiriendo la enseñanza de Rigalt en quien encontró el espíritu abierto correspondiente a su concepción libre de la pintura. Al escoger modelos vivos en vez de los moldes de yeso de las aulas, empezó muy pronto a hacer retratos de familiares y amigos. Habiendo estudiado filosofía, e influido por el realismo de Jaime Balmes, nuestro artista rechazó todo lo que podía ser artificial —fruto de la imaginación— inspirándose únicamente en lo que veía o podía tocar con las manos. Salvo algunas alegorías en las que sucumbe, pero son escasas, casi todas sus obras son retratos, escenas de la vida corriente, o paisajes. Son célebres las marinas que pinta en la costa mediterránea, junto con los paisajes de montaña todos famosos por la luminosidad de los cielos. Si su filosofía analítica le hace detenerse en los mínimos detalles, siente muy pronto un gran interés —como Rigalt— por la luz como factor importante en la percepción de los colores. Folch i Torres nos cita en su biografía unas palabras escritas por el pintor: «El cambio rápido de la naturaleza con sus infinitos matices al cubrirse el sol, o descubrirse por efectos de una nube, demuestra el estado infinito del color *relativo* o accidental que toman los tonos locales; es una lección para aquellos que no saben ver los juegos de luz entre los objetos, obsesionados por el *color real*» (subrayo el color relativo en oposición al color real, que subrayo también, porque me parecen ideas muy nuevas para la época).

En 1851, R. Martí i Alsina expone en Barcelona trece telas que llevan el título de *País*, las cuales, a pesar de las teorías del pintor, son todavía paisajes con ruinas; pero, al año siguiente, le valen un premio en Madrid con el nombramiento de profesor de la Escuela de Bellas Artes de Barcelona.

En 1853 pide permiso para viajar a Francia donde tenían lugar, en las principales ciudades, las exposiciones organizadas por la Société des âmis des Arts. No se sabe exactamente a dónde se dirigió R. Martí i Alsina. El documento que me facilitó un nieto del pintor, don Carles Martí —inédito que yo sepa— dice únicamente que el Ministro de Fomento «accediendo a las instancias de D. José Serra y D. Ramon Martí, profesores de los estudios menores [...] les da licencia para pasar al extranjero». Dicha licencia está fechada en Barcelona el 27 de junio de 1853. Podemos muy bien suponer, a partir de ahí, que los dos artistas visitaron alguna de las exposiciones de la Société des âmis des Arts, quizás la de Lyon, donde, en la temporada 1852-1853, se podían admirar algunas obras procedentes de los salones de París de los años anteriores. Y digo la de Lyon porque Ramon Martí i Alsina expuso en esa ciudad en 1868, lo que hace pensar que ya fuera allí conocido. Además, había entre Barcelona y Lyon muchas relaciones económicas debido a los intercambios comerciales entre los industriales del ramo textil, lo que corrobora lo dicho. De todas formas, en cualquier exposición francesa pudo admirar las obras de Corot que ya era famoso por entonces. Precisamente, en Lyon, había expuesto Corot en 1852 la *Vue prise de Volterre* y en esa misma exposición Daubigny, Appian y Paul Flandrin presentaban también paisajes.

El interés de Martí i Alsina por Francia fue constante durante toda su vida. Después de este primer viaje, dos años más tarde, en 1855, fue a París para visitar la Exposición universal. En un segundo documento fechado el 12 de mayo de 1855 se le concede la autorización para trasladarse a París con el objeto de visitar «la próxima exposición universal francesa», dice dicho documento. Recordemos que Courbet había intentado presentar varias composiciones de las cuales dos fueron rechazadas por el jurado: *L'atelier du peintre* y un retrato de su amigo Bruyas. Fue entonces cuando decidió exponer 150 obras en el famoso pabellón que llamó del «Realismo». No olvidemos que sólo dos de ellas eran paisajes. Si cito a Courbet es porque a menudo se ha comparado a los dos pintores. Es verdad que al visitar la exposición, Martí i Alsina vería los cuadros del francés pero me parece exagerado el querer buscar sistemáticamente su influencia en el catalán. Es verdad también que Martí i Alsina escoge para algunas de sus composiciones temas parecidos a los de Courbet, escenas de la vida corriente, marinas o animales. Quizás exista también un paralelo entre la técnica empleada por los dos: pinceladas espesas, sueltas. Sin embargo, tomándolos aisladamente nos damos cuenta de que la evolución de ambos no converge; sobre todo en lo que se refiere a las últimas telas de Martí i Alsina.

La primera obra fechada que se conserva es un paisaje de 1858. A partir de ella se puede estudiar muy bien el proceso del arte de nuestro pintor. Sus pinceladas anchas, espesas, sin apoyo de dibujo, que va desapareciendo paulatinamente en su obra, nos hacen calificar su factura de moderna y personal, y lo sitúan en un lugar aparte de sus contemporáneos. En cambio, en el tema es, al principio, tradicional, pues pinta todavía en 1859 un *Paisaje con ruinas* de carácter romántico, melancólico a pesar de la luminosidad del cielo.

En 1860, su *Paisaje con figuras* gana una medalla en la Exposición nacional de Madrid. Es un gran óleo donde el pintor se detuvo en describirnos la naturaleza con tal detalle que parece querer darnos un muestrario completo de la vegetación local. Las figuras que animan el paisaje desaparecen casi, pero sirven para atraer la mirada hacia la transparencia del agua y de ahí al cielo, que ocupa —como en casi todos los paisajes del pintor— la mitad del cuadro. En él, ya emplea la técnica de las pinceladas espesas y sueltas que será una de sus características principales. No podemos dejar de fijarnos en el carácter todavía muy «construido» de esos paisajes. Es un *naturalismo* muy romántico —como tengo tentación de llamarlo— que irá desapareciendo para dar paso a paisajes menos estudiados, precisamente más naturales.

En 1867 las biografías de nuestro artista hablan de un nuevo viaje a París con el fin de presentar sus obras. No he podido encontrar trazas del mismo lo que me hace suponer que no fue a la capital francesa. Atribuyo a varias razones el que no hiciera el viaje previsto: además de su intenso trabajo como pintor, Martí i Alsina se dedicó por esa época a promocionar las artes. Gracias a él la Academia provincial a la que pertenecía abrió una primera exposición artística, en 1866, en Barcelona. Ayudado por algunos hombres de negocios compró un terreno para construir en él un local adecuado donde se pudieran abrir al público dichas manifestaciones. Pero renunció a aquel título académico ese mismo año seguramente por exceso de trabajo (las obras que pinta en 1866 son incontables) lo que nos hace suponer que estaba preparando la Exposición de París. Efectivamente, un tercer documento que me ha proporcionado el mismo Carles Martí nos sirve para aclarar en parte este punto de vista. El documento está fechado el 17 de abril de 1868 y firmado por el presidente de la Société des âmis des Arts de Lyon, y por el secretario de la exposición que tenía lugar en esta ciudad. Se concede a nuestro pintor la medalla de la sociedad por las obras que había presentado y el secretario de la misma le pide la venia para enviar a París dichas obras. He podido comprobar que en efecto Martí i Alsina expuso en Lyon ya que en el volumen II del «Livret explicatif de la 32è exposition de la Société des âmis des Arts» figuran tres de sus lienzos con los títulos: *Rêve empoisonné, Impressions de Catalogne* y *Marine, tempête*. En cambio su nombre no aparece en ningún catálogo de París, lo que parece indicar, como he dicho, que no fue a la capital francesa y que no expuso allí, aunque lo hubiera previsto. El hecho es que a partir de esas fechas su arte mejora en calidad. En *Camp de blat* Martí i Alsina ilumina el trigo del campo con la luz del sol, elemento que empezará a entrar con naturalidad en sus composiciones, exentas de detalles. En *Jardín de San Gervasio*, pintado en 1875, ya desaparecen totalmente las nubes de sus obras anteriores y el sol llega a ser el protagonista del cuadro. En 1881 pinta su famosa composición *La siesta* impregnada de realismo (si entendemos por tal el captar un momento de la vida corriente). Aquí el pintor se aparta totalmente de sus primeras composiciones analíticas eliminando todo lo que le parece inútil en una decoración, para hacer resaltar mejor la figura sentada sin artificio. Para lograrlo se expresa con una factura muy libre hecha de pinceladas sueltas, anchas, con gran solidez de materia y empleando una paleta que anuncia los tonos más fríos de sus últimas composiciones.

En *Vista de una terraza*, de 1889, el *naturalismo* de Martí i Alsina desaparece completamente (si entendemos por este concepto el análisis minucioso con que trata sus primeros «países»). Ahí su factura alcanza la máxima libertad presentándonos una pintura apenas esbozada. El pintor simplifica también la paleta escogiendo tonos fríos y pálidos; parece que se desprende de toda idea preconcebida para darnos una visión personal de una terraza, tema intranscendente, que le sirve para hacer gala de una gran maestría. Con *Vista de una terraza* Martí i Alsina se une a la escuela modernista catalana de principios del siglo XX apartándose totalmente de la visión que tenía en sus primeros «países». Su obra es tan fecunda (se dice que pintó unos 4.000 cuadros) que podemos encontrar en ella todas las expresiones de los clásicos conceptos que se han llamado romanticismo, naturalismo y realismo, presentes en sus ruinas, sus paisajes analíticos y sus escenas costumbristas.

Joaquim Vayreda, el tercer pintor representativo del movimiento naturalista, es más conocido que los anteriores. Discípulo de Ramon Martí i Alsina aprendió de su maestro a no seguir las reglas dictadas por la escuela clásica de la Llotja y a dejarse guiar sólo por su instinto. En Olot, donde pasaba los veranos, Vayreda trató de captar la naturaleza con el lápiz primero y luego sólo con los pinceles, ya que muy pronto pintó directamente en la tela sin pasar por el dibujo y sin detenerse en los detalles. No es analítico, como su maestro en sus primeras obras, sino que le adelanta empleando ya desde el principio una factura suelta y rápida que le valdrá el adjetivo de «impresionista», negativo en aquella época. Hacia los años setenta reúne alrededor de él a algunos artistas que constituirán la «Escuela de Olot». En el centro artístico que promueve, los pintores se inspirarán sobre todo en escenas de la vida diaria o en la naturaleza vista en las distintas estaciones del año.

A los veintitrés años, en 1866, Joaquim Vayreda ya había expuesto en Barcelona ocho telas, seis de las cuales eran paisajes, totalmente distintos de los de sus maestros: *Otoño, Crepúsculo, Efecto de nieve.* Su primer contacto con la capital francesa donde se quedó dos meses y donde conoció sin duda las obras de Corot en las que se han visto a menudo sus fuentes de inspiración se sitúa en 1871.

Entre 1872 y 1874 J. Vayreda recorre el sur de Francia. Nos quedan de esta temporada sus deliciosos paisajes de Ceret y Sète. Si los críticos le tachan de «impresionista» es porque dicen que sus óleos no están terminados, pero a ello responde el pintor: «sólo el conjunto termina la pintura». Sabemos que sus cuadros tuvieron cierto éxito en el sur de Francia ya que los vendió muy bien a algunos parisinos que se encontraban allí, lo que le permitió pagar su estancia con el producto de la venta. El mismo Vayreda dice en una carta, publicada en *Diari de la Renaixença* n.º 3.019, p. 7.499, que visitó varios museos del Midi francés, entre ellos el de Montpellier en cuya ciudad residió varios meses por enfermedad, y donde pagó al médico con sus cuadros. Vivía allí el gran coleccionista Bruyas que poseía varias obras de los pintores de Barbizon. J. Vayreda las admiró sin duda pues algunos de sus paisajes nos recuerdan a Troyon y Th. Rousseau.

A partir del año 1876 se prepara para exponer en Barcelona y Madrid trabajando sobre todo en la composición *Recança* muy del gusto de la época y que iba a tener mucho éxito en la capital catalana. En Madrid, en 1878, obtiene este cuadro una medalla, y el Gobierno lo selecciona para enviarlo a París a la Exposición universal de ese año. Sin embargo, fueron los paisajes sus obras más admiradas en Barcelona sobre todo *L'istiu,* considerado como uno de sus mejores lienzos de este tema. En Madrid, en cambio, cuando los expone, reciben la indiferencia de un público que pedía escenas costumbristas o paisajes poblados de figuras humanas. La estancia de J. Vayreda en París, en 1878, fue breve aunque tuvo tiempo de exponer en varios salones de la capital francesa y sus cuadros fueron muy apreciados por la crítica. En 1880 lo encontramos en Barcelona donde los alumnos de Bellas Artes discuten sobre el valor de sus obras comparándolas con las de Urgell, de tendencia más romántica. Son precisamente objeto de polémica aquellos paisajes en los que emplea una paleta con tonos muy claros, con pocas sombras, apartándose totalmente del gusto de sus contemporáneos.

Dice el mismo J. Vayreda que su estancia en París le sirvió para estudiar a los pintores franceses confirmándole en sus convicciones artísticas. El papel del paisajista consiste, según él, «en transmitir las emociones que se sienten ante la naturaleza», pero es el conjunto lo que le interesa y no el detalle, demostrando tener de la pintura una visión más lírica que sus maestros.

Los críticos sitúan la mejor época de J. Vayreda entre 1880 y 1890, años en que siguió pintando no sólo paisajes sino también escenas de la vida corriente, como: *Rentadores* de 1883 y *Retrat de nen* de 1888.

En este año participó en la primera Exposición universal con sede en España, que tuvo lugar en Barcelona. Su fama en ese momento es indiscutible y el público le aplaude. J. Vayreda llega al final de su carrera dominando completamente el arte que le caracterizó: una técnica de pinceladas sueltas sin apoyo de dibujo. Entre los mejores paisajes de esa época se encuentran: *El remat* de 1889 y *Tardor.*

A partir de entonces parece que se encamine hacia un nuevo estilo. Abandonando dicha técnica se dedica a pintar a partir de un dibujo recortado y oscuro que resalta sobre un fondo claro e iluminado. Su magnífica *Terraza* nos sorprende por esas casas tan bien construidas, con la figura de la niña en movimiento y el contraste entre las dos manchas —blanca una y negra la otra— novedad en su paleta. La composición de 1891 nos recuerda a los pintores posteriores a él: Casas y S. Rusiñol que conocerán en París las estampas japonesas.

Para nuestro objeto yo diría que Joaquim Vayreda es el menos *naturalista* de los tres pintores presentados. El espíritu de la «Escuela de Olot» se aparta de aquel *naturalismo* analítico que acabó siendo un claro romanticismo. Se trata, en la obra de J. Vayreda, más de una técnica que de la elección de un tema, ya que la naturaleza está constantemente presente en sus cuadros. Esta naturaleza, panorama que rodeaba al artista y en el que buscaba su fuente de inspiración, es vista y captada de distintas formas. Las expresiones de la misma por los paisajistas de la «Renaixença» son testimonio de una evolución muy clara —de L. Rigalt a J. Vayreda pasando por R. Martí i Alsina— desde los llamados «países», que servían al principio únicamente de decoración para hacer resaltar un tema, hasta los paisajes líricos «expresión de un sentimiento», como dirá J. Vayreda. Dentro de esta evolución, la necesidad de captar la naturaleza con espíritu científico, analizando cada parte de la misma, intentando copiarla con la máxima exactitud, nos lleva a considerar esta postura como un verdadero movimiento naturalista, que desaparece sin embargo en las últimas obras de R. Martí i Alsina y en casi todas las de J. Vayreda.

Bibliografía

Esta comunicación está entresacada de mi tesis de Doctorado (3.er ciclo «*Les paysagistes catalans de la deuxième moitié du XIXè siècle et leurs rapports avec les impressionnistes français*» (Universidad de París IV-Sorbonne) 25 de mayo de 1977. Puede encontrarse en las bibliotecas de: Institut d'études hispaniques, 31, rue Gay Lussac, 75005 París; Centre d'études catalanes, 9, rue Ste. Croix de la Bretonnerie, 75004 París.

La bibliografía de esta tesis está dividida en tres grandes capítulos: Capítulo I: Textes contemporains des artistes étudiés (A. Expositions de Paris, de Lyon et de Barcelone); Capítulo II: Monographies des artistes catalans (En estas monografías están incluidas las de: Lluís Rigalt [p. 324] [Raimon Casellas, *El dibuixant païsagista en Lluís Rigalt,* Barcelona, L'Avenç, 1900]; Ramon Martí i Alsina [p. 322] [J. Folch i Torres, *El pintor Martí i Alsina,* Barcelona, Publicació de la Junta Municipal d'Exposicions, 1920]; [*Anales Museo*

Barcelona, «Sobre el pintor Martí i Alsina» (1944), n.° 2] [*Vell i nou,* «Martí i Alsina», A. Cortada, Barcelona, 1920]; Joaquim Vayreda [p. 324] [Rafael Benet, *Joaquin Vayreda,* Publicaciones de la Junta Municipal d'Exposicions, Barcelona, 1922] [*La veu de Catalunya,* any IV, n.° 47, 25 nov. 1894] [*La veu de Catalunya,* «En Vayreda i el seu art», n.° 77 (1911)]; Capítulo III: Ouvrages generaux (A: Peinture catalane, B: Peinture espagnole, C: Peinture française).

COSTUMBRISMO, REALISMO
Y NATURALISMO
EN LA PINTURA CATALANA
DE LA RESTAURACIÓN (1880-1893)

Eliseo Trenc Ballester
(Universidad de Rennes 2)

Si, en las Artes Plásticas, el costumbrismo se distingue, sin demasiadas dificultades, del realismo, no se puede decir lo mismo del naturalismo. Fue a mediados de la década 1860-1870 cuando la palabra «naturalismo» fue introducida por Castagnary, Émile Zola y Huysmans con un sentido diferente al de «realismo». Para la nueva crítica artística, el nuevo grupo de pintores naturalistas se distinguía de los primeros realistas Gustave Courbet, François Bonvin; no se conformaban con retratar lo que veían, querían reflejar la realidad de manera científica, retratando al mundo material, el de la apariencia visual, pero expresando también los sentimientos interiores del individuo y la influencia del medio en el carácter. Esta distinción hecha por Castagnary y Zola ha sido puesta en tela de juicio por Gabriel Weisberg,[1] que sólo ve en ella por parte de Zola una forma de promocionar a Manet frente a pintores como Bonvin o Ribot. A su vez esta posición de Gabriel Weisberg ha sido atacada de forma rotunda por Charles Rozen y Henri Zerner en el capítulo «Réalisme et avant-garde» de su libro *Romantisme et réalisme*.[2] Lo que es indudable es que la pintura francesa de los años 70 y 80 es diferente de la de los años 50 y 60, con la revolución técnica del impresionismo de por medio. Este cambio repercute con retraso y timidez en Cataluña alrededor del año 1890. Si de 1880 a 1890 se puede hablar de realismo, creo que de 1890 a 1893 se puede hablar de pintura naturalista entre comillas, término que trataré de justificar, no por una teoría artística que no existió en Cataluña donde la crítica confundió constantemente los términos de realismo y de naturalismo, sino por una práctica artística que tiene alguna relación con ciertos presupuestos de la literatura naturalista.

El panorama del arte catalán cambia de forma importante al principio del decenio 1880-1890 a causa de la prosperidad económica de la primera época de la Restauración (1875-1886) y del enriquecimiento de la burguesía, principal cliente de los artistas catalanes, ya que Barcelona no se beneficia, como Madrid, de encargos oficiales y públicos. Condicionada por la naturaleza de su clientela, la pintura catalana se orienta naturalmente hacia la pintura de género y el paisaje, en cuadros de tamaño pequeño o mediano destinados a adornar los salones de la burguesía barcelonesa.

El costumbrismo. De la epidemia transalpina al regionalismo

En la pintura de género, los artistas catalanes empezaron a evolucionar de un fortunyismo más o menos exótico, un orientalismo de moda con las escenas de harén, de bayaderas de Francesc Masriera y Josep Tapiró, hacia una pintura más moderna, más realista, sea en el retrato, con el arte sobrio de Antoni Caba o el elegante y aristocrático de Francesc Masriera, sea en la pintura de género de Dionís Baixeras, Joan Llimona y Laureà Barrau, muy próxima del costumbrismo en su acentuación del carácter local y folklórico del mundo de los pastores y pescadores catalanes, un costumbrismo que se puede relacionar con el espíritu de la «Renaixença» por su exaltación de la patria y del trabajo, una patria tradicional, arcaica en el sentido de conservación de las raíces, antimoderno en realidad, expresión plástica paralela a la obra que el futuro obispo Torras i Bages escribía entre 1886 y 1892 *La tradició catalana*. Este costumbrismo patriótico todavía tenía algo que ver con el romanticismo conservador por un lado, pero también por otro lado con el realismo, con la pintura de la vida cotidiana de los trabajadores que presenta generalmente en medio de grandes paisajes de la sierra o del mar, lo que lo aproxima al paisajismo. En los años 80, el paisajismo catalán se había dividido en dos ramas, la escuela luminista de Sitges, directamente influida por Fortuny y el arte italiano con Mas i Fondevila y Roig i Soler, aún un poco efectista a pesar de su progresivo acercamiento a un tratamiento más sencillo, más directo del motivo, y la escuela de Olot, el «Barbizon» catalán, más auténtica e interesante, con Joaquim Vayreda y Josep Berga, escuela derivada del realismo francés y del de Martí i Alsina. A pesar de que este paisajismo catalán tenga, por sus elementos naturales grandiosos y dramáticos, a menudo el mar y el Pirineo, algo de un himno a la naturaleza injertado todavía de romanticismo, presenta sin embargo, por su visión directa de la naturaleza, un carácter realista mucho más fuerte y auténtico que la pintura de género.

El realismo

En realidad, el realismo no se impone con fureza y no logra cierta aceptación por parte de la crítica artística y de la sociedad catalana, muy influida aún por los valores del arte académico y el predominio de la pintura de historia y de la pintura religiosa, hasta los años 1886-1890. Estos años son precisamente los años de implantación del realismo literario, llamado «naturalismo» en Cataluña y España. No voy a insistir sobre esta cuestión, de sobras conocida por los especialistas del tema, pero el paralelismo entre la literatura y la pintura me parece significativo, como lo es el hecho de que los primeros defensores del realismo pictórico sean el novelista «naturalista» Narcís Oller y el crítico Josep Yxart. El año 1886, a propósito de una exposición del pintor de género Bartolomeu Galofre en la Sala Parés, Narcís Oller publica una de las primeras críticas comprometidas del realismo y contraria a la pintura de historia, un verdadero himno a favor de la modernidad:[3]

Mirad los cuadros hoy expuestos en la Galería Parés [...]. Ni un cuadro de historia, ni un tipo sacado de los libros, ni una escena de otros tiempos o de países desconocidos por el pintor: en cambio, qué abundante y maravillosa variedad de belleza natural que ha atraído su espíritu! [...] y toda esta cantidad de asuntos de dónde la ha sacado, sino de la realidad viva?

Pintor esencialmente moderno [Galofre] es, sobre todo y antes que todo, un enamorado de la verdad viva. Como el poeta, como el novelista del día, observa el mundo que le rodea, todo le interesa en él, todo le conmueve, le entusiasma y le hace coger los lápices y el pincel para fijar, tal como lo vieron sus ojos, tal como cruzó por su espíritu, todo lo que aquel fragmento de la realidad tiene de bonito, de interesante.

Baldomer Galofre, paisajista, especialista de marinas y pintor de género, había innovado llenando la Sala Parés de sus estudios, dibujos, esbozos que, en aquel entonces, los artistas no presentaban en público y que daban a la exposición aquella impresión de realidad, de *tranche de vie*, de documento transcrito rápidamente, sin retocar, con la impresión de fiebre característica del dibujo a la pluma expresivo todavía romántico y aquella impresión de sinceridad que tanto le había gustado a Narcís Oller. Josep Yxart también publicó un artículo elogioso para Galofre[4] donde lo calificaba de poeta y artista de la naturaleza.

Si esto no significa que la pintura académica, pretendidamente «idealista», sea vencida, precisamente durante el mes de febrero de 1886 se expone en la Sala Parés, con éxito extraordinario, el cuadro histórico de Luna *El Spoliarium,* sin embargo se puede ver la infiltración del realismo en la pintura religiosa. La *Ilustración Artística* publica un largo artículo, bastante completo, sobre el pintor napolitano Domenico Morelli, uno de los promotores de esta corriente:[5]

> Morelli es el que en Italia ha hecho renacer la afición a los asuntos sagrados, pero al hacer esto, no ha seguido, como los pintores ingleses y franceses, una senda ya trillada, sino que, aprovechándose de las observaciones de la crítica moderna y de los conocimientos históricos, ha conseguido reproducir la Biblia bajo un nuevo aspecto [...]. Morelli es considerado como el Renan y el Strauss del arte sagrado.

Esta introducción de cierto realismo histórico (es decir, el descubrimiento del medio palestino como marco de escenas bíblicas) en la pintura religiosa, que toma así un aspecto orientalista, se refleja en la pintura religiosa española de la Exposición Nacional de Bellas Artes de Madrid de 1887. R. Blanco Asensio en su crítica de la exposición[6] señala que:

> La pintura religiosa manifiesta en los últimos tiempos señaladísima tendencia a naturalizarse, es decir, a transformarse de manera que el ideal desaparece, quedando sólo el descarnado concepto de lo real y lo humano [...].

En conclusión Blanco Asensio señala que los artistas contemporáneos ya no saben expresar el misticismo religioso porque no pueden asimilar ese concepto por falta de fe.

Se nota, por otra parte, el desprestigio de la pintura académica de historia, para la cual esa Exposición Nacional de 1887 es un verdadero canto del cisne. En tres años, de 1888 a 1891, la pintura académica española va a perder su crédito, no solamente en Barcelona donde triunfa la pintura de género, sino también en Madrid. La crítica artística muestra esta evolución del gusto y, al denunciar los defectos de la pintura académica, indica claramente lo que debe ser la pintura moderna. J. Yxart en su reseña del Salón de Bellas Artes de la Exposición Universal de Barcelona de 1888 escribe, refiriéndose a la pintura de historia:[7]

> [...] lejos de causarnos una verdadera emoción estética, nos dejan fríos, y lejos de hallarlos a la altura de su reputación, nos desencantan en uno y otro concepto [...] buscando la explicación de este efecto singular, me parecía ver en aquellas obras las mismas condiciones esenciales del arte dramático español, manifestadas en otra forma, la forma plástica.
>
> [...] Hay en aquella pintura [de historia] virilidad y brillantez [...] pero falta en cambio, sinceridad y espontaneidad: el autor ni cree en lo que pinta, ni lo siente; falta naturalidad en la composición y en los grupos, falta esa emoción íntima, ese fuego interno, único que, latente en la obra se transmite a quien la contempla.

A. García Llansó, el crítico de arte de *La Ilustración* expresa las mismas ideas que J. Yxart, al hablar de los pintores españoles pensionados en Roma:[8]

> [...] pintan y estudian [...] asuntos religiosos o históricos, en los que se nota la falta de misticismo, la carencia de verdad y ausencia de conocimientos, aportando únicamente, como resultado de sus estudios en la que fue imperio del arte, el color falso, ingrato y terroso de la escuela romana y el convencionalismo de impremeditada imitación [...]. La pintura histórica o religiosa [...] no responde a las corrientes modernas ni a las novísimas ideas que significan las grandes evoluciones de la humanidad.

García Llansó se declara claramente partidario de la pintura de género a continuación:

Innegable es que los ideales estéticos de este siglo son distintos de los que se persiguieron en los anteriores, y por lo tanto, los cambios que se han operado en la pintura histórica y religiosa han producido otra manifestación: la pintura de género. Ésta reviste verdadero interés para el arte moderno.

El crítico de *La Ilustración* cuida de separar esta moderna pintura de género del costumbrismo, modalidad folklórica que siguen practicando los artistas pensionados en Roma:

> [...] no presintiendo la laboriosa evolución que había de producir el modernismo y con él la pintura de género, derrochaban lastimosamente su ingenio y malograban sus aptitudes pintando flamencas y toreros, estudiados en modelos convertidos en desgarbados comparsas por su teatral atrezo y falta de carácter.

Este desprecio del costumbrismo, desviado en españolada, es general. El año 1890, Francisco de Alcántara nos da otro ejemplo del cambio de gusto respecto al costumbrismo:[9]

> Debemos pues, a la manía de consagrarse a la pintura de historia la carencia absoluta de obras inspiradas en nuestras costumbres [...], debemos el que no se hayan emancipado los jóvenes más que para seguir otra paralela y no menos funesta: la de contentarse con las meras exterioridades de determinados tipos populares, que puestos en caricaturas han inundado el mundo, dando mentirosa y triste idea de nuestro país: toreros, majas, chulas y chulos; como si en España no existiera la familia en el campo y en la ciudad, y en todas partes una riqueza infinita de movimientos y de vida.

De esta modalidad viciada supo evadirse, según García Llansó, Romà Ribera, el pintor del género por excelencia. Si del artículo que el primero consagró al segundo sacamos la opinión de García Llansó, crítico ni conservador, ni progresista, bastante representativo de la mentalidad de la sociedad burguesa culta catalana, podemos tener una idea bastante exacta de los gustos estéticos de ésta:[10]

> Este siglo [...] aseméjase a las anteriores edades por las desviaciones que produce la perversión del gusto que sólo se halla satisfecho ante las crudezas del realismo literario, artístico y dramático.

Es decir que no creo que se pueda hablar todavía, antes de 1890, de naturalismo pictórico, sino más bien de un realismo idealizado que evita los aspectos «vulgares» y «bajos» de la realidad y que nos deja un testimonio gráfico del carácter moderno de la época, desgraciadamente en sus aspectos más externos (vestidos, moda, vida mundana) y más superficiales. Es por esta razón que Romà Ribera se vuelve el máximo representante de la pintura de género catalana entre 1886 y 1890 (medalla de oro en la Exposición universal de Barcelona de 1888), en particular con sus anecdóticas y célebres salidas de baile impregnadas de modernidad y alejadas de toda vulgaridad tanto por su temática como por su ejecución relamida y detallista. Francesc Miralles pinta más o menos el mismo mundo elegante que Romà Ribera pero es más moderno técnicamente, vive en París, puede ver la pintura impresionista y por consiguiente utiliza una factura más franca y colores vivos en sus escenas al aire libre de las avenidas y parques de París.

El naturalismo (1890-1893)

El año 1890 la pintura académica había prácticamente desaparecido del panorama artístico barcelonés. Los tres años siguientes serán, sin embargo, los de una nueva polémica entre los defensores de la pintura de género anecdótica realista, los críticos conservadores y los partidarios, escasos aquellos años, de la primera tendencia del modernismo plástico, el «naturalismo» parisino de Santiago Rusiñol y Ramon Casas, a quienes se puede añadir Lluís Graner, cuyas escenas de taberna populistas, si por una parte algo tienen que ver con el tenebrismo de la pintura holandesa del siglo XVII, por otra parte también pueden interpretarse como ejemplos de pintura social próximas al naturalismo del pintor francés Raffaeli. De 1883 a 1890, Rusiñol presentó en exposiciones colectivas vistas de talleres, de fábricas y de *terrains vagues* de los alrededores de Barcelona que habían herido, por su temática vulgar, la refinada crítica artística de la época y que le habían valido la calificación de campeón del realismo. Hay que señalar que los ejemplos de pintura realista del mundo obrero eran rarísimos en Cataluña y que el único cuadro que se conoce de cierta relevancia en este género es *La niña obrera* de Joan Planella pintado en 1882. Mientras tanto, las pocas pinturas de Casas, que residía en París, expuestas en Barcelona desde 1884, sorprendieron a la misma crítica barcelonesa por su técnica franca, de factura muy aparente, por su aspecto de boceto inacabado, por su sintetismo de visión, rasgos derivados de la pintura de Manet, como por ejemplo las manchas de color que representan a la muchedumbre en *La corrida* de 1884. En realidad todo eso pasaba desapercibido, pero la situación cambió totalmente con la primera exposición colectiva de Casas, Rusiñol y el escultor Clarassó el año 1890, exposición en la Sala Parés montada de manera aparatosa. Si se añaden a las pinturas de esta primera exposición, las obras presentadas en 1891 y 1893 en la Sala Parés, se tiene el conjunto de la primera etapa de la pintura modernista, es decir la obra en gran parte parisina de Casas y Rusiñol.

Desde un punto de vista temático, el primer rasgo notable es el cosmopolitismo que se opone al localismo y al regionalismo anteriores. Esto no era completamente nuevo, Romà Ribera y Francesc Miralles ya habían introducido cierto parisianismo en la pintura catalana, pero no era tan sistemático y, sobre todo, no era el mismo. A las avenidas elegantes y a la gente bien de éstos, Rusiñol y Casas oponían rincones miserables de Montmartre, *terrains vagues* poblados por gente del pueblo o bohemios marginales que conformaban una temática opuesta al buen gusto burgués. Cuando pasan de la pintura al aire libre a la pintura de interiores, Casas y Rusiñol no pintan salones aristocráticos sino al contrario pobres talleres de artistas, habitaciones miserables o, lo que es peor todavía para la burguesía acomodada catalana, los antros del vicio, los cafés y los bailes populares. Este aspecto amoral más que inmoral de su pintura, difícilmente perceptible hoy en nuestra sociedad mucho más permisiva, me parece sin embargo evidente a los ojos de la burguesía conservadora y católica de Barcelona para la cual todo lo que venía de París olía a pecado. Eso explica seguramente la crítica constantemente negativa del periodista conservador F. Miquel i Badía en el *Diario de Barcelona*.[11]

> La ordinariez suele ser con frecuencia ley de esta clase de obras, y esta ordinariez o llámese vulgaridad, en medio de cierta distinción en algunos detalles de factura, asoma en no pocas de las pinturas de Rusiñol y Casas.

Entonces, cosmopolitismo, pintura de un mundo miserable y marginal, y amoralidad configuran, desde un punto de vista temático, esta pintura que sólo se diferencia de la pintura naturalista francesa coetánea por la ausencia de representación del mundo del trabajo, lo que nos indica la falta de compromiso social por parte de los pintores catalanes, de procedencia burguesa, que viven en París una bohemia dorada.

Pero esto no hubiera sido suficiente, a pesar de su novedad en Cataluña, para crear una corriente pictórica nueva si Rusiñol y Casas no hubieran adoptado una técnica nueva, propia, al retratar fielmente el aspecto efímero y dinámico del mundo contemporáneo. El color gris inunda los cuadros. Se trata evidentemente del color de la atmósfera parisina, de ser fiel a la realidad, de verismo, pero es también una manera de alejarse del cromatismo vivo, rico y artificioso de los pintores postfortunyianos. Esta tonalidad gris viene aún más acentuada en ciertos paisajes de tejados de París, por una técnica abocetada y nebulosa que deja imprecisas las formas e intenta reproducir el aire y el espacio, reflejando al mismo tiempo esa poesía nostálgica de la obra de Whistler y Carrière, pintores muy admirados por los dos catalanes. Otro aspecto técnico innovador de su arte es el sintetismo de la visión y de la factura, que J. Yxart describe así el año 1891:[12]

La absoluta sinceridad enfrente del natural es el rasgo más saliente de tales cuadros. Puede decirse que por aquí da un nuevo y más resuelto paso la preocupación de olvidar y reaccionar contra lo aprendido por receta, para interesarse directamente a la vida en movimiento; a la naturaleza sorprendida instantáneamente, libre, sin preparación, sin mandarla, si así puede decirse, que se detenga y adapte una actitud para pintarla [...].

Para alcanzar plenamente esto hay que ser no sólo sincero sino simple en el modo de ver las cosas y en el modo de trasladarlas sin efectismos, adquirir en el dibujo aquella seguridad fácil y repentista que fija en el papel de golpe un gesto, un juego de líneas fugaz y casi imperceptible; poseer en la pincelada aquella difícil exactitud que parece acertada de un golpe, con frescura, con amplitud: el tono, el color, «la impresión virgen de las cosas».

Al sintetismo de la factura se junta una renovación de la composición de manera a acentuar esta sensación de natural, de verdad, de escenas retratadas de manera instantánea y de vida en movimiento. El encuadre es muy libre, los objetos y personajes recortados, generalmente descentrados, asimétricos, vistos de arriba abajo y a menudo de tres cuarto. Los ejes de composición son diagonales, más dinámicos que la presentación frontal, simétrica, estática. Este dinamismo se ve reforzado por amplios espacios vacíos en el primer término. Ni Casas, ni Rusiñol inventaron esta nueva composición, pero fueron los primeros en utilizarla en Cataluña. Siguiendo el ejemplo, las lecciones de Degas y Whistler asimilaron la composición de la estampa japonesa, del Ukiyo-E, representación del mundo cambiante, efímero.

Esta nueva composición cuya finalidad es acrecentar la impresión de naturalidad, de escena real va acompañada del abandono de la retórica pictórica que venía, a través del Renacimiento, de la estatuaria clásica, es decir de todo ese repertorio de ademanes, de posturas, de agrupación piramidal de las figuras que tenía un objetivo idealizante y estaba cargado de connotaciones.

La fuerza y la impresión de autenticidad de la pintura realista viene a menudo de la ausencia de estas fórmulas retóricas clásicas, esto es particularmente notable en algunas de las mejores obras de Casas (*La Madeleine*, por ejemplo) y de Rusiñol *(El estudio de Erik Satie)* que podemos comparar con *Volviendo del campo* de Joan Llimona, mucho más retórico y cargado de simbolismo. Uno de los logros de la escuela realista en pintura, como lo han notado Charles Rozen y Henri Zerner,[13] fue aceptar tratar temas vulgares o banales y de negarse a ennoblecerlos, idealizarlos o incluso a transformarlos en pintorescos. Esto va ligado, como lo observan los mismos autores, a la desaparición del *sujet*, que en la crítica francesa artística del siglo XIX posee un sentido particular y no se puede asimilar a contenido o a motivo. El *sujet* no designa la acción o la escena representada, es lo que prolonga los pensamientos del espectador más allá de la representación: la significación narrativa, la moral, el mensaje. Esta desaparición del *sujet* es capital para la pintura realista, ella sola garantiza la verdad del cuadro y la objetividad de la representación. El *sujet* es siempre una manipulación de la realidad, una forma de arreglar el motivo que precede el acto de representación. Si comparamos el mismo cuadro de Joan Llimona *(Volviendo del campo)* con la mayoría de los cuadros parisinos de Casas y Rusiñol nos damos cuenta de la desaparición del *sujet* en estos últimos, del hecho que el verdadero tema de la pintura es la pintura ella misma, y que ésta no tiene prolongaciones narrativas, sentimentales, ideológicas o pintorescas como en el primer caso o en la pintura de la generación de los Masriera y de Romà Ribera, demasiado anecdótica.

Creo haber demostrado que la pintura parisina del período 1889-1893 de Rusiñol y Casas es bastante diferente, tanto desde un punto de vista temático como estilístico, de la pintura realista catalana anterior. El compromiso de no selección de los temas, cierta banalidad, marginalidad y amoralidad, así como determinados procedimientos estilísticos: sintetismo de la visión y de la factura, composición dinámica y «natural», rechazo de la retórica clásica, ausencia del *sujet* son rasgos, características que, de cierto modo, pueden ser paralelos a algunas preocupaciones de la literatura naturalista. Por esta razón y para recalcar la diferencia con la pintura realista anterior he llamado a esa pintura parisina de Rusiñol y Casas pintura «naturalista» con el bien entendido que no se trata en ningún caso en pintura de un supuesto método científico de investigación de la realidad. En verdad esta pintura me parece de un realismo más consecuente que la pintura realista anecdótica inmediatamente anterior.

Desde su introducción en los años cincuenta por Ramon Martí i Alsina, el realismo ligado al positivismo y al materialismo progresa en Cataluña a lo largo de la segunda mitad del siglo XIX y llega, a mi ver, a su más auténtica expresión en el naturalismo de Casas y Rusiñol en los años noventa, pero paradójicamente es en manos de éste último que muere. Como lo ha notado Heidi Roch[14] la ausencia de comunicación de los personajes, la impresión de soledad, de ensimismamiento de los individuos refleja la personalidad de Rusiñol.

Éste ya no describe una apariencia, sino que intenta expresar un sentimiento, un estado de ánimo. Así, por un procedimiento paralelo al de la novela psicológica de Paul Bourget, Rusiñol va a derivar muy rápidamente hacia el simbolismo que marca el retorno del espiritualismo en el arte finisecular europeo.

NOTAS

1. Gabriel P. Weisberg, *The realist tradition. French painting and drawing 1830-1900*, The Cleveland Museum of Art, Cleveland, 1981.

2. Charles Rozen, Henri Zerner, *Romantisme et réalisme*, Editions Albin Michel, París, 1986.

3. Narcís Oller, «En Baldomero Galofre», *La Ilustració Catalana*, 151, (31·X·1886), pp. 402 y 403.

4. José Yxart, «Baldomero Galofre», *La Ilustración Artística*, 257, (29·XI·1886), p. 318.

5. H. Zimmern, «Domenico Morelli y sus obras», *La Ilustración Artística*, 231, (31·V·1886), pp. 186-191.

6. R. Blanco Asensio, «Exposición de Bellas Artes», *La Ilustración Ibérica*, 233, (18·VI·1887), pp. 390-394.

7. José Yxart, «Exposición Universal de Barcelona», *La Ilustración Artística*, 342, (16·VII·1888), p. 234.

8. Antonio García Llansó, «Román Ribera y la escuela pictórica moderna», *La Ilustración*, 463, (15·IX·1889), pp. 583-587.

9. Francisco de Alcántara, «La Exposición Nacional de Bellas Artes de 1890, II», *La Ilustración Ibérica*, 392, (5·VII·1890), pp. 426-430.

10. Nota 8.

11. Francisco Miquel i Badía, «Exposición Rusiñol, Casas, Clarassó, Canudas», *Diario de Barcelona*, (12·XI·1891).

12. José Yxart, «La Exposición General de Bellas Artes», *La Ilustración Artística*, 490 (18·V·1891), p. 306.

13. Nota 2.

14. Heidi Johanna Roch, «Zur Beziehunglosigkeit der dargestellten Personen», en *Santiago Rusiñol*, Peter Lang, Francfort del Main, 1983, pp. 71-79.

NOVELISTAS Y NOVELAS

Leopoldo Alas, «Clarín»

LA PERITONITIS DE DON VÍCTOR Y LA FIEBRE HISTÉRICA DE ANA OZORES: DOS CALAS EN LA DOCUMENTACIÓN MÉDICA DE LEOPOLDO ALAS NOVELISTA

Simone Saillard
(Universidad de Lyon III)

Resulta inútil repetir, después de tantos estudios críticos y más aún, después de publicarse ediciones tan completas y tan profusamente anotadas como las de Juan Oleza y Gonzalo Sobejano[1] que la documentación científica del autor de *La Regenta* se puede calificar de ejemplar si la consideramos a la luz de las teorías novelísticas más avanzadas de su tiempo.

Así y todo, una parte de la crítica clariniana ha tendido a oponer a esas evidencias una especie de resistencia semiabierta, como si reconocer el empleo de una técnica tantas veces analizada y recomendada por el crítico Clarín, le pudiera quitar algo de su originalidad y méritos al novelista Leopoldo Alas. Y es que ha pasado y pasa con el naturalismo algo de lo que continúa en nuestros días con el surrealismo, al no querer algunos convencerse de que las contaminaciones culturales son, en todo caso, más fecundas que la asepsia de un imposible aislacionismo.

Dejando para otra ocasión las consideraciones que serían oportunas pero nos llevarían demasiado lejos, nos interesa hoy aportar dos ejemplos de cómo el caso de Leopoldo Alas es ilustrativo, a un tiempo de la adopción y de la superación de una técnica.

* * *

El primero de esos ejemplos se presenta aquí como un testimonio de agradecimiento al Profesor Sobejano por la edición ejemplar que todos conocemos y a la que el mismo don Leopoldo no hubiera puesto reparo si exceptuamos quizá alguna risita de ultratumba al llegar a la página 519, t. II, nota 8, donde «el anotador [confiesa que] a pesar de haber consultado un voluminoso tratado del Doctor Kelly (de 1905) sobre apendicitis y peritonitis» se ha quedado tan confuso como Frígilis a la hora de identificar la peritonitis mortal de don Víctor:

> —La vejiga llena... La peritonitis de... no sé quién... Eso dicen ellos...
> —¿La qué, señor?
> —Nada... ¡Que se muere de fijo! [R, II, 519]

contesta el amigo fiel, ateniéndose justamente a lo que más importa, llegados a ese momento del relato.

Y efectivamente la clave del diagnóstico no estaba en un tratado de medicina sino en una novela de los meticulosos e hiperdocumentados hermanos Goncourt.

Quizás recuerden los aficionados a la novelística naturalista que el capítulo XXXVIII de *Renée Mauperin,* novela escrita en 1864,[2] relata con todo detalle la muerte, a consecuencia de un duelo, del hermano de la protagonista. El episodio era muy conocido por el detalle escatológico prestado a uno de los contendientes que, al sentirse herido en el vientre, tanteaba en la misma herida antes de llevarse los dedos a la nariz y concluir: «[...]! Ça ne sent pas la m...! Je suis raté!... A votre place, monsieur!» (*RM,* 270); con lo cual se reanudaba el duelo y moría el hermano de Renée.

Pero la relación de este episodio con la muerte de don Víctor se aclara aún más si nos remontamos al capítulo XXXIV de la misma novela, en el momento en que el ambicioso Mauperin, abofeteado por un aristócrata venido a menos cuyo apellido ha usurpado sin saberlo, ajusta como ofendido las condiciones del duelo. A un amigo que le aconseja en la elección del arma, el protagonista contesta que no quiere escoger la espada sino la pistola, a pesar de ser su adversario cazador y buen conocedor de las armas de fuego; lo que recuerda evidentemente las aficiones cinegéticas y demás talentos mundanos de don Víctor.[3]

Deseoso de «cortar por lo sano», Henri Mauperin concreta sus intenciones homicidas al añadir:

Et puis le pistolet... je l'ai soigné... C'est une justice à me rendre, j'ai assez bien choisi mes talents d'agrément, et j'ai l'idée de lui mettre là, —il toucha Denoisel un peu au-dessus de la hanche— là, vois-tu? Parce que plus haut, c'est mauvais: il y le bras qui pare... Au lieu qu'ici, vous attrapez un tas de machines de première nécessité... il y a surtout cette bonne vessie... si vous avez la chance d'y toucher, et qu'elle soit pleine... c'est la péritonite de Carrel, mon ami! [...] [*RM*, 242]»

Compárese:

> Ello era que don Víctor Quintanar se arrastraba sobre la hierba cubierta de escarcha y mordía la tierra.
> La bala de Mesía le había entrado en la vejiga, que estaba llena [...] [*R*, II, 518].

Hemos citado los textos detalladamente, en parte porque hablan por sí solos, y en parte también porque tendremos que volver sobre algunos pormenores característicos. Pero ante todo importa seguir con la identificación aportada por la novela de los Goncourt.

El personaje mencionado indirectamente por el cínico (y muy a pesar suyo suicida) Henri Mauperin, tampoco deja de tener interés si consideramos las posibles intenciones ocultas de Clarín. Curiosamente figuraba como referencia biográfica en el cuerpo mismo de la novela, al mencionarlo los Goncourt entre los conocidos e inspiradores políticos del padre de los hermanos Mauperin quien, al llegar la Revolución de 1830, sale vencedor en unas elecciones:

> Il était nommé député. Il arrivait à la Chambre avec des théories américaines qui le rapprochaient d'Armand Carrel [...]. Il devenait un des inspirateurs du *National,* dont il avait été un des premiers actionnaires [...] [*RM*, 18].

O sea que la carrera política e incluso periodística de Mauperin padre tiende a ser gemela de la del famoso periodista republicano Armand Carrel cuya vida y muerte resume el Larousse del siglo XIX en este sentido párrafo introductorio:

> Carrel (Armand), célèbre publiciste, un des beaux caractères de la première moitié de ce siècle, un des plus purs, un des plus glorieux ancêtres de la future démocratie; né à

Rouen, le 8 mai 1800, d'une famille de commerçants, blessé grièvement dans un duel, le 22 juillet 1836, mort quarante-huit heures après.

Tampoco carece de interés el tono de un texto que llega a ocupar más de cinco columnas, de las páginas 447 a 449, del famoso diccionario, tres de las cuales se dedican al relato dramático y dramatizado del duelo con Emilio de Girardin, duelo cuyo desenlace parece haberles proporcionado algunos detalles literales a los hermanos Goncourt:

> Lorsqu'on se fut assuré que la vessie n'était pas atteinte, —pormenoriza el Larousse— on lui fit remarquer cette circonstance. —Oui —dit-il—, c'est la péritonite que j'ai à craindre [...]» [*Larousse*, 448b].

Importa poco que el dato clínico se utilice o no a la inversa: lo significativo es la relación entre un texto históricamente autorizado, y la interpretación novelesca de los hermanos Goncourt; a lo cual tenemos que añadir, para los que se extrañen de las potencialidades novelescas reveladas por el Larousse, que uno de los rasgos más característicos de la gran literatura científica del siglo XIX es precisamente su calidad literaria, lo cual vale tanto en los terrenos de la medicina como en los de la historia: éste es uno de los puntos sobre los que tendremos que volver, a propósito de la fiebre histérica de Ana O...

De momento contentémonos con dejar sentado que la fuente histórica evidente del duelo de *Renée Mauperin* es la muerte legendaria de aquel héroe del republicanismo que fue Carrel; ello invita a pensar con qué *granum salis* el periodista pendenciero y duelista que fue también Clarín disimula y revela a un tiempo, en unas peripecias del relato novelesco, la referencia a una figura políticamente afín con sus ideales. Sin que esto signifique que hayamos terminado con el cotejo ilustrativo de novela a novela.

Antes hemos aludido a ciertos pormenores de la muerte de don Víctor, como aquél del moribundo que «se arrastraba sobre la hierba cubierta de escarcha y mordía la tierra» (*R*, II, 518). El dramatismo de los detalles recuerda un efectismo similar en la muerte de Henri Mauperin:

> [...] Le coup partit: il oscilla une seconde, puis tomba à plat, le visage contre terre, et ses mains, au bout de ses bras

étendus, un moment fouillèrent la neige de leurs doigts cris-
pés [...] [*RM*, 270].

En cambio otro detalle relacionado con la herida de su
adversario se ha atenuado aunque conservándose en parte:

> [...] Ramassant son pistolet, il se mit a faire les quatre
> pas qui lui restaient [...] en se traînant sur les mains et les
> jambes. Sur la neige, derrière lui, il laissait de son sang [...]»
> [*ibíd.*].

Importa poco, repetimos, que el hermano de Renée no
muera a consecuencia de la peritonitis que evocaba a propósito de su contrario. Leopoldo Alas recoge y entreteje los destinos tanto de Armand Carrel, como de Henri Mauperin y de
su adversario. En cambio se atiene a la sola versión novela-
da, al situar el duelo en un escenario invernal donde las tapias del Vivero constituyen un telón de fondo idéntico al de
las arboledas del *Bois* parisino donde muere el personaje de
los Goncourt. Compárese: «[...] *La terre était blanche de la
neige tombée toute la matinée. Le bois dressait dans le ciel
des branches dépouillées, et au loin, des filées d'arbres tout
noirs rayaient un rouge coucher de soleil d'hiver* [...]» (*RM*,
269), con (*R*, II, 516): «[...] *La mañana estaba fría y la escarcha sobre la hierba imitaba una somera nevada* [...]. Quince minutos después aparecieron entre los árboles desnudos
don Álvaro y sus padrinos [...]».
Creemos además que la misma crudeza del episodio, que
contrasta con el tono más bien «chejoviano» de las demás
páginas dedicadas a don Víctor, delata una inspiración directa, sobre todo si pensamos en otras circunstancias. Henri
Mauperin, lo mismo que Álvaro Mesía, es un arrivista cínico,
gran conquistador de mujeres y que se aprovecha a lo *Bel-
Ami* de sus relaciones con «ministras» cuando no con la
misma madre de la niña rica a quien pretende; lo mismo que
Álvaro, Mauperin sabe compaginar prácticas religiosas de
buen tono con un descreimiento brutal; lo mismo que Álvaro
es capaz de superar y disimular bajo una apariencia correcta
las punzadas del miedo a la hora decisiva;[4] y por fin, lo
mismo que don Víctor Quintanar, resulta inesperadamente víctima de un duelo del que sus habilidades le garantizaban que
iba a salir vencedor.
Por si fuera poco y nos quedara alguna duda, el mismo

Clarín nos invita a seguirle la pista apenas unas líneas antes del fatal desenlace, al insistir sobre los preparativos del duelo y revelar que el inexperto coronel Fulgosio

> nunca había presenciado un duelo a pistola, aunque él aseguraba haber asistido a muchos [...]. Aquellas condiciones las había copiado el coronel de una novela francesa que le había prestado Bedoya [...] [*R*. II, 518].

Desparpajo de humorista que se acoge a la tradición cervantina del «engaño a los ojos»; reto premonitorio a futuras acusaciones de plagio; o con más probabilidad entereza de un escritor que maneja las referencias asumidas con el completo dominio de una técnica. Compárese, si no, el acierto dramático que supone el balbuceo trágico de Frigilis con la frialdad de los datos médico-políticos tales como aparecen en la escena correspondiente de la novela francesa. Leopoldo Alas, perfecto conocedor de la obra de los Goncourt, y del que nos proponemos demostrar en otra ocasión y con más tiempo, la utilización que hizo en *La Regenta* de figuras como las de Renée Mauperin y de Madame Gervaisais, demuestra con ocasión de la muerte de don Víctor lo que escribía a propósito de *Lo prohibido*, al aconsejar que no se llenara

> de esdrújulos el estilo. No, esos esdrújulos deben ocultarse siempre que buenamente se pueda; los andamios científicos están mejor escondidos, si no hay peligro en ocultarlos [...]».[5]

El consejo se llevaría a efecto con más propiedad aún en el análisis clínico y prefreudiano del caso que nos hemos permitido llamar de Ana O...

* * *

Sobre la documentación médica manejada por Leopoldo Alas en la época precisa en que redacta su novela, no queda la menor duda, aun cuando nos limitáramos a los indicios acumulados otra vez en el cuerpo mismo del libro. La crítica ha identificado las referencias (a veces erróneas por culpa de los cajistas) a las «figuras de sesos y demás interioridades» (*R*, II, 77) que el ilustrado y *joven* (volveremos sobre este dato) doctor Benítez deja ver a su enferma. Véanse los estu-

dios preliminares de los profesores Sobejano y Oleza, donde
se estudia la utilización, entre otros, de los tratados del inglés Maudsley y de Jules B. Luys, discípulo de Charcot en
La Salpêtrière.

Se notará otra vez con qué tino don Leopoldo se cuida de
indicarnos sus fuentes, sin caer en el empleo repulsivo de los
esdrújulos y sobre todo sin cometer el error de referirse a
nombres más conocidos que los citados, que por lo mismo hubieran evidenciado, con menoscabo de la verosimilitud novelesca, los elementos patológicos que el doctor Benítez no podía
revelar a su paciente, y que el novelista tampoco quiere descubrir en toda su crudeza clínica (y desmitificadora) a sus
lectores. *La fisiología del espíritu* de Maudsley o los estudios
de Luys sobre *Le cerveau et ses fonctions*, o *Les structures
et les maladies du système nerveux*[6] presentan la ventaja de
tener títulos menos explícitos que *Les recherches cliniques et
thérapeutiques sur l'épilepsie et l'hystérie* de Bourneville,
«comtes-rendus des observations recueillies à La Salpêtrière
de 1872 à 1874», París, 1876; ou l'*Iconographie photographi-
que de La Salpêtrière*, de Bourneville et Richer, París,
1876-1880. Pero las publicaciones son estrictamente contemporáneas y son las que levantan polvareda en el Madrid de
los años ochenta, donde *La Ilustración española y americana*
comenta, por ejemplo, el 15 de abril de 1881 la publicación
de las *Lecciones sobre las enfermedades del sistema nervioso*
«[...] coleccionadas y publicadas por Bourneville, y traducidas de la última edición francesa por D. Manuel Flores y Pla»,
mientras *El porvenir* del 27 de febrero de 1883 publica comentarios del doctor Rodríguez Pinilla sobre l'*Iconographie
de La Salpêtrière*.

Apenas unos meses después Leopoldo Alas se lanzaría a
redactar los primeros capítulos de *La Regenta*,[7] y a lo largo de
dos artículos fundamentales para estudiar la génesis de su
obra, el novelista demuestra conocer perfectamente los estudios antes citados. Aludimos a dos textos de *El progreso*,[8]
donde, a raíz de la publicación en España de *La evangelista*
de Daudet, Leopoldo Alas comenta acertadamente los trabajos de la escuela de Charcot y el revuelo suscitado en la «reacción jesuítica» por la *Iconografía*... No podemos concretar más
extensamente aquí los indicios que revelan tanto el interés
como el alto nivel de la información clariniana, pero queremos recordar, antes de volver al caso de Ana O..., que los
años-cumbres para la divulgación de los estudios sobre fenó-

menos histéricos son el año 1881, con la publicación de la obra-monumento de Richer, *Études cliniques sur l'hystéro-épilepsie ou grande hystérie*, París, Delahaye et Lecrosnier, «ouvrage couronné par le prix Monthyon»; y el año 1883 en el que publica el doctor Legrand du Saulle la obra de gran difusión titulada *Les hystériques, état physique et mental*, París, Baillière et fils.[9] Los hispanistas habrán notado que exactamente entre esas dos fechas se sitúa el año del famosísimo tricentenario de santa Teresa, cuyas implicaciones científicas, políticas y literarias son obvias para el caso que nos ocupa.[10]

Pero lo que nos interesa por ahora es volver más específicamente sobre la obra de Legrand du Saulle, cuyo nombre es lo suficientemente conocido por Leopoldo Alas como para que aparezca, con las deformaciones acostumbradas («Legrande le Saulle» traducen los cajistas) en *Los grafómanos*, artículo publicado en el volumen *Nueva Campaña*, Madrid, 1887, del que se sabe que recoge textos de los años 1885-1886.[11]

Lo importante es que algunas manifestaciones clínicas de Ana Ozores permiten relacionar la novela de Clarín con el libro de Legrand du Saulle.

El lector atento a la patología de la Regenta habrá notado que por dos veces al menos la esposa de don Víctor padece accesos febriles muy violentos, aunque rápidos, a continuación de los cuales se abren largos períodos de postración física y mental con riesgo repetido de agravación y recaídas. El fenómeno se produce por primera vez en el capítulo I, 5, a raíz del trauma provocado por la muerte de don Carlos, cuando la todavía adolescente Anita guarda reposo durante un mes antes de padecer una larga recaída ocasionada por las prisas de su tía en volver a casa (*R*, I, 211-222).

Vuelven a producirse fenómenos parecidos en el capítulo II, 19, donde el diagnóstico somoziano de «primavera médica» no basta para refrenar un acceso violentísimo durante el cual la enferma delira a lo largo de seis días antes de que un médico más joven (nótese de nuevo el detalle) consiga cortar el síndrome febril sin llegar a impedir, pasados los momentos de mayor debilidad, una recaída provocada por la revelación y los excesos de lectura de la *Obra* de santa Teresa. La crisis se prolonga hasta mediados de julio, época en la que Álvaro Mesía, al despedirse de Ana, la encuentra todavía muy pálida y desmejorada (*R*, II, 185).

Pues bien, en los dos casos se puede diagnosticar un síndrome de fiebre histérica llamada por Legrand du Saulle

fièvre hystérique à forme courte [qui] rappelle à s'y mé-
prendre la symptomatologie de la fièvre typhoide: même cé-
phalalgie, même élévation de température, même diarrhée.
Elle signalerait d'habitude le début de l'hystérie, et dans
quelques cas s'est montrée brusquement, à la suite d'une
émotion morale. Les symptomes fébriles, qui durent de cinq
à quinze ou vingt jours, font place aux accidents nerveux et
pourraient se dissiper brusquement [...] [*LDS*, 157].

Además una de las especificidades de la fiebre así definida estriba en los altibajos del proceso patológico

[...] se traduisant aujourd'hui par des manifestations graves et présentant le lendemain une rémission plus ou moins
prolongée, à la suite de laquelle réapparaissent les accidents
pour disparaître ensuite de nouveau. Les intermissions peuvent se prolonger parfois fort longtemps. On en a vu qui
avaient duré dix, quinze et même vingt ans. Puis les phénomènes disparus renaissent tout à coup, sous l'influence des
causes qui en avaient antérieurement déterminé l'apparition
[...] [*LDS*, 520].

Así se explica que la sobrina adolescente de las señoritas
Ozores y la esposa treintañera de don Víctor puedan presentar síntomas absolutamente idénticos, aunque separados por
un intervalo de quince años:

[...] La noche anterior se había dormido con los dientes
apretados y temblando del frío... Tuvo pesadillas y aunque
hizo esfuerzos para no declararse enferma, el mal pudo más
y la rindió. El médico habló de fiebre [...] [*R*, I, 213].

[...] La Regenta [...] se acostó una noche de fines de
marzo con los dientes apretados sin querer y la cabeza llena
de fuegos artificiales. Al despertar al día siguiente, saliendo
de sueños poblados de larvas, comprendió que tenía fiebre
[...] [*R*, II, 110].

Insistimos sobre el carácter al mismo tiempo irregular y
recurrente de la enfermedad puesto que las crisis aquí mencionadas no son las únicas que se observan. Recuérdense las
alusiones de don Víctor a un acceso grave padecido durante
la estancia en Granada (*R*, I, 382) y la recaída poco menos
que definitiva a consecuencia del «paseo a la vergüenza» de
Semana Santa (*R*, II, 385).

Pero el interés del diagnóstico que se puede aplicar al personaje clariniano estriba, a nuestro parecer, en otra circunstancia fundamental. Y es que la fiebre histérica en las formas aquí descritas se acababa apenas de identificar como tal, en la época en que Leopoldo Alas empieza a redactar su novela.

Legrand du Saulle explica muy detalladamente como aparece por primera vez el diagnóstico de aquella dolencia en 1877, año en el que se publica en París la tesis de un joven médico, el doctor Henri Briand,[12] distinguiéndose sólo entonces la fiebre histérica de las formas convulsivas corrientes que coexisten con ella, pero según modalidades distintas en el caso de Ana Ozores (obsérvense las diferencias que establece la misma enferma entre el «ataque» histérico y el acceso febril). Los tratados médicos más antiguos desconocen el síndrome de fiebre histérica, a la que confunden a menudo con accesos tifoideos. Hasta los discípulos inmediatos de Charcot parecen desconocerlo y no se describe, por ejemplo, en los estudios antes mencionados de Richer; hasta que la ora de Legrand du Saulle difunda, en aquel año decisivo de 1883, la hipótesis del doctor Briand, con algunas salvedades que se notan en el empleo del modo condicional (véanse en las citas anteriores: «[...] elle signale*rait* d'habitude [...] les symptomes fébriles pour*raient* se dissiper [...]», etc.) y en el aviso conclusivo de su análisis: «[...] C'est là un sujet plein d'intérêt, mais qui réclame de nouvelles recherches [...]» (*LDS*, 158).

La advertencia sería oída por los colegas de Legrand du Saulle pero creemos que ha sido reflejada también en un detalle significativo de la novela de Clarín: siempre que Ana Ozores es atendida por médicos competentes, el novelista insiste sobre la edad más bien temprana de los facultativos; trátese del «mediquillo» de Loreto que asusta a Doña Anunciación con la crudeza de su diagnóstico sobre los trastornos pubertarios de Anita (*R.*, I, 211-212); o del sustituto de Robustiano Somoza, aquel doctor Benítez de la cura en el Vivero, del que escribe Leopoldo Alas:

> [...] El sustituto era un muchacho inteligente, muy estudioso; no le gustaba usar los nombres vulgares y poco exactos de las enfermedades y empleaba los técnicos si le apuraban, no por ridícula pedantería sino por su gusto de no enterar a los profanos de lo que no importa que sepan, y en rigor no importa saber [...] [*R*, II, 502].

Aplíquense esas consideraciones a los lectores del «documento naturalista», y volvemos al empleo restrictivo de los esdrújulos y a la «difuminación» artística del andamiaje científico, sin que por ello renuncie el novelista a la más escrupulosa exactitud. A los lectores que se extrañen, por ejemplo, de la minuciosidad con la que se consigna en el capítulo del Vivero, algunos de los trastornos «intestinos» de la protagonista

> [...] todos los días había que palpar el vientre y hacer preguntas relativas a las funciones más humildes de la vida animal; don Víctor que no se fiaba de su memoria, siempre reloj en mano, llevaba en un cuaderno un registro en que asentaba con pulcras abreviaciones, y con estilo gongorino lo que al médico importaba saber de estos pormenores [...] [R, II, 503],

recomendamos la lectura de Legrand du Saulle y del doctor Briand quienes, a una voz en sus libros respectivos, insisten sobre la importancia y la peligrosidad en sus pacientes de fenómenos de «constipation alternant avec des crises de diarrhées» (HB, op. cit., 23), ou de «constipation chronique, ventre distendu [...]» (LDS, 243). Como en otros ejemplos citados anteriormente se puede observar aquí el arte (y la socarronería) con que Leopoldo Alas sabe manejar el dato científico para integrarlo al proceso creativo.

También es cierto, lo hemos indicado ya, que los textos científicos del tiempo, escritos por hombres que tenían la misma formación humanista y clásica que sus émulos novelistas, brindaban magníficas oportunidades a la creación literaria. Basta recordar, por ejemplo, la evocación por boca de Visitación de uno de los ataques convulsivos de Ana:

> [...] —Te acuerdas —dice la del Banco a Mesía— de aquella Danza de las Bacantes? Pues eso parece... cuando se retuerce. ¡Cómo se ríe cuando está en el ataque! Tiene los ojos llenos de lágrimas, y en la boca unos pliegues tentadores, y dentro de la remotísima garganta suenan unos ruidos, unos ayes, unas quejas subterráneas [...] [R, I, 331].

Está bien claro aquí el juego perverso de Visita con el enamorado Mesía. Pero el posible recuerdo de una función de «ballet» en el Coliseo vetustense no informa sólo esas incitantes visiones. La «fase de la Bacante» es una de las etapas del ataque histérico tal como lo codifican la *Iconografía de la Salpêtrière,* o los estudios de Richer, el cual describe como sigue «des poses plastiques et les attitudes passionnelles» definidas por Charcot:

> [...] [La malade] s'agite ou plutôt semble jouer avec quelqu'un, tantôt riant, tantôt pleurant. Elle a des mouvements lascifs, et croise ses mains sur sa poitrine comme pour embrasser la vision qui la ravit. Puis elle se calme, paraît rêver, converse à voix basse. Elle chante entre ses dents avec des mouvements de tête [...] [Richer, 123].

* * *

Se podrían ofrecer otros ejemplos pero todo lo que se aportara no quita que el material científico se pueda utilizar con más o menos acierto, y sobre todo con más o menos capacidad de asimilación artística. Ilustra perfectamente este requisito fundamental la comparación anterior entre el empleo de una técnica aparentemente similar en Leopoldo Alas y en los hermanos Goncourt, con gran ventaja de aquél sobre éstos.

Unas conclusiones análogas se imponen, al observar la elección que acabamos de analizar de unos fenómenos patológicos prácticamente inéditos a la hora de escoger el novelista los materiales de su experimento novelesco: quién no ve que Leopoldo Alas, al hacerlo, compaginaba el máximo rigor científico en la información, con la posibilidad máxima de interpretación en el proceso creativo. Así se mataban dos pájaros de un tiro y se definía magistralmente la utilización clariniana del documento naturalista.

NOTAS

1. *La Regenta,* ed. de Juan Oleza, Letras Hispánicas 182-183, Barcelona, Cátedra, 1984. *La Regenta,* ed. de Gonzalo Sobejano, Clásicos Castalia, 110-111. Madrid, Castalia, 1983. En adelante, citaremos por esa edición, *R,* I, II.

2. Citaremos *(RM)* por la edición de la Bibliothèque Charpentier, París, Fasquelle, 1901.

3. *R,* I, 182: «Su mayor habilidad estaba en el manejo de la pistola; encendía un fósforo con una bala a veinticinco pasos, mataba un mosquito a treinta y se lucía con otros ejercicios por el estilo».

R, II, 517: «Bedoya pensó que don Víctor era buen tirador, pero no se atrevió a presentar objeciones a su colega».

4. «Henri [...] attendait. Il était pâle, avec un regard fier [...]». (*RM*, 270). «Mesía estaba hermoso con su palidez mata y su traje negro cerrado, elegante y pulquérrimo [...]» (*R*, 517).

5. *Lo Prohibido*, en *Nueva Campaña*, Madrid, F. Fe, p. 117. El artículo se había publicado en *El Globo*, 30 de junio de 1885.

6. Cf. *R*, II, 377, notas 13 y 14.

7. Último trimestre de 1883. Véase, por ejemplo, J.A. Cabezas, *El provinciano universal*, pp. 125-128, y la reciente aportación de D. Gamallo Fierros sobre «La Regenta, a través de cartas inéditas de la Pardo Bazán», en *Clarín y La Regenta en su tiempo*, Actas del Simposio internacional, Oviedo, 1984, pp. 277-312, en especial, p. 289.

8. *La Evangelista*, 21 y 25 de febrero de 1883, n.os 656 y 660.

9. Faltan sólo seis años para que el doctor Sigmund Freud acuda a ser discípulo en París de los maestros de La Salpêtrière.

10. Del mismo Clarín se conoce un artículo decisivo para entender la complejidad de las reacciones suscitadas por aquel acontecimiento. Véase en *El Progreso*, del 15 de octubre de 1882: «El Centenario de Santa Teresa». Tratándose de las implicaciones médico-teológico-políticas, remitimos a S. Saillard, «Louvain, Salamanque, Lyon, Roma. — Itinéraire européen d'une controverse à propos de Sainte-Thérèse, 1882», en *Les Catholiques libéraux au XIX siècle*, Grenoble, PUG, 1974.

11. «Los grafómanos», *Nueva Campaña*, p. 45. El artículo se había publicado en *La Ilustración española y americana* del 15 de junio de 1886.

12. Briand (Dr. Henri), *De la fièvre hystérique*, thèse pour le Doctorat en médecine, París, 1877.

FIGURAS DE LA NATURALEZA EN «LA REGENTA» Y SU FUNCIÓN EN LOS DIFERENTES NIVELES TEXTUALES

María-Paz Yáñez
(Universidad de Zürich)

Para presentar mi lectura de las figuras de la naturaleza en *La Regenta,* voy a basarme en cuatro pasajes que, a mi modo de ver, mantienen dos tipos de relación. Los dos primeros que analizaré ofrecen una imagen de «naturaleza viva» y están estrechamente conectados entre sí. En los dos que les seguirán, asistimos a la transformación de esa «naturaleza viva» en «naturaleza muerta», observando también ciertas conexiones entre uno y otro. Puedo hablar, pues, para entendernos, de dos unidades, compuesta cada una de dos pasajes.

El primer pasaje que me interesa destacar es el descubrimiento de san Agustín, ocurrido «un día de mayo» en el que Ana «se preparaba para una vida nueva» (pp. 202 y 203).[1] Las primeras páginas del libro las va a leer «en pie, bañados por un rayo de sol su cabeza pequeña y rizada y el libro abierto». La luz sobre la cabeza parece, en una primera lectura, metáfora del *saber.* Todo tiene un aspecto incoativo en esta escena y, dado que se trata del libro de una conversión —de la de un Padre de la Iglesia, nada menos— tenemos la impresión de que va a guiar a la niña por el camino de la salvación. Y no olvidemos que la luz puede ser también metáfora de la gracia. Pero al final del capítulo ya se han invertido los términos. El día de primavera se ha convertido en tarde de otoño y nuestra heroína ya no está en pie, sino desmayada. Este final de capítulo prefigura, por cierto, el final de la novela: otra tarde de octubre en la que Ana, repudiada por su padre espiritual, caerá desmayada a los pies de un altar. En .lugar de conducirla a la salvación, la Iglesia ha tomado parte en su caída.

La prometedora imagen de la lectura resulta, pues, irónica. Pero el pasaje sigue adelante. Para leer con tranquilidad, Ana se refugia en un cenador cubierto de «espesa enredadera perenne». Esta figura resulta placentera en su conjunto; pero si analizamos detenidamente término a término, se perfilan connotaciones muy diferentes. El adjetivo «espesa», con su acepción de «impenetrable», aporta la idea de «aislamiento», que aparece también en «enredadera», si atendemos a su etimología. Y es precisamente el aislamiento, la incomunicación, lo que —«perenne» como la enredadera— perseguirá a los dos personajes principales (Ana y Fermín) a lo largo de la novela. La imagen de la «red», contenida en el término «enredadera., aparece bajo formas diferentes en varios pasajes. Recordemos las «larvas» de los sueños de Ana:

> Al despertar al día siguiente, saliendo de sueños poblados de *larvas*,[2] comprendió que tenía fiebre [II, p. 110].

> Vagaban por las galerías húmedas, angostas y aplastadas, *larvas* asquerosas, descarnadas [...] [II, p. 125]

las «telas de araña» que envuelven al Magistral en su búsqueda a través del bosque:

> Y vuelta a correr cuanto podía, tropezando sin cesar, arrastrando con dificultad el balandrán empapado que pesaba arrobas, la sotana desgarrada a trechos y cubierta de lodo y *telarañas* mojadas. También él llevaba la boca y los ojos envueltos en *hilos pegajosos, tenues, entremetidos* [...] [II, p. 412].

y las lágrimas de ambos, comparadas en escenas paralelas a estas mismas «telas de araña»:

> [...] sintió en los ojos un polvo de claridad argentina; *hilo de plata que bajaba desde lo alto a sus ojos, como telas de araña;* las lágrimas reflectaban así los rayos de luna [I, p. 371].

El Magistral lloraba para adentro, mirando a la luna a través de unas *telarañas de hilos de lágrimas* que le inundaban los ojos [...] [I, p. 562].

Volviendo al «cenador», observamos que se trata de algo construido dentro de un espacio natural. Veamos ahora su entorno:

Las sombras de las hojuelas de la *bóveda* verde jugueteaban sobre las hojas del libro, blancas y negras y brillantes; se oía cerca, detrás, el murmullo discreto y fresco del agua de una *acequia* que corría despacio calentándose al sol; fuera de la huerta sonaban las ramas de los altos álamos con el suave castañeteo de las hojas nuevas y claras que brillaban como *lanzas de acero*.

Todas estas figuras naturales están descritas con algún rasgo artificial, y esto vale la pena retenerlo. Mención especial merece la última imagen, la de las hojas que «brillaban como lanzas de acero», cuya carga *polémica*[3] invalida el carácter de *locus amoenus* que el escenario ofrece a simple vista.

Como ya he apuntado, este pasaje forma unidad con el final del capítulo, es decir, con la subida al monte (pp. 208-210). Aquí la naturaleza se nos ofrece en todo su esplendor. Se puede hablar de un *espacio total*,[4] dotado de todas las dimensiones, en el que los elementos se funden los unos con los otros: «nubes y cumbres se confundían y mandaban *reflejados* sus colores»; «el viento imitaba como un eco la queja inextinguible del océano». Y obsérvese que topamos siempre con predicados del código artístico («reflejar», «imitar»), sin olvidar que el verbo «parecer» recurre tres veces en el mismo párrafo. La música y la arquitectura también están presentes: «Las olas [...] parecían [...] el ritmo de una canción sublime, vibraciones de placas sonoras [...]»; «En los últimos términos del ocaso columbraba un anfiteatro de montañas que parecían escala de gigantes [...]». Se trata, pues, del espacio idóneo para la instauración de un *sujeto poético*. Y de eso se trata: Ana va a escribir un libro dedicado a la Virgen. Pero existe una figura que, de nuevo, destruye la armonía: el pájaro.[5] A la niña, al oírlo, «se le antojó ruiseñor» y como «supuesto ruiseñor» reparece algo más tarde. Al final de la escena, sin embargo, ha sufrido una transformación total: «vio un *pájaro oscuro* salir de un matorral y pasar sobre su frente». Ana ha interpretado mal el canto. Tan mal como el origen de su exaltación mística. El desmayo con que acaba su experiencia obedece en último término a causas fisiológicas: acaba de entrar en la pubertad. Se trata, pues, de una «falsa interpretación», otra constante que, unida a la «incomunicación» de que ya hemos hablado, encontramos en cada página de *La Regenta.*

La conexión de esta escena con la que hemos visto anteriormente no se limita al paralelismo de los *demarcadores* temporales. El pasaje fundamental de *Las confesiones,* el que supone para Ana la gran revelación, tiene muchos puntos de contacto con esta subida al monte (que en un principio ha recordado, sobre todo, a san Juan de la Cruz, explícito además en el texto). Aparte de observar algunas similitudes entre el paisaje contemplado en esta escena y el que nos describe Agustín como escenario de su conversión, el canto del pájaro recuerda las voces infantiles que llaman a éste y le invitan a leer en un libro abierto al azar. El texto que se ofrece a la lectura del futuro obispo de Hipona concluye con estas palabras: «[...] revestíos de Nuestro Señor Jesucristo y no empleéis vuestro cuidado en satisfacer los apetitos del cuerpo».[6] La Regenta tratará de seguir este consejo —revestirse de Jesucristo, hasta el punto de imitarle en la Procesión—, sobre todo en los momentos en que el peligro que ofrecen los «apetitos del cuerpo» la acosa. Pero al intentar refugiarse en lo que ella cree la comunicación de dos almas por lo divino, se encontrará frente a una pasión tan humana como la suya. Así también en su primer momento de exaltación mística, la figura del pájaro vendrá a poner de relieve la imposibilidad de huir de las necesidades físicas por el camino de la fiebre religiosa. Después de todo, la pubertad no es otra cosa que la virtualidad de los «apetitos del cuerpo». Otra figura, pues, con función ironizante.

* * *

Y pasamos a considerar la unidad protagonizada por la «naturaleza muerta», que integran la descripción de la cocina de los Vegallana y la comida del día de san Francisco. Noël Valis ha dejado muy claras, en su excelente estudio sobre la visión decadente en Leopoldo Alas,[7] las connotaciones eróticas de estas dos escenas. Quiero, sin embargo, insistir sobre ello y añadir algunas consideraciones.

Lo primero que el narrador nos dice, al situarnos en la

cocina, es que el Marqués domina la aldea y que los campesinos le pagan con sus mejores frutos (pp. 319-324). Informaciones posteriores nos van a iluminar sobre la índole de algunos de estos frutos, ya que parece ser que el buen señor tiene la aldea sembrada de hijos ilegítimos.[8] Un salmón espera el sacrificio, «el momento de entregarse a la parrilla», sobre una «pulcra mesa de pino» (un altar adecuado). En los labios de Visita es frecuente la metáfora del «pez» para referirse a Ana:

> —Ella tragar... ya tragó el anzuelo. [...].
> —Puedes marcharte con una tajada y dejar el pez en el
> agua». [p. 332].

Pero el «pez» es también símbolo de la eucaristía, y la posición que ocupa en la escena es harto significativa. Nos encontramos ante una figura ambigua que representa tanto lo espiritual como lo erótico. Estas dos tendencias son evidentes en Ana, siendo la disposición al sacrificio uno de los rasgos más llamativos de su personalidad.[9] El «pez» puede verse así como metáfora de la Regenta. Pero hay también una figura en la cocina tras la que se esconden los dos hombres que la acosan: el encargado de sacrificar al salmón, el cocinero:

> Tenía cuarenta años muy bien cuidados; amaba mucho y se creía un lechuguino, en la esfera propia de su cargo, cuando dejaba el mandil y se vestía de señorito.

Este retrato nos da una versión vulgar de Álvaro Mesía, que confirma el lenguaje de Visita observado anteriormente. Y, por extraño que parezca, sus paralelos con Fermín de Pas son aún más estrechos:

> El fogón era un dios y él su *Pontífice Máximo*. Los demás sacrificaban en las aras del fogón y él celebraba misteriosamente y en silencio.

Naturalmente se trata también de una versión vulgar del Provisor, ya que si Ana piensa que «el Magistral sería la *égida* que la salvaría de todos los golpes de la tentación formidable» (p. 382), de Pedro se nos dice que es «*égida* de pucheros y peroles» (imagen a su vez vulgar de la mujer). No olvidemos tampoco que lleva el nombre del primer *Sumo Pontífice*, y que volveremos a encontrarle en la catedral, profanando el lugar con sus aproximaciones a Obdulia.[10]

En la cocina hay también una despensa, cuyo contenido «había sido movimiento, luz, vida, ruido, cantado en el bosque, volado en el cielo azul [...]». Parece que asistamos aquí a la transformación de esa naturaleza deslumbrante que vimos en la subida al monte. Ahora todo eso no es más que «naturaleza muerta», que por hallarse en una cocina no tiene más función que la de «producto de consumo». Una transformación similar se produce en Ana en su desplazamiento de Loreto a Vetusta, justamente de esa escena final de capítulo en el capítulo siguiente. Sus tías «la querían engordar como una vaca que ha de ir al mercado». Lo que en el espacio natural estaba a punto de convertirse en *sujeto poético* ha pasado a ser, en un entorno urbano, *objeto de consumo*. Contrasta vivamente el tono lírico del capítulo anterior con este capítulo V, dominado por una *isotopía* mercantil.[11] De este modo, todas las figuras de la naturaleza en este pasaje son metáforas de la heroína.

Y de un erotismo de cocina pasamos a un erotismo de salón, sin que apreciemos las diferencias. Se sirve para comer el día de san Francisco «lo mejor que producía la fauna y la flora de la provincia en agua, tierra y aire» (pp. 496 ss.), pero los marqueses comen sardinas y ensaladas empapadas en vinagre y mostaza, viandas tan vulgares como sus gustos amorosos. El comedor está decorado con escenas de caza; y de una caza se trata: la de Ana para Álvaro, en la que toma parte toda la sociedad. Pero, en lo alto, preside un retrato de Balmes, a decir del Narrador «sin que se sepa por qué ni para qué. ¿Qué hace allí el filósofo catalán? El Marqués no ha querido explicarlo a nadie». Al lector también le sorprende, sobre todo después de estas explicaciones y otras que le siguen,[12] en apariencia tan superfluas como la presencia del cuadro. Pero unos capítulos más adelante, el Magistral oye a unos niños recitar a Balmes: «Veritas in re ist re ipsa, veritas in intellectu [...]» (II, p. 197). Efectivamente, Balmes pone en guardia sobre las dificultades de captar la verdad con el entendimiento, y las posibilidades de deformar esta verdad, es decir, de malinterpretarla.[13] Y aquí sí queda plenamente justificada la presencia del filósofo. Oigamos los pensamientos de Fermín inmediatamente antes de escuchar el recitado:

Acabase aquello como acabase, él estaba seguro de que nada tenía que ver lo que él sentía por Ana con la vulgar *satisfacción de apetitos que a él no le atormentaban.*

Y para demostrar lo poco que le «atormentan estos apetitos», nos hace asistir al acto descrito, me atrevería a decir, con los tintes más eróticos de toda la novela:

> El Magistral arrancó un botón de rosa, con miedo de ser visto; sintió placer de niño con el contacto fresco que cubría aquel huevecillo de rosal; como no olía más que a juventud y frescura, los sentidos no aplacaban sus deseos, que eran ansias de morder, de gozar con el gusto, de escudriñar los misterios naturales debajo de aquellas capas de raso [...]. Cuando el botón ya no tuvo más [hojas] que las arrugadas e informes de dentro, don Fermín se lo metió en la boca y mordió con apetito extraño, con una voluptuosidad de la que él no se daba cuenta [p. 198].

De nuevo nos hallamos ante una falsa interpretación, más patente aún si comparamos esta acción con una similar protagonizada por la Regenta. Durante su estancia en el Vivero, a punto casi de caer en los brazos de Mesía, Ana muerde una cereza que sabe destinada a él.[14] La diferencia estriba en que ella no confunde sus sentimientos y clava sus dientes en un fruto comestible, mientras el Magistral se equivoca de percepción, empleando el sentido del gusto, tan ligado metafóricamente a lo erótico, en algo que tiene una función destinada al olfato, más propio para reflejar lo espiritual. Así tenemos en el *plano figurativo* la misma confusión que tiene lugar en el pensamiento de Fermín, con respecto a sus sentimientos amorosos.

Si la presencia de Balmes es aquí reveladora, cabe pensar que el hecho de presidir el comedor tampoco es gratuito. Si observamos esta escena más de cerca, notamos que, efectivamente, existen en ella varios niveles de verdad. Visita, Paco y don Víctor convencen al Magistral para que se quede a comer. A Quintanar le han dicho que quieren divertirse contemplando una escena de celos: los de Bermúdez hacia Fermín por causa de Obdulia. Esto es, en parte, cierto. Quienes varían son los protagonistas del triángulo, ya que los celos que Paco y Visita quieren contemplar son los del Magistral hacia Álvaro, causados por la propia mujer de don Víctor. Esta situación dentro del *Enunciado* está reflejando, a mi modo de ver, una técnica de los procesos de *Enunciación,* con lo que entramos en otro nivel textual. Tenemos un *Narrador* (en este caso colectivo: Visita y Paco) que ofrece una historia a un *Narratario* ingenuo. Pero, aunque esa historia esté ahí realmente (es cierto que Bermúdez está enamorado momentáneamente de Obdulia), otra se esconde detrás que es más importante que la prometida. Es el procedimiento de la distanciación irónica, de la manipulación del lector, atrayéndole hacia una verdad que no aceptaría desnuda. La estrategia consiste en vestirla con el código del *discurso social* en el que se siente integrado. Y, por encima de ese *Narrador,* que no es más que un ente de ficción puesto en escena, existe otra instancia superior, el *Enunciador,* que no es otra cosa sino la inteligencia del texto mismo. Esta «inteligencia» avisa a un lector ya no tan ingenuo —el *Enunciatario*— para que éste decodifique el mensaje.

Mucho se ha hablado de las valorizaciones del *Narrador* de *La Regenta,* atribuyéndoselas a veces al mismo Clarín. Yo prefiero hacer distinciones y, en este caso, creo que no se debe dar un crédito absoluto a la voz que valoriza. Por ejemplo, me ha llamado la atención el tratamiento que recibe un personaje secundario: el ex alcalde Foja. El Narrador nos dice que es un «usurero» y que «parecía nacido para murmurar» (p. 131). Ciertamente es alguien que también se capta la antipatía del lector. Pero sus murmuraciones se basan siempre en la verdad. Dice una vez:

> [...] contra las leyes divinas y humanas, el Magistral es comerciante, es el dueño, el verdadero dueño de *La Cruz Roja,* el bazar de artículos de iglesia, al que por fas o por nefas todos los curas de todas las parroquias han de venir velis nolis a comprar lo que necesitan y lo que no necesitan [p. 391].

Poco después nos enteramos por el mismo Magistral de que esto es cierto. Esta estrategia del Narrador se hace más patente durante la agonía, muerte y entierro de don Santos Barinaga. La actitud de Foja se revela oportunista en esta ocasión. Una vez sembrada la maledicencia, ni siquiera acude al cementerio. La voz narrante insiste en censurarle a él y a los demás asistentes, cuando las críticas de todos ellos se basan en la estricta verdad de los hechos. Tomemos, por ejemplo, la rotunda y dura afirmación de Foja:

[...] si don Santos muere fuera del seno de la Iglesia, como un judío, se debe al señor Provisor [II, p. 261].

La desleal competencia de *La Cruz Roja* ha llevado a don Santos a la ruina y al alcoholismo —lo sabemos de los mismos pensamientos de Fermín— pero, además es bien cierto que si muere sin confesión es el Magistral el primer culpable. Él es quien impide al Obispo acudir a su lecho de muerte, evitando así la única posibilidad de reconciliación. El Narrador, tan explícito en sus ataques a Mesía, poco dice en contra de Fermín de Pas; y, al presentárnoslo a través de sus pensamientos, parece identificarse a veces con él. Sin embargo, a mi entender, el texto mismo presenta más acusaciones contra éste que contra el cínico tenorio. Lo que ocurre es que estas acusaciones o vienen del mismo Magistral, en sus momentos de arrepentimiento, o vienen de personajes negativamente valorizados, como este Foja, a quienes el lector, en un principio, no debería dar crédito. Un claro ejemplo, pues, de manipulación.

El cuadro de Balmes puede intepretarse como un guiño del *Enunciador* al *Enunciatario,* impulsándole a buscar el *discurso verdadero* propuesto por el texto. Y no es éste el único indicio de esta índole en *La Regenta.* Encontramos otro, mucho más llamativo en el capítulo XXIX:

> Aquella escalera disimulada la comparaba Álvaro con esas cajas de cerillas que ostentan la popular leyenda ¿dónde está la pastora? ¿dónde estaba la escala? Después de verla no se veía otra cosa; pero al que no se la mostraban no se le aparecía ella [II, p. 457].

Se trata, pues de «buscar la pastora», la *verdad* última del texto. Y claro que la novela que tratamos está llena de «pastoras». Por eso hay que limitarse a buscar una determinada. Yo me he servido de las figuras de la naturaleza para investigar en qué medida se encuentran enlazados los diferentes niveles textuales. Hemos visto ya sus connotaciones a nivel del *Enunciado* y a nivel de la *Enunciación.* Queda aún otro nivel: el del código. ¿Hasta qué punto reflejan estas figuras un *discurso poetológico*?

Al presentar las dos primeras escenas —la del cenador y la de la subida al monte— llamé la atención sobre el lenguaje empleado en ambas. En la primera, la naturaleza incluía signos de construcción, de artificio, («cenador», «bóveda»). En la segunda dominaba el código artístico («imitar», «anfiteatro»). Cabe pensar que se esté reflexionando también sobre estética literaria. Leopoldo Alas nos ha hablado en sus escritos teóricos de su ideal de literatura,[15] que podría resumirse así: tomar los datos de la vida, de lo «natural», y, organizándolos de forma artística, crear una totalidad de carácter universal con fines útiles. La totalidad —lo hemos visto— está presente en la escena del monte; la utilidad, en el «cenador», junto a la «acequia».

Si los procesos de creación aparecen metaforizados en la «naturaleza viva», la «naturaleza muerta», destinada al consumo es, consecuentemente, metáfora del proceso de recepción. He insistido en los frecuentes casos de falsa interpretación figurativizada en objetos naturales («pájaro», «capullo de rosa»). No es necesario poner de relieve los errores de los personajes en este sentido. Bien patente es la equivocación de Ana respecto a los sentimientos que inspira tanto al libertino como al sacerdote. Lo que, sobre todo me ha llamado la atención es la forma de interpretar la literatura misma por parte de todos los personajes: Ana percibe un mensaje divino en las escenas más profanas de Zorrilla; Quintanar cree que el drama calderoniano es aplicable a la vida, y paga muy caro su error; Voltaire cuenta en Vetusta con fervientes admiradores y con detractores acérrimos, sin que unos ni otros hayan leído una sola de sus páginas;[16] y a nadie han pasado desapercibidas las constantes citas erróneas, los latinismos fuera de lugar y otras aberraciones lingüísticas. Al encontrarme ante estos pasajes, me parece estar leyendo las frecuentes quejas de Clarín ante la poca preparación, al adocenamiento, la falta de criterio del público.[17] También sus ataques a colegas que aventuran críticas a libros que no han leído.[18]

Pero hay más: el «pez» puede ser metáfora de Ana, de Ana destinada al sacrificio, destruida por Vetusta. Una mujer, ambigua como el «pez», capaz de llegar a extremos, tanto en lo espiritual como en lo erótico, sin que la sociedad en la que se mueve le permita conjugar estas dos vertientes, que juntas constituirían el germen de la literatura que quiere Alas. Y esta mujer —Gonzalo Sobejano lo ha dejado muy claro—[19] no se adapta, no «aclimata» en Vetusta, como tampoco «aclimatan» los ateos.[20] Lo único que en Vetusta consigue «aclimatar» son los eucaliptus de Frígilis. No voy a entrar en la polémica sobre las valorizaciones positivas o negativas de este personaje.[21] Lo que no podemos negar es que en esa horrible perspectiva de futuro que se le abre a la Regenta al final de la novela, la compañía de Frígilis abre una ventana a la esperanza. Así, en esa Vetusta, donde la aclimatación parece casi imposible, sus eucaliptus constituyen también la única esperanza de un futuro más acogedor. El árbol como metáfora de la literatura no es una figura ajena a Clarín. La encontramos precisamente en uno de los pocos momentos en que el panorama literario le ofrece una ventana a la esperanza, la misma que apuntan los eucaliptus de Frígilis. Para ilustrarlo, voy a concluir con unas palabras del propio Leopoldo Alas:

> Así sucede estos días con la novela española: es árbol floreciente, aunque ya iba pareciendo imposible de *aclimatar*.[22]

NOTAS

1. Cito de la edición de Gonzalo Sobejano, Madrid, Castalia, 1984.

2. Los subrayados son nuestros.

3. Para terminología, remito al diccionario de Greimas/Courtés, *Semiótica*, Madrid, Gredos, 1982 (traducción española).

4. Entendemos por un *espacio total* aquel en que términos incompatibles se encuentran unidos, p. ej. alto/bajo, frío/caliente, etc. No hay duda de que este pasaje está poblado de términos contradictorios: «pavorosos acantilados [...] *caían a pico* sobre el mar» / «*subía* [...] camino del cielo por la *cuesta arriba*» «de sus mejillas, entonces siempre *heladas*, brotaba *fuego*», etc.

5. Sobre el papel relevante de los «pájaros» en *La Regenta*, véase Claudio Guillén, «Apuntes para un estudio de la diégesis en *La Regenta*», en *Clarín y su obra en el centenario de «La Regenta»*, Facultad de Filología. Univ. de Barcelona, 1985, Ed. Antonio Vilanova, pp. 265-291.

6. San Agustín, *Confesiones*, Madrid, Espasa Calpe, 1954, p. 172.

7. Noël Valis, *The Decadent Vision in Leopoldo Alas*, Louisiana State, University Press, 1975.

8. «Esto lo dijo el Marqués de Vegallana, que tenía en la aldea todos sus hijos ilegítimos» (II, 526).

9. En varios pasajes se ve Ana nacida para el sacrificio. El más patente sin duda es el momento en que escucha el *Stabat Mater* y decide ofrecer a Fermín —que no a Dios— el voto de tomar parte en la Procesión: «¿Y el sacrificio que había prometido? ¿Aquel gran

sacrificio que yo andaba buscando para pagar lo que debo a ese hombre? (II, p. 336).

10. «Obdulia Fandiño, en pie, oía la misa apoyando su devocionario en la espalda de Pedro, el cocinero de Vegallana, y en la nuca sentía la viuda el aliento de Pepe Ronzal [...]. Para la de Fandiño la religión era esto, apretarse, estrujarse sin distinción de clases ni sexos...» (II, p. 278).

11. He aquí algunos ejemplos: «Perder el alma y el cuerpo, el cielo y la tierra! ¡Negocio redondo!» (213); «Se figuraba sacada a pública subasta. Doña Águeda y después su hermana trataron con gran espacio el asunto de la cotización probable de aquella hermosura que consideraban obra suya». (229-230).

12. Los comentarios sobre el retrato siguen: «A Bermúdez le parece un absurdo; Ronzal dice que es "un anacronismo"; pero a pesar de éstas y otras murmuraciones, conserva en el medallón a Balmes y no da explicaciones el jefe del partido conservador de Vetusta. A la Marquesa le parece ésta una de las tonterías menos cargantes de su marido». (p. 497).

13. «La verdad es la realidad de las cosas. Cuando la conocemos en sí, alcanzamos la verdad; de otra suerte, caemos en error [...] A veces [...] la realidad no se presenta a nuestros ojos tal como es, sino con alguna falta, añadidura o mudanza [...] Si tomamos una cosa por otra [...] mudamos lo que hay, pues hacemos de ello una cosa diferente.» Jaime Balmes, El criterio, Madrid, Espasa Calpe, 1960, pp. 7 y 8.

14. «[...] y cuando nadie la veía, a hurtadillas, sin pensar en lo que hacía, sin poder contenerse, como una colegiala enamorada, besó con fuego, la paja blanca del canastillo. Besó las cerezas también... y hasta mordió una que dejó allí, señalada apenas por las huellas de sus dientes.» (II, p. 394).

15. «No es la observación del carácter, ni la observación de lo que se ha llamado medio, hecha en abstracto, en consideración particular, lo primero que se necesita para reflejar en la novela, forma total de la literatura, el espectáculo completo de la vida. El novelista necesita ver algo más que el desarrollo de un alma y un cuerpo, de un hombre según su temperamento, y algo más que notar la relación que media entre el individuo y el mundo que le rodea. Saber copiar el do tal cual es en formas, en movimientos; saber imitar la probable combinación de accidentes ordinarios; saber copiar la solidaridad en que existen en la realidad los acontecimientos, los seres y sus obras, es lo esencial y primero.» La Diana, 16·VI·1882.

16. (Somoza) «jamás había leído a Voltaire, pero le admiraba tanto como le aborrecía Glocester, el Arcediano, que no lo había leído tampoco» (p. 427).

17. «El gran público, en efecto, es de un nivel de ilustración tan bajo que no posee ningún criterio estético [...]. Ese público silba o aplaude sin saber verdaderamente por qué; se hace su opinión con

un simple artículo de periódico, tolera a cualquier escritorzuelo con tal que le entretenga.» J.F. Botrel, Introducción a los *Preludios de Clarín*, Oviedo, Instituto de Estudios Asturianos, 1972.

18. Véase, por ejemplo, el artículo dedicado a *El niño de la bola*, de Alarcón, en *Solos de Clarín*, Madrid, Alianza, 1971.

19. Gonzalo Sobejano, «La inadaptada», en Sergio Beser, *Clarín y La Regenta*, Barcelona, Ariel, 1982, pp. 185-224.

20. «Él [Guimarán] daba ejemplo de ateísmo por todas partes, pero nadie le seguía. En Vetusta no se *aclimataba* esa planta.» (II, p. 144).

21. Los dos extremos de la polémica están representados por Emilio Alarcos Llorach, que ve en Frígilis la voz del autor («Notas a la Regenta», Archivum II, 1952, pp. 144-160), y por John Rutherford, que ve en este personaje una crítica despiadada del darwinismo («Fortunato y Frígilis en *La Regenta*», en *Clarín y su obra en el centenario de «La Regenta»*, op. cit., pp. 251-264.

22. «El tren directo» de Ortega y Munilla, en *Solos de Clarín*, op. cit. p. 285.

EN TORNO AL VACÍO: LA MUJER, IDEA HECHA CARNE DE FICCIÓN, EN «LA REGENTA» DE CLARÍN

Carolyn Richmond
(Brooklyn College, Nueva York)

> En general, la mujer está poco estudiada en nuestra literatura contemporánea; se la trata en abstracto, se la pinta ángel o culebra, pero se la separa de su ambiente, de su olor, de sus trapos, de sus ensueños, de sus veleidades, de sus caídas, de sus errores, de sus caprichos [...]
>
> «*Tormento*, novela original de D. Benito Pérez Galdos»,
> *El Día*, 6 julio 1884

Cuando expresaba esta opinión acerca de la mujer como personaje literario, Leopoldo Alas estaba trabajando en la redacción de lo que vendría a ser su propia respuesta a la susodicha carencia en la literatura de su época: su larga y detallada novela *La Regenta*, cuya protagonista sería «estudiada» muy en concreto y dentro del ambiente vetustense que la rodea y que terminaría devorándola. Y conviene insistir en el uso que hace Clarín del verbo *estudiar*, pues para este crítico y narrador la literatura estaba estrechamente relacionada con la historia y la sociedad, y por lo tanto, además de deleitar al público-lector, debía de hacerle «aprovechar».[1] Al reseñar la novela *Tormento* de Galdós, lo que sobre todo le elogia a su autor son, como dirá hacia el final de su reseña, sus «nuevos progresos [...] para el *estudio* del alma humana y sus complicadas relaciones en la convivencia social» (cursivas mías). Creo que en este modo de enfocar críticamente dicha obra galdosiana, enfoque cuyo parentesco con la perspectiva artística adoptada por el narrador en *La Regenta* resulta patente, podemos hallar un punto de su propia *ars poetica*.[2] Ahora bien, por objetivo que pretenda ser un *estudio* del tipo postulado, todo autor —tanto de crítica como de ficción— escribe desde su propio punto de vista, en que se combinan factores tan diversos y personales como la experiencia, la edad, el sexo, el temperamento, etcétera, inyectándose así en su obra literaria una fuerte, aunque a veces enmascarada, dosis de subjetividad. De modo que Ana Ozores, la Regenta, será *estudiada* dentro de, y junto con, su contorno histórico-social por un narrador portavoz de un escritor concreto cuyas vivencias, teorías y prejuicios se verán reflejados en la creación de sus personajes imaginarios y su mundo.

A mí, personalmente, siempre me ha parecido algo insatisfactorio el tratamiento literario del personaje de Ana Ozores. Si no me convence por completo, quizá sea porque su autor la retrató —o *estudió*— de un modo más intelectual que intuitivo. En efecto, según veremos, la Regenta resulta ser una encarnación artística de las ideas de Clarín relativas no sólo a la sociedad española en general sino también, específicamente, a la mujer. En la primera parte de este trabajo ofreceré un resumen de estas últimas según se vieron reflejadas en algunos relatos ficticios anteriores a *La Regenta*, para tratar de demostrar, en una segunda parte, la influencia que dichas ideas tuvieron, tanto en la creación del mundo femenino de esta gran novela, como en la concepción del personaje de Ana Ozores, que de tan diversas maneras ha sido interpretado por la crítica, analizando luego la actitud básicamente contradictoria que frente a él adopta el narrador, así como las consecuencias estéticas que dicha actitud traería consigo.

I. La mujer según Leopoldo Alas, «Clarín»: un resumen

En las ideas expresadas por el crítico Clarín acerca de la mujer entre 1875 y 1884, así como en la representación de dichas ideas en el terreno de la imaginación creadora durante el mismo período, se da, como hemos podido ver en otro estudio («Las ideas»), una enorme consistencia, matizada, sin embargo, por un cierto desarrollo artístico, desarrollo que correspondería a su vez a la creciente madurez tanto en la vida personal y profesional del escritor como en su dominio de la técnica literaria. Esta madurez trae consigo, sobre todo en el campo de la narrativa, la utilización de distintos tonos en el tratamiento de sus diferentes personajes así como un esfuerzo para presentarlos en el seno de su propia intimidad. No obstante ello, la actitud adoptada por Leopoldo Alas frente a la mujer —la *otra*— sigue caracterizándose todavía por una básica desconfianza y condescendencia —cuando no desprecio— en cuyo fondo se percibe no sólo incomprensión hacia la hembra sino también la consecuencia de una profunda tristeza en el solitario personaje varón.

Al nivel más superficial, encontramos en los escritos de Clarín una galería de tipos femeninos que reaparecen con cierta frecuencia: la beata, la esposa déspota y mandona, la literata, la coqueta, la adúltera, la poliándrica... —o sea, las *malas*— y, del otro lado, la virgen hermosa, la perfecta casada, la joven e idealizada madre —las *buenas*—, entre cuyos extremos caben otras figuras menos llamativas, más bien grises, caracterizadas por sus limitaciones y escasa inteligencia: aquellas niñas tontas que se casan sin pensar, las modestas esposas e hijas con su desbordada admiración por el infeliz hombre de la casa, etcétera. Dichos tipos están tratados casi siempe desde un punto de vista unilateral y plano: o bien con ironía, sarcasmo, desdén, o bien con una especie de admiración a la distancia, matizada, sin embargo, por una cierta reticencia. A veces el narrador intenta individualizar un poco a un personaje femenino, para retratarle desde dentro, captar algo de su vida anterior: los románticos sueños juveniles de una beata con alguna cultura, por ejemplo, los anhelos pseudomísticos de una casada seductora, las inquietudes de una esposa... Pero dichos intentos no pasan de serlo: meros conatos para comprender al personaje, para explicar sus actos. Lo importante es que estas mujeres —como la mayoría de los personajes masculinos clarinianos, dicho sea de paso— están presentadas, interpretadas, implícitamente juzgadas, por un narrador superior a ellas, el cual, incapaz, quizá, de respetarles el derecho de ser como son, de intimar con ellas y tratarlas, como Galdós, de tú a tú, adopta en cambio la perspectiva olímpica del moralista que él es —un distanciamiento que invita también al lector a compartir con el escritor su misma actitud. Dicha *connivencia* —llamémosla así— entre autor y lector, que presupone un punto de vista compartido, puede tropezar con dificultades cuando, por ejemplo, este último no simpatiza, por alguna razón, con el del narrador, poniendo en duda, o hasta rechazando, el enfoque que se pretende común. En el caso de los personajes femeninos de Clarín el peligro de que se rompa aquella armonía aumenta, según veremos, por el hecho de que la perspectiva superior, pretendidamente universal, utilizada por él en la presentación de tales personajes es la peculiar del hombre, y de un hombre cuyo concepto de la mujer la supedita por completo al varón.

Fundamental en la representación clariniana de la mujer que supone *normal* —es decir, aquella cuya existencia gira en torno al hombre— es su *diferencia* respecto de él. Las literatas parodiadas, así como las escritoras de verdad, para dar sólo dos ejemplos de mujeres independientes, están caracterizadas como hombrunas o masculinas, aunque siempre todavía, como la mujer femenina, inferiores al hombre. La diferencia de la mujer frente al hombre radica básicamente en su fisiología, en una combinación de todo lo relacionado con la matriz y con aquella imprecisa *natura naturans* a que se refiere Leopoldo Alas tantísimas veces. La relación de la mujer para con el hombre puede dividirse en tres grupos fundamentales: le sirve como fuente de inspiración poética, le complementa como pareja, o bien le atrae sexualmente. Cada uno de estos papeles, todos los cuales tienen que ver de algún modo con el amor, trae consigo una cantidad de problemas, causados quizá por aquella a la vez maravillosa y maldita *diferencia* entre ambos.

La mujer que inspira al hombre, que le atrae en un sentido espiritual, es tal vez la que menos problemas le da, por ser un personaje ideal, o idealizado, que poco tiene que ver con la realidad. Representa, pues, lo *eterno femenino*, cuyo representante máximo sería para Alas la bella e inocente Margarita de Goethe, el «triunfo de la burguesía en el arte». La idea de que la «misión» de la mujer hermosa, descrita ella misma como «el sentimiento», se reduzca a un papel pasivo frente al hombre, a inspirarle, a ser su musa, pertenece a un romanticismo cuya intensidad contrasta con todas las parodias que de dicho movimiento literario hará nuestro escritor a lo largo de su obra. Pero la mujer no puede quedar para siempre encima de su pedestal: o se enamora y *cae,* como le pasó a Margarita, o termina por casarse, enamorada o no. Ambas posibilidades ofrecen más potencial novelesco que la mera contemplación poética a la distancia de la hembra ideal.

La única «carrera» u «oficio» abierto para la mujer burguesa, ya sabemos, es el matrimonio, institución defendida por Clarín, quien no dejó de señalar, sin embargo, lo que en ella consideraba fallas, retratando también algunas parejas no unidas por los sagrados lazos de la iglesia. La *perfecta casada* —fiel y dócil compañera del esposo y madre de sus hijos— dedica toda su vida a producir la felicidad doméstica dentro del hogar. Pero si se casa precipitadamente, sólo por atracción física; si se casa sin amor, por interés económico, o con un hombre mayor; si entra en un matrimonio arreglado por otra persona... entonces, surgirán dificultades. Aun la perfección puede traer sus inconvenientes, quizá por lo aburrida que es... Y si el marido es débil, puede convertirse su esposa en una déspota, con lo cual se verán invertidos los tradicionales papeles de hombre y mujer. Claro que la mujer casada, sobre todo —mas no únicamente— la mal casada, es capaz de caer en la tentación del adulterio, al que sucumben muchos personajes femeninos de Clarín.

Antes de examinar más a fondo el tema de la tentación y el adulterio, recordemos que existe todavía en la obra de nuestro autor otro tipo de relación fundamental entre mujeres y hombres: la que se limita a una atracción sexual. La hembra —casada o no— coqueta, poliándrica, lasciva, sensual, conquistadora del pobre hombre que se siente incapaz de resistir su atracción sexual, desempeña en la obra de Leopoldo Alas —como lo hace a su vez la esposa mandona— un papel activo, muchas veces diabólico. Como víctima de su burla, así como de la de muchas adúlteras, tenemos a aquel sujeto «más capaz de amar a la mujer» sin que ésta sea capaz de estimarle a él: el sabio. Es irónico, pues, que a pesar de la supuesta *debilidad* fundamental de la mujer en que tanto insiste Clarín, sea ella la fuerte que termina dominando al hombre.

Dejemos por ahora a las *malas,* seductoras y traidoras al hombre, y volvamos a las *buenas* que, por una razón u otra, no actúan frente a éste —sabio o no— con la debida perfección, traicionándole, sea por la perniciosa influencia de la iglesia, sea tomando un amante (el obedecer a un sacerdote constituye, también, una especie de infidelidad al marido). Ahora bien, hay que recordar que —según Clarín—la mujer es en sí débil e inferior al hombre, y necesita ser guiada, obedecer a una autoridad... Siendo así, y dadas sus limitaciones fisiológicas —la matriz, el histerismo, etcétera—, no podrá culpársela enteramente de que se deje influir, o se deje seducir. Por un lado, les recuerda Clarín a las «señoras mujeres» su «responsabilidad moral», pero por otro le echa la culpa al catolicismo fanático, a los malos directores espirituales, a los clérigos y legisladores que han *prostituido* a este ser que «representa en la humanidad el predominio de lo inconsciente». Lógicamente, pues, se entiende que las pobrecitas mujeres se sientan completamente envueltas en todo lo que tiene la iglesia de voluptuosidad y sensualismo, o bien atraídas por el *físico*, las miradas, las insinuaciones de un guapo seductor..., pues la tentación —que la separa del deber hacia el marido— puede venir tanto del lado espiritual como del físico. No queriendo echarle al hombre toda la culpa por la caída de la mujer en la tentación, sugiere Clarín que «el verdadero responsable es el diablo que sopla», algo que nos lleva en seguida a la idea del pecado original. En efecto la hermosa madre de *El diablo en Semana Santa*, objeto del involuntario deseo del Magistral así como de las atenciones del caballero a su lado, está padeciendo una tentación de la que tiene la culpa, ya que no los hombres, nada menos que el diablo.

La palabra *culpa*, tan utilizada por Leopoldo Alas, refleja todo su fondo de moralista, que, si bien exonera a las débiles mujeres, la echa no tanto a los hombres como a la sociedad (con la ayuda del diablo...). Ahora bien: la mujer, según Clarín, vive enteramente por el hombre, quien, se supone, tiene otros intereses importantes en la vida, pero que también necesita el amor y el cariño de la mujer. Guarda, pues, una idea romántica de la felicidad como algo compartido por la pareja ideal. Pero la mujer es débil: sucumbe demasiado fácilmente a la tentación, dejando al hombre engañado e infeliz. Cuando esta teoría se aplica a otras situaciones frecuentemente descritas por Clarín —la relación amorosa entre el sabio y la hembra— los resultados se hacen mucho más penosos: en ellas existe una contradicción entre la supuesta superioridad del hombre respecto de la mujer y el hecho de que, irónicamente, esa *superioridad* del que, según él, sería más «capaz» de amarla —es decir, el sabio— sea una superioridad intelectual y espiritual antes que física, lo cual hará que la mujer no le aprecie, pues su propia debilidad le impide valorar el *tesoro* que bajo su poco atractiva apariencia esconde este tipo de hombre. De modo que quien mejor puede amarla es, no sólo incomprendido por ella, sino también, con frecuencia, despreciado, engañado... Y dado que el varón es superior a la mujer, más importante que ella, el intenso sufrimiento que experimenta el «más capaz» de amarla tiene que ser, por fuerza, más *importante,* a su vez, más trascendente, de lo que pudiera padecer una pobre y *débil* mujer...

II. Lectores y lectoras, criador y criatura: El caso de «La Regenta»

Cuando, en 1884, el todavía recién casado catedrático y escritor Leopoldo Alas empezó a redactar su larga novela vetustense ya tenía, según hemos visto, unas ideas bien precisas acerca del sexo opuesto, ideas que había ido expresando en su crítica y a las que había dado forma literaria en muchas de sus narraciones breves. Dichas ideas, que transmiten una actitud acerca de la mujer básicamente contradictoria, aunque siempre superior —de sarcástico desdén por una parte y, por otra, de una compasión caracterizada por una especie de idealización romántica—, se verán expresadas, asimismo, en los personajes femeninos de *La Regenta:* en las livianas y beatas caricaturizadas por su creador y, sobre todo, en aquella *criatura* suya, tan compasivamente *estudiada* por él, que es Ana Ozores de Quintanar. Antes de examinarla en relación con las ideas clarinianas acerca de la mujer para tratar de valorarla como personaje literario, conviene ver cómo han reaccionado frente a este personaje femenino algunos críticos de entonces y ahora.

Deleitar aprovechando: Diversas reacciones del público-lector

El leer, como el escribir, es un acto solitario, íntimo, en que la persona receptora de lo escrito por otro recrea el texto para sí de un modo único y personal en cuyo proceso desempeñan un papel, dentro ya de lo que es la psicología o carácter del individuo, sus propias experiencias tanto literarias como vitales. En efecto, este ejercicio nada pasivo, que preocuparía a Leopoldo Alas durante toda su vida, llega a ser un motivo principal de *La Regenta:* entre sus numerosos personajes se encuentran varios escritores y todavía más lectores. Ambas actividades, leer y escribir, serán de suma importancia para Ana Ozores, cuyos secretos tanteos *literarios* adolescentes, interrumpidos voluntariamente por ella tras padecer la irrisión de sus tías y de otras gentes en la sociedad vetustense, se reanudan hacia el final bajo la forma de diario escrito en el Vivero justo antes de sucumbir a los encantos de don Álvaro Mesía. Sus intensas y variadas lecturas, la mayor parte de las veces emprendidas por antojo personal —es decir, sin consejo ajeno—, constituyen para ella una especie de diálogo frustrado en que su deseo de compartir la intimidad con otro se ve reducido a un constante monólogo interior cuyas divagaciones y vaivenes presenciamos, y vamos interpretando por nuestra cuenta, nosotros *sus* lectores a lo largo de la novela. La solitaria Ana Ozores se apoya en sus lecturas para confesarse consigo misma, buscando en dicha actividad —en la *amistad* de los libros— no sólo una autocomprensión sino también una orientación dentro del tedio de su vida.

Este anhelo de comunicación en la intimidad quedará satisfecho humanamente —aunque, por causa de la no confesada atracción que siente hacia don Álvaro, jamás de un modo cabal— en sus confesiones con el Magistral, en quien ella quiere ver un *hermano mayor* y un amigo, confesiones éstas cuyo contenido, celosamente velado por el narrador, sólo le llega al lector de *La Regenta* por vía indirecta a través de los recuerdos de uno u otro protagonista o, desde fuera, por los escandalizados comentarios de algún que otro vetustense. Pero este nuevo *amigo* es, recuérdese, a la vez su director espiritual, desempeñando así frente a ella una función parecida a la de los libros. Se complementan, pues, en el espíritu de Ana el acto de confesarse con un sacerdote y el de confesarse consigo misma con ayuda de sus lecturas, ambos encaminados, idóneamente, hacia una mayor autocomprensión por parte del individuo. Esta doble manera de conocimiento que hallamos en *La Regenta* había aparecido ya de un modo explícito en *Un documento (Pipá; Treinta relatos,* pp. 36-55), irónico cuento de amor, desengaño y venganza fechado en «Madrid, junio 1882», al que he dedicado un largo estudio *(«Un documento»).* Los protagonistas de este relato se basan para actuar, cada cual a su manera, sobre la *experiencia* de sus respectivas lecturas. Entre los muchos elementos que en este texto anticipan *La Regenta* encontramos el de la literatura como dirección de conciencia junto con el confesor o en lugar suyo, idea que se manifiesta en el siguiente comentario acerca de las disparatadas lecturas espirituales y místicas de la protagonista del cuento: «Si Cristina hubiese tenido un verdadero director espiritual, ¿no hubiera buscado salvación por otro camino?...».

Es evidente que Leopoldo Alas creía plenamente en la función de la literatura moderna como orientadora o directora de conciencia tanto para los lectores dentro de sus obras de ficción como para los suyos propios de carne y hueso. Sabía, también, que cada lectura de un texto es forzosamente distinta e individual. Como autor, quizá esperase que su *estudio* del personaje femenino Ana Ozores sirviera de escarmiento moral para los lectores y lectoras de su época; lo cierto es que un libro, una vez desprendido de quien lo ha escrito —o sea, una vez publicado—, ya no le pertenece, ni depende de él para su interpretación. Entre la intención del creador y la reacción del lector hay a veces un desentendimiento. La publicación de *La Regenta* suscitó en su tiempo una diversidad de juicios y opiniones, desde la admiración hasta la más severa censura. Al repasar los juicios contemporáneos reunidos por María José Tintoré en un apéndice de su recién aparecido libro,[3] tenemos la sensación de su inmediatez, pues aquellos críticos decimonónicos operaban dentro de la misma realidad, tanto física como intelectual, que Leopoldo Alas. Es curioso, pues, notar cómo apuntan ahí ciertos elementos estilísticos de nuestro autor que han seguido interesando, aunque frecuentemente con otro enfoque, a los críticos más modernos.

«Clarín es romántico de corazón y humorista de raza», escribe Fernando de las Heras (p. 235), señalando así aquella contradicción, o dualidad, básica que siguen señalando los críticos de Clarín. Natalio Vida marca la presencia «en una novela naturalista [de] esos presentimientos y simbolismos de romanticismo melenudo» (p. 158), y R. Blanco Asenjo llama la atención también, en el final de la novela, sobre el «colorido romántico que desdice del tono general de la obra» (p. 204). Baltasar Champsaur, quien cree que «*La Regenta* está más pensada que sentida» (p. 147), describe a Ana Ozores como «la hembra» disputada por «dos machos», como «dos cuervos que se disputan un trozo de carne», reservando sus elogios, entre los personajes del libro, para el de la madre de Fermín de Pas: «un tipo *sabroso*, acabado, perfecto; pocos son los caracteres tan magistralmente retratados». Para Jerónimo Vida «Ana Ozores es pura y sencillamente una histérica», cuyo carácter «está bastante bien estudiado» (p. 162), y Tomás Carretero también destaca el estudio psicológico que hace Clarín del «alma excelente de aquella pobre Regenta» (p. 251). En Ana, según Adolfo Marsillach, «el autor puso toda su alma espiritualista» (p. 265), mientras que Orlando, quien encuentra en el Magistral «una de las creaciones más notables de su género» (p. 173), dice que «a pesar del esfuerzo hecho por el autor y de los ricos talentos y prolijo esmero empleados para modelar [a Ana Ozores], no la estimamos acreedora a tantos plácemes» (p. 178). Y, para cerrar nuestro breve repaso, una última cita de Jerónimo Vida, quien opina que para sí «el mejor carácter de su novela no es el de Ana Ozores, sino el del Magistral» (p. 163).

Hoy día sigue habiendo una enorme diferencia de opiniones críticas respecto a *La Regenta,* diferencia que se explica tanto por factores de índole personal como por las transformaciones sociales y culturales que han tenido lugar en el mundo durante los últimos cien años, que sin duda influyen sobre el espíritu de nuestros contemporáneos. Ciñéndonos aquí al personaje de Ana Ozores, creo que en las interpretaciones que de ella se han hecho durante los últimos veinticinco años se deja sentir el enorme cambio experimentado por la posición de la mujer, inclinándonos a prescindir de situaciones y circustancias que ya pertenecen al pasado, para enfocar nuestra atención en los conflictos íntimos que tanto atormentan a la protagonista de la novela. Algo semejante ocurre con la apreciación crítica de todas las heroínas adúlteras de la novela decimonónica. Ahora bien, en el fondo lo que debemos preguntarnos es si el personaje literario de Ana Ozores alcanza o no la profundidad de una Emma Bovary, de una Anna Karenina, de la Augusta de *Realidad,* y caso negativo, por qué. Pero no es nuestro propósito compararla aquí con otras; procuremos en cambio averiguar cómo es de veras esta figura literaria. Veamos ante todo lo que algunos críticos dicen.

A juzgar por una muestra representativa (pues no se trata de repasar toda la crítica reciente de la novela), hay tantas Anas como hay comentaristas. Por lo pronto se descubre, dentro de las diferencias de interpretación —que son en verdad chocantes—, la constatación general de ciertas oposiciones o dualidades en torno al personaje, que son un reflejo de las que, bajo distintos enfoques, suelen considerarse básicas en la obra narrativa del autor: cabeza/corazón, sátira/ternura, lo material/lo espiritual, lo crítico/lo sentimental, etcétera. En su interesante monografía *Clarín o la herejía amorosa* sugiere Francisco García Sarriá que la diversidad de interpretaciones críticas de esta «novela de problemática» se debe en el fondo a la contradicción existente en ella entre los dos caminos posibles para que el ser humano supere la dualidad cuerpo/alma: «la espiritualización del amor carnal» o el «ver en el fondo de todo amor entre hombre y mujer un aspecto sensual y vicioso». «Estos son los dos extremos», concluye ahí: «todo amor es puro o todo amor es degradación» (pp. 93-95). Conviene tener en cuenta esta contradicción al repasar, rápidamente, algunas de las *lecturas* que se han hecho del personaje de Ana Ozores.

La mayor oposición en el libro es la que se da entre la sórdida y hostil ciudad de Vetusta y el alma soñadora de la protagonista, contraste presentado casi siempre en términos de un tratamiento naturalista del mundo de la novela con el consiguiente determinismo del medio ambiente sobre sus personajes, frente a los anhelos románticos de Ana, quien, en cambio, está tratada por el narrador desde una perspectiva distinta. Esta dualidad básica ha sido presentada de diversos modos. Por ejemplo, Sergio Beser señala que el autor

> [...] ha construido la figura de Ana a partir de rasgos del personaje femenino romántico, pero lo ha situado en un tiempo y una sociedad en que lo romántico no era sólo anacrónico, sino antinómico a los principios y usos de esa sociedad [*Clarín y «La Regenta»*, p. 68]

mientras que Gonzalo Sobejano, quien define el «sentido último de la historia de Ana Ozores» como «el conflicto entre esta protagonista (la poesía) y su antagonista colectivo, Vetusta (la prosa)» («La inadaptada», p. 308), concluye que desde

> [...] el punto de vista personal, la diferencia básica entre *Madame Bovary* y *La Regenta* consiste en que aquélla es una novela antirromántica sobre el alma romántica deteriorada, y *La Regenta* una novela romántica (sólo naturalista en procedimientos) contra el mundo antirromántico.[4]

Concordando con Beser acerca de la importancia del determinismo fisiológico en el libro, García Sarriá sostiene que el defender, por un lado, «la aspiración ideal [...] mientras por otro lado se constata la realidad histórica» crea una dificultad, pues el pasar de una a otra esfera «es la causa de la confusión del lector que se siente impulsado a experimentar reacciones contradictorias» (pp. 119 y 120). Y S. Serrano Poncela, señalando una «persistente y sutil deformación del "relato objetivo" e impersonal» al que aspira la técnica realista-naturalista, deformación debida «al uso de la ironía», cree que tal visión irónica «desdibuja el *fatum* sociológico y biológico; le hacen menos determinante», y que, en el caso de Ana Ozores, «la interpretación de sus motivaciones sometida al esquema de una infancia insatisfactoria y una educación rígida, cruel y en ocasiones traumatizante, ocupa las páginas menos gratas para el lector» (pp. 150 y 152). O bien, veamos cómo se ha interpretado el desenlace, cuando Ana, tras ser rechazada y amenazada por De Pas, se desmaya hasta ser despertada con el beso del asqueroso acólito Celedonio. He aquí dos conclusiones bien distintas: Baquero Goyanes cree que el «suicidio de Emma Bovary, envenenándose con arsénico, es un final menos cruel —y menos moralizador— que el tan amarguísimo e inteligentemente abrupto de *La Regenta*», mientras que Sobejano opina que

> Ana Ozores aparece, en la página final de la novela, derrotada por Vetusta, arrastrada por su lodo: pero Vetusta no ha podido asimilar a Ana, no ha podido someter su alma. El aparente castigo material, llevado al extremo de la profanación (y sólo se profana lo que aún es sagrado), descubre la victoria moral (el triunfo del dolor) en esa mujer que vuelve a la vida rasgando las nieblas [*Obra ejemplar*, p. 146].

¿Cómo es Ana Ozores? Los críticos tienen frente a ella las más diversas reacciones. Comentando la ausencia en la novela de «personajes simpáticos», escribe Baquero: «Solamente Ana Ozores, como Madame Bovary, es capaz de suscitar cierta piedad. Aun así Alas no acentúa demasiado esa simpatía o piedad por su heroína, pese a haber puesto en ella tanta sustancia personal» («Exaltación de lo vital», p. 167), mientras que Sobejano, gran admirador de la protagonista, resalta en varias ocasiones su bondad: «Es [...] en este alma buena, e inicial y potencialmente sana, de Ana Ozores donde se contiene el mayor caudal de poesía en perpetua fricción con la prosa de Vetusta, primaria y continua causa de su enfermedad». Sara E. Schyfter ve en ella una «heroína bien dotada» frente a la que su creador asume una «ambivalencia clásica», presentando sus «anhelos poéticos, religiosos, en términos de simpatía, hasta admiración» aunque tratándola, muchas veces, con una actitud de superioridad como a una «débil mujer».[5] Serrano Poncela describe la protagonista de *La Regenta* como una «figura femenina compleja y artificiosa» (p. 142), Clifford R. Thompson, Jr. explica la situación de Ana como «víctima» de la sociedad por su propio egoísmo (pp. 199 y 200) y María del Carmen Bobes la interpreta como «un personaje inmaduro, profundamente narcisista» y «patético» (p. 98). ¿Están describiendo al mismo personaje?

Nuestro repaso de juicios críticos muestra hasta aquí que existe una diferencia de opiniones en cuanto se refiere a la actitud adoptada por el narrador frente a su protagonista, y que los mismos comentaristas discrepan entre sí en la valoración de la personalidad de Ana Ozores, tratándola, algunos de ellos, casi más como a una persona real que como personaje literario. Que sea víctima de Vetusta, ninguno lo duda, pero ¿se puede achacar a la sociedad toda la culpa? ¿Cuánta influencia ejercen su herencia biológica y su pasado en el modo de actuar de la Regenta, y cuánta su personal actitud frente al mundo? Arrinconada por sus circunstancias, Ana Ozores tiende a huir, a aislarse dentro de sí, ya que escaparse físicamente de Vetusta le es imposible. Es, pues, una solitaria a cuya intimidad sólo el lector tiene acceso, simpatizando más o menos con ella según su propia sensibilidad y punto de vista. Así, la actitud de cada lector frente a la protagonista de la novela determina en gran parte la interpretación que haga de su tendencia a la huida, de su pasividad. Puede que dicho lector reaccione con frustración, con rabia; que la defienda, que la desprecie, que la compadezca... esto es lo que ocasiona la problematicidad de la novela. Ana Ozores no es un personaje ante el cual pueda uno mantenerse indiferente: su propia *reacción* frente al asedio de Vetusta, asedio cuyas dos vertientes se personifican en el Magistral y don Álvaro Mesía, significaría un mensaje moral para los lectores contemporáneos —y para la sociedad española— de los últimos lustros del siglo pasado; en cambio para nosotros, con nuestra perspectiva de ahora, el mensaje se dirige ante todo al conocimiento del corazón humano.

Según Frances Wyers Weber, el dilema de la protagonista es escoger «entre dos maneras —aparentemente contradictorias, pero en realidad muy semejantes— de escapar a la monótona y opresiva rutina de Vetusta: el misticismo religioso y el amor espiritual y romántico» (pp. 119 y 120). Beser habla del «violento rechazo» que experimenta Ana «de lo que le rodea y la necesidad de huir, de escapar de ese medio que se le presenta como una cárcel», enumerando como «caminos para huir» «la lectura, el escribir poesías, el contacto con la naturaleza, la religión, el deber hacia el esposo, el amor», y añadiendo que su «personal sentimiento de la religión como realización de "ansiedades invencibles, del anhelo de volar más allá de las estrechas paredes de su caserón, de sentir más [...]", es uno de los más importantes rasgos que la separan de Emma Bovary y otras heroínas de la novela realista decimonónica» (*Clarín y «La Regenta»*, p. 143). También encuentra un rasgo activo en ella Sobejano, quien la ve como «un temperamento apasionado, pero sobre todo un carácter movido por vocación a buscar la poesía —como belleza y como amor divino y humano— entre la fealdad, la mentira y el mal» («Poesía y prosa», p. 298). Sin embargo, la ejemplaridad de *La Regenta,* dice él, consiste en «ser en España el perfecto arquetipo, el primero y mejor, del "romanticismo de la desilusión", con su héroe "pasivo", cuya inadaptación se debe a que su alma es más amplia que todos los destinos que la vida pueda ofrecerle» («La inadaptada», p. 223). Otros la ven en términos menos positivos. Tras señalar varios momenos de pasividad en la novela, Schfyter concluye que en la escena final «Ana acepta el juicio de la sociedad pasivamente y [...] busca una redención final a través del varón».[6] Bobes opina que «el personaje de Ana Ozores está construido [...] como un sujeto de desgracias que camina hacia el desastre», ofreciendo a continuación una lista de «carencias», ninguna de las cuales llegaría a superar por «ser sujeto de un proceso de degradación y de una secuencia de Fracaso» (pp. 97 y 98). La falta de esperanza indicada por estas dos comentaristas sugiere una especie de hueco, de angustioso vacío al cual apunta Noël M. Valis tras preguntarse por la significación última de *La Regenta.* «Se trata de la ausencia. La ausencia del amor, de la amistad, de todo lo que apreciamos como valores humanos, lo poco que nos une. *La Regenta* es la gran novela de la ausencia del siglo pasado».[7] Ausencia, carencia, pasividad... Quizá lo que perciben algunas lectoras contemporáneas en el personaje de Ana Ozores no sea precisamente el mensaje que quiso comunicarle Clarín a su público lector.

¿Y cuál habría sido la intención artística o ideológica de

Clarín al crear su protagonista? Frank Durand ha demostrado que «en *La Regenta* todas las teorías literarias de Alas se llevan a la práctica» y cómo coincide en ella la visión del autor con la del crítico, concluyendo que «la actitud negativa de Alas en la novela está basada en la arraigada convicción de que sólo es posible mejorar después de la destrucción de lo mediocre y lo superficial» (pp. 112 y 113). En efecto, la influencia de ciertos principios fundamentales, tales como «el retrato realista y documentado, la impersonalidad por parte del narrador y el determinismo fisiológico y del medio», son fundamentales en *La Regenta* donde, según Beser, la lucha entre el «libre albedrío» y «los obstáculos que se oponen a ella, factores deterministas» forman el núcleo de la personalidad de Ana Ozores.[8] No cabe duda de que gran parte de la obra, incluso mucho de lo que se relaciona de modo inmediato con la protagonista, arranca directamente de las ideas de Leopoldo Alas, pero ¿dónde queda lo correspondiente al «libre albedrío»? ¿Es Ana verdaderamente *libre*, o no será que ella, como individuo, responde también a unas ideas previamente articuladas por su autor, y hasta ilustradas en ciertas obras suyas de ficción anteriores a la novela? Fácil es afirmar —y en algunos casos probar—, como se ha hecho ya más de una vez, que Leopoldo Alas infundió a su personaje mucho de sí mismo, de su alma, de sus frustraciones, de sus anhelos religiosos («Los versos»), mas si descartamos todo lo que hay ahí de *general* y *humano,* nos resta el hecho de que la Regenta es una mujer vista por los ojos de un hombre, y un hombre —como se ha visto— con ideas bien precisas acerca del sexo opuesto, ideas que se dejan rastrear no sólo en su presentación de las Obdulias, Visitas y otras señoras vetustenses, sino también en esta *romántica* que tan poco se parece a ellas.

Ana Ozores: La idea hecha carne de ficción

La visión del mundo que nos ofrece *La Regenta* es tan deprimente como la continua lluvia de Vetusta. Lo que salva la novela, y hace tan gustosa hoy día su lectura, es, sobre todo, el estilo punzante, irónico, de su narrador, estilo que se despliega sobre todo en aquellas partes que responden a una perspectiva más bien *naturalista.* Que esta manera *superior* de encarar la realidad, detrás de la que se percibe constantemente la amarga burla del autor, constituye un extraordinario logro estético, no creo que nadie se haya atrevido seriamente a ponerlo en duda. Hay menos acuerdo crítico, sin embargo, a la hora de juzgar el retrato que se ofrece ahí del personaje de Ana Ozores, presentada también ella desde arriba, con condescendencia, aunque sin la menor chispa de humor. Es más bien con lástima que la trata el narrador, invitando al lector a que comparta con él ese mismo punto de vista. Si bien muchos críticos contemporáneos se han sentido conquistados por esa visión básicamente *romántica* de la protagonista, hasta el punto de convertir su compasión hacia ella en una verdadera admiración, otros han llegado a conclusiones más bien pesimistas, aún negativas, frente a esta figura femenina. Yo comparto este último criterio, y quisiera dejar constancia aquí de mi propia interpretación de la protagonista, cuya figura me deprime tanto, si no más, que las circunstancias que la rodean.

Además de deleitar, recordémoslo, la literatura tenía para Clarín, según la tradición clásica, una función educativa en cuanto orientadora y directora de conciencias. Y aunque el mensaje de *La Regenta* que llegara a los lectores y lectoras de su época sería distinto al que recibimos nosotros de la novela hoy día, sigue percibiéndose en ella ese tono comprometido, moralista. Por lo demás, Leopoldo Alas ha pretendido en esta obra llevar a cabo lo que había echado de menos en la literatura de su tiempo: un *estudio* de la mujer dentro de su ambiente y de su intimidad. Tan serio como su propósito educativo es el papel que Leopoldo Alas le atribuye al lector, cuya relación con un libro se asemejaría —sobre todo en el caso de la lectora— a la que mantiene con su director espiritual. Toda lectura es un acto íntimo, personal; la ecuación entre lector y libro es distinta para cada persona que lo lee. Estas observaciones se encuentran confirmadas con las lecturas de Ana Ozores, cuyas interpretaciones de libros como los de San Agustín o Santa Teresa no reflejan precisamente las que de los mismos haría Clarín. Para ella, dicho queda, la lectura es tan íntima que le proporciona infinitas oportunidades de examinarse y confesarse consigo misma. Creo que en el *estudio* de Ana Ozores que Clarín ofrecía a los lectores y lectoras de su tiempo había demasiado aleccionamiento, sobre todo por vía negativa, pues de haber sido otras las condiciones, a las que se echa la culpa de todo, o de haber sido quizá diferente ella misma, o bien —¿por qué no?— de haber asumido ella una actitud diferente frente al mundo y sus personales circunstancias, a lo mejor hubiera podido ser feliz... El lector tendría que aprender, pues, de su caso, para encaminar mejor su vida. Pero dicho aprendizaje moral estaba en la línea de las ideas acerca de la mujer vigentes en aquel entonces: tradicionales ideas defendidas, según se ha visto, por el propio autor e ilustradas en su gran novela. Los lectores, y sobre todo las lectoras, de hoy, que hemos vivido unos cambios sociales decisivos para la definición de los respectivos papeles del hombre y de la mujer, nos sentimos menos afectados directamente, quizá, por el mensaje social de la novela, aunque no por eso nos deje indiferentes. Lo que debemos hacer, me parece, es analizar a la protagonista y sus circunstancias lo más objetivamente posible, teniendo en cuenta aquellas ideas acerca de la mujer ilustradas en el texto que ya no están vigentes, para ver después de todo qué impresión sacamos, tras un siglo largo, acerca de la entidad humana de este personaje literario.

Todas las ideas acerca de la mujer que Clarín había enunciado en su crítica e ilustrado en sus relatos de la década previa a *La Regenta* (Richmond, «Las ideas») están incorporadas aquí bajo la forma de imaginación literaria. El concepto clariniano de la mujer aparece en la novela bajo dos caras —una, sumamente negativa, satírica: la que presentan las demás vetustenses; y la otra, más bien patética, auque tampoco positiva: la personificada por Ana Ozores. También encontraremos en el texto los dos tonos aparentemente contradictorios —uno crítico, burlesco, y el otro más idealizador— con que el olímpico narrador trata a sus personajes femeninos. Habíamos señalado asimismo en los escritos de crítica y narración anteriores a *La Regenta* la existencia de tres papeles fundamentales desempeñados por la mujer frente a ese eje de su existencia que se suponía era el hombre: la de inspiración ideal, la de esposa, y la de seductora. Aparecen los tres en la novela, aunque de forma desigual: la única mujer idealizada por los hombres (y son varios los que la adoran así, a la distancia), es la Regenta misma, cuya *caída* la destituye de esta posición de superioridad moral; en cambio, no faltan en Vetusta solteras, casadas y viudas coquetas, lascivas, poliándricas, para quienes el amor se reduce a un mero entretenimiento sexual. Las casadas principales —Visita, la marquesa de Vegallana— y la viuda Obdulia son extremadamente libres. En cambio, la señora de Carraspique, beata

357

como la viuda doña Petronila (así como un buen número de solteras y solteronas), representan otro tipo reprobable de mujer. Parecería que Alas quisiera poblar la sociedad vetustense de figuras femeninas representativas de los extremos, tanto del adulterio como de la beatería, para servir de contraste al retrato de la que era conocida por los vetustenses como «la perfecta casada»,[9] en cuyo *estudio* había de centrar su novela. La preponderancia en ésta de casadas y viudas responde, claro está, a la idea clariniana de que el matrimonio era la única posible «carrera» para una mujer de la clase burguesa. Conviene subrayar este detalle sociológico, pues en *La Regenta* aparecen mujeres de otras clases sociales cuyas relaciones para con los hombres no parecen constreñidas por las rígidas convenciones de la burguesía:[10] la novela española decimonónica —y *La Regenta*— es un reflejo de aquella clase media dominante, entre la que, también, se encontraban los lectores a quienes iba dirigida.

Conviene retener dicho contraste al enfocar ahora el personaje de Ana Ozores, pues estas casadas forman parte del *ambiente* dentro del cual la coloca Clarín y contra el cual la pone constantemente de relieve, contrastándola así como una mujer distinta de las demás, quien terminará, sin embargo, traicionando, de un modo vacilante, a su marido por las mismas dos vías que las demás vetustenses: la beatería y el adulterio. Tanto las beatas como las adúlteras hacen todo lo posible para que ella ingrese en los respectivos gremios, ya que les molesta la solitaria y altiva *perfección* de la casada protagonista; pero es en las constantes hesitaciones, atracciones y repulsiones interiores de Ana en lo que se concentra el autor, quien se ha esforzado por pintarla concretamente, sin separarla «de su olor, de sus trapos, de sus ensueños, de sus veleidades, de sus caídas, de sus errores, de sus caprichos», como reza la antes citada crítica de *Tormento*. Es sobre todo en su ambiente íntimo donde pretende Clarín retratar a su heroína.

Ana Ozores es la a vez *objeto* de las miradas y murmuraciones de los vetustenses y *sujeto* de su autocontemplación y examen, expresados, claro está, por la voz del narrador. De este doble enfoque —pues no se trata aquí de analizar más a fondo el juego de perspectivas en la obra— sacamos en limpio lo siguiente: que es hermosísima, virtuosa y, aunque otros no lo crean —los malpensados que sospechan del incidente juvenil con Germán y los que, con rutinaria lógica, dan

por sentada una normal relación conyugal con don Víctor—
es casta. Representa, pues, lo *eterno femenino,* y como tal es
adorada, a la distancia, por el sabio don Saturnino Bermúdez.
Desde fuera, la que de soltera fue considerada una especie
de bella atracción local se ha convertido en la «perfecta casada», mientras que en su interior, abrumada por sus *sentimientos,* pasa por diversas crisis fisiológicas y espirituales delicadamente descritas, todas ellas centradas alrededor de la matriz. La estrecha correspondencia entre su cuerpo y su alma
queda apuntada muy temprano en el libro, cuando, de joven,
llora sobre las *Confesiones* de san Agustín: «Su alma se hacía
mujer en aquel momento» (IV), aclara en seguida el narrador.
Y la «enfermedad» que sufre poco después tras la muerte de
su padre —una «fiebre nerviosa»— «había coincidido con ciertas transformaciones propias de la edad» (V), cuando su cuerpo adquirió condición de mujer. Son tan numerosos los ataques de llanto, crisis nerviosas, achaques a que sucumbe la
pobre criatura a lo largo de la novela, reacciones fisiológicas
ocasionadas siempre por alguna crisis espiritual, que no vale
la pena enumerarlos, siendo cuestión probablemente del famoso histerismo de que en el siglo pasado se suponía padecer tantas mujeres. Los diagnósticos médicos son tan vagos
como las descripciones de lo que ella sufre: «los nervios siempre andan en el ajo [...]», dice el médico viejo «y la primavera... la sangre... la savia nueva... es claro... todo influye»,
mientras que el joven sustituto estaba «muy preocupado con
el *tronco* [...]. Todos los días había que palpar el vientre y
hacer preguntas relativas a las funciones más humildes de
la vida animal» (XIX). Y al final de la novela, por poco se
vuelve loca. Ana se tiene lástima, mientras que su marido y
Frígilis la miran como algo raro, definitivamente *diferente*
del hombre.

Diferente del hombre, pero definida, dominada por él. Si
su solitaria niñez y adolescencia no fueron convencionales, es
que tampoco lo era su padre librepensador, culpable de haberla dejado demasiado tiempo, y sin el debido control, en
poder de una perversa y sádica aya inglesa. Y cuando está
por fin con su hija, ese padre, quien —dicho sea de paso—
«pedía a grito pelado la emancipación de la mujer», «no se
paraba a pensar lo que podía necesitar Anita», tratándola
«como si fuese ella el arte, como si no tuviera sexo. Era aquélla una educación neutra» (IV). Aquí se le acusa precisamente de *no* darle una educación adecuada, de no tener en cuen-

ta aquella *diferencia* fundamental, de lo cual se derivarían para ella serias consecuencias. Esta falta de responsabilidad por parte de don Carlos la deja casi sin control, y sin ninguna guía, sobre todo en cuanto a sus lecturas, que la niña interpretará según su propia fantasía. Y como la ha mantenido alejada tanto tiempo de toda sociedad, ella no se encuentra preparada para las lecciones de hipocresía social que le dan después sus tías. Otro *error* por parte de su padre es el de permitirle que escriba: al enterarse de ello las vecinas madrileñas, la llaman «la mona sabia», término repetido después por las vetustenses. En efecto, la literatura era el «único vicio grave» descubierto por sus tías, quienes se escandalizaron al encontrar un cuaderno de versos suyo, pues «aquello era una cosa hombruna, un vicio de hombres vulgares, plebeyos. [...] "¡Una Ozores literata!"» (IV). Las opiniones convencionales de los demás acerca de tan fea ocupación reflejan, pues, las de su autor. Uno de los grandes problemas de Ana durante su vida —sus personalísimas lecturas— tendrá sus raíces en la descuidada educación *neutra* que recibió de joven. (Resulta curioso notar que en el Vivero, justo antes de la *caída*, Ana vuelve a leer los libros de su infancia y juventud, y recae también en el *vicio* de escribir, sólo que ahora en vez de poesía es un libro de memorias...)

Antes de seguir adelante conviene recordar que, lejos de ser *perfecta*, Ana Ozores tiene unas cuantas fallas, algunas señaladas como tales por el narrador y otras que se las puede achacar cualquier lector impacientado ante lo inmaduro de su personalidad. Una de dichas fallas, cuya última consecuencia será su caída en la tentación, es su vanidad: se da cuenta de que es hermosa, y le encantan las alabanzas de los demás. Es también —como Mesía— orgullosísima, creyéndose infinitamente superior a los vetustenses, y manteniéndose así en la soledad. Además —y esto no se lo censura el narrador— Ana es demasiado llorona, y se tiene a sí misma mucha lástima. Ahora bien, por orgullo y vanidad, por su desprecio a los demás —«se había convencido de que estaba condenada a vivir entre necios»— y por su deseo de «emanciparse» de sus tías —o sea, huir de éstas— ella había pesado dos posibilidades, también convencionales: «el matrimonio o el convento», pues «no podía ganarse la vida trabajando» (V), alternativas a la soltería que anticipan, a su manera, las de la beatería o el adulterio que se le ofrecerían cuando, una vez casada, siga conservando su castidad. Tales posibilidades, que giran en torno a su *diferencia* de sexo, tienen que ver, últimamente, con los hombres.

Con esto se relaciona su característica costumbre de reaccionar a cualquier situación de modo pasivo, evitando siempre que puede el tomar una iniciativa. Recién llegada a Vetusta, se *resigna* a vivir entre *necios*, se complace en ser admirada por su belleza, deja que su confesor, Ripamilán, le busque un novio —don Víctor—, y cuando, en un excepcional acto de rebeldía, se niega a casarse con el rico americano don Frutos Redondo, lo hace encerrándose en su alcoba durante ocho días, para aceptar en seguida la alternativa, también insatisfactoria, de casarse con Quintanar. A lo largo de la novela comprobamos que en la vida de Ana las iniciativas suelen venir de los otros, y que estos otros son, casi siempre, varones: su padre, su primer confesor, don Víctor, Frígilis, los médicos, su nuevo confesor el Magistral, don Álvaro, quienes la tratan, y se la disputan, como un objeto. En la descripción que hace Clarín de los pensamientos de Ana durante la procesión del Viernes Santo vemos aparecer los mismos motivos en que había insistido en sus escritos anteriores a la novela: «¡Ella era una loca que había caído en una especie de prostitución singular! Allí iba la tonta, la literata, Jorge Sandio, la mística, la fatua, la loca, la loca sin vergüenza» (XXVI). Cuando no está oponiendo una resistencia meramente pasiva a algo que le desagrada, su reacción es vacilante y dubitativa. Por eso hay en su comportamiento una serie de vaivenes que no la llevan a ninguna parte. Parece no tener voluntad propia. Y cuando tiene que pensar por sí misma, busca la ayuda de otra amistad autoritativa: los libros. El Magistral, sobre todo, reconoce el peligro que existe para ella en *pensar*; por eso le aconseja «menos contemplación y más devociones, obras piadosas y culto externo, que entretiene la imaginación» (XXI). Y cuando, habiendo reconocido la fuerza de los sentimientos demasiado humanos de su director espiritual, Ana decide que su único recurso es huir de los dos hombres; que no le queda «más refugio que el hogar» (XXV). Este modo pasivo de reaccionar, que cabe perfectamente dentro de las ideas de Clarín acerca de cómo es la mujer, hará inevitable, dado su matrimonio y las carencias que sufre, su caída final.

Ana se dejó casar con don Víctor, un hombre bastante mayor que ella, sabiendo que no le amaba —tipo de matrimonio censurado repetidas veces por Leopoldo Alas. Y su marido, que tiene otros intereses vitales, la trata como un padre. Ella, a su vez, había sido también hija de un matrimonio desigual (aunque amoroso) desde el punto de vista de la edad y la clase social, algo que los vetustenses terminan por perdonarle al comienzo del libro, para volver a achacárselo al final, cosa que, aun cuando nos parezca exagerada hoy día, refleja muy bien las pautas de aquella época. ¿Quiere insinuar con ello el autor otro factor hereditario que pudiera haber influido en la conducta de su protagonista? Como inesperada consecuencia de la unión de don Carlos con la pobre pero honrada modista italiana, nace Ana huérfana de madre, una de las principales *carencias* suyas sobre la que vuelve a insistirse frecuentemente. Una familia sin madre, según Clarín, no es completa, dado que el único *oficio* de la mujer casada es atender a su esposo e hijos. Y ya roto, por la muerte de la italiana, el núcleo familiar, tampoco se ocupará mucho de su hija el inquieto padre. El personaje de Ana está formado, pues, en gran parte, a base de sus carencias: carece de madre, de un marido adecuado y de un hijo; elementos todos fundamentales para la felicidad doméstica.[11] De estas carencias se quejará ella repetidas veces en la obra, con una característica autocompasión. A dichas carencias —y no a ella misma— habría que echar, pues, la *culpa* por su falta de felicidad, intimidad y amor, ya que Ana Ozores necesita a alguien.

Esta acumulación de elementos negativos asociados con su sexo así como con su situación personal y social crea alrededor de la Regenta un desesperante vacío. Como está casada sin disfrutar de las consecuencias naturales de dicho estado —el amor conyugal y la maternidad—, le resulta inevitable la tentación del adulterio, ante el que huye repetidas veces, queriendo encontrar la relación humana que le hace falta en una amistad personal con su confesor (relación destinada al fracaso ya que, según Clarín, resulta imposible, la *amistad* entre hombre y mujer (*La amistad y el sexo,* p. 133), y reprimiendo sus instintos sexuales mediante una falsa beatería. Su enorme soledad se debe a la falta de un hombre, pues sin el hombre la mujer queda incompleta. Que sea esto inevitable, que sea culpable la sociedad y no ella, es lo que refuerza el mensaje pasivo de la novela, ya que en el fondo Ana es una pobre criatura que tiene, sí, la «responsabilidad moral» de sus propios actos, pero que, por ser, como mujer, inferior al hombre, queda disculpada.

El hecho de que el matrimonio de Ana Ozores tenga una

consumación defectiva le permite a Clarín reunir en esta protagonista a dos tipos femeninos retratados por él en sus anteriores escritos de ficción: la hermosa e inocente virgen seducida, cómo la Margarita del *Fausto* —«el triunfo de la burguesía en el arte», según él—, y la joven malcasada con un hombre mayor y *sabio*. En varios de dichos relatos opone también Leopoldo Alas a la tentación sexual otra influencia sobre la mujer: la de la iglesia, cuyas ceremonias crean un ambiente de gran sensualidad: la música e incienso de la misa, el extraordinario efecto —sobre todo en las beatas— de las ardientes palabras de un orador... ¿No podríamos, pues, ver en *La Regenta* una especie de versión decimonónica del pecado original en que, como Eva, la casta aunque casada Ana termina por sucumbir en el *paraíso* —el Vivero— a la tentación de la carne? ¿Y ese «diablo que sopla», el «verdadero responsable» de la caída de la mujer? Quizá —recordando otra vez a *El diablo en Semana Santa*— se introdujera el demonio en el cuerpo y alma del Magistral, cuyos posesivos celos, responsables en gran parte de la pérdida de la inocencia de Ana, contribuirán mucho a romper el equilibrio de tira y afloja que dento de ella se había establecido entre el confesor y Mesía. Ambicioso, orgulloso, codicioso —y consciente de todos sus defectos—, De Pas es una combinación de muchos factores sórdidos, egoístas, negativos, malos, como él mismo reconoce en su fuero interno: «yo no soy el *vir bonus,* yo soy lo que dice el mundo, lo que dicen mis detractores» (XI). Lo cierto es que, comido de celos, el Magistral, quien, al enterarse por fin de la *infidelidad* de Ana, «sintió una carcajada de Lucifer dentro del cuerpo; sí, el diablo se le había reído en las entrañas [...]» (XXIX), reacciona de un modo sumamente *diabólico* al maquinar lo que resultaría ser un desenlace trágico para el verdadero marido.

El Magistral es un personaje complejo —el único de la novela, en opinión mía— dotado de una individualidad plena. Parte de esta individualidad está literariamente lograda a través de las grandes diferencias de opinión que suscita entre los vetustenses: seducidas por su elocuencia, las fieles le adoran, mientras que los liberales y librepensadores encuentran en él un temible enemigo. El resto viene de sus —también complejas, aunque siempre egoístas— aspiraciones personales: sobre todo su deseo de poder, así como de una compañera a su altura. Fermín de Pas tiene un «anhelo»: su espíritu estaba «cansado de vivir nada más para la ambición propia y para la codicia ajena, la de su madre. Necesitaba su alma alguna dulzura, una suavidad de corazón que compensara tantas asperezas [...]» (XI). Esta necesidad suya, que viene a llenar su nueva hija de confesión, va acompañada de las frustraciones impuestas por su condición clerical. Si frente a Ana logra resistir a la tentación de la carne, cuyas necesidades satisface por otra parte, es por sentirse como una especie de esposo espiritual, al menos en su época de mayor felicidad (aquel largo verano del capítulo XXI). En efecto, la tremenda fuerza de este hombre, quien reúne en sí dos características fundamentales —lo varonil y lo sabio— que le permiten, sin embargo, sentirse en cierta medida el *marido* de la mujer que ama a pesar de que se lo prohíbe su condición de sacerdote, contrasta a lo largo de la novela con la pasividad y eternos vaivenes peculiares de Ana. Comparado con el vacío de ésta, cuya carencia del hombre hace de ella una especie de no ser, la vida de Fermín de Pas tiene empuje, está llena, y sólo le falta para ser total el complemento en su parte afectiva. Si la compasión del narrador hacia Ana Ozores le lleva a idealizarla, a tratarla con condescendencia, la que siente frente al Magistral está matizada por una mezcla de antipatía y de respeto. Las angustias del hombre frustrado, sí las entendía bien Leopoldo Alas, quien las retrata con extraordinario vigor en este personaje masculino.

El contraste de relieve narrativo entre estos dos protagonistas, que se percibe desde el comienzo mismo de la novela, donde el Magistral ejerce un papel activo, dominador, mientras que la Regenta es tratada como un codiciado objeto, alcanza su momento culminante en la dramática escena final (seguida de una posdata de la más lasciva perversidad), en que el sacerdote, al ver de improviso a su antigua *amiga*, siente tal conmoción que está a punto de matarla. Compárense la enorme intensidad emocional de este personaje con la actitud de Ana, quien, lejos de haber aprendido de su experiencia, y sin poder vivir sola, volvía, sumisamente, al mismo confesor... El *estudio* de esta criatura por Clarín, su creador, está nutrido en gran parte, como espero haber mostrado, de ideas suyas sobre la mujer en general, mientras que el retrato del Magistral se basa en una intuición artística, relacionada en el fondo con el *hombre* que era su autor.

Bibliografía

ALAS, Leopoldo, *Clarín, La Regenta*, ed., Gonzalo Sobejano. Madrid, Noguer, 1969.

—, *Pipá*, (1886), ed. Antonio Ramos-Gascón, Madrid, Cátedra, 1976.

—, «Revista literaria de *La amistad y el sexo*, por A. Posada y U.G. Serrano», en *Palique* (1894), ed. José María Martínez Cachero, Barcelona, Labor, 1973, pp. 130-133.

—, *Siglo pasado*, Madrid, Antonio López, 1901.

—, «*Tormento*, novela original de D. Benito Pérez Galdós», en ... *Sermón perdido. (Crítica y sátira)*, Madrid, Fernando Fe, 1885, pp. 65 y 66.

—, *Treinta relatos*, ed. Carolyn Richmond, Madrid, Espasa-Calpe, 1983.

BAQUERO GOYANES, Mariano, «Exaltación de lo vital en "La Regenta"» (1952), en *Leopoldo Alas, «Clarín»*, J.M. Martínez Cachero, pp. 157 y 178.

BESER, Sergio, *Clarín y «La Regenta»*, Barcelona, Ariel, 1982.

— (ed.), *Leopoldo Alas: Teoría y crítica de la novela española*, Barcelona, Laia, 1972.

BOBES NAVES, María del Carmen, *Teoría general de la novela. Semiología de «La Regenta»*, Madrid, Gredos, 1985.

BONET, Laureano, «Reseña de *Clarín y su obra ejemplar* por Gonzalo Sobejano», Hispanic Review, 54.3 (Summer 1986), pp. 352 y 353.

DURAND, Frank, «Leopoldo Alas, "Clarín": Coherencia entre sus ideas críticas y *La Regenta*» (1965), S. Beser, ed., *Clarín y «La Regenta»*, pp. 97-115.

GARCÍA SARRIÁ Francisco, *Clarín o la herejía amorosa*, Madrid, Gredos, 1975.

MARTÍNEZ CACHERO, José María, ed. *Leopoldo Alas, «Clarín»*, Madrid, Taurus, 1978.

—, «Los versos de Leopoldo Alas» (1952), en J.M. Martínez Cachero, ed. *Leopoldo Alas «Clarín»*, pp. 105-111.

RICHMOND, Carolyn, «Las ideas de Leopoldo Alas, "Clarín", sobre la mujer en sus escritos previos a *La Regenta*», en *Homenaje al Dr. Antonio Vilanova*, Barcelona, Departamento de Filología Española.

—, «*Un documento* (vivo, literario y crítico). Análisis de un cuento de Clarín», *Boletín del Instituto de Estudios Asturianos*, 36.105-36.106, enero-agosto 1982, pp. 367-384.

SERRANO PONCELA, S., «Un estudio de *La Regenta*» (1967), en *Clarín y «La Regenta»*, ed. S. Beser, pp. 139-161.

SCHYFTER, SARA E., «La loca, la tonta, la literata: Woman's Destiny in Clarín's *La Regenta*», en *Theory and Practice of Feminist Literary Criticism*, ed. Gabriela Mora y Karen S. Van Hooft, Ypsalanti, Michigan, Bilingual Press, 1982, pp. 229-241.

SOBEJANO, Gonzalo, *Clarín y su obra ejemplar*, Madrid, Castalia, 1985.

—, «La inadaptada (Leopoldo Alas: *La Regenta*, capítulo XVI)», en *Clarín y «La Regenta»*, ed. S. Beser, pp. 187-224.

—, «Poesía y prosa en *La Regenta*», en *Clarín y su obra. En el centenario de «La Regenta» (Barcelona 1884-1885)*, Barcelona, Universidad de Barcelona, 1985, pp. 293-316.

—, «Semblantes de la servidumbre en *La Regenta*», en *Serta Philologica F. Lázaro Carreter*, Madrid, Cátedra, 1983. Vol. 2, pp. 519-529.

THOMPSON, CLIFFORD R., Jr., «Egoism and Alienation in the Works of Leopoldo Alas», *Romanische Forschungen*, 81 (1969), pp. 193-203.

TINTORÉ, María José , *«La Regenta» de Clarín y la crítica de su tiempo*, Barcelona, Lumen, 1987.

VALIS, Noël M., «Order and Meaning in Clarín's *La Regenta*, *Novel*, 16.3 (Spring 1983), pp. 246-258.

—, «Reseña de *Clarín y su obra ejemplar* por Gonzalo Sobejano», *Hispania* 69 (September 1986), p. 545.

WEBER, Frances Wyers, «Ideología y parodia religiosa en las novelas de Leopoldo Alas» (1966), en S. Beser, ed. *Clarín y «La Regenta»*, pp. 119-136.

NOTAS

1. Escribe Clarín en «El libre examen y nuestra literatura presente»: «Es la novela el vehículo que las letras escogen en nuestro tiempo para llevar al pensamiento general, a la cultura común el germen fecundo de la vida contemporánea, y fue lógicamente este género el que más y mejor prosperó después que respiramos el aire de la libertad del pensamiento» (*Solos*, p. 72). La preocupación por parte de nuestro autor de guiar a sus lectores está bien ilustrada en el ensayo «El arte de leer» (*Siglo pasado*, pp. 129-143).

2. Otro *ars poetica* se encuentra en el relato titulado *Un documento*, según señalo en mi artículo «*Un documento* (vivo, literario y crítico)».

3. *«La Regenta» de Clarín y la crítica de su tiempo*. Las citas del párrafo siguiente remiten todas a este libro.

4. *Clarín y su obra ejemplar*, p. 143. Escribe ahí: «Naturalista en estos rasgos, *La Regenta* es, sin embargo, una novela donde caben muchas cosas ajenas a tal órbita: un hondo sentimiento religioso de la vida y de la relación de las criaturas al Dios deseado; una preocupación por el sentido de la existencia y la razón del dolor; una dimensión de interioridad anímica que es algo más que romanticis-

mo, o es romanticismo en una acepción superior [...]» (p. 116). Dos reseñas recientes del libro de Sobejano llaman la atención sobre esta visión personal suya de la obra de Leopoldo Alas (Bonet, Valis).

5. «Ana's potential for madness produces in her creator the classic ambivalence toward the gifted heroine. At times Clarín presents her poetic, religious longings in sympathetic, even admiring terms. But often he condescends to her as a feeble female» («La loca, la tonta», p. 234).

6. «Passively Ana accepts society's judgment and [...] she seeks a final redemption through the male» (pp. 239 y 240).

7. «After all, what is *La Regenta* about? It is about absence. The absence of love, of friendship, of all teh things we hold dear as human values, the little that holds us together. *La Regenta* is the great novel of absence of the last century» («Order and Meaning», p. 257).

8. *Teoría y crítica*, 101-102. En las páginas 28-38 de su introducción Beser hace unas observaciones importantes sobre los relatos anteriores a *La Regenta* en los que pueden verse antecedentes técnicos de esta novela, algo que a mi vez señalo yo en el comentario a varios de los cuentos en *Treinta relatos*. Véase también mi estudio «*Un documento* (vivo, literario y crítico)».

9. *La Regenta*, ed. G. Sobejano, capítulo III. Todas mis citas vienen de esta edición.

10. Véase Sobejano, «Semblantes de la servidumbre». «*La Regenta* permite reconocer con claridad», observa ahí Sobejano, «el aburguesamiento de la nobleza y el mimetismo aristocratizante de la burguesía, dejando también entrever algo del mundo proletario» (p. 520).

11. Analizando desde un punto de vista semiológico al personaje de Ana Ozores, que considera «muy complejo» (p. 104), María del Carmen Bobes señala la importancia de dichas carencias. Al trabajar exclusiva y exhaustivamente con el texto de la novela (pp. 60-126), esta crítica viene a coincidir por su camino independiente con varias de mis conclusiones.

RELIGIÓN Y ADULTERIO A TRAVÉS
DE LOS OBJETOS EN «MADAME BOVARY»
Y «LA REGENTA»

Françoise Bayle
Marina Romero Frías
(Universidad de Sassari)

«Les rideaux de levantine rouge [...] et sa *peau blanche* se détachent sur cette couleur pourpre [...]»;[1] «Ana corrió con mucho cuidado las *colgaduras granates* [...] y apareció *blanca toda* [...]».[2] Aunque pueda parecer una sola citación —una en lengua original y la otra la traducción al español— de la misma novela, en realidad son dos y se refieren a *dos personajes* de *dos novelas distintas:* Emma Bovary y Ana Ozores. Este ejemplo concreto en que dos objetos iguales (las cortinas rojas) hacen resaltar la blancura del cuerpo y la sensualidad de las dos protagonistas y otros muchos más ponen en evidencia —y la han puesto desde su publicación— la semejanza de *La Regenta* con *Mme. Bovary.*[3] Es natural que existan estas similitudes porque las premisas de las dos novelas son las mismas: la vida de una mujer de la burguesía en una pequeña ciudad de provincia donde reina el aburrimiento y la hipocresía[4] y también porque se escribieron en el mismo período: el realismo. Pero existen, naturalmente, divergencias debidas, sobre todo, al diferente contexto en que se desarrollan y en el que fueron escritas.[5] De todas formas, aunque conscientes de que ya se ha escrito mucho sobre estas semejanzas y diferencias y, también, sobre el tema de los objetos,[6] queremos recorrer, una vez más, este itinerario para evidenciar la importancia que ciertos objetos asumen en el comportamiento de las dos protagonistas, las relaciones que

intercorren entre las dos mujeres, su predisposición al adulterio y la actitud que adoptan frente a la religión.

Cuando se analizan las descripciones de una novela y, sobre todo, las de los objetos, se puede pensar en un *temps mort* de la narración. Esto es cuanto afirma Philippe Hamon[7] pero añade que la descripción es también el lugar en el cual la narración «si organizza (presagio del seguito, ridondanza dei contenuti, duplicazione metonímica della psicología o del destino dei personaggi»[8] o sea que, como dice Debray-Genette, si las descripciones «sont focalisées elles ne coupent pas le fil narratif, elles le consolident».[9] Este es el caso, creemos, de Flaubert y de Clarín. En ambos la descripción sirve, por tanto, o de presagio o para reforzar el discurso o bien para delinear al personaje.

No es necesario tampoco subrayar la importancia que tienen los objetos en la novela realista, pero sí hacer algunas consideraciones. Según Duchet es una fuente de *información* del mundo extratextual al que confiere forma y consistencia. Es también *signo* pues establece el sentido y delinea una ideología, o una visión del mundo; y, por último, *valor* pues se mueve en el espacio novelesco, sea como soporte de significado que como materia fónica.[10] Hay que añadir, también, que, a partir de Balzac, el objeto que Duchet encuadra como *signo* asume tres funciones diferentes: puede ser pasivo y servir de marco a la trama, o bien de resalto al protagonista y entonces es *descriptivo*; puede también representar el espíritu intrínseco del personaje y entonces es *caracterizante* pues tiene una profunda relación con el héroe; pero, sobre todo, el objeto puede subrayar un presentimiento, servir de *revelador* de un universo psicológico o metafísico, o puede «revêtir une signification *symbolique*».[11]

De nuestro análisis de *Madame Bovary* y *La Regenta* hemos omitido los objetos puramente descriptivos, pues no se pueden relacionar, en ningún caso, con los personajes de las dos novelas. Por otro lado, entre los objetos *caracterizantes* o *simbólicos* sólo hemos tomado en consideración los que, siendo comunes a las dos obras, permiten confrontarlas y subrayar sus similitudes y divergencias, naturalmente todo ello en función del adulterio y/o la religión.[12] Es decir que los objetos que aparecen son sólo los que tienen relación, predisponen o presagian el adulterio a través del sentimiento religioso y que se encuentran en ambas novelas.[13]

Para una mayor comprensión hemos clasificado los obje-

tos agrupándolos en dos categorías: *analogías* y *divergencias;*
pero en las *analogías* hemos tenido que hacer una ulterior sub-
división en *analogías paralelas* (objeto igual, significado o
valor parecido e igual fin) y *divergentes* (objeto igual, significado o valor parecido pero con una finalidad diferente).

Las analogías paralelas

En el grupo de analogías que definimos *paralelas* encontramos en las novelas los siguientes objetos:
En primer lugar las alfombras que tienen en ambos casos
el valor de expresión oculta de declaración amorosa. Efectivamente en *LR* un inglés se enamoró de Ana en Granada «y
le regaló la piel de tigre cazado en la India por sus criados»
(p. 155). Esta piel suscita casi siempre en ella ideas voluptuosas, y asume, a medida que pasa el tiempo, una importancia cada vez mayor cuando le asocia el recuerdo de Álvaro. En la piel de tigre Ana busca consolación o castigo cuando piensa en él con celos o remordimiento. Siempre en *LR*
encontramos otra alfombra —de fieltro a cuadros grises y verdes— en el salón de Doña Petronila «donde pasaban horas y
horas los dos amigos del alma hablando de intereses espirituales...» (p. 474), que es un mudo testigo de las «ambiguas»
conversaciones entre Ana y el Magistral, a quien pensamos
se pueda considerar un amante, quizás no en el sentido más
común del término, pero de todas formas, un amante por los
sentimientos que deja entrever.[14]
En la novela de Flaubert, Emma ya inconscientemente
atraída por León, que para ella representa el «alma gemela»
—como De Pas para Ana—, le regala durante el período de
amistad a Yonville, una alfombra de valor —de terciopelo y
lana— para decorar su habitación de soltero,[15] lo que desencadena las primeras murmuraciones. Otra alfombra aparece
en la descripción de la habitación en la que Emma y León se
encuentran en Rouen, al lado de los sillones donde los dos
tienen costumbre de refugiarse entre el momento del ample-
xo amoroso y la despedida. El *tapis discret* es el testigo mudo
de sus sentimientos amorosos. Así en ambos casos las alfombras no son simplemente objetos descriptivos. Caracterizan, incluso, a las dos mujeres, pues ponen de relieve la sensualidad oculta y la necesidad que tienen de encontrar, inconscientemente, un lugar tangible para el ideal del amor, ya que

ellas no pueden consumar el acto o vivir, indeliberadamente, el sentimiento.

Junto a las alfombras debemos citar las cortinas. Los dos textos atribuyen a las «colgaduras» un valor parecido: refugio, protección, defensa. En un caso particular las cortinas están descritas más detalladamente. Se trata de la cortina roja que exalta la voluptuosidad y la blancura del cuerpo de las protagonistas, a la que ya hemos hecho alusión al principio. En *LR*, las cortinas están cerca de la piel de tigre; están relacionadas con ésta en el evidenciar la feminidad y los sentimientos de pudor y placer sensual de la Ozores.

> Ana corrió con mucho cuidado las colgaduras granates, como si alguien pudiera verla desde el tocador. Dejó caer con negligencia su bata azul con encajes crema, y apareció blanca toda [...] Después de abandonar todas las prendas que no habían de acompañarla en el lecho, quedó sobre la piel de tigre, hundiendo los pies desnudos, pequeños y rollizos, en la espesura de las manchas pardas. Un brazo desnudo se apoyaba en la cabeza, algo inclinada y el otro pendía a lo largo del cuerpo, siguiendo la curva graciosa de la robusta cadera [p. 50].

En *MB*, en la habitación de Rouen donde Emma se encuentra regularmente con León, la cortina roja forma una alcoba y evidencia la sensualidad y la belleza de la heroína y la blancura de su cuerpo.

> Les rideaux de levantine rouge, qui descendaient du plafond, se cintraient trop bas vers le chevet évasé; —et rien au monde n'était beau comme sa tête brune et sa peau blanche se détachant sur cette couleur pourpre, quand par un geste de pudeur, elle fermait ses deux bras nus, en se cachant la figure dans les mains [p. 170].

En estos dos casos vemos ya cómo la sensibilidad artística de los dos autores distribuye con intensidad diversa las pinceladas de color en sus novelas. Y este problema del color de los objetos que subraya analogías y diferencias se encuentra a menudo en las descripciones de Flaubert y Clarín.

Una importancia relevante la tienen las cartas. La correspondencia amorosa de las protagonistas asume también valores ambiguos. Efectivamente las numerosas cartas que Ana escribe a Fermín, o que Emma escribe, primero a Rodolfo y luego a León, tienen matices muy diferentes, pero todas están caracterizadas por la necesidad de que sean secretas (aunque por motivos diferentes).

A pesar de que no hay nada más natural que escribir al propio padre espiritual, Ana se esconde para hacerlo como si inconscientemente supiese ya que, dentro del confesor, del «alma gemela», se oculta el hombre celoso y enamorado: «en cuanto pudo levantarse uno de sus primeros cuidados fue escribir a Don Fermín [...] la escribió sin que lo supiese Quintanar [...]» (p. 441).

En el caso de Emma es más normal que se esconda para escribir a sus amantes, como también es comprensible la frecuencia de sus efusiones literario-amorosas. Existe, de todas maneras, un caso en que estas cartas se escriben en circunstancias semejantes y con un fin parecido: después de la noche transcurrida en el teatro de Rouen en donde se había identificado con la historia de amor hasta la conmoción, Emma escribe a León para anular la cita del día siguiente: «Emma, le soir, écrivit au clerc une interminable lettre où elle se dégageait du rendez-vous: tout maintenant était fini, et ils ne devaient plus, pour leur bonheur, se rencontrer» (p. 243).

Por su parte Ana escribe al Magistral, por el mismo motivo, en la mañana que sigue a la noche transcurrida en el teatro en donde se había encontrado con Álvaro y en donde, ella también, se había identificado tanto con la acción imaginaria de la obra teatral —Don Juan Tenorio— que aquél pensó que fuese él el motivo de una símil exaltación.

Por último es también una carta la causa de uno de los desmayos de las protagonistas; en LR, Ana, mientras lee la carta que Álvaro —después del duelo— le envía desde Madrid, «había caído sobre la almohada como muerta en cuanto vio en aquellos renglones fangosos la confirmación terminante de sus sospechas [...]» (p. 666). En la novela de Flaubert, Emma —al recibir la carta en la que Rodolfo le comunica su decisión de romper con ella— sube como una loca al desván para poder leerla con tranquilidad. Luego siempre con la carta en la mano se siente desfallecer pero la voz del marido la obliga a recobrarse temporáneamente y sólo algo más tarde cuando: «Tout à coup, un tilbury bleu passa au grand trot sur la place. Emma poussa un cri et tomba roide par terre, à la renverse» (p. 212).

Las dos protagonistas tienen otro punto en común: las dos se parecen —por lo menos según la opinión de los demás— a un figura femenina de un cuadro. En *MB*, León confiesa que ha contemplado a menudo, durante horas «une gravure italienne qui représente une Muse. Elle est drapée d'une tunique et elle regarde la lune, avec des myosotis sur sa chevelure dénouée» (p. 238) sólo porque se parece mucho a Emma. En *LR* aparecen dos imágenes. La primera presenta con Ana una fuerte semejanza física: todos los conocidos de Ana e incluso Álvaro ven el gran parecido de la protagonista con la *Virgen de la Silla*. Tanto que Ana reconoce que existe una cierta semejanza aunque le falte «el niño». En realidad, ella se siente más cercana idealmente a la mujer que aparece en la ilustración titulada «la última flor» en la que «en un jardín, en otoño, una mujer hermosa, de unos treinta años [los mismos de Ana] aspiraba con frenesí y oprimía contra su rostro una flor..., la última» (p. 607). Esto sucede en el Vivero en la excursión —la última— que se hace allá. Se podría decir que existe en este caso un presagio para Ana de lo que al cabo de poco le iba a suceder. Mientras para Emma el cuadro representa una «realidad» del pasado en cuanto la escena del cuadro ya ha sido «vivida»,[16] para Ana está descrita en cuanto «realidad» del futuro porque, contemplando el grabado, le parece que toma conciencia de sus deseos y de lo que le reserva el porvenir.[17]

Los coches son también objetos recurrentes en las dos novelas, no sólo porque son efectivamente necesarios a la economía de cualquier relato que refleje, incluso en mínima parte, la realidad, sino también y, sobre todo, porque están ligados a hechos y sentimientos que hacen semejantes a las dos mujeres. Es importante notar que, en dos momentos, la diligencia se puede casi considerar el signo tangible de la advertencia que el destino hace tanto a Emma como a Ana. Cuando esta última, después del matrimonio sigue al marido a su nuevo destino, en la diligencia se da cuenta de que, no sólo está cambiando domicilio, sino que su vida está tomando una nueva dirección.

> Y ahora estaba casada. Era un crimen, pero un crimen verdadero, no como el de la barca de Trébol, pensar en otros hombres. Don Víctor era la muralla de la China de sus ensueños. Toda fantástica aparición que rebasara de aquellos cinco pies y varias pulgadas de hombre que tenía al lado, era un delito. Todo había concluido... sin haber empezado [p. 105].

Pero esta vieja diligencia en la que viaja es la misma en que «había visto marchar a Don Álvaro por el mismo camino» (p. 103) y por lo tanto puede significar, quizás, que en la vida no hay nada definitivo y que todo lo que parece pertenecer al pasado puede presentarse de nuevo en el presente.

La diligencia que conduce a los Bovary de Tostes a Yonville es igualmente vieja e insegura y a pesar de todo continúa, y continuará durante mucho tiempo haciendo el mismo trayecto. La primera vez que Emma sube a ella tiene el presentimiento (como Ana) que no sólo está cambiando de residencia, sino que quizás también su destino es el que está cambiando. Pues ¿no es acaso un presagio que la estatua de yeso del cura que estaba en el jardín de la casa de Charles desde su primer matrimonio, justo cuando la están cargando sobre la diligencia, se rompa? Y es siempre la misma diligencia que más adelante se llevará, por primera vez, a León lejos de Emma. Y con el mismo medio de transporte, el *clerc* después del primer encuentro con la Bovary en el *fiacre*, deseoso de verla vuelve —aunque por breve tiempo— a Yonville. Y siempre con ella Emma irá cada jueves a ver a León.

Analogías divergentes

Hemos hablado, hasta aquí, de *analogías paralelas* en cuanto ciertos objetos se encontraban en las dos novelas con un significado o un valor que si no era exactamente igual era, por lo menos, bastante parecido, sobre todo porque tenían el mismo fin, o sea subrayar un estado de ánimo o una situación especial de los personajes principales. De la misma manera encontramos un tipo de analogías que hemos denominado *divergentes*, pues se pueden encontrar en las dos novelas ciertos objetos —los mismos en ambas— en situaciones análogas pero que asumen un papel diverso según de qué novela se trate. Después de haber examinado atentamente la trama de *MB* y de *LR* hemos visto que existen nueve elementos que, como acabamos de decir, presentan este tipo de similitudes.

Continuando con el importante discurso de la correspondencia, es evidente que no todas las cartas escritas por las protagonistas pertenecen a la categoría precedente. Al contrario, la mayor parte no presentan casi analogías, pero algunas presentan curiosas coincidencias aunque con fines diferentes. A veces, incluso, el objeto y su finalidad son idénticos, pero quien cambia es el personaje que lo utiliza o bien el destinatario. En *MB*, en el primer capítulo de la tercera parte, cuando Emma persuadida por León, ha cometido ya el adulterio, rompe en mil pedazos la carta con la que pretendía anular la cita y los trozos «se dispersèrent au vent et s'abattirent plus loin, comme des papillons blancs, sur un champ de trèfles rouges tout en fleur» (p. 251). En *LR*, en cambio, es Fermín quien rompe en mil pedazos una y otra vez las numerosas cartas que trata de escribir a Ana al saber que ella había cometido adulterio con Álvaro. También en este caso existe una comparación con la naturaleza. Clarín dice que el Magistral «no acertaba a arrojar en el cesto los pedazos blancos y negros, y el piso parecía nevado» (p. 468); en este caso no sólo tenemos una inversión de personajes, sino que encontramos otra alusión al color.

Y siempre en el mismo tema, más o menos, existen otros tipos de mensajes a través de los objetos. En *LR*, Ana viendo un cesto de cerezas que los criados preparan para Álvaro, besa el cesto y la fruta y luego muerde una cereza «que dejó allí, señalada apenas por la huella de dos dientes» (p. 577). Se puede interpretar ciertamente en clave amorosa el mensaje enviado por Ana a través del cesto de fruta. Para Emma, en cambio, el cesto de fruta que hasta la escena dramática descrita por Flaubert, era un mensajero de amor: (Rodolfo) «se servait de ce moyen pour correspondre avec elle, lui envoyant, selon la saison, des fruits ou du gibier» (p. 209), se convierte improvisadamente en un mensajero funesto ya que dentro del cesto se esconde la carta con la que se rompen sus relaciones. La finalidad inicial de los dos objetos era igual, pero después se convierte en divergente.

También el calzado de las protagonistas es un portador de mensajes secretos. En *MB* son muchas las circunstancias en las que Flaubert evoca *les bottines* de la protagonista: en los paseos con León, cuando va a casa de Rodolfo, etc. Pero, a veces, habla también del calzado de los personajes masculinos: el del Rodolfo es excéntrico, el de León siempre brillante, delicado y, al mismo tiempo, sólido y capaz de extrema sensibilidad. Si las botas de León tocan apenas el vestido de Emma, crean un contacto tan fuerte que casi lo hacen sentir responsable de quién sabe qué tipo de felonía. Ya en el primer encuentro, él siente por Emma una atracción tan fuerte que lo empuja a acercarse a ella inconscientemente, pero cuando siente que la bota le roza la falda, la aparta instintivamente como si, en vez de pisarle el vestido, estuviese pisándole el cuerpo. Apartando el pie, emite un mensaje de admiración y de respeto. En *LR* el mensaje no sólo lo envía Álvaro sino que, casi sin que Ana se dé perfectamente cuenta, sus botines lo devuelven. Clarín escribe a este respecto: «los pies también seguían su diálogo, a pesar de la piel de becerro, porque la intensidad de la sensación engrandecía la humildad del contacto» (p. 519). En ambos casos la «fuerza» del mensaje es más relevante porque pasa a través de estos *objets inanimés*.

Ya que el adulterio es una de las situaciones privilegiadas de un personaje romántico, también Emma lo siente como tal. Sueña siempre, como ya lo hacía cuando era una adolescente al leer novelas, carrozas veloces que conducen a los amantes hacia lejanos países maravillosos. Ella también quisiera poseer magníficos coches —un *calèche* o más tarde un *tilbury* azul (como el de Rodolfo)— pero tiene que contentarse con un *fiacre*. Después de la representación teatral a la que asiste con Charles y León, éste logra arrastrar a Emma a bordo de un *fiacre* en el cual, finalmente, la «convence» de su amor.[18]

En el entreacto del *Don Juan Tenorio*, Álvaro acompaña a la Regenta hasta la berlina y le aprieta la mano de tal modo que le transmite sus sentimientos o, por lo menos, así le parece a ella que «la retiró asustada» (p. 350). Más adelante es también en un coche que se materializa la realidad del sentimiento de Álvaro, repitiéndose casi la misma escena: Mesía da la mano a Ana (pero esta vez es para saludarla) quien tiene el presentimiento de lo que sucederá algo más tarde en el Vivero. De tal modo que es siempre en un coche donde las protagonistas se encuentran implicadas sentimentalmente. Emma comete el adulterio y Ana tiene un presentimiento tan fuerte que se siente «en la piel y en la sangre impresiones nuevas» (p. 606).

Varios de los objetos que hemos analizado pueden ser agrupados bajo el término genérico de «regalos», aunque a veces no lo son. Entre ellos se encuentran las alfombras, de las que ya hemos hablado antes, pues se trataba de una *analogía paralela*. Ahora pasemos a examinar los regalos que pertenecen a la segunda categoría *(analogías divergentes)*. En dos ocasiones Flaubert menciona los regalos que León hace a Emma: en primer lugar cuando ambos se sienten sólo unidos por «un murmure de l'âme profond et continu» (p. 97), le regala libros o plantas como las que él posee y que sirven de pretexto para sentirse más próximos. Más adelante, en Rouen, le regala unas zapatillas «en satin rose, bordées de cygne» (p. 270): un objeto de lujo más apropiado para una amante.

En *LR*, Fermín que se encuentra también en la posición de amigo «escogido» (afinidad electiva) hace regalos a Ana: un libro «que debía de ser la historia de Santa Juana Francisca» (p. 383), en consonancia con su posición de religioso, y una cruz que, aunque se trata siempre de un objeto «religioso», puede ser interpretada de manera muy diferente. Efectivamente Clarín precisa que Fermín se la había regalado para que la «llevase sobre el pecho» (p. 458), casi anticipando la transformación de la amistad del sacerdote en amor. Aquí la cruz-regalo asume un doble valor: de tentación y de escudo contra ella. Esta doble función se evidencia con el hecho que Clarín habla de cruces (de marfil o de diamantes) como joya que destaca sobre la piel de Ana sólo cuando ella se encuentra en presencia de Álvaro o del Magistral. Y estas dos cruces que en diferentes ocasiones Ana lleva sobre el pecho son —pasando a examinar otro tipo de objetos— las únicas joyas que aparecen en *LR* como poseídas por ella. En cambio en *MB* las alhajas asumen una connotación diferente. Emma las lleva en abundancia «comme une courtisane qui attend un prince» (p. 236), pero se las compra ella misma pues generalmente es ella quien hace regalos al amante (además de la alfombra a León, regala una bufanda, una fusta y una cigarrera a Rodolfo).

Si los regalos constituyen siempre un lazo entre emisor y destinatario, la tapia o el muro, con las puertas, se pueden interpretar como obstáculos o también como contactos. Si para Emma el muro representa un obstáculo entre ella y Rodolfo, la puertecilla de la que finge haber perdido la llave se convierte en contacto. Pero como las hendiduras en el muro sirven de escondrijo para las cartas de los amantes y los rincones del cenador de refugio, el objeto-muro se puede considerar más un «contacto» que un obstáculo. Para Ana la tapia es también, inicialmente, un obstáculo y la puerta un contacto, pero como la puerta está cerrada y sólo Víctor y Frígilis tienen la llave, el aspecto de obstáculo es predominante. De todas formas, Álvaro que ingeniosamente prepara «dos o tres estribos muy disimulados en el muro» (p. 620) para llegar hasta la habitación de Ana —también se prepara con un «tonel viejo [...] y los restos de una espaldera» *(ibíd.)* una posible retirada en caso de peligro— lo transforma en un elemento de contacto.

La cama tiene un significado más diversificado. En *LR* Ana se refugia a menudo en ella para desahogarse o para intentar cancelar la sensación de soledad. Este apego se debe al hecho de que para la Regenta constituye un retorno, por una parte, a la infancia, casi al vientre materno, y, por otra, al recuerdo de períodos serenos durante una enfermedad de la adolescencia cuando en la cama podía desahogarse con sus fantasías religiosas, y voluptuosas también, soñando un paraíso fuera del mundo y de la realidad.

En *MB* este elemento no aparece tan a menudo, pero cuando se menciona tiene la misma finalidad. Después de la fuga de Rodolfo, cuando Emma en un primer momento enferma y, después, convaleciente, tiene que pasar horas y horas en el lecho, éste se transforma a su vez en un lugar de fantasías religiosas, voluptuosas y, al mismo tiempo, de paraíso extraterreno o irreal. Pero, al contrario de lo que sucede en *LR*, cuando la Bovary tiene que desahogar su dolor o la sensación de soledad prefiere refugiarse en una butaca o en el canapé.

También la barca, que es un elemento determinante en *LR*, resulta menos importante en *MB*. Para Ana la barca tiene un valor ambiguo ya que su recuerdo significa para ella vergüenza; pero representa también una atracción en cuanto símbolo de una posible transgresión: es la anticipación del adulterio pues comporta una rotura de las convenciones sociales. Para Emma es exclusivamente un mero elemento romántico relacionado al recuerdo de los tres días pasados en compañía de León.

Por último encontramos un objeto ligado a la figura del amante «preferido». En *MB* sabemos que, en casa, Rodolfo fuma en pipa, y notamos casualmente al final de la novela, durante el encuentro con Charles que, fuera de casa fuma el cigarro y que cuando se siente apurado lo mastica. En *LR*, Álvaro fuma siempre habanos y también se tapa «da cara con el humo según su costumbre de "enturbiar el aire" cuando le convenía» (p. 611).

Diversidades

Hemos visto hasta este momento los puntos que son comunes a *MB* y a *LR* y que hemos llamado *analogías parale-*

las y *divergentes.* Ahora pasamos a examinar los que, en cambio, subrayan las diferencias psicosociológicas que existen, sea entre las protagonistas de las novelas o entre los autores de las mismas.

El de los libros de religión es, sin duda, el punto que más diferencia al autor español del francés. Aunque Ana Ozores y Emma Bovary lean ambas libros religiosos, la primera lo hace con más regularidad (o por lo menos hasta la segunda enfermedad, después de la procesión); mientras la segunda los lee en momentos de crisis solamente. Por otro lado, incluso el nivel de sus lecturas y también el momento específico en que las leen (una en edad adulta y la otra desde la adolescencia) es bastante diverso. Emma, a quien el cura Bournisien considera una persona «qui était pleine d'esprit» (p. 219), lee obras como: *Pensez-y bien; Des erreurs de Voltaire a l'usage des jeunes gens;* etc. (pp. 219-220) que se pueden considerar de catequesis divulgativa. Efectivamente su nivel cultural y religioso está ligado a las experiencias —superficiales y melosas— del convento. Además se rebela, a menudo, a los misterios de la fe (o no tiene ganas de profundizarlos) aunque, por un equivocado sentido religioso vaya en búsqueda de penitencias complicadas. Entre las obras más «difíciles» que Emma lee, encontramos *Le Génie du Christianisme* de Chateaubriand, que es la única que la coliga a Ana Ozores, quien por su parte está ya acotumbrada a este tipo de lecturas de mayor envergadura, por ejemplo a *Las confesiones* de san Agustín; *El Cantar de los Cantares* en la versión poética de S. Juan de la Cruz; y la *Vida de Santa Teresa* (además de la de Santa Juana Francisca, regalo del Magistral); pues empieza a leer libros religiosos en la adolescencia como obras «prohibidas» y por lo tanto con un interés incrementado por esa «prohibición». Después continúa prefiriendo este tipo de libros, por lo menos hasta la convalecencia en el Vivero. Todo ello evidencia la diferencia de madurez de las protagonistas al afrontar determinados momentos de la vida (en este caso la religión).

La chimenea, que siempre tiene una connotación familiar, festiva, de calor, aparece en las dos novelas con una interpretación diametralmente opuesta. En *MB*, Flaubert a menudo la utiliza como elemento escenográfico que subraya los momentos de felicidad. León y Emma, durante las veladas en casa de Homais, como generalmente se aburren tienen por costumbre apartarse a la lumbre del fuego para hablar de poesía, de literatura, de sus sueños, etc., anticipando los momentos de intimidad que dividen años más tarde en Rouen cuando «nouveaux amants» juegan junto a la chimenea a estar casados: «ils se croyaient là dans leur maison particulière et devant y vivre jusqu'à la mort, comme deux éternels jeunes époux» (p. 270). En cambio en *LR* la chimenea aparece mucho menos y cuando sucede tiene un valor negativo porque es sinónimo de frío y de soledad. Para resistir a esta sensación de frío y de soledad, Ana suele envolverse en un mantón. El chal asume entonces el valor de objeto-símbolo que poco a poco aleja estas sensaciones y es, por tanto, un objeto positivo en contraposición a la chimenea, que es negativo. El mantón es para Emma simplemente un objeto utilitarístico que le sirve para salir de casa. Es para León, en cambio, para quien el chal de Emma es importante porque cuando «il courait au-devant de Mme. Bovary, prenait son châle...» (p. 101) se siente —en parte— próximo a ella.

Por último entre los elementos realísticos usados como elementos caracterizantes, los vestidos desarrollan una función de importancia primordial. Flaubert atribuye a Emma un gusto lujoso, fantasía en el vestir, y da amplio espacio a las descripciones de los indumentos que usa en las diferentes ocasiones (en casa, en el teatro, con los amantes). Nota incluso los colores como si quisiese subrayar la frivolidad y la poca madurez de la protagonista, que justamente explican más tarde el adulterio. Clarín, por su parte, señala raramente los vestidos de Ana y, cuando lo hace, nos los presenta con colores sobrios, casi tristes, incluso cuando va al teatro, para subrayar la fatalidad de su destino y la seriedad y la resistencia que opone a su inclinación hacia Álvaro.[19] Éste nos aparece mucho más frívolo: viste siempre como un perfecto dandy y da a su aspecto una tal importancia que parece él mucho menos maduro. También en su caso la elegancia está ligada a colores oscuros y sobrios, pero Ana, que intuye su lado más pomposo, lo sueña vestido de rojo o de blanco como si no supiese si considerarlo su demonio tentador o el ángel que le abrirá las puertas del paraíso (de la sensualidad ¡naturalmente!). También los indumentos de Fermín forman parte de los objetos relacionados con el adulterio: no los vestidos de su «ministerio», sino su traje de cazador con el que desea presentarse ante Ana porque pone en relieve su aspecto físico y pueden inducirla a mirarlo con ojos diversos y así preferirlo a Álvaro. Además, en el traje de cazador está implícita la intención del Magistral:

> Cada vez le pesaba más la sotana y le abrumaba más el manteo. El sombrero de teja larga era odioso; demasiado corto era cursi, ridículo [...] ¡Oh!, si le fuera lícito vestir su traje de cazador, su zamarra ceñida, su pantalón fuerte y apretado al muslo, sus botas de montar, su chambergo, entonces sí, iría de paisano, y la vanidad le decía que en tal caso no tendría que temer el parangón con el arrogante mozo a quien aborrecía. Sí, a quien aborrecía [p. 578].

En *MB* es Rodolfo quien aparece con el sobrio vestido del *gentilhomme de campagne* y que una sola vez se viste de manera rebuscada para seducir a Emma: de jinete, en blanco y negro. León, frívolo y de carácter más débil, prefiere vestirse de *dandy*, de marrón, de verde, con una impecable camisa blanca: «Il passa un pantalon blanc, des chaussettes fines, un habit vert [...]» (p. 244). Vemos que los mismos colores de los trajes sirven para connotar a los personajes. Es importante notar, además, que el modo de vestir de los personajes masculinos presenta un valor alternado. Rodolfo el amante más carnal, el gentilhombre, es el más frívolo de carácter, pero se viste sobriamente. En *LR*, Álvaro, que tiene el mismo papel, se viste de *dandy* siempre «armado de aquella pechera blanquísima y tersa» (p. 343). Para Flaubert, León que es el «alma gemela» y siente un amor más serio hacia Emma, se viste en un modo frívolo; por último Fermín, que tiene el mismo papel, quisiera vestirse como Rodolfo.

Conclusión

Si, como dice Danger «par l'intermédiaire de l'objet, c'est la personne elle-même que l'on peut atteindre, dont on peut prendre possession»,[20] es también conociendo los objetos con los que se ròdean como el lector puede comprender mejor el espíritu de Emma Bovary y Ana Ozores.

Los objetos que hemos incluido en las *analogías paralelas* tienen en las dos novelas casi todos una función simbólica, pero que se manifiesta a través de los aspectos caracterizantes, informativos o descriptivos. Los objetos clasificados en las *analogías divergentes* asumen, en su mayor parte, una función exclusivamente narrativa o de información, aunque, a veces, esta función pueda tener valor de símbolo. Por último, por lo que se refiere a las *divergencias* de los objetos, también éstos, justo por su diversidad, asumen el papel de caracterizantes de los personajes. Con esto no pretendemos subrayar ni afirmar la semejanza o la total diversidad entre *La Regenta* y *Mme. Bovary*. Nos encontramos claramente ante dos novelas que reflejan dos contextos diferentes (Francia y España), pero que se desarrollan en un espacio (ciudad de provincia) y, sobre todo, en un tiempo (segunda mitad del siglo XIX) símil y que, por lo tanto, en el tiempo cronológico y en el de la escritura, son casi contemporáneas. Y, además, siendo el punto de vista novelesco común a numerosos textos del período, es natural que se hayan encontrado tantos motivos de discusión sobre su semejanza.

NOTAS

1. Gustave Flaubert, *Madame Bovary*, ed. de C. Gothot-Mersch, Editions Garnier, París, 1971, p. 170. Todas las citas están tomadas de esta edición y damos entre paréntesis la página a que se refieren.

2. Leopoldo Alas, *La Regenta*, Alianza, Madrid, 1969, p. 50. Citamos siempre por esta edición dando entre paréntesis la página correspondiente.

3. Sobre este tema la bibliografía es bastante rica. La que va a continuación la damos sin la pretensión de que sea exhaustiva: Luis Bonafoux, *Yo y el plagiario Clarín Tiquismiquis de Aramis*, Madrid, 1888; Carlos Clavería, «Flaubert y *La Regenta*», *Hispanic Review*, X (1942), pp. 116-125; reimpresión en *Clarín y «La Regenta»*, ed. de Sergio Beser, Ariel, Barcelona, 1982, pp. 164-183; G. Lafitte, *«Madame Bovary* et *La Regenta»*, *Bulletin Hispanique*, XLV (1943), pp. 157-163; S. Melón Ruiz de Gordejuela, «Clarín y el Bovarismo», *Archivum*, II (1952), pp. 69-87; Juan Ventura Agudiez, «Emma Bovary-Ana Ozores o el símbolo del amor», *The Romanic Review*, LIV (1963), pp. 20-29; Shermann H. Eoff, «En busca de un dios de amor: Gustave Flaubert, Leopoldo Alas» en *El pensamiento moderno y la novela española*, Seix Barral, Barcelona, 1965; traducción de *The modern Spanish Novel*, New York Univ. Press, 1961; Helmut Hatzfeld, «La imitación estilística de *Madame Bovary* (1875) en *La Regenta* (1884)», *Thesaurus*, 352 n.º 1 (1977), pp. 40-53; Carolyn Richmond, «La polémica Clarín-Bonafoux y Flaubert», *Ínsula* 365 (abril 1977), pp. 1 y 12; Elizabeth Doremus Sánchez, *Mme. Bovary and La Regenta a comparative study*.

4. Clavería, además de las semejanzas apuntadas por Lafitte —el espíritu mezquino y burgués, el aburrimiento de las protagonistas, el tipo ridículo y pedante de los maridos o el «ligero» de los amantes—, señala otras como la educación antirrealista de Emma y de Ana, y una cierta fatalidad como factores que revelan la mediocridad de la sociedad en la que ambos asuntos se desarrollan.

5. El mismo *ennui* caracteriza la vida monótona de Yonville-l'Abbaye y Vetusta, pero en *La Regenta* hay «un acento muy español del aburrimiento de ese *taedium hispanum* que anda mezclado con la estulticia vida de Provincias en España [...]» como subraya Clavería, art. cit., pp. 177 y 178.

6. En particular sobre los objetos en ambas novelas véase: Claude Duchet, «Roman et objets: l'exemple de *Mme. Bovary*», *Europe* (sept.-nov., 1969), pp. 188-199; J. Levaillant, «Flaubert et la matière», *Europe* (sept.-nov., 1969), pp. 200-212: P. Danger, *Sensations et objets dans le roman de Flaubert*, Armand Colin, París, 1973; Sergio Beser, «Espacio y objetos en *La Regenta*» en *«Clarín» y su obra en el Centenario de «La Regenta»*, ed. de Antonio Vilanova, Barcelona, 1985, pp. 211-228.

7. Philippe Hamon, «Cos'è una descrizione» en *Semiologia, lessico, leggibilita del testo narrativo*, Pratiche Editrice, Parma-Lucca, 1977, pp. 53-83.

8. *Ibíd.*, p. 83.

9. R. Debray-Genette, «Du monde narratif dans *Les trois contes*», Litterature (1971), pp. 39-62.

10. C. Duchet, *art. cit.*, p. 18.

11. R. Boerneuf-R. Ouellet, *L'univers du roman*, PUF, París, 1985, p. 157 (el subrayado es nuestro).

12. En realidad la ponencia debía haber desarrollado —como dice el título— las diferencias y similitudes en la evolución de Emma Bovary y Ana Ozores a través de los objetos que tienen relación con el adulterio y/o la religión. Pero siendo un argumento excesivamente amplio hemos tenido que reducir el análisis exclusivamente a los objetos que se refieren al adulterio. Por otro lado el binomio religión-adulterio no siempre es escindible, por ello no hemos podido evitar las referencias a la religión.

13. Entre ellos encontramos otros objetos que son específicos a cada una de las novelas, como por ejemplo: las rejas, el confesionario o el columpio en *La Regenta* y el ramo de novia o la estatua de yeso del cura en *Madame Bovary*. Por esta razón no los hemos tomado en consideración.

14. *Cfr.* Marcel Proust que en *Un amour de Swann (La recherche du temps perdu,* vol. I) desarrolla la teoría que los celos son un revelador del amor del cual no se pueden separar.

15. Por una distracción de Flaubert en la tercera parte de la novela la alfombra se transforma en un cubrecama: «il avait écrit son

testament en recommandant qu'on l'ensevelit dans ce beau couvre-pied, à bandes de velours, qu'il tenait d'elle [...]» (p. 239).

16. Porque Emma puede recordar las noches cuando, vestida y arreglada con esmero, esperaba a Rodolfo en el cenador. En algunas de esas noches había luna o estrellas y flores... Una escena romántica como la que evoca el cuadro. Por eso podemos hablar de «imagen del pasado».

17. Algo más tarde en la misma finca de los Vegallana donde se encuentra la ilustración Ana cede a Álvaro.

18. A propósito del *fiacre* que Flaubert llama *lourde machine,* se puede hablar de otro caso de metonimia de situación porque no sólo se pone en marcha el *fiacre* sino también el destino. El objeto está descrito como símbolo sin precisar la intención, dejando al lector la interpretación.

19. Sólo en la ropa interior la Regenta se concede alguna frivolidad (véase la cita primera de esta ponencia).

20. P. Danger, *op. cit.,* p. 327.

«LA CONQUÊTE DE PLASSANS» DE ·ÉMILE ZOLA, HIPOTEXTO DE «LA REGENTA»

Robert Jammes
(Universidad de Tolouse-le Mirail)

Durante muchos años, la crítica que trató de investigar las fuentes de *La Regenta,* se limitó a señalar *Madame Bovary* (Flaubert), *La faute de l'abbé Mouret* (Zola) y *O primo Basilio* (Eça de Queiroz). Fue sólo en los últimos veinte o treinta años cuando se empezó a hablar de *La conquête de Plassans* de É. Zola como fuente de la novela de Clarín: me limitaré a citar el estudio reciente de Amanda Gross-Castilla (aquí presente), *Lo que «La Regenta» debe a Émile Zola,* que enumera de modo convincente muchos rasgos de la novela española (detalles o concepción general) que indican, de manera indiscutible, que Clarín había leído con atención la novela de Zola y que, al planear y escribir la suya, se acordaba de ella con precisión.[1] No vamos por lo tanto a hablar de plagio, ni siquiera de imitación; pero es indudable que *La conquête de Plassans* constituyó el choque inicial que determinó, poco a poco, la concepción de *La Regenta* en la mente de Clarín. Si se ha tardado en descubrir esta influencia, esto se debe sin duda al escaso éxito de *La conquête,* que se vendió mal en Francia y hubo de ser poco conocida en España. De lo contrario, es cierto que Luis Bonafoux («Aramis»), que se empeñaba con mala fe en demostrar los «plagios» de Clarín, hubiera echado mano de la novela de Zola, que podía proporcionarle argumentos más convincentes, en apariencia por lo menos.[2]

De todas formas, no se trata en esta ponencia de investigar una vez más, ya que está hecho, «lo que *La Regenta* debe a Zola», sino al contrario de resaltar, gracias a un cotejo de las dos obras, todo lo que Clarín *no* debe a Zola, que es por definición lo verdaderamente original. Y cuando digo «todo», estoy exagerando: digamos «algunos puntos importantes», que ya será mucho. Pero, para mayor claridad del análisis, tendré que recordar primero, aunque sea de forma sintética y prescindiendo de las diferencias sobre las que insistiré después, lo que en la novela de Clarín —mejor dicho, en el esquema de su novela, en lo que queda de ella cuando se la reduce a un resumen abstracto— procede directamente de la de Zola.

Ambos relatos se desarrollan en una ciudad de provincia, descrita en detalle, topográfica y sociológicamente, con sus barrios, sus clases, sus costumbres, su ambiente, sus rivalidades políticas, etc. Se podría decir que los tres barrios de Vetusta que corresponden a sus tres principales categorías sociales (Encimada, Colonia y Campo del Sol) no son más que la transposición, hispanizada desde luego, de la descripción de Aix-en-Provence, que Zola disfraza bajo el nombre de Plassans.

En ambas ciudades se destaca la importancia del elemento levítico, con sus intrigas o rivalidades internas y sus ambiciones externas: un obispo poco autoritario, asistido por un provisor o vicario general dominador; varios párrocos o dignatarios; y una porción de beatas que se dedican a obras de caridad y frecuentan los salones. Todo este aspecto clerical estaba ya en la novela francesa, pero Clarín le da más importancia; tratándose de España, ¿quién lo extrañará?

En el centro de las dos novelas, una mujer casada (Marthe en la de Zola, Ana en la de Clarín) y desatendida, por no decir abandonada, por su marido —burgués pacífico y acomodado, bastante egoísta, y que progresivamente será marginado o se transformará en víctima— con el cual ha dejado de tener relaciones sexuales.[3] En ambos casos la criada (Rose por una parte, Petra por otra) desempeña un papel importante en la evolución del drama hacia su desenlace trágico.

El elemento motor de la intriga es el encuentro de esta mujer, católica pero tibia, con un sacerdote enérgico, fuerte (hasta físicamente), ambicioso y dominador, que llega a ser su director espiritual y la empuja hacia una práctica religiosa intensa, tanto en el plano de la devoción personal como en el de las obras de tipo social o catequístico.

En ambas novelas por fin la mujer se enamora platónicamente (me limito a lo que es común) de su director espiritual, y termina dando en una especie de locura o histeria mística que, directa o indirectamente, provoca la tragedia final. Ambas son asistidas por un médico de confianza (docteur Porquier en Zola; don Robustiano y su sustituto Benítez en Clarín), médico que analiza y expone para el lector la naturaleza exacta del mal, tal como se lo podía conocer entonces.

Este es, pues, el resultado de una radiografía somera de las dos novelas. Es indiscutible el parecido de las dos imágenes que, reducidas así a unas cuantas líneas esenciales, nos dan la impresión de casi superponerse. Hasta podría ser una adivinanza: describiéndolas como acabo de hacerlo y preguntando luego de cuál de las dos se trata, nadie sería capaz de distinguirlas. Podemos pues imaginar perfectamente que Clarín, después de leer —o de volver a leer, ya que salió unos diez años antes que *La Regenta*— *La conquête de Plassans*, ve esbozados en su mente los contornos de otra novela que a él le gustaría escribir. Lo interesante es tratar de ver cómo se desarrolla ese germen, ese núcleo inicial, cómo se perfecciona el esbozo primitivo hasta llegar a un diseño definitivo que hace de los dos relatos dos obras totalmente distintas, por no decir opuestas. No se trata de estudiar las diferencias casuales, sino únicamente aquellas que pueden parecernos intencionadas, calculadas, y que muestran cómo Clarín reacciona, cómo imprime un sesgo diferente a ese conjunto de sugerencias que le viene a la mente.

* * *

Fijémonos primero en el título: frente a *La conquête de Plassans, La Regenta*. Este cambio de perspectiva corresponde a una modificación fundamental de la intriga: en Zola el personaje principal, el verdadero protagonista es el conquistador, es decir el clérigo, el abate Faujas, agente político del poder central. En Clarín es la hija de confesión del clérigo, Ana Ozores, la Regenta. Es que, para Clarín, la conquista de una ciudad de provincia por la Iglesia, respaldada o no por el poder político, no podía ser el tema de una novela realista, porque dicha conquista estaba realizada desde hacía mucho tiempo. La dominación de Vetusta por el elemento clerical no es una meta perseguida, es un dato inicial ineludible: muy significativamente la novela empieza, pues, en la torre de la catedral, desde donde se contempla todo el paisaje urbano o suburbano de Vetusta, y muy significativamente se dedican los dos primeros capítulos a una descripción detallada (y casi siempre simbólica, no anecdótica sino cargada de significación) de la catedral, con sus campanas, su nave, sus canónigos, las capillas, los confesonarios, la sacristía, los cuadros y las antigüedades que encierra, el Panteón de los Reyes, etc. Y también se nos enumera a todo el personal eclesiástico o semieclesiástico que se mueve en la catedral y en las calles vecinas: el Magistral, Ripamilán, Glocester, don Custodio, el Palomo, Celedonio, las beatas, y podemos colocar en la misma categoría a Saturnino Bermúdez, por «transición zoológica», como decía festivamente Galdós.[4]

En *La conquête,* las instituciones que dominan a la ciudad son dos: la Iglesia (cuya descripción parece apenas esbozada, cuando se la compara con la de Clarín) y la Préfecture (el Gobierno civil), cuyos salones son unos de los principales escenarios de las intrigas de la novela; en *La Regenta* sólo domina la Iglesia. El Gobierno civil existe, pero su importancia es tan pequeña que casi no se le ve: se menciona de vez en cuando al gobernador, o a su esposa, pero sólo como unos de los tantos personajes que frecuentan el salón de Vegallana. La exigüidad de su papel es sin duda intencionada, para mejor subrayar dónde reside el poder verdadero. Si Clarín hubiera querido hablar más extensamente del gobernador, le era fácil hacerlo, no sólo porque tenía a mano el modelo de Zola que podía incitarlo, sino también y sobre todo porque su padre había sido gobernador civil de Zamora, y Clarín conocía por consiguiente ese mundo de la administración provinciana.

Volvamos a la protagonista, ya que nos lo manda el título, y no sólo él, sino el mismo desarrollo de la novela, puesto que, después de los dos primeros capítulos dedicados a la catedral, los tres que siguen están consagrados al personaje de Ana Ozores. Empezaré por una advertencia elemental: Ana tiene menos de treinta años,[5] mientras que su «modelo», Marta, tiene cuarenta. Por lo visto, Zola no escogió sin pensarlo esta edad, ya que nos dice que «Marta es todavía muy deseable a pesar de sus cuarenta años», y que «es la edad de las grandes pasiones y las grandes felicidades».[6] Se puede pensar por consiguiente que, cuando Clarín le quitó a su protagonista estos diez o doce años, él también lo haría a sabiendas. ¿Por qué lo hizo? Sencillamente para aventajarla, añadiéndole todos los encantos de la mujer joven y hermosa. Podemos decir que, sin el talento de Clarín, Ana hubiera sido la típica protagonista de folletín subromántico idealizante: joven, bella, pura, sensible, soñadora, artista, exaltada, incapaz de maldad, rodeada de la admiración unánime de una ciudad entera, que le dedica una especie de culto... Tiene todas estas calidades sin caer en lo convencional: había que ser Clarín para acertarlo.

Ana es huérfana y entregada muy joven a un aya hipócrita que la detesta, para caer luego en el poder de sus tías, solteronas, beatas e hipócritas, injustas y crueles, que, después de inculcarle un sentimiento de culpabilidad, decidirán ellas mismas su casamiento con Quintanar... Todo eso lo añade Clarín al esquema de Zola, y otra vez podemos preguntarnos con qué finalidad. Evidentemente, es para que su personaje pueda cumplir más totalmente el papel de la mujer indefensa, sin posibilidad de afirmar su personalidad, siempre entregada a alguien, o algo: al aya, a las tías, al matrimonio (no al marido, inexistente) y, a través de él, a la sociedad que la vigila y le impone sus normas de conducta, asfixiándola y, finalmente, destruyéndola. No creo que se pueda hablar de un feminismo de Clarín, pero se puede decir que hay en su novela las primicias del feminismo, sobre todo si se añade que, desde el principio hasta el final del relato, la Regenta es el objeto del deseo difuso, perverso, malsano, cínico del elemento masculino de Vetusta. Todo esto, desde luego, corresponde a un cambio total de enfoque relativamente a la novela de Zola.

Digo que no se puede exactamente hablar de feminismo, porque le falta el aspecto reivindicativo, positivo. Pero la protesta, por lo menos, se encuentra a cada paso, cada vez que Clarín evoca el conflicto entre Ana y Vetusta:

> Ana se sentía caer en un pozo, según ahondaba, ahondaba en los ojos de aquel hombre que tenía allí debajo [...] y se dejaba resbalar, gozándose en caer, como si aquel placer fuese una venganza de antiguas injusticias sociales, de bromas pesadas de la suerte, y sobre todo de la estupidez vetustense que condenaba toda vida que no fuese la monótona, sosa y necia de los insípidos vecinos de la Encimada y la Colonia.[7]

No necesitábamos esta comparación para descubrir la intención profunda de Clarín al escribir *La Regenta*, pero tiene por lo menos la ventaja de confirmarnos que estamos hablando de una cosa esencial, no accesoria, ya que la función de Marta en *La conquête* es diferente. El propio Zola define claramente su proyecto cuando escribe en el plan de su novela: «Étude d'une femme devenant dévote».[8] Conflicto entre Marta y Plassans, no hay.

Ahora bien, Clarín también quiso mostrarnos el proceso de una transformación espiritual, el camino seguido por una mujer «que se hace beata» («devenant dévote»), pero su análisis es —deliberadamente— diferente del de Zola: mucho más amplio y detenido, ya que la trayectoria de la intriga viene a ser, finalmente, el camino espiritual de Ana, con sus entusiasmos, sus dudas, sus vacilaciones entre el misticismo y la vida activa de «beata práctica», la devoción y las pulsiones del deseo... Diré, para abreviar, que el problema religioso individual en Zola queda exterior, está visto desde fuera, y no siempre de manera convincente. Zola se limita a observar la conducta de su protagonista, con cierta frialdad, mientras que Clarín la vive desde dentro, y tiene la posibilidad de hacerlo, no sólo por la simpatía constante con que trata a su protagonista, sino también porque sus conocimientos teóricos y prácticos eran, en este dominio, mucho más amplios que los del novelista francés.

Acabo de hablar de simpatía. Creo que es finalmente la diferencia más importante. De Zola, por lo menos en *La conquête,* no se puede decir que comparte profundamente los anhelos, las decepciones o las esperanzas de Marta, ni de cualquier otro personaje de su novela: los observa, nada más. Mientras Clarín, desde el principio hasta el final, está al lado, mejor dicho: dentro, en lo más profundo de su personaje. No insisto sobre este aspecto que ha sido destacado ya por otros, y que Lissorgues ha expresado con mucho talento en el prefacio de la reciente traducción francesa.

Esta simpatía no excluye la expresión, de vez en cuando, de cierta ironía. En realidad, la ironía es constante y general en la novela de Clarín —es una diferencia fundamental entre él y Zola, que no puedo desarrollar aquí— y ningún personaje escapa de ella, salvo quizá Mesía, contra quien expresa, cada vez que tiene ocasión de hacerlo, un desprecio y hasta un odio total. Es curioso notar que esta ironía burlona, y hasta sarcástica cada vez que se trata de la hipocresía vetustense, aparece también a propósito de Ana, pero desde luego muy suavizada, indulgente y amistosa. Se manifiesta por ejemplo cuando relata las lecturas juveniles de Ana, el entusiasmo que le provocan los *Mártires* de Chateaubriand (mártires entre los cuales quiere colocar a su amiguito Germán), o las obras de san Agustín o de san Juan de la Cruz, y concluye diciendo que «sentía un cariño melancólico que acababa por ser una jaqueca aguda».[9] La misma ironía se expresa a través de los elogios torpes de sus admiradores,[10] o en la relación de su paseo nocturno por la calle del Comercio[11] o de sus reacciones a la representación de *Don Juan Tenorio*, que es para la inocente Regenta una verdadera revelación.[12] Esta ironía, que es como un acercamiento a sus personajes, manifiesta al contrario, cuando se aplica a Ana como una especie de sonrisa condescendiente, la distancia —muy corta— que Clarín consigue mantener entre él y su protagonista femenina.

* * *

El otro protagonista de la novela es el Magistral. Paso sobre las semejanzas y diferencias más evidentes entre Faujas y De Pas: por ejemplo, los dos son altos, fuertes, obstinados, con temperamentos de luchadores; tienen un atractivo común, el encanto de la voz; pero hay en Faujas una rudeza que no está en De Pas, hombre culto, elegante, siempre bien vestido (al contrario de Faujas) y... joven: él también tiene diez años menos (¡qué coincidencia!) que su «modelo». Sobre todo, es de notar que conocemos detalladamente todo el pasado de De Pas, mientras de Faujas no sabemos casi nada, lo cual contribuye a hacérnoslo más lejano, más indiferente. Pero en definitiva, lo que más nos llama la atención en este cotejo es el personaje de la madre del Magistral: por sus orígenes, por su pasado miserable, sórdido, por su inflexibilidad, su energía, su codicia descomunal, su ambición, que le confieren una dimensión casi épica, es el personaje de la novela que se acerca más al mundo de Zola. Y sin embargo, hay un rasgo que la opone a la madre de Faujas, y que Clarín, indudablemente, introdujo a sabiendas: es que la madre del Magistral domina, de modo absoluto, dictatorial, a su hijo. Fue ella quien, desde el principio, escogió su carrera y la guió paso a paso. Ella es quien sigue vigilándole para evitarle cualquier tropiezo: recuérdese su celo de inquisidor, cuando le interroga a propósito de la primera carta, muy inocente, que le manda

Ana. Ella controla hasta su vida sexual, apartando de él a las mujeres aventureras y reclutando para él criadas jóvenes que duermen en el mismo piso, mientras ella vive arriba. Ella es en definitiva quien constituye el obstáculo mayor a las relaciones sentimentales entre Ana y Fermín. ¿Por qué este cambio? Porque *La Regenta* no es sólo el drama de la mujer sitiada y asfixiada por la sociedad; es también, aunque en grado menor, el drama del sacerdote, que se halla, él también, maniatado, «preso» (así lo dirá Fermín) por la Iglesia, por la sociedad, por su propia familia. Al final, cuando se da cuenta de su pasión, la sotana se transforma para él en «cadena».[13] Clarín se complace más de una vez en sugerir, al hablar del traje talar, la idea de trabas que inmovilizan al infeliz De Pas, imágenes que culminan en esa frustrada rebelión final, grandiosa denuncia del estado sacerdotal que ha hecho de él un «eunuco enamorado».[14] Éste es el papel fundamental del personaje de la madre: simbolizar, recordar a cada instante el carácter infranqueable de aquella barrera.

Así se explica la violencia del conflicto entre el hombre y el sacerdote cuando ya no basta, al acabarse la novela, el amor entre las almas. Y por eso, porque quería insistir sobre este drama, Clarín lo describe desde el principio de la novela, siguiendo paso a paso la evolución de los sentimientos del Magistral, y concediéndoles tanta importancia, o casi, como a los de Ana: el interés que despierta en él la proposición de Ripamilán al quererle transmitir la dirección espiritual de Ana, la ligera turbación que experimenta al encontrarla, su complacencia en pensar en ella, la amistad que cuaja entre los dos, su dominación y, después, la pérdida de su autoridad, la complicidad que se establece entre los dos para citarse en casa de doña Petronila o escoger horas especiales de confesión, etc., hasta la lucha desesperada del Magistral contra un amor que lo avasalla, los celos, el furor, y ese final que recuerda, intencionadamente, una escena de *La conquête de Plassans:* como Faujas, él también arremete con violencia contra la mujer arrodillada que le está implorando, y le pasa por la mente el deseo de matarla con sus propias manos:

—Je vous aime, Ovide, balbutia-t-elle encore ; je vous aime, secourez-moi.
—Je vous ai déjà trop approchée, continua-t-il. Si j'échoue, ce sera vous, femme, qui m'aurez ôté de ma force par votre seul désir. Retirez-vous, allez-vous-en, vous êtes Satan ! Je

vous battrai pour faire sortir le mauvais ange de votre corps.
Elle s'était laissé glisser, assise à demi contre le mur,
muette de terreur, devant le poing dont le prêtre la mena-
çait.[15]

> Entonces crujió con fuerza el cajón sombrío, y brotó de
> su centro una figura negra, larga. Ana vio a la luz de la lám-
> para un rostro pálido, unos ojos que pinchaban como fuego,
> atónitos como los del Jesús del altar...
> El Magistral extendió un brazo, dio un paso de asesino
> hacia la Regenta, que horrorizada retrocedió hasta tropezar
> con la tarima. Ana quiso gritar, pedir socorro y no pudo.
> Cayó sentada en la madera, abierta la boca, los ojos espan-
> tados, las manos extendidas hacia el enemigo, que el terror
> le decía que iba a asesinarla.[16]

¡Cuántas similitudes! Pero, ¡qué diferencia! El puño cerrado de Faujas expresa sólo la misoginia de un cura ambicioso, dispuesto a cualquier violencia para apartar de su
camino a la mujer que le estorba; mientras el ademán de De
Pas manifiesta la desesperación total, el odio inmenso de un
amor despreciado, pisoteado, que le va transformando en
criminal.

No olvidemos que, con todos sus rasgos negativos, ese Magistral se ha mostrado capaz de enternecerse al oír, en la
noche, tocar un violín,[17] o de volver a contemplar la luna,
como en su juventud; es capaz de un arranque de ese idealismo romántico que para Clarín es algo positivo; es capaz de
pensar en abandonar sus ambiciones para entregarse a sus sentimientos, a ese amor al que todavía se niega a identificar. Y
cuando nos vamos acercando al final de la novela, lo vemos
arder de una pasión que Clarín expresa —proclama— en términos soberbios, en uno de sus encuentros con Ana en casa
de Petronila:

> De Pas vio a la Regenta más hermosa que nunca: en los
> ojos traía fuego misterioso, en las mejillas el color del entu-
> siasmo de las conferencias íntimas, espirituales; una aureola
> de una gloria desconocida para él parecía rodear a aquella
> mujer que encerraba en el breve espacio de un contorno ado-
> rado todo lo que valía algo en la vida, el mundo entero, infi-
> nito, de la pasión única.[18]

Al lado del corazón de Ana, que late a lo largo de la novela, hay pues otro corazón, que late a un ritmo diferente,

pero no menos intenso, el del Magistral; en cambio, no se oye nunca el corazón de Mesía, ni de ningún otro hombre de la novela.

Estos son los rasgos positivos que Clarín añade al que podemos llamar el protagonista masculino de la obra, y que no deben nada a Zola. Pero se trata de un personaje contradictorio, en el que el autor quiso también concentrar una serie de rasgos negativos, como para impedirnos que lo pongamos en el mismo nivel que la pura, resplandeciente Ana.

Muy significativo es, desde este punto de vista, el capítulo XII, donde, a propósito de la familia Carraspique, Clarín nos muestra lo que puede ser la dominación del clero —concretamente, de De Pas— sobre una familia devota. El recuerdo más hondo de *La conquête de Plassans* se halla quizás en este capítulo, en el que don Fermín se opone al médico Robustiano y exige que Rosita (una de las hijas Carraspique) siga permaneciendo en el convento de las Salesas donde se está muriendo —capítulo en el que, al mismo tiempo, don Fermín hace fracasar el proyecto de casamiento de otra hija de Carraspique con Ronzal. Y como para acabar de convencernos, Clarín nos presentará en otro capítulo una situación paralela: la de la familia Páez, rico indiano al cual De Pas domina a través de su hija, Olvido, penitente suya.[19]

Esta es la «Iglesia negra», el peligro denunciado ya por Michelet (dominación de las familias por los confesores a través de las mujeres) en un libro famoso,[20] y novelado por Zola en *La conquête de Plassans*. Es muy revelador que, en un mismo capítulo, Clarín haya querido contraponer a esa visión tétrica del catolicismo la imagen amena, llena de alegría y de luz, del «salón claro» del obispo Camoirán, personaje que parece corresponder al ideal religioso del autor, cuyo anticlericalismo enmudece en cuanto aparece la verdadera caridad. El capítulo opone estas dos caras del catolicismo, evocadas a través de dos tipos de predicación: la de Camoirán, espontánea, lírica, sublime, y por lo tanto poco apreciada del auditorio; la del Magistral, teológica, metódica, escolástica, finalmente sin trascendencia, utilitaria y concreta, y por eso tan en boga entre los vetustenses acomodados. El catolicismo que Clarín rechaza, lo personifica el Magistral, no hay que olvidarlo, aun cuando su pasión lo transforma momentáneamente en otro ser.

* * *

Con Ana y Fermín hemos hablado rápidamente de dos de los protagonistas. Falta el tercero, que es Álvaro Mesía. Éste no tiene equivalente en la novela de Zola: lo añade Clarín al esquema que le sugiere su «modelo» francés. ¿Por qué? (otra vez...). Pues porque, como lo hemos visto ya, el proyecto de la novela es, fundamentalmente, mostrarnos a la mujer aplastada por el mundo que la rodea, y, para que resultara patente el conflicto, era necesario colocarla frente a las dos fuerzas de signo opuesto que la solicitan: Escila y Caribdis de la vida provinciana; la una es la Iglesia, que no sólo constituye un peligro material (como en el caso de Páez o de Carraspique), sino también espiritual, en la medida en que la devoción o el pseudomisticismo que propone no pueden satisfacer a un alma exigente, y sólo sirven para ponerla en un callejón sin salida (es el drama de Ana); pero la otra fuerza, de signo opuesto, a la que podemos llamar el libertinaje, es esa engañosa satisfacción de los sentidos en relaciones sexuales sin amor, con esos galancetes egoístas, cínicos, insustanciales, representados por Mesía, y también por sus amigos y admiradores, por Paco, por Joaquinito, por toda aquella fauna que frecuenta el salón de Vegallana, y de la que emana un perfume de «lascivia subrepticia»,[21] chabacana, vil, totalmente material, y sin el menor asomo de pasión verdadera. Es el estilo de vida al que está acostumbrada la buena sociedad vetustense, y que tolera con tal que se preserven las apariencias de la respetabilidad.

Todos los que han leído la novela conocen bastante al personaje de Álvaro Mesía (alto, hermoso, pero embustero, perverso, cobarde; el único contra quien, como dije, Clarín se ensaña sin humor) para que se me permita no hablar de él más extensamente. Me limitaré a las últimas líneas que le dedica Clarín, a propósito de la carta indecente que se atreve a mandar a Ana, después de matar a su marido:

> Todo era falso, frío, necio, en aquel papel escrito por un egoísta incapaz de amar de veras a los demás, y no menos inepto para saber ser digno en las circunstancias en que la suerte y sus crímenes le habían puesto.[22]

Quiero observar sin embargo que, para hacerle más antipático y quitarle la excusa de la «sangre joven», a él lo envejece (¡otra coincidencia!), echándole a cuestas diez años más que al Magistral y a la Regenta: Álvaro tiene más de cuarenta años cuando empieza la novela. Todavía no se le nota la vejez, exteriormente por lo menos, pero interiormente sus fuerzas van enflaqueciendo, y teme no poder contar con todas las energías necesarias para salir airoso de las lides amorosas... Clarín puede ser, a veces, verdaderamente cruel.

Para no prolongar este cotejo, terminaré con otro personaje relativamente importante, que tampoco debe nada a Zola, y del que también podemos sospechar por consiguiente que hubo de parecerle imprescindible a Clarín: es don Pompeyo Guimarán, el ateo de Vetusta. La pomposidad que sugiere su nombre, y que su elocuencia pone de manifiesto, hace de él un personaje ridículo, pero no se puede suponer que Clarín lo introdujo en su novela únicamente para conseguir algunos efectos cómicos: don Pompeyo, del que se habla largamente y que desempeña un papel importante en el desarrollo de la intriga, representa el ateísmo y su fracaso, fracaso materializado por el lamentable entierro civil de don Santos Barinaga y, sobre todo, por la propia conversión de Guimarán en el momento de morir. Sin duda le pareció oportuno a Clarín presentar al lector esa otra posibilidad teórica de oponerse a la sociedad vetustense —oposición de la que Guimarán es muy consciente— y por eso sin duda procuró no hacer de don Pompeyo un personaje totalmente burlesco: es honrado, bondadoso, virtuoso y no se le puede confundir con los demás socios del Casino que frecuenta; pero es tonto, y su ateísmo pedante es totalmente ineficaz. Por lo visto, Clarín quiso marcar a través de él la distancia que separa su propia filosofía del ateísmo radical de Zola.

Así que, una vez más, comprobamos cómo el cotejo de *La Regenta* con su «modelo», si es cierto que pone de manifiesto la inmensa deuda de Clarín —pero ¿quién más que él proclamó su admiración a Zola?— nos lleva sobre todo a apreciar más exactamente su originalidad, dejándonos vislumbrar, en la fase creadora inicial de la novela, las reacciones de una fuerte personalidad frente a otro temperamento no menos potente, que lo precedió en la misma vía. Más que de imitación, yo hablaría de diálogo: un diálogo en el que las respuestas de Clarín cobran, muchas veces, un tono más enérgico de lo que hubiéramos sospechado. En el fondo, es lo que pasa cada vez que comparamos una obra —si la obra vale algo— con sus fuentes, en cualquier dominio y en cualquier época, ora se trate de Góngora rehaciendo, después de tantos, el *Polifemo* de Ovidio, ora se trate de Picasso, desmenuzando y volviendo a componer las *Meninas* de Velázquez...

* * *

Ya es tiempo de concluir. Como me he limitado a unos pocos aspectos de la novela de Clarín, esencialmente a un breve análisis de cuatro personajes, no puedo pretender sacar conclusiones generales de este cotejo entre *La Regenta* y *La conquête de Plassans*. En particular, hubiera sido necesario tener en cuenta la diferencia de tono entre las dos obras (he rozado apenas el tema del humorismo, de la ironía de Clarín), la diferencia de estilo (ese placer de la escritura, tan evidente en Clarín, bien subrayado por Y. Lissorgues), y hasta diría la diferencia de luz: hay en *La Regenta* una luminosidad, una alegría, inesperadas en esa triste y lluviosa Vetusta, que faltan en la novela de Zola, a pesar de su ambiente marcadamente mediterráneo. Muchas escenas, en particular cuando giran alrededor de Ana, aparecen como iluminadas por esa especie de nimbo que emana de ella, y los personajes, a pesar de todo lo que los hace despreciables o ridículos, se vuelven alegres, agradables para la mirada del lector, un poco como los que vemos en ciertos tapices de Goya. Todo eso, otros podrán analizarlo mejor que yo.

Terminaré volviendo sobre un detalle: la edad de los personajes (una manía que tengo...). Ana tiene veintisiete años en los primeros capítulos; tendrá treinta cuando termine el relato (10 menos que Marta). De Pas tiene treinta y cinco: 10 menos que Faujas. Y Leopoldo Alas, nacido en 1852, ¿qué edad tendría cuando empezó a redactar *La Regenta*, en 1883? Pues... treinta y un años, la edad de sus protagonistas. No sé si, lo mismo que Flaubert quiso confundirse con Madame Bovary, Clarín se asimiló a la Regenta. Yo diría más bien, y es la impresión que me deja, a cada página, la lectura de la novela, que estaba enamorado de ella... ¡Qué lejos estamos de Émile Zola!

NOTAS

1. Amanda Gross-Castilla, «Lo que *La Regenta* debe a Émile Zola», en *Clarín y «La Regenta» en su tiempo (Actas del simposio internacional, Oviedo, 1984)*, Universidad de Oviedo, Servicio de publicaciones, 1987, pp. 505-515.

Sobre las otras influencias, véase la bibliografía que reúne Gonzalo Sobejano en una nota de su edición de *La Regenta* (*Clásicos Castalia*, t. 110 y 111, 3.ª ed., 1983), t. I, p. 15.

Lamento haber recibido demasiado tarde el excelente artículo de Juan L. Rodríguez Bravo, «*La Regenta* y *La conquête de Plassans:* notas sobre una posible relación» (*Revista de literatura*, XLVII, n.º 94, 1985, pp. 179-186), cuyo enfoque me parece muy acertado.

2. Véanse los textos relacionados con esta polémica en el libro reciente de María José Tintoré, «*La Regenta*» de Clarín y la crítica de su tiempo (Barcelona, Lumen, 1987, 409 pp.; col. *Palabra crítica*, 1), pp. 358-388.

3. «Aujourd'hui, bien qu'ils fussent encore jeunes tous les deux, il ne semblait plus y avoir en eux que des cendres. [...] Marthe aimait certainement son mari d'une bonne amitié; seulement il entrait dans son affection une crainte des plaisanteries de Mouret, de ses taquineries continuelles. Elle était aussi blessée de son égoïsme, de l'abandon où il la laissait (Ed. Emilien Carassus, Garnier-Flammarion, 1972; pp. 137 y 138).

En *La Regenta,* la impotencia de Quintanar, insinuada varias veces desde el tercer capítulo, se halla confirmada expresamente en el cap. 28, a través del detalle de las ligas de Petra (II, pp. 413 y 414) y las confidencias del propio Víctor a Álvaro (p. 429).

4. En su prólogo a la ed. de 1901 de *La Regenta*. Véase M.J. Tintoré, *op. cit.*, p. 329.

5. Exactamente 27: «Entonces debía de tener, según sus vagos recuerdos, cuatro años. Veintitrés habían pasado, y aquel dolor aún la enternecía». (I, 3; p. 167 de la ed. de Gonzalo Sobejano).

6. Ed. cit., pp. 194 y 218.

7. II, 16, p. 25.

8. Ed. cit., introd., p. 22.

9. I, 4, pp. 206-208.

10. «¡Es la Venus *del Nilo*! —decía con embeleso un pollastre llamado Ronzal, alias el Estudiante» (I, 5, p. 224).

11. Ana creía ver en cada rostro la llama de la poesía. Las vetustenses le parecían más guapas, más elegantes, más seductoras que otros días; y en los hombres veía aire distinguido, ademanes resueltos, corte romántico; con la imaginación iba juntando por parejas a hombres y mujeres según pasaban, y ya se le antojaba que vivía en una ciudad donde criadas, costureras y señoritas, amaban y eran amadas por molineros, obreros, estudiantes y militares de la reserva» (I, 9, p. 357).

12. El primer acto le gusta, el segundo la conmueve, el tercero la entusiasma, pero el cuarto, donde culmina la obra, la sorprende: «Para Ana el cuarto acto no ofrecía punto de comparación con los acontecimientos de su propia vida... ella aún no había llegado al cuarto acto». (II, 16; p. 51).

13. «—Mesía me desprecia, me escupirá en cuanto me vea [...]. Me insulta porque estoy preso.

»El Magistral se sacudió dentro de la sotana, como entre cadenas» (II, 25; p. 321; la misma idea, más desarrollada, se vuelve a encontrar más adelante, cap. 27, p. 396).

14. «Y él, que tenía sed de sangre [...], él, atado por los pies con un trapo ignominioso, como un presidiario, como una cabra, como un rocín libre en los prados, él, misérrimo cura, ludibrio de hombre disfrazado de anafrodita, él tenía que callar, morderse la lengua, las manos, el alma, todo lo suyo, nada del otro, nada del infame, del cobarde que le escupía en la cara porque él tenía las manos atadas... ¿Quién le tenía sujeto? El mundo entero... Veinte siglos de religión, millones de espíritus ciegos» (II, 29, p. 464).

15. Cap. XX, ed. cit., pp. 343 y 344.

16. II, 30; p. 536.

17. I, 15; pp. 561 y 562.

18. II, 25; p. 317.

19. I, 12; p. 473.

20. Michelet, *Le Prêtre, la Femme, la Famille* (1845).

21. II, 28; p. 427.

22. II, 30; p. 451.

LA CRISIS DE LA AUTORIDAD
EN EL «FIN DE SIGLO» ESPAÑOL:
«CUESTA ABAJO», DE CLARÍN

Noël M. Valis
(Universidad de Michigan)

Este no es el título original que me propuse para el estudio presente. Al principio pensé que iba a escribir sobre «*Cuesta abajo*, o la encrucijada del realismo español», pero como se verá en seguida, encontré demasiado estrecho el término que me había establecido en el doble sentido semántico y topográfico. El término se había convertido en *terminus,* ya *antes* de empezar a escribir. Este desandar crítico merece —y requiere— una pequeña explicación, porque la distancia literaria que atravesaré va más bien «cuesta arriba», en aparente sentido contrario al de Clarín, sin olvidar, huelga decir, que sólo se nos hace «cuesta arriba» lo que ya fué (y es) cosa pendiente. Se me figura que hablar de esta novela inconclusa de 1890-1891 como si fuera el producto final de un proceso literario evolutivo y casi predecible es ya saber que de la gestación tiene que salir niño muerto. Si intentamos ver esta obra finisecular como expresión ante todo de la crisis del realismo español en microcosmo, inevitablemente nos cerramos los ojos a cierto trasfondo cultural de dimensiones mucho más amplias que la disolución de la novela realista. Me refiero, claro está, al fenómeno complejo y todavía mal comprendido del *fin de siglo.* Ya conocemos y apreciamos por la sensibilidad crítica de estudiosos como Varela Jácome, Rivkin y otros, el sabor delicadamente pre-proustiano de estas memorias clarinianas mal disimuladas de aderezos ficticios.[1] Pero en esto de anticipar la modernidad de Clarín, nos creamos otro espejismo literario que consiste precisamente en sugerir que Clarín, siendo fuera de serie, no es de su tiempo. Al situar a nuestro autor en un espacio privilegiado —el de ser realista que, ¡vaya milagro!, supera al realismo español— terminamos por anularle porque ese espacio no existe. Hablar de un realista pre-proustiano en el caso clariniano mete al crítico en un callejón sin salida. Ni podemos hablar del indiscutible realismo de Clarín sin calificarlo en seguida como algo moderno, ni discutir su modernidad sino en términos futuros, de un tiempo permanentemente aplazado. El niño muerto parece más bien niño no nacido.

Pero esto significa que no hemos podido entender tampoco lo que es la modernidad misma. Sin pretender resolver una cuestión tan espinosa como esta en que las definiciones por sí mismas se deconstruyen, sugeriría que al concebir nuestras investigaciones teóricas y críticas únicamente según los criterios del realismo, o sea según una determinada percepción estética de mimesis, hemos reducido sin querer el horizonte nuestro a meros vislumbres del mundo-texto hispánico. En esto, el caso Clarín es parecido y relacionado en cierto sentido al debate perenne y ya algo cansado sobre la supuesta dicotomía generación del 98-modernismo. La analogía no es, insisto, fortuita. Aparte de las confusiones aprioristicas producidas por hacer equivalentes «generación» y «movimiento», como ha señalado John Butt lo más grave ha sido el no tener en cuenta la enorme complejidad y heterogeneidad del período. «Si hace falta un término abreviado para describir la literatura castellana del período 1895 a 1910 —dice éste—, se puede encontrar quizá en una frase como *literatura finisecular*, un término vago para lo que al fin y al cabo no tiene fronteras muy precisas. Vista desde una perspectiva libre del apriorismo de "movimientos", esta literatura se revela como un complejo de respuestas, a veces congruentes, otras no, a una serie de problemas concebidos comúnmente».[2]

Dicha perspectiva nos ahorra el trabajo implícitamente defensivo de subrayar a la fuerza el carácter anticipador de la modernidad clariniana. Ni hace falta, porque Clarín *ya es moderno*.[3] En este trabajo, voy a centrarme en un texto específico del fin de siglo —*Cuesta abajo*— no para discutirlo como ejemplo de incipiente *anti*-realismo, tampoco para ver sus rasgos *pre*-proustianos, o porque no, *pre*-azorinianos, que los hay si nos empeñamos en interpretar una obra literaria según nuestros deseos inconscientes de encontrar el texto perfecto, el que encapsule mesiánicamente el presente, pasado y futuro en uno.[4] De mucho más provecho, creo yo, que este utopianismo crítico —de que he pecado yo igualmente— es explorar en *Cuesta abajo* su *terra incognita,* ese fenómeno inestable y perturbador que constituye la conciencia de sentirse uno moderno. Si hay algo que caracterice este período de los años noventa es precisamente eso. Como se verá, el contexto cultural que me sirve como punto de partida es entonces la noción de la modernidad, la cual nos obliga a considerar la época finisecular globalmente como una expresión del *modernismo.* La tesis no es, ya se sabe, nueva (*cf.* Juan Ramón Jiménez, Federico de Onís, Ricardo Gullón).[5] Pero las consecuencias e implicaciones de esta postura teórica todavía no han entrado plenamente en nuestro quehacer crítico. Como ha dicho Javier Blasco resumiendo la cuestión en *Ínsula,* «toda profundización en lo que fue la literatura finisecular lleva a una definición del modernismo que hace imposible —e inútil— todo intento de diferenciación entre "modernistas" y "noventayochistas"».[6] Y aunque se reconoce que modernismo, o sea *modernism* en su sentido más amplio, significa una «crisis general del espíritu»,[7] seguimos, con pocas excepciones (Cardwell, Litvak, Allegra y otros), hablando de las mismas figuras consagradas del período —Unamuno, Baroja, Azorín, Juan Ramón Jiménez, etc.— como si fuesen las primeras y las únicas en captar lo que se ha llamado «una crisis de la cultura» («a crisis of culture»).[8] Es decir, que sigue siendo subrepticiamente el modelo de dicho *modernismo* una constelación ya delimitada de autores y obras que sólo se pueden ver hoy día contra la oscuridad del apagón que han sufrido los demás. O contra la bien intencionada, pero deformadora, clasificación de autores como Clarín en un limbo crítico llamado «pre-modernismo» y «pre-noventayocho». Necesitamos, ante todo, ampliar mucho más el marco crítico y cultural del período finisecular para entender cómo pueden coexistir figuras tan aparentemente dispares como Picón y Unamuno, Clarín y Juan Ramón Jiménez.

Para situar a Clarín en su contexto cultural apropiado no basta hablar de su evolución literaria o personal, paradigmática en todo caso, de vastos cambios radicales que estaban ocurriendo en el mundo de Occidente. Si *Cuesta abajo* es un texto comparable en su modernidad a cualquiera de Unamuno, Azorín o Proust, se debe a que Leopoldo Alas está respirando y viviendo las mismas experiencias históricas, y dentro de lo hispánico, el mismo sentido de inferioridad cultural que todo país subdesarrollado sufre al tropezar con el hecho palpable de la modernización.[9] Este despertar a lo moderno, como he dicho, llega a identificarse con la conciencia misma; será «una fascinación con la conciencia en desarrollo... entendida estética, psicológica e históricamente».[10] Pero una profunda revolución en la conciencia humana, como lo sentiría por ejemplo Ezra Pound después,[11] últimamente iba a disolver el sentido de comunidad, subjetivizar la realidad y fragmentar la personalidad individual. Dicho de otro modo, el desorden que amenazaba convertirse en catástrofe finisecular llevará a una crisis de la autoridad, en que todos los patrones tradicionales parece que están desmoronándose. Sólo hay que pensar en cómo ya se había secularizado casi por completo la sociedad española en tiempos de Clarín, y cómo se había perdido la confianza en las fuerzas políticas y gubernamentales de la Restauración. El resultante «stress histórico» (y espiritual) para muchos significaba que sólo quedaba como posible salvación contra la destrucción del tiempo el refugio de la vida interior. Para otros, la especifidad de lo histórico, siendo inaceptable, se convirtió en una búsqueda de la intrahistoria o del mito mismo. Quizá lo más paradójico de la modernidad sea precisamente eso: que al privilegiar la conciencia individual como expresión suprema de lo moderno se desembocara al mismo tiempo en un rechazo de esa misma modernidad.

Como ilustración de esta profunda ambivalencia ante lo moderno *Cuesta abajo* es un texto ejemplar de la época. Aunque inconcluso, posee, sin embargo, cierta unidad interior, la que se crea cuando seguimos los vericuetos y cuestas imaginarios de una mente en acción. Las memorias de Don Narciso Arroyo, intelectual enviudado, aunque quedarán permanentemente cortadas por razones específicas desconocidas, quizá se apreciarían más si de alguna manera pudiéramos *completarlas* para Clarín. El carácter destacadamente fragmentario del relato, aunque posee el encanto y la frescura de las cosas incompletas y así sugerentes, al mismo tiempo está clamando que recupere su plenitud original, en otras palabras, que le demos con nuestros esfuerzos interpretativos el «final» que merece. Ese final, a mi parecer, reside precisamente en su naturaleza implícitamente circular, repetitiva o sea inacabable —y quizá por eso resistente a ser completado— de esta narración clariniana, porque la *cuesta abajo* del título encierra, dentro de sí misma, su contrario, la *cuesta arriba*, y viceversa. Temáticamente, se expresa mediante una tensión no resuelta entre dos clases de polaridades: rebeldía *versus* autoridad, y masculinidad *versus* feminidad. Lo que me ha intrigado en el texto clariniano es ver cómo se entrecruzan estas oposiciones, creando categorías invertidas y aun reversibles que tal vez por su propia inestabilidad y conflictividad interior pusieron un fin prematuro a este experimento de Leopoldo Alas. Histórica y tradicionalmente, la autoridad en Occidente posee una estructura patriarcal. Pero en *Cuesta abajo* Clarín intenta construir una forma novelesca en que la voz de la autoridad no es masculina, sino femenina. Y aun más asombroso, el género novelesco que readapta será la novela de sentimiento, ya popularizada por mujeres escritoras en toda Europa. (El ejemplo más obvio es George Sand.) Pero como veremos, Clarín no puede sostener lo que se podría llamar su «rebeldía femenina», primero porque va a sublevarse contra ella su propio sentido de masculinidad, ejemplo maravilloso de su conciencia fragmentada y repleta de contradicciones. El peligro que representa la feminidad liberada será además objetivizada en la figura de Emilia, la hermana voluptuosa de pura embriaguez, que no llega a ser la mujer de Narciso. Pero también es insostenible este experimento en transexualidad estética por no serle posible armonizar últimamente la presencia simultánea de una doble feminidad, la que representa la madre de Narciso, es decir la ginecocracia encarnada, y por otra parte, la docilidad femenina del propio protagonista. Lo femenino en *Cuesta abajo* se encuentra fragmentado, atrapado y presionado por demandas conflictivas, entre sometimiento y dominación, obediencia y rebeldía, tensiones que se ven interiorizadas en el alma del narrador, Narciso Arroyo. Dicho de otro modo, la feminización de la narrativa apunta hacia el derrumbamiento de valores al mismo tiempo que revela, mediante esta crisis de autoridad, la sed de lo ideal, algo que vemos repetidas veces en toda la literatura finisecular, como han observado Donald Shaw y otros.[12] En el caso clariniano, la conciencia como entidad íntegra se disuelve en *Cuesta abajo*, subjetivándose y fragmentándose hasta el punto de crear una «topografía poética» de esas cuestas y vericuetos interiores. Que esta autoconciencia sumamente moderna —en que lo estético y lo psicológico forman una categoría distinta del conocimiento— se haya potencializado en términos femeninos no puede ser accidental.

Para entender mejor las circunstancias y el ambiente en que se produce un texto como *Cuesta abajo*, creo conveniente traer a discusión un pequeño momento de la vida literaria finisecular: el debate sobre «la novela novelesca» que surgió a raíz de un artículo de Marcel Prévost, «Le Roman romanesque», publicado en *Le Figaro* el 12 de mayo de 1891. Se recuerda que *Cuesta abajo* salía poco a poco en las páginas de *La Ilustración Ibérica* (Barcelona) desde el 15 de marzo de 1890 hasta el 25 de julio de 1891. Así que sólo en parte coincide cronológicamente con el debate sobre «la novela novelesca». Sin embargo, hay que recordar que el período 1888-1891 es para Clarín un momento de intensos cambios estéticos y espirituales en que se dan a luz obras de complejas tonalidades como *Su único hijo* y *Doña Berta*.[13] Me parece evidente que el interés que demostrara nuestro autor en «la novela novelesca» refleja ante todo algo personal. Pero que también hace época. Aunque no se llegará nunca ni a definir ni a entender exactamente en qué consiste «la novela novelesca», la fascinación por el tema señala en sí un descontento con la novela tradicional y una búsqueda de nuevos valores formales e interiores en el género. De hecho, se puede relacionar el episodio de «la novela novelesca» a ciertos vagos anhelos de renovación idealista y a la creciente inquietud encarnada en el *fin de siècle*. Es significativo que en los años veinte y treinta de nuestro siglo se usara el término idéntico para referirse a la ficción vanguardista, es decir, como alternativa a la forma decimonónica y señal de suprema modernidad.[14]

Muchos participaron en el debate aquel verano de 1891: Emilia Pardo Bazán, Juan Valera, Jacinto Octavio Picón, Luis Vidart, etc.[15] Incluso en la misma revista *La Ilustración Ibérica* donde se publica *Cuesta abajo* aparecen referencias a la «novela novelesca», como ésta de un tal M. Martínez Barrionuevo: «la novela novelesca [...] es la realidad, la hermosa realidad, idealizada, cuando conviene, por un bello optimismo consolador [...]».[16] Según la opinión de éste y otros como Zola y Edmund de Goncourt, «la novela novelesca» no es nada más que la antigua novela idealista revestida de novedad,[17] pero para Leopoldo Alas se ve que se la tomó mucho más en serio en su aportación al debate, publicada el 4 de junio de 1891 en *El Heraldo de Madrid*. Lo primero que se nota es cómo personaliza la cuestión, refiriéndose al principio a sus «humildes ensayos de novela en relación de cómo han sido antaño y cómo van a ser ahora».[18] Esta autoconciencia clariniana del cambio de dirección en su arte hay que conectarla con lo que dice propiamente de la «novela novelesca», proponiéndola como «una protesta nueva de esa juventud literaria, que busca idealidad o poesía [...]».[19] Aquí entramos una vez más dentro del ambiente especial del *fin de siglo*, en que los escritores, declara Francisco Villaespesa (v. el prólogo a *Almas de violeta*, de J.R. Jiménez, 1900), son «nostálgicos de ideal,» se aboga por «un ideal de moral absoluta,» según Rubén Darío en *Los raros* (1896), y se clama por «ideas madres,» según Ángel Ganivet en *Idearium español* (1896).[20]

Cuando intenta definir «la novela novelesca» Clarín empieza a titubear, apoyándose primero en la explicación de Marcel Prévost, para quien esta forma es «novelesca, no en el sentido de una más amplia fábula, sino de *mayor expresión de la vida del sentimiento*». «Ésta —escribe Alas— es harina de otro costal.» Y más adelante, dirá: «es legítima y es oportuna la novela de *sentimiento*». Pero añade que dicha novela debe ser también «poética». Y «¿qué es la novela poética? No lo puedo explicar, a lo menos en pocas palabras; pero estoy seguro de que sería muy bien venida».[21] El carácter exploratorio y tentativo de estas afirmaciones puede que no nos aclare mucho la imprecisión de un término como «novela novelesca». Pero sí me parece intrigante lo dicho al final de su ensayo. Quejándose de «nuestra *castiza* sequedad sentimental», dice que lo que ha faltado en la literatura española es «un *Jorge Sand* español, *momento* literario que no hemos tenido y que hubiera sido aquí más oportuno que realismos y naturalismos, con ser éstos bien venidos». Rechazando «sensiblerías» y la *novela azul* (o *rosa*), reconoce al mismo tiempo que ya es tarde «para ser *Jorge Sand* al pie de la letra».[22] Curiosamente, Menéndez Pelayo iba a decir que para él la novela idílica, poética, de George Sand es «poco más o menos la misma que hoy vuelve a enunciarse con el título de *novela novelesca*».[23]

El papel preponderante de la mujer escritora en crear la novela de sentimiento no era nada nuevo, ni ignorado. Ya Nathaniel Hawthorne en 1854 habló pestes de ellas llamándolas ese «maldito montón de mujeres escribidoras» («damned mob of scribbling women»). De ahí que se caracterizara la época de 1820-1870 como «la feminización de la cultura americana» por el gran número de novelistas femeninas.[24] Pero un fenómeno parecido se había producido también en Europa. A finales del siglo, Rubén Darío iba a referirse a «la abominable *sisterhood* internacional a que tanto ha contribuido la Gran Bretaña con sus miles de *authoresses*».[25] Mucho antes, en 1862, Giner de los Ríos se queja de la mala influencia femenina sobre la literatura francesa porque ahí se reflejan la superficialidad y artificiosidad de la vida exterior de los Salones.[26] Años más tarde, Clarín se hace eco del mismo juicio crítico: «Una literatura que necesariamente ha de ser sometida a la aprobación de las damas principales de un sarao [...] propenderá al amaneramiento, a la falta de sinceridad, y lo que es peor de todo, a limitarse artificialmente por motivos convencionales, de etiqueta, de falso *buen gusto*, etcétera, etc.».[27] Pero aun más reveladoras son estas afirmaciones suyas:

> La novela, en la vida contemporánea de los pueblos más adelantados, viene a ser un afeminamiento. En Inglaterra, en Italia, en Alemania, y aun en Francia, hay multitud de mujeres que escriben novelas; casi, casi se van repartiendo el género por igual con el hombre. No hay por qué renegar de lo mucho que tiene el arte de femenino. No está mal sentirse en el alma un *poco hembra*, siempre que en alma y cuerpo haya garantías sólidas de no llegar a un desequilibrio de facultades: más diré, todo hombre algo poeta debe sentirse un poco *Periquito entre ellas* [...]; pero siempre será verdad que el afeminamiento es un peligro.[28]

¿Pero cómo reconciliar este peligroso *afeminamiento* del género novelesco y la nostalgia por una novela de sentimiento, o sea una novela femenina, que según Alas nunca existió en la literatura española? Esta ambivalencia clariniana ante el valor de lo femenino es algo que no sólo es una constante en su obra, sino que incluso en ciertos textos llega a funcionar como el *modus operandi* de su propia modernidad, como por ejemplo en *Cuesta abajo*. Título más sencillo y prosaico no hay. Pero también quizá he aquí el eco de algo popular, una seguidilla anónima que reza así:

> Cuando voy a tu casa,
>   prenda querida,
> se me hace cuesta abajo,
>   la cuesta arriba;
> y cuando salgo,
> se me hace cuesta arriba
>   la cuesta abajo.[29]

Es decir, que si existe una resonancia popular, se encuentra en estos dos elementos: el tema amoroso y la paradoja de cuesta arriba-cuesta abajo como símbolo del movimiento reversible-repetitivo existencial. Lo cierto es que en *Cuesta abajo*, para llegar a su futura esposa, el protagonista tiene que subir, literalmente, *cuesta arriba*. Y sin embargo, estas memorias representan para Narciso Arroyo la *cuesta abajo* temporal que ha atravesado ya «camino del hoyo». O como dice el narrador: «ya no hay más horizonte; doblé la cumbre y voy descendiendo ya al otro lado de la montaña. Sólo podré ver la vertiente que dejo atrás con los ojos del recuerdo. Mientras yo bajo por este lado, las *Memorias* volverán a subir por el otro; pero, ¡ay! el espíritu que las dicta va *cuesta abajo*. ¡Qué diferencia de vivir a volver a vivir!».[30] Creo que queda patente —y conmovedor— el parecido entre esto y el camino del caminante Antonio Machado desde donde «al volver la vista atrás / se ve la senda que nunca / se ha de volver a pisar» («Caminante, son tu huellas»). Pero mientras en Machado se borran implacablemente las huellas de nuestro vivir, en Clarín se vuelve a repetir como si todo siguiera un eterno orden reversible —arriba y abajo, abajo y arriba— dentro de la memoria misma. Las *Memorias* suben, sí, pero al ir *cuesta arriba*, están bajando a la vez como experiencia vital, ya caduca e irrepetible.

Esta estructura paradójica va a informar la sustancia misma de *Cuesta abajo*, expresando así que lo que realmente condiciona todo es una *ausencia* fundamental, que viene de la matriz en su doble sentido. Antes, dije que en este relato Alas readapta la novela de sentimiento, modernizando los esquemas anticuados estilo George Sand (con su larga descendencia romántica y folletinesca). Ahora me corresponde explicar cómo; y para eso, empiezo con la palabra «huérfano». *Cuesta abajo* es en su esencia una historia de orfandad. El protagonista está rememorando los momentos significativos de su vida, que son en verdad pocos. Pero sí, lo que se siente ante todo es esa ausencia, debido a la muerte de su madre y esposa, dos muertes proyectadas ya que Clarín nunca llega a describir ese futuro doloroso en la vida de Narciso. Cosa parecida ocurre con la muerte del padre, que tampoco se nos da en el texto: es algo que precede el texto, tanto como la muerte de las dos mujeres viene después. Lo que queda es, irónicamente, la ausencia misma, subrayada por la función de la memoria. Y es esa carencia, o *lack,* lo que comparten Narciso y Elena, su futura esposa, porque ella también es huérfana. Cuando los dos recuerdan la luna del Pombal, la luna de su infancia, la asocian a la vaga memoria de haber estado en brazos de un hombre fuerte, el padre ya perdido de cada uno. Y piensa Narciso, mirando a Elena: «¡Oh amor del alma mío! ¡Cómo la vi! ¡Cómo la vi, Dios mío! ¡La huérfana de una cuna, la niña sin madre y sin arrullos!» (p. 138).

Esta profunda añoranza de lo maternal se entiende mejor si la explicamos como una forma de luto. En este sentido, *Cuesta abajo* ilustra bien su modernidad, al «percibir el tiempo como cosa secularizada que ocurre dentro y a través del sentimiento» («the perception of time as henceforth secularized, occurs in and through sentiment»).[31] La madre del protagonista le servía de guía; era el punto de enlace entre él y lo trascendental, cuando era adolescente. Después, se la presenta a Elena, y sus palabras llegan a ser «toda una frase sacramental», iniciándole en su vida futura. «La vida feliz», medita Narciso, «es la que va de la mano de la madre a la mano de la esposa, y de la mano de la esposa a la del misterio de la sepultura. ¡Mi madre, mi Elena, las dos muertas!» (pp. 112 y 113).

La crisis de adolescencia que sufre Narciso nos ofrece una clave al desorden interior que paradójicamente rige este texto. El estado de huérfano, que explotó con tanto provecho (y lágrimas) George Sand en su novelística (como en *François le Champi*, 1848), se profundiza en la obra de Clarín, cobrando dimensiones claramente metafísicas, de ahí la experiencia de la nada que siente Narciso y su identificación con el poeta Leopardi, el «ateo honrado». El ataque nervioso se le viene en forma de un extraño y horroroso aniquilamiento del ser. El mundo pierde su sentido, pareciendo «partido en moléculas sin cohesión...». Narciso se agarra a su madre, pero como escribe él, «Yo volvía atrás, volvía atrás, a la primera infancia... pero no para entrar en el seno de mi madre: para alejarme de él, cayendo, cayendo en la nada, que me invadía» (p. 96). Este «desnacer» producido por la crisis de nervios radicaliza el sentido de desamparo hasta el punto de percibirse como si fuera él mismo la ausencia. Pero luego el mismo narrador dice que reconoce lo sentimental que fue de adolescente, notando que después llegó a un «viril endurecimiento». «Que no sean sentimentales» los niños, escribe como buen pedante. Fuera del luto, «todo lo demás es subjetivismo, afeminamiento, impresionabilidad excesiva y otra porción de sustantivos más o menos clásicos» (p. 98).

Aquí, el vaivén continuo en el tono de lo narrado —en que se vacila entre enternecimiento y pedagogía severa— apunta hacia un conflicto interior que desemboca en el episodio «Leopardi». Necesitaba, recuerda Narciso, «leer versos buenos en voz alta, a mis solas, en lugar a propósito, y acabar la lectura con ahogos de enternecimiento, con lágrimas en la voz y en los ojos, refiriendo el sentido íntimo, esencial, de lo leído a un sentimiento de caridad, de un orden o de otro, pero de caridad vivísima, inefable». Y luego, viene en seguida: «No recomiendo el procedimiento a los pedagogos» (p. 97). El brusco cambio de tono es indicativo del distanciamiento que necesita establecer el narrador para poder hablar de momentos tan llenos de esta plenitud del dolor. Aunque puede que sean estos sollozos señal también del despertar sexual de adolescente (el ejemplo se da ya en Ana Ozores), al mismo tiempo es instructivo ver que el punto de partida es ese sentido de caridad, el don de las lágrimas que leemos en George Sand y los mismos románticos.[32]

Buscando alivio, lee al poeta que mejor le «hablas[e] de las cosas de más adentro» (p. 99), y encuentra los versos de Leopardi. Y aquí empieza lo que sólo se puede llamar la pura «aventura de leer», en que Narciso como lector, tratando el libro del poeta como si fuese cosa viva, intenta «*influir* en Leopardi aquella tarde en vez de dejarme entristecer por él». «A ver quién vence a quién», dice, «a ver si él me comunica, como siempre, su congoja, o si yo infiltro en estas hojas frías el espíritu de amor y fe que me inunda [ahora]» (p. 99). Dicho de otro modo, Narciso tratará de «convertir» a Leopardi (p. 100), metiendo a la Virgen María dentro del texto poético de «Il risorgimento», cuando canta el pastor oriental a la luna. Y dice el narrador-protagonista: «[...] como un engendro del llanto y de la caridad, nació en mi alma esta extraña idea: —La Virgen *debió* presentarse al pastor de Asia... apareciendo detrás de la luna... y bajar hasta ponerle en el corazón una mano con lo cual bastaría para explicarle el porqué del mundo [...]». Y poco después: «[...] ¿a quién mejor que a este *ateo bueno*, a este *huérfano del alma* podía aparecerse María?» (p. 106) Llega hasta el extremo de «desear volver atrás el curso del tiempo y resucitar a Leopardi, y hacer que la Virgen se le apareciera y le consolase» (pp. 106 y 107).[33] *Faute de mieux*, que venga ella a presentársele a él mismo... (p. 107).

¿Cómo debemos interpretar este pasaje-clave en la vida del protagonista? Como Narciso, Leopardi es ante todo un huérfano en *Cuesta abajo*. La inserción de la Virgen María en el texto-personaje poético equivale así a una textualización del mismo proceso psicológico-afectivo que experimenta el protagonista. Clarín intelectualiza la novela femenina al transformarla en una especie de lectura autorreflexiva, pero al mismo tiempo deja su propio texto impregnado del aroma, o sea del «olor del regazo materno» (p. 97). De esta manera, el mundo-texto de *Cuesta abajo* se feminiza al apropiar el signo maternal como su guía espiritual, o sea la autoridad implícita de la fábula-matriz. En este sentido, sugeriría que *Cuesta abajo* puede considerarse como el prototipo, o si se quiere, el embrión de «la novela novelesca», ya que como novela de sentimiento, tal como la categoriza Clarín, se desarrolla mediante la textualización del sentimiento. En otras palabras, «la novela novelesca» en Clarín llega a ser el sentimiento novelado como pura lectura, como texto. (Fenómeno parecido también ocurre en Azorín y Unamuno.) De ahí también su conciencia de sentirse moderno, y su modernidad como texto.

Pero como dejé entrever al principio, lo femenino como autoridad no puede sostenerse. Incluso se puede hablar de cómo la devoción filial —su obediencia «femenina»— hacia madre y Virgen María se convierte en «rebeldía femenina» al no aceptar la autoridad de los textos mismos. Cuando intenta intercalar a la Virgen en el poema de Leopardi, está cuestionando la inviolabilidad textual, o sea su autoridad. Que Clarín/Narciso es consciente de ello queda claro cuando dice: «Aviso a la juventud incauta. No se debe luchar, a cierta edad, con los grandes hombres que hablan en los libros. Siempre vencen ellos. El joven que piensa haber sacudido las riendas de la autoridad, el *magister dixit,* se rinde sin saberlo al primer maestro que él a ciegas, por capricho, escoge por tirano. La fuerza de la autoridad [...] es mucho más poderosa de lo que muchos creen ahora [...]» (pp. 100 y 101). Una vez más, el narrador adopta un tono marcadamente pedagógico para instruir a sus lectores a quienes se refiere como «jóvenes pensativos» (p. 103). Pero les dice también que no deben aceptar sin examinar rigurosamente las premisas de los grandes pensadores. Qué ironía más fina que la de Clarín, voz de la autoridad aconsejando a sus lectores que dejen de escuchar... la voz de la autoridad (p. 103). Admite además que en el caso del poeta italiano se dejó seducir por el llanto mismo: «Para mi corazón el desgraciado solitario de Recanati era una autoridad muy fuerte. Leopardi no hacía más que quejarse... y a mis ojos estaba argumentando. Lloraba, y me convencía» (p. 103). Expresado de otra manera, el sentimiento, o sea las lágrimas, gobierna —autoriza— el texto adolescente del narrador-protagonista.

En todo esto, la voz narrativa sirve al mismo tiempo de autoridad (¿paternalista?) para la juventud. Sus consejos, su pedantería aquí pueden entenderse como el restablecimiento de su propia masculinidad. Es decir, el principio de la rebeldía, ese cuestionamiento del poder encarnado en los textos que se aconseja a los jóvenes, se da precisamente en la forma más autoritaria, así convirtiendo la rebeldía femenina en su contrario. La aparente contradicción viene a ser, como sabemos, indicativa de cómo el poder y la rebeldía se remontan al mismo origen, el deseo de afirmar el yo ante todo. Pero Clarín sutiliza el dilema aún más al situar el problema de la autoridad dentro de la estructura misma de su obra, al decir: «Si estas memorias, o lo que sean (pues ya fuera de cátedra no creo apenas en los géneros), cayesen en manos de uno de esos literatos [...] que, ante todo, en toda clase de arte aman la arquitectura... el tal literato notaría que ya había perdido el hilo lastimosamente, que todo me volvía digresiones e incoherencias. Había empezado, en efecto, por decir que a los diez y siete años era Narciso Arroyo, el que suscribe, un chico sin novia, a no ser que contáramos a la Virgen María... y después *saltó* a Leopardi, al ateísmo poético, etc., etc.: ¿qué orden es éste?» (pp. 104 y 105). Su respuesta es magistral: «El orden lo llevo ya en el alma: no es cuestión de literatura, es cuestión de conciencia. Yo aseguro que hay orden en todo lo dicho y basta» (p. 105). ¿Pero qué ha ocurrido aquí? Ha hecho Clarín exactamente lo que su voz narrativa dijo que no se debiera hacer: ha abusado de la autoridad, ¡estableciéndose a sí mismo como la última autoridad textual! Pero la manera en que lo ha hecho ya constituye una *subversión* de la autoridad entendida en términos tradicionales, porque no sólo ha negado la validez formal de los géneros, sino que ha convertido la digresión —los vericuetos y cuestas de la conciencia individual— en un principio de orden. Así escribirá con fina ironía al final de esta sección: «¡Y dirán que el hombre moderno no es complejo!» (p. 108).

Al seguir las vacilaciones y contradicciones de la conciencia individual en *Cuesta abajo*, Clarín crea a la vez lo que él llama una «topografía poética», en que «la *emoción del paisaje*», esa «emoción [...] casi completamente moderna», según Azorín,[34] sirve de correlativo objetivo al alma humana. Así dirá Narciso, «los árboles que mueren me llevan algo del alma, mientras que los que nacen ·me parecen forasteros. En fin, dejando esta pendiente por la cual se llega a esa clase de disparates que consisten en hablar de cosas recónditas que no pueden entender los demás, vuelvo al punto de partida de esta digresión [...]» (p. 115). Todo esto representa para el protagonista «una especie de historia natural... externa de mi propio ser [...]» (p. 114). Aquí no sólo es el paisaje reflejo del alma, sino que la misma forma digresiva y sinuosa que asume la narración de *Cuesta abajo*, al imitar la topografía asturiana, apunta hacia un paisaje interior, la conciencia misma exteriorizada como puro sentimiento. Digo «puro sentimiento», pero está claro que el mecanismo intelectualizado de rememorar transforma sentimiento en imagen. La misma técnica de la digresión se usará repetidas veces en los escritos clarinianos, como por ejemplo en el ensayo sobre «la novela novelesca» (p. 153), recordándonos el empleo parecido de dicho recurso en Ortega y Gasset. En ambos, la digresión casi siempre es intencionada, llevándonos al parecer *cuesta arriba* cuando la verdad es, se va *cuesta abajo*.

Dicho de otro modo, la engañosa falta de forma genérica en el recurso digresivo vuelve a recobrar cierta formalidad al forjar los nexos entre una pendiente y otra, o sea, entre la pendiente existencial del narrador-protagonista y la pendiente escogida como posibilidad narrativa. Pero esta recuperación del orden dentro de su estructura textual ya no posee la estabilidad narrativa de la novelística anterior. Su propio carácter autoconsciente la obstaculiza, dosificando los ingredientes alternantes de ironía y sinceridad que encontramos en *Cuesta abajo*, para anular en el corazón de Narciso Arroyo la certidumbre de creer. Así comentará el narrador: «[...] siempre que estoy contento me encuentro cierto aire de actor. Una voz secreta y melancólicamente burlona me dice: —Ah, ¡farsantuelo! —y otra voz también secreta, y tal vez más honda, me dice: —¡Haces bien, cómico! ¡Adelante!» (p. 104). El fluir de la conciencia como pura afectividad se ve entonces socavado por la autoconciencia de ser criatura pensante. Y el orden disfrazado de aparente digresividad se cuestiona a sí mismo, como si no supiera adónde iba... y en efecto, no sabe.

El uso de la conciencia no sólo para subrayar ese despertar a sí misma, sino también para criticarla autorreflexivamente, desde dentro, crea una situación intolerable en el espíritu moderno. Su propio sentido de modernidad provoca una especie de autorrechazo, de insuficiencia interior; de ahí en parte, «todas estas dudas, estas negaciones desconsoladoras, de que se queja el hombre moderno, el *fin del siglo*», según el mismo Clarín (p. 102). Como consecuencia, nos resulta inaguantable nuestra propia modernidad. El refugio que parece abrírsenos por nuestra vida interior es en la literatura finisecular el último destello del romanticismo, pero ya no es romántico *en sí*. La creciente subjetivización que señala el *fin de siècle* se postula, paradójicamente, como la derrota de la historia, del tiempo secularizado, pero desde dentro. Es decir que aun cuando se niega la historia, se le reconoce la hegemonía implícitamente por la presencia penetrante y enlutada del sentimiento. O como decía Clarín: «¡Qué diferencia de vivir a volver a vivir!» (p. 90). Esta emoción sentida en el tiempo —como la palabra machadiana— sólo recobra su plenitud cuando se vuelve a la matriz, cuando espléndida y utópicamente se convierte en matriz, como en uno de los últimos recuerdos de Narciso Arroyo, de «una noche lejana, única, *genesíaca* para mi conciencia; la noche de aquella luna [de la infancia], de aquella misma, roja, *hinchada*, augusta, que tenía en aquel momento enfrente de mí». Y luego: «¡Dios mío!... ¿Cómo en esta vida, finita, tonta, efímera, disipada, insustancial... consientes que haya momentos de tan intenso sentir, de tan inefable grandeza, *momentos infinitos*, instantes de *gloria eterna*?» (p. 140). Hay en esta vuelta más allá de la infancia, hacia el mismo momento de la procreación, algo de un mundo arcaico, pre-racional, vislumbres de un estado en que mente, ser y sentir son uno. Ante todo, el inconsciente es expresado en una imagen-madre, la luna de Pombal, «roja» e «hinchada», lo cual no quiere decir simplemente, que Clarín/Narciso sintieran impulsos maternales, sino que sentía el sentimiento como situado desde lo más íntimo del ser femenino.

Pero este momento extraordinario en que convierte Alas la novela femenina en su propia recreación de la novela de sentimiento no puede durar. Su aguda intelectualidad, o sea su conciencia de ser hombre moderno, muy fin de siglo, se erige en un contrapunto anti-lírico, diciendo: «¡Pues no estoy haciendo frases!» (p. 140). Y después, cuando su mujer le pide que deje aparecer en sus libros la figura real de ella misma y que hable él de sus amores, diciéndole: «mete eso, que debe de ser muy bonito, muy sentimental», el narrador recuerda que le contestó aquel día: «¡Miserable! Contesté que aquello de la *luna de Pombal,* aunque era verdadero, era inverosímil, *amanerado, idealista,* romántico. ¡Mal rayo me parta con mis teorías de catedrático cursi!» (p. 141). Queda claro aquí que al sentirse atrapado por las preconcepciones culturales de lo que era el sentimiento —cosa romántica y cursi, en fin, cosa afeminada— el narrador también rechaza la forma anticuada de cierto tipo de novela estilo Octave Feuillet —novela «afeminada» para Clarín (p. 95, n.º 13)—, pero que lo hace incorporando al mismo tiempo una frase conscientemente romántica: «¡Mal rayo me parta...!». La feroz sinceridad ironizante oída en la voz narrativa de *Cuesta abajo* nos devuelve aquí al mundo realita clariniano de antes, a la aparente estabilidad de saberse dentro de esquemas comprensibles y captables, aunque sea desde una postura irónica. Ahora encuentra Narciso que está escribiendo «*frases* y digresiones» y que en fin «no hay que dejarse invadir por los recuerdos. No vale llorar ni rebelarse contra lo pasado» (p. 141).

Y si esa advertencia contra el peligroso afeminamiento de las lágrimas no fuese suficiente, lo remata en la última escena cuando Emilia, la hermana seductora y apetecible, que *no* escoge Narciso como esposa, dice que a ella le «llaman la *Jorge Sandia* porque leo libros que a ellas [a la tía y a Elena] no les gustan» (p. 141). Emilia representa la solución inaceptable, el matrimonio no lícito en el plano personal. O como dirá el mismo narrador en otro pasaje de fina ironía: «Mi matrimonio [con Elena], loado sea Dios, no fue nada *fin de siècle*: fue puro *Concilio de Trento*» (p. 128). En el nivel estéticonarrativo, esta ambivalencia hacia lo que se podría llamar la feminidad excesiva (y amenazante) se expresa, como hemos visto, en las vacilaciones entre autoridad y rebeldía, en la aparente falta de estructura al seguir el fluir afectivo, que encierra en sí un cuestionamiento intelectualizado de la misma. ¿Novela de sentimiento *Cuesta abajo*? Sí, definitivamente sí. ¿Novela femenina? Sí, pero bajo el signo ambivalente y cambiante de lo que representaba una novelista como George Sand para Leopoldo Alas. En primer lugar, significaba plantear de nuevo una revalorización del sentimiento; pero también hay que reconocer que Clarín veía esta feminización del sentimiento últimamente como una amenaza, de ahí quizá también cierta impotencia para superar lo que encontraba muy metido dentro de sí mismo: un principio de desorden creativo que no funcionaba según el intelecto y que privilegiaba precisamente lo que no promete certidumbre. Y lo peor de todo: que al predominar la emoción en *Cuesta abajo* —o mejor dicho, el recuerdo como si fuera el sentimiento mismo, no mediatizado— le conduce al protagonista al vacío, a la ausencia misma, afirmando lo que dirá al principio Narciso Arroyo, que hay por decirlo así, «almas [...] incompletas» (p. 91).

El *fin de siglo* es también señal de cierta insuficiencia, de una ausencia radical que ni tiempo ni emoción son capaces de llenar. Convendría examinar más detenidamente la presencia de este ambiguo «espacio femenino» en otros textos y autores del período, cosa que no me permiten los límites presentes de este ensayo. Pero sí quisiera subrayar, a modo de conclusión, lo siguiente: pensar que nosotros como críticos o teóricos podemos rellenar ese complejo espacio finisecular, de tonalidades grises e indeterminadas, por etiquetas cómodas o distingos abstractos es presumir que ya sabemos cómo era esta época transicional de altas tensiones y contradicciones, cuando ni los que habitaban ese espacio podían entenderlo. Y tampoco nosotros, porque todavía lo estamos viviendo. La nomenclatura crítica no sólo tiende a falsificar la realidad múltiple y sumamente inestable del fin de siglo, la reinventa según esquemas formulados por la historia literaria. ¿No es hora ya de que dejemos de clasificar a escritores únicos como Clarín y Galdós, a generaciones que no son generaciones, a movimientos que no tienen nada de movimiento? ¿Qué le pasaría al hispanismo si de repente sepultáramos los manuales bien aprendidos, si «desaprendiéramos» la obediencia crítica y abogáramos por una crítica basada en la interpretación desautorizada? ¿Si dejáramos respirar su propio aire a los textos literarios para que nosotros también pudiéramos aprender a usar los pulmones libremente? ¿No es para eso la literatura? ¿Naturalisme pas mort? ¿Réalisme pas mort? ¿Génération de 1898 pas morte? No señores: no es que no hayan muerto los ismos de la crítica literaria. Muertos y bien muertos están. El problema es que todavía no les hemos dado un entierro decente. Y en ese sentido, la crisis de la autoridad a que he aludido aquí llega a ser la nuestra también, como críticos literarios. Imagínense después de ese entierro el gran sentido de liberación. Imagínense la imaginación.

NOTAS

1. Benito Varela Jácome, «Estudio», en *Alas, «Clarín»*, por Leopoldo Alas, Madrid, Edaf, 1980, pp. 163-169; Laura Rivkin, «*Cuesta abajo*, de "Clarín": Anticipando a Proust», en *«Cuesta abajo» y otros relatos inconclusos*, por Leopoldo Alas, Madrid, Júcar, 1985, pp. 29-44 (en versión inglesa, Rivkin, «Clarín's *Cuesta abajo*: Anticipating Proust», en *Modern Language Studies*, 16, 1986, pp. 255-263). Véase también, José A. Oria, «"Cuesta abajo", obra inédita de "Clarín"», en *La Nación*, Buenos Aires, 15 de abril de 1956; Oria, «Vislumbres sobre la "Cuesta abajo" de "Clarín"», en *La Nación*, Buenos Aires, 27 de mayo de 1956; Josette Blanquat, «La Sensibilité religieuse de Clarín. Reflets de Goethe et de Leopardi», en *Revue de littérature comparée*, 35, 1961, pp. 177-196; Monroe Z. Hafter, «Heroism in Alas and Carlyle», en *MLN*, 95, 1980, pp. 314-317; José María Martínez Cachero, «Noticia de otras novelas largas del autor de *La Regenta*», en *Cuadernos del Norte*, 5, n.º 23, Oviedo, enero-febrero de 1984, pp. 87-92 (también en *Las palabras y los días de Leopoldo Alas*, Oviedo, Instituto de Estudios Asturianos, 1984, pp. 253-266); Mariano Maresca, *Hipótesis sobre Clarín*, Granada, Diputación Provincial de Granada, 1985, pp. 313-319.

2. «If a shorthand term for Castilian literature of the period 1895-1910 is needed, then it can be found in some such phrase as *literatura finisecular*, a vague term for what, after all, has no very precise boundaries. Viewed from a standpoint free of the apriorism of "movements", this literature is disclosed as a complex of sometimes congruent, sometimes disparate responses to a series of shared problems» (John Butt, «The "Generation of 98": A Critical Fallacy?», en *Forum for Modern Language Studies*, 16, 1980, p. 152).

3. V. John W. Kronik, «La modernidad de Leopoldo Alas», en *Papeles de Son Armadans*, 41, 1966, pp. 121-134, para una apreciación temprana del tema. Téngase en cuenta que el índice de «lo moderno» para juzgar a Clarín sigue siendo aquí la Generación del 98. De mucho interés también es el comentario de Laureano Bonet sobre el «pre-modernismo» de Alas, en «"Clarín" entre el romanticismo y el modernismo: una nueva edición de *Su único hijo*», en *Ínsula*, n.º 406, septiembre de 1980, pp. 1, 11 y 12; y en otros artículos suyos como «Clarín y el espíritu de la modernidad: una antología de Carolyn Richmond», en *Ínsula*, n.º 446, enero de 1984, pp. 1, 15; «La música como voz callada en *La Regenta*: un rastreo léxico», en *Los Cuadernos del Norte*, 5, n.º 23, Oviedo, enero-febrero de 1984, pp. 64-69; «Temporalidad, memoria y ensueño en la obra de "Clarín"», en *Clarín y su obra en el Centenario de «La Regenta»*, ed. por Antonio Vilanova, Barcelona: Universidad de Barcelona, 1985 [1986], pp. 121-143; «J.M. Martínez Cachero y Gonzalo Sobejano: dos visiones complementarias de Clarín», en *Ínsula*, n.ºˢ 470 y 471, enero-

febrero de 1986, pp. 7 y 8; «"Clarín," Jean Paul, Baudelaire: un tríptico simbolista», en *Clarín y «La Regenta» en su tiempo*, Oviedo: Universidad de Oviedo, 1987, pp. 951-983. Relacionado al tema es mi estudio, *The Decadent Vision in Leopoldo Alas*, Baton Rouge/ London, Louisiana State University Press, 1981.

4. Estoy agradecida al profesor Ignacio-Javier López por haberme enseñado los riesgos implícitos de dicha posición crítica, en una reseña aguda que hizo de mi libro, *The Novels of Jacinto Octavio Picón* (Lewisburg, PA, Bucknell University Press, 1986). Véase *South Atlantic Review*, 52:3, 1987, pp. 131-134.

5. Véase Butt, pp. 136 y 137; y Matei Calinescu, *Faces of Modernity*, Bloomington, Indiana University Press, 1977, pp. 74-78.

6. Javier Blasco, «Modernismo y modernidad», en *Ínsula*, n.ᵒˢ 485 y 486, abril-mayo de 1987, p. 1. Véase también Richard A. Cardwell, «Myths Ancient and Modern: *Modernismo frente a Noventayocho* and the Search for Spain», en *Essays in Honour of Robert Brian Tate from his Colleagues and Pupils*, ed. por R.A. Cardwell, Nottingham, University of Nottingham, 1984, pp. 9-21.

7. Blasco, p. 1.

8. Malcolm Bradbury y James McFarlane, «The Name and Nature of Modernism», en *Modernism 1890-1930*, ed. por. M. Bradbury y J. McFarlane, Atlantic Highlands, NJ, Humanities Press/Sussex, Harvester Press, 1978, p. 26.

9. Bradbury y McFarlane, p. 27; Catherine Davies, «Alternative Poetry in Spain and Latin America circa 1900: Decline of the Centre of Culture», en *Romance Quarterly*, 34, 1987, p. 204.

10. «A fascination with evolving consciousness: consciousness aesthetic, psychological, and historical» (Bradbury y McFarlane, p. 47).

11. Véase Alfred Kazin, «The Fascination and Terror of Ezra Pound», en *The New York Review of Books*, 33:4, 13 de marzo de 1986, pp. 16-24.

12. Donald L. Shaw, «*Modernismo*, Idealism and the Intellectual Crisis in Spain, 1895-1910», en *Renaissance and Modern Studies*, 25, 1981, pp. 24-39.

13. Véase Carolyn Richmond, «Introducción», en *Su único hijo*, por Leopoldo Alas, Madrid, Espasa-Calpe, 1979, pp. XI-LXIII. Para Mariano Baquero Goyanes, *Doña Berta* es el mejor ejemplo de «la novela poética» (o sea, «novelesca»). Véase su estudio, «"Clarín" y la novela póetica», en *Boletín de la Biblioteca Menéndez Pelayo*, 23, 1947, pp. 96-101. *Doña Berta* se publicó en *La Ilutración Española y Americana*, en seis partes, desde el 8 de mayo hasta el 15 de junio de 1891; y después, en volumen (Madrid, Fernando Fe, 1892). Véase Noël M. Valis, «La función del arte y la historia en *Doña Berta*, de Clarín», en *Bulletin of Hispanic Studies*, 63, 1986, pp. 67-78; y Francisco Javier Díez de Revenga, «Poesía y novela en Clarín: En torno a *Doña Berta* y otros relatos breves de Leopoldo Alas», en *Rubén*

Darío en la métrica española y otros ensayos, Murcia, Universidad de Murcia, 1985, pp. 207-214, quien relaciona el cuento clariniano con la «novela lírica» moderna, discutida en Ricardo Gullón, *La novela lírica*, Madrid, Cátedra, 1984, y en Darío Villanueva, ed., *La novela lírica*, I, Madrid, Taurus, 1983.

14. Gustavo Pérez Firmat, *Idle Fictions. The Hispanic Vanguard Novel, 1926-1934*, Durham, NC, Duke University Press, 1982, pp. 33, 148-149, n.º 91. En su estudio excelente, Pérez Firmat no alude al hecho de que hubiera también una «novela novelesca» decimonónica como antecedente de su uso vanguardista.

15. Dolores J. O'Connor en su tesis, «Leopoldo Alas and the Spanish Realist Novel, 1876-1890» (University of California-Berkeley, 1982), nos da una discusión útil del tema en su capítulo V, «The Idea of the Poetic Novel», pp. 120-181.

16. M. Martínez Barrionuevo, «Al Sr. Marcelo Prévost. (Fragmento de una carta)», en *La Ilustración Ibérica* (Barcelona), n.º 448, 1 de agosto de 1891, p. 487. El artículo lleva como fecha el 15 de junio de 1891. Véase también Kasabal (José Gutiérrez Abascal), «Madrid», en *La Ilustración Ibérica*, n.º 440, Barcelona, 6 de junio de 1891, pp. 354 y 355, en que relaciona *Dulce y sabrosa*, de Jacinto Octavio Picón, con «la novela novelesca».

17. Luis Vidart, «Las informaciones literarias de fin de siglo», en *Blanco y Negro*, n.º 14, 1891, p. 214.

18. Leopoldo Alas, «La novela novelesca», en *Ensayos y revistas 1888-1892*, Madrid, M. Fernández Lasanta, 1892, p. 138. Véase también en la misma colección, «La novela del porvenir», pp. 385-391.

19. Alas, «La novela novelesca», p. 153.

20. Son ejemplos que da también Shaw, pp. 26-28. Ya discute el idealimo finisecular Richard A. Cardwell en su libro, *Juan R. Jiménez. The Modernist Apprenticeship (1895-1900)*, Berlín, Colloquium, 1977.

21. Alas, «La novela novelesca», pp. 141, 154 y 155. Véase también Baquero Goyanes, pp. 96-101.

22. Alas, «La novela novelesca», pp. 156 y 157.

23. Marcelino Menéndez Pelayo: *Historia de las ideas estéticas en España*, II, Madrid, Consejo Superior de Investigaciones Científicas, 1974, p. 873. Los cinco volúmenes originales se publicaron entre 1883 y 1891.

24. Véase Jane P. Tompkins: «Sentimental Power. *Uncle Tom's Cabin* and the Politics of Literary History», en *The New Feminist Criticism*, ed. por Elaine Showalter, Nueva York, Pantheon Books, 1985, pp. 81-104; Nina Baym, *Woman's Fiction: A Guide to Novels by and about Women in America, 1820-1870*, Ithaca, NY, Cornell University Press, 1978; Ann Douglas, *The Feminization of American Culture*, Nueva York, Alfred A. Knopf, 1978. También encontré útil la discusión de Lisa Appignanesi en «Femininity: Definitions and

Perspectives», en *Femininity and the Creative Imagination*, Londres, Vision Press, 1973, pp. 1-19.

25. Rubén Darío, «La mujer española», en *España contemporánea*, ed. por Antonio Vilanova, Barcelona, Lumen, 1987, p. 302.

26. Francisco Giner de los Ríos: «Consideraciones sobre el desarrollo de la literatura moderna», en *Estudios literarios*, Madrid, Imprenta de R. Labajos, 1866, pp. 140 y 141.

27. Leopoldo Alas, «Revista literaria», en *Ensayos y revistas*, p. 353.

28. Leopoldo Alas, «Revista literaria», en *Ensayos y revistas*, p. 334. Monroe Z. Hafter (p. 333) y Laura Rivkin («Extranatural Art in Clarín's *Su único hijo*», en *MLN*, 97, 1982, pp. 326 y 327) comentan también este pasaje.

29. Citada en Santiago López Gómez, *Antonio Arnao*, Murcia, ed. de la Academia Alfonso X el Sabio, 1987, p. 128.

30. Leopoldo Alas, *Cuesta abajo*, en «*Cuesta abajo*» *y otros relatos inconclusos*, ed. por Laura Rivkin, Madrid, Júcar, 1985, p. 90. De aquí en adelante se citará en el texto mismo.

31. Christine Buci-Glucksmann, «Catastrophic Utopia: The Feminine as Allegory of the Modern», en *The Making of the Modern Body*, ed. por Catherine Gallagher y Thomas Laqueur, Berkeley, University of California Press, 1987, p. 227.

32. En carta a Giner de los Ríos, fechada el 20 de octubre de 1887, Clarín observa que Ana Ozores en *La Regenta* «se pareció en su infancia a Jorge Sand, sólo que esto lo hice antes de saberlo». Véase José M. Gómez-Tabanera y Esteban Rodríguez Arrieta: «La "conversión" de Leopoldo Alas, "Clarín": ante una carta inédita de Clarín a don Francisco Giner (20-X-1887)», en *Boletín del Instituto de Estudios Asturianos*, n.º 115, mayo-agosto de 1985, p. 478.

33. Josette Blanquat, pp. 177-196, discute la importancia del culto de la Virgen María en la vida y obra de Clarín.

34. José Martínez Ruiz (Azorín), *La voluntad*, ed. por E. Inman Fox, Madrid, Castalia, 1972, p. 130.

«SU ÚNICO HIJO» VERSUS «LA REGENTA»: UNA CLAVE ESPIRITUALISTA

Juan Oleza
(Universidad de Valencia)

El día en el que el aliento del diablo estuvo a punto de convertir una celebración de Semana Santa en una fiesta dionisíaca, aquel día en que la jueza de aquella ciudad vetusta «sintió antojos de algo extraordinario [...]; algo, en fin, que no fuera el juez del distrito; algo que estuviera fuera del orden»,[1] y justo en el momento en que el mismo deseo, indefinido por lo mismo que inconfesable, empujaba hacia ella al joven magistral y al «caballero de elegante porte», semejantes los dos «como una gota a otra gota», desdoblamiento como son del mismo principio masculino de la seducción, un «hermoso arcángel» se cruzó de por medio y la atmósfera cargada de lujuria por el diablo reventó en el estruendo de las carracas. Aquel día en que «la jueza y el magistral estuvieron a punto de perderse» no pasó nada. La maquinación satánica se disolvió en diablura. No fue posible la tragedia, la había impedido el hijo.

Cuatro años más tarde no había hijo ni carracas, y eso costó a la comunidad vetustense la muerte en duelo del antiguo regente, el exilio del mejor espécimen de prohombre de la Restauración, la caída y ruina de la única esposa honesta de la ciudad, y hasta es casi seguro que la condenación eterna de un candidato a obispo. Clarín condenaba tanta catástrofe con el beso de sapo que un acólito con aires de «meretriz de calleja» o de «sirena de cuartel» arrastraba sobre los labios de una pobre histérica desmayada, y esa era la sarcástica respuesta del Clarín de 1884 a lejanas ilusiones infantiles como aquella de la bella durmiente o aquella otra del sapo-príncipe que un beso rescata del maligno encantamiento.

Diez años más tarde, en *Los lunes del Imparcial*, sacaba Clarín a la palestra esa otra imagen de sí mismo, ya nada ironizada, que es el doctor Glauben, profesor universitario de filosofía. El narrador-discípulo prestará la fascinada oreja al secreto del sistema filosófico del maestro: la orfandad de los hijos de la carne, símbolo del desamparo cósmico de los hombres, exige como imperativo categórico una Paternidad universal. Lo contrario sería monstruoso. «No se fíe usted del todo. Puedo... puedo estar equivocado... Pero cuando usted tenga hijos... crea usted en Dios Padre».[2] Como en el Evangelio, el Hijo revela al Padre, y en esta revelación el mundo cobra sentido y redención. Así lo declarará otro intelectual con hijos, don Jorge Arial, un año antes, en 1893: «Si hay Dios, todo está bien. Si no hay Dios, todo está mal.»[3] Y así reverberará en la loca envidia del diablo, prisionero de su esterilidad, aquella noche mala en que descubrió su diferencia respecto a Dios: «Yo no tengo Verbo, yo no tengo Hijo... Yo me inutilizaré, me haré despreciable, llegaré a verme paralítico, en un rincón del infierno, sin poder mostrarme al mundo... y mi hijo no ocupará mi puesto. ¡El gran rey de los abismos no tiene heredero!».[4] Y la doctrina vuelve a formularse en el «viaje redondo» que aquel hijo lleno de dudas realiza, con la medición de su madre, hasta la fe de sus mayores, y en el que el milagro de la revelación sobreviene al comprender el horror de la naturaleza «como una infinita orfandad», y al sentir que «el universo sin padre, daba espanto por lo azaroso de su suerte».[5]

Pero antes de todos estos relatos y sin embargo después del vomitivo desenlace de Vetusta, una gestación penosa que se arrastra llena de vacilaciones a lo largo de cinco años engendra por fin *Su único hijo*, la primera respuesta global al desastre de *La Regenta*, si bien alternada con la de algunos relatos, como *Superchería* y *Doña Berta*, y preparando el terreno de otros, en los que esa respuesta adquirirá mayor nitidez y contundencia, es cierto, pero perderá la fascinada complejidad con que se abre paso a la vez en la conciencia del personaje y del sorprendido narrador de *Su único hijo*. En 1891 Bonis es anunciado padre y entonces se revela a sí mismo como hijo, recupera a su padre, y vislumbra aquella cadena de generaciones de hijos y de padres, que acogida al calor de las tradiciones de la Iglesia, especie de matriz cósmica y especialmente española (en cuanto católica), devuelve la sensatez a la historia y testimonia la providencial centinela del Padre. Pero a su vez, al promover en Bonifacio Reyes el sacerdorcio de la paternidad, redime su vida y le proporciona una fe y un objetivo.

Sólo que antes de todo esto tenían que ocurrir muchas cosas.

Si Clarín escribió su novela a estirones —cosa que confiesa en carta a Galdós[6] y que podemos comprobar mes a mes en el precioso epistolario con sus editores[7]— esas primeras cuarenta cuartillas que declara haber entregado antes de abril del 89, han de corresponderse con los tres primeros capítulos y con la parte del cuarto anterior al anuncio de la llegada de la compañía de ópera, como han anotado J. Blanquat y J.F. Botrel.[8] Pero este bloque, cuya autonomía había advertido C. Richmond,[9] no es sólo el espacio de los materiales ordenados producto de la observación que exigía el método experimental. Es mucho más: siendo como es la prehistoria de la acción es una historia completa en sí misma. La historia por la cual un humilde pasante de abogado es engatusado, raptado,[10] arrestado por la guardia civil, más o menos deportado a Puebla (México), donde «vivía triste y pobre, pero callado, tranquilo, resignado con su suerte»[11] hasta que es recuperado de nuevo por la metrópoli, casado con Emma, reducido a la condición de enfermero-masajista y, finalmente, fagocitado por el clan de los Valcárcel. Es la historia de un hombre expropiado. Su único atributo personal —si escondemos sus emblemáticas zapatillas— es la flauta, y hasta la flauta pertenecía a D. Diego Valcárcel. La prehistoria de *Su único hijo* es la historia de cómo el bueno de Bonis vino a parar en mucamo de Emma, y privado de identidad sobrevive resignado.

La historia que después vendrá es la de la recuperación de la identidad perdida. El bueno de Bonis la inicia fascinado por el espejismo de la vida bohemia del artista y las novelerías de la pasión romántica. Como ha explicado brillantemente García Sarriá, la confusión de caricias entre la pasión romántica y la lujuria extemporáneamente inflamada entre las propias sábanas conyugales, dará al traste con esta primera etapa de su búsqueda.[12] Al igualar las caricias a esposa y amante, en el pobre cerebro de Bonis todo viene a resultar en una única, confusa y nada romántica orgía.

Clarín aprendió en *Fortunata y Jacinta* el trasvase de valores entre las antagonistas, y si en Galdós la mujer-orden, la burguesa, el matrimonio, Jacinta, necesita a la mujer-naturaleza, el pueblo, la pasión, Fortunata, y ésta a su vez a aquélla, y el desenlace sólo puede producirse cuando una de las dos asume a la otra, a través del hijo, en Clarín la esposa absorbe los valores de la amante, mientras que la amante se aburguesa y aspira a la legitimidad, pero esto no es una síntesis sino una confusión de valores y la *dolce vita* de alemanes, italianos, Reyes y Valcárceles, esposas y amantes, tíos y sobrinos, en que esa confusión prolifera y se multiplica, y acabará por despertar en Bonis al hombre de familia, y con él la necesidad de un orden restablecido aunque nuevo.

Hace falta el milagro, o la revelación súbita, como hizo falta en *Viaje redondo*, en *Vario*, en *Cambio de luz*, en *Doña Berta*, en *La conversión de Chiripa*, en *Un grabado*, en *El frío del Papa*, relatos en los que una súbita iluminación cambia un día el rumbo del destino y de las creencias de los personajes. En *Su único hijo* se trata, y es bien sabido, de la Anunciación milagrosa del hijo, sobrevenida paradójicamente en medio de la más mundana ceremonia de la confusión.

Es entonces cuando se entra en la fase definitiva de la recuperación de la identidad perdida. La pasión ha cumplido su papel engendrando el hijo, pero ahora debe desaparecer para dejarle su sitio. El hombre sin atributos se transforma en el hombre-idea, y Bonis se nutre exclusivamente de «su idea» como Doña Berta de la suya o como Fortunata de aquella «pícara idea» con que se ratificaba. El proyecto de la vida es la esencia misma de la vida: el ser y el hacerse, o el ser y el querer ser de Bonis se identifican de manera asombrosa. El hombre apático, ese descendiente asturiano de Oblomov, se transforma en héroe de voluntad, aunque le falte la nietzscheana pasión de poder.

La filosofía que abriga el proyecto es, bien lo sabemos, la religión de la familia, y sobre ella se articula la respuesta de Clarín a la derrota de Ana Ozores, a la vez que por su mediación Clarín asume las exigencias ideológicas del espiritualismo.

La religión de la familia aparecía someramente enunciada en *La Regenta*, y curiosamente por el único ateo de Vetusta, quien en el cap. XXVI se confiesa: «Al fin hay una religión, la del hogar».[13] Pero aparecía sobre todo como agujero negro, como doctrina no nacida cuya necesidad se hacía angustiosa, como confusa nebulosa hacia la que se dirigen las interrogaciones de Ana, de Guimarán, de De Pas y hasta de Frígilis, y allí se pierden. Baste recordar cómo Ana manifiesta siempre su dolorida e intensa emotividad por medio de relaciones de parentesco. Desde D. Víctor al Magistral, todos son parientes. Pero en la medida en que no existe como respuesta global a la angustia del vivir humano y en la medida en que la pasión amorosa y la mística se interfieren como únicas respuestas posibles, y excluyentes, la religión de la familia no es más que el hueco que deja una utopía informulada.

En *Su único hijo* conocemos bien la precisión con que es formulada en el cap. XVI,[14] desde su enunciación hímnica como «¡La cadena de los padres y los hijos!» hasta el engendramiento de toda una política derivada de ella, la del «sacerdocio del padre»: «El deber de padre, el amor de padre, es para mí lo absoluto».[15] Es la misma política que ponen en práctica o teorizan otros padres y madres clarinianos: Doña Berta, D. Jorge Arial, Aurelio Marco el de *La yernocracia*, el doctor Glauben, o la madre del *Viaje redondo*.

No es este el lugar para ahondar sobre la configuración, las ocurrencias y las implicaciones de esta concepción, tan dominante en la ideología del Clarín maduro. Quede para otro momento. Me interesa ahora avanzar sobre el cuadro teórico-práctico en que esta respuesta positiva al desastre de *La Regenta* se hace posible. Comprender las condiciones en que pudo ser formulada y en que apareció como convincente. Y ello no puede conseguirse sin recurrir a un modelo espiritualista de pensamiento, en el que evidentemente se gesta, y a la vez a la hipótesis de que Clarín tuvo en mente un modelo espiritualista de novela. No se trata de postular un modelo programático, a la manera del de la novela histórica o del de la naturalista. Para trazarlo hemos rastreado en tres fuentes, con esa triple intertextualidad que reclamaba Mitterand para Zola.[16] En la lógica conflictiva de una serie de novelas muy citadas por Alas entre 1887 y 1901, con especial insistencia en los años de gestación de *Su único hijo*, con el objeto de deducir los tipos de conflictos básicos que estas novelas se planteaban y el tipo de respuestas que elaboraban. Hemos seguido también, paso a paso, las reflexiones ideológicas y las conexiones con la filosofía espiritualista de fin de siglo, a la que Clarín se entregó tan vigorosamente. Finalmente hemos analizado las expectativas críticas del propio Clarín, pues un lector de vocación tan internacionalista como él compara continuamente a los novelistas españoles, y especialmente a Galdós, con novelistas francesas como P. Bourget, E. Rod o P. Marguerite, y con rusos como Tolstoy, Turguenev, Gogol o Dostoyevski. No hay influencia directa, dice, pero indiscutiblemente las novelas de Galdós, a partir de *Realidad*, le parecen «un reflejo español de esa nueva etapa, a lo menos de su anuncio, a que llega el arte contemporáneo».[17] A fin de cuentas, «causas análogas producen efectos análogos, y los cambios de su novela obedecen a las influencias sociales, y particularmente estéticas a que obedecen variaciones semejantes en otros países».[18] Sobre esta base es posible reconstruir hoy lo que Clarín percibió como una nueva fórmula novelística en los años mismos en que escribía *Su único hijo*.

En este artículo nos centraremos pues en esa percepción, dejando para otros momentos la vía de la práctica novelesca del momento y la del reflejo de la filosofía espiritualista en el pensamiento de Clarín.

Con la etiqueta de «naturalismo espiritual», utilizada por Huysmans en *A rebours* y por Galdós en el cap. CI de *Fortunata y Jacinta*, y con el confuso batiburrillo que D.ª Emilia dedicó a Rusia y al «elemento espiritualista de la novela rusa», salían a declaración los más espectaculares —ya que no los primeros— signos externos de un cambio de expectativa sobre la novela en España.

Conocemos bien cual es la posición de Alas en estos años respecto al naturalismo. Desde la publicación de *Fortunata*, que tanto le jaleara privadamente a Galdós, Clarín había pasado a una reivindicación a la defensiva del naturalismo, que se acentúa con la aparición en 1890 de *Realidad*, comentando la cual reconoce que el naturalismo «no significa hoy ya una revolución que se prepara o que ahora vence sino una revolución pasada».[19] A causa de ello, Clarín moviliza una doble estrategia: por un lado, desmarcar del naturalismo y de Zola los excesos de escuela, sus implicaciones filosóficas y cientifistas, en suma, y esforzarse, por el otro, en hacer desaparecer la incompatibilidad del naturalismo con las nuevas corrientes: «las nuevas corrientes no van contra lo que el naturalismo afirmó y reformó, sino contra sus negaciones, contra sus límites arbitrarios».[20]

Pero simultáneamente, incluso superpuestamente, a este naturalismo tan numantino como revisionista, se abre paso en Clarín la conciencia de unas nuevas corrientes ideológico-literarias, muy confusas en su percepción inicial, pero que tienen el denominador común de la religiosidad y de un nuevo idealismo, y que se despliegan tanto en la filosofía, hacia una «futura metafísica», como en el arte, hacia un «futuro idealismo».[21] El fenómeno es ya clásico en Rusia, pero se nota también pujante «en las letras de París»,[22] y asimismo ha comenzado en España de la mano, como siempre, de Galdós. En carta de 17 de junio de 1891, mientras Clarín acaba *Su único hijo*, le escribe a Galdós: «Me dice Vd. no sé qué de espiritualismo, y por lo que se barruntaba en el primer tomo, y por lo que me han dicho y por lo que he visto mirando las hojas interiores del 3.er tomo se me figura entenderlo y creo que ha de gustarme mucho todo esto».[23] Clarín, que reconoce como un nuevo «oportunismo» histórico estas corrientes, no incompatibles con el naturalismo, las describe como producto «de esa idealidad nueva, de ese anhelo sincero de espiritualidad reformada», que se refleja también en la literatura.[24]

Aunque el importante artículo en que aparece compacta la constatación de estas nuevas corrientes lleva por título «La novela novelesca»,[25] Clarín rehúye una y otra vez toda precisión sobre las posibles novedades narrativas. Los ejemplos que aporta no son de novelistas, como en los casos de Menéndez y Pelayo, o de Rafael Altamira, y a la más mínima ocasión se olvida de contestar la encuesta de *El Heraldo de Madrid* sobre la *novela novelesca* postulada por Prevost desde Francia, y se enzarza con una de sus más queridas bestias negras de los años posteriores al caso de *La España Moderna*, me refiero, claro está, a doña Emilia, contra quien se lanza a apostrofar:

> ¿Sabe usted por dónde veo yo que se acerca la unión de las almas nobles de uno y otro bando? Por el *dulce nombre de Jesús*, señora. Hay sacerdotes ahora que escriben la historia de Cristo a lo humano, sin que pierda nada de lo divino, y hay libre-pensadores que la escriben sin dejar de ser científicos, con la intuición de lo misterioso, de que, en efecto, está penetrada.
>
> Renán, el glorioso Renán, a quien Dumas, con razón, en sus inspiradas palabras coloca en el pedúnculo primero de este movimiento ideal de que trato, dio el primer paso con su *Historia de Jesús*, con sus *Apóstoles* y su *San Pablo*, tan mal comprendidos por los fanáticos de una y otra parte; y ahora, sea emulando su arte, sea con otro propósito, aparecen historias de Jesús como la del Padre Didón, que profun-

diza los elementos *naturales* y *sociales* de la vida del Nazareno y de la influencia de su obra en el mundo; como la del inglés Eclershein, también sacerdote, aunque no católico, que escribe de la vida y de *los tiempos* del Mesías, y estudia también el valor del medio geográfico, étnico, etc., etc., en la vida de Jesús; como la del alemán Hugo Delff (*Historia del Rabbi Jesús de Nazareth*), el cual, aunque libre-pensador, llega a decir que «la voz de Jesús resuena todavía hoy viva en la conciencia, y en ella obra su espíritu». Este mismo Delff, que, como dice Chiapelli, no participa de los compromisos teológicos de los sacerdotes nombrados, considera a Jesús «como un genio, como un héroe religioso y moral, *uno con Dios*, y sus palabras son palabras de Dios, y sus obras, obras de Dios. En sentido análogo se expresa Tolstoï, yo creo que cualquier alma serena y bien sentida, que, sin fanatismo positivo ni negativo, se acerque a la figura de Jesús y medite en la misteriosa influencia de su personalidad y de su ejemplo y doctrina sobre la sociedad y sobre el individuo, no podrá menos de reconocer allí, sin salir de lo natural, una misteriosa y singular exaltación de la conciencia humana a la comunicación con lo ideal, algo *único* en la historia, y, como dice Carlyle, «la voz más alta que fue oída jamás sobre la tierra...» ¡Carlyle! El *poeta-crítico* de Odino y de Mahoma, es también el que dijo, aludiendo a Jesús: «El más grande de los *Héroes* es *Uno* que no nombraremos aquí. ¡Que un silencio sagrado medite sobre esta materia sagrada!...» «El acontecimiento más importante de los cumplidos en el mundo, está en la Vida y en la Muerte del Hombre Divino en Judea [...].[26]

La cita es larga más creo que bien sintomática. Las nuevas corrientes tienen como base un espíritu ecumenista que religa a cristianos ortodoxos y librepensadores,[27] y es protagonizado por la idea de Jesucristo, pero de un Jesucristo supremamente humano, a la manera de Renan, y heroico, a la de Carlyle. García Sarriá ha visto con clarividencia hasta qué punto *Su único hijo*, desde el título mismo hasta la simbología narrativa, es manifestación literaria de esta obsesión del Clarín maduro: un Jesucristo que no puede ser más que humano, porque la razón y la ciencia no pueden aceptarlo de otra manera, pero cuyo sacrificio presupone la existencia del Padre todopoderoso y da soporte a la exaltación mística de la conciencia humana hacia lo ideal.

No puedo detenerme aquí en analizar cuan profundamente motivado en las lecturas y los intereses del Clarín maduro estaba este nuevo idealismo, que si bien superaba el cientifismo del siglo lo hacía contando con sus conquistas, este nuevo cristianismo que lejos de ser un regreso a la ortodoxia heredada implicaba un compromiso con el librepensamiento. Y. Lissorgues ha buceado en este campo. Yo me remito al cap. 5.º de su libro[28] y a tres piezas claves en la evolución de la ideología espiritualista de Clarín: la «revista literaria» de noviembre de 1889 sobre la Unión Católica, de D. Víctor Díaz Ordóñez (*Ensayos y Revistas*, pp. 185-219), el denso Folleto VII, *Un discurso,* que disputa el tiempo de Clarín a *Su único hijo* en el último año de redacción de la novela, y que es el mejor transfondo ideológico de ésta, y por último el eco de las perdidas conferencias sobre las «Teorías religiosas de la filosofía novísima», impartidas en la Escuela de Estudios Superiores, del Ateneo de Madrid, en noviembre-diciembre de 1897, y en las cuales aparecen como protagonistas los nombres de algunos de los filósofos franceses y alemanes que hegemonizaron el potente movimiento espiritualista de fin de siglo: Charles Renouvier, Émile Boutroux, African Spir o Henri Bergson. Con ellos se consuma el asalto final al positivismo, incluso en el caso de aquellos que, como Renouvier, lo asumieron en parte.

Es el momento en que, coincidentes con el espiritualismo filosófico, se renovaban asimismo profundas corrientes intuicionistas, vitalistas y anti-racionalistas que ponían en cuestión la otra gran corriente del pensamiento burgués del XIX, que tanto había influido en España: el idealismo hegueliano. No es casualidad, por tanto, que el Clarín maduro multiplique las citas de Schopenhauer (reinvindicado en esos años), o que se asome tan fascinado como repelido a Nietzsche,[29] o que intuya los estudios de Freud sobre la histeria. El neo-idealismo de fin de siglo combate a la vez el idealismo y el positivismo, en la medida en que ambos son racionalistas y cientifistas, y converge con el espiritualismo en la subversión de los valores liberales y en el asalto a la razón burguesa.

Si de las corrientes ideológicas pasamos al modo novelesco que había de corresponderles, las reflexiones teórico-generales de Clarín se hacen vagas, aunque su percepción crítica se agudiza extraordinariamente ante las obras concretas.

En la concepción de Clarín es evidente la raíz rusa de la nueva novelística. En carta a Galdós de abril de 1887, cuando aún no ha leído *Fortunata y Jacinta,* Clarín ya confiesa: «Ahora vivo en Rusia, enamorado de Gogol y de Tolstoy ¡Qué es Guerra y Paz! Léala Vd. si no la ha leído!».[30] Tolstoy, Renan, Schopenhauer: estos son los autores que le fascinan en esos momentos críticos. La fascinación de Clarín por la novela rusa y en especial por Tolstoy durará ya hasta el final de su vida, nunca mejor dicho, pues su último año, el de 1901, será el de la solemne sustitución del que ha sido su gran modelo literario, Zola, por el que lo es ahora, Tolstoy. El Clarín cercano a la muerte alza su dedo iracundo contra Zola y amontona sobre él las acusaciones: sectario, sociólogo, sensualista, hedonista, ácrata fanático, revolucionario irreflexivo, dogmático...

También el Tolstoy de *Resurrección* es sociólogo y tendencioso, pero «el artista no ha perdido nada, por culpa del sociólogo». Y además, en Tolstoy hay algo muy superior al sociólogo y que está al nivel del artista: «el apóstol, el hombre religioso lleno de santa unción».[31] Por ello *Resurrección* no ha perdido en fuerza estética respecto a *Guerra y Paz* y *Ana Karenina*, sus obras maestras: «es más poeta, más artista que nunca, sin querer; porque la *gracia* que Dios ha querido llevar a su corazón, también la derrama sobre su arte».[32] *Resurrección* sería pues el triunfo total, pleno, de ese nuevo arte representativo de la religiosidad y el espiritualismo que Clarín comenzara a teorizar en 1887, del mismo modo que *Trabajo* de Zola sería el hundimiento final del positivismo y del utilitarismo del siglo que agoniza. Ambas novelas manifiestan simbólicamente aquella disyuntiva ideológica que Clarín plantea con cristalina transparencia: ante preguntas como ¿qué hacer?, ¿cómo vivir?, ¿cómo transformar la realidad?, tan acuciantes a finales de siglo, el hombre, y con él el artista, puede optar entre el modelo del revolucionario y el del santo. Así lo ha leído en *Resurrección* y así enriquece la idea con su propia cosecha de palabras:

> Los reformadores sociales, los de buena fe, los que por real amor a la humanidad aspiran a cambiar la vida pública, corrigiendo sus defectos, buscando en nuevos procedimientos e ideales, el progreso de la sociedad, pueden seguir dos caminos. O dedicarse directa, inmediatamente a procurar en la sociedad misma que les rodea ese cambio, esa reforma, sin empezar por examinarse a sí propios y prepararse a su apostolado con la reforma, con el perfeccionamiento de sí mismos; o abstenerse de reformar a los demás, de influir en el medio social, hasta encontrarse dignos de tan

magna obra, mediante *reforma interior,* austera educación del alma, para ponerla en estado de poder servir de veras a la mejora social, merced a obras y acciones que supongan equilibrio moral, lucidez y serenidad de espíritu, fundadas en la virtud sólida, en el dominio enérgico de las propias pasiones. El primer camino es el que suelen seguir la inmensa mayoría de los reformistas; se puede decir que fue Cristo quien enseñó a la humanidad a seguir el segundo, por más que hasta ahora no hayan continuado muchos por tan ardua *propedéutica.*

Si se compara, por ejemplo, la vida de los grandes santos, que además fueron *reformistas sociales,* con la vida de los grandes revolucionarios, se verá, en general, que, estos últimos, atendieron mucho más a la perfección de la sociedad que a la suya propia; pensaron mucho más en los *vicios* sociales, que en los de su incumbencia. En los otros, en los santos, se ve el cuidado *esencial* de la propia conducta; no ya en ciertas virtudes *cívicas,* que también los reformistas de otro género suelen tener, sino en el esmero de la vida interior, de las virtudes íntimas, base de la sólida caridad.[33]

Es obvio para Clarín que Tolstoy se inclina por el modelo del santo:

Tosltoy es revolucionario, reformista de esta clase; la mayor parte de ácratas, anarquistas y libertarios del día suelen ser de la otra. Tolstoy es de los que empiezan por la propia reforma, por la disciplina interior, tanto en su vida real, como en su teoría, representada por la acción de sus personajes.[34]

Y lo mismo hará Clarín.

Sin embargo, cuando Clarín comienza a reflexionar sobre el espiritualismo en literatura, allá por 1887, los estímulos no llegan sólo de Rusia. Ya hemos visto cómo la filosofía novísima de la que habla es fundamentalmente francesa, de Renan a Bergson. Y también hay una novela que responde a ella, representada por escritores como P. Bourget, P. Marguerite o E. Rod. Despreciada a las primeras de cambio la pretensión de que la nueva novela sea más novelesca por más cargada de peripecia, Clarín va a sacar tres notas básicas de esa nueva novela que se vislumbra como respuesta a las corrientes neoidealistas. La primera es el sentimentalismo: «Novelesca no en el sentido de una más amplia fábula, sino de mayor expresión de la vida del sentimiento».[35] Podría ser oportuno recordar aquí que esta idea aflora una y otra vez en las cartas de Alas a Fernando Fe, en las que confiesa querer escribir una novela llamada *Su único hijo*, que «no será nada verde, o casi nada, y en cambio sentimental de buena manera y muy propia para derramar lágrimas dulces alrededor de la chimenea de familia», y que además será muy diferente de *La Regenta*.[36] Sin embargo, en marzo de 1891 es bien consciente de que no le ha salido la novela ni tan sentimental ni tan accesible como esperaba en 1885, y confiesa ahora a Fernández Lasanta: «Tengo esperanzas de que guste algo a *los delicados*. El público *grande* no sé como la acogerá».[37] Este sentimentalismo que él reclamaba a la novela es bien patente, sin embargo, en la casi simultánea *Doña Berta*, de la que tan orgulloso se mostrara Clarín ante su editor. («*Doña Berta* es, para mi gusto, lo más artístico que he escrito yo hasta ahora»),[38] y sobre todo en los cuentos que abren el libro de relatos de 1893: *El Señor* (1892) y *Cambio de luz* (1893), sin duda relacionados ambos, por su falta de contención artística y por el exceso de vehemencia sentimental, con el punto más alto de la crisis espiritual del propio Clarín, que si es cierto que debe adelantarse y extenderse mucho, como han propuesto diversos críticos, parece por estos relatos que tuvo su epicentro hacia finales del 92 y principios del 93, como suponía J.A. Cabezas.

Las otras notas requeridas serán la poesía y la psicología «la saludable reacción que en varias literaturas se nota en favor de la novela psicológica».[39] Esta novela psicológica, mal llamada de análisis, tiene su tradición en los Stendhal, Constant y Saint Beuve, y se revitaliza con los Marguerite, Rosny, Rod y, sobre todo, Bourget. Aparte, claro está, del misticismo que reclamaba Brunetière.[40] En resumen, pues, Clarín buscaba «novelistas, poetas, psicólogos, *sentimentales* y *piadosos*».[41]

Pero si en sus artículos de reflexión general sobre la nueva novela espiritualista Clarín, contaminado del desconcierto general que sigue a la crisis del naturalismo, no va más allá de estas notas genéricas, en sus artículos de crítica de aquellos años va sacando a flote toda una nebulosa de formas, personajes, temas y conflictos, que podrían diseñar un posible modelo espiritualista de novela, hasta hoy mismo poco o nada investigado en un nivel comparativo, nivel justamente en el que se movía Clarín.

Tal vez sea el estrato de la materia novelesca, de los temas y de los valores movilizados, de las actitudes y motivos, del mundo en suma, lo que más claramente se define en este modelo espiritualista. La atmósfera de densas connotaciones religiosas es percibida por Clarín en las novelas de P. Bourget (*Mensonges*) tanto como en las de Tolstoy (*Resurrección*), y para su asombro en las del mismísimo Galdós, que ha evolucionado hasta «preocuparse con los grandes asuntos del misterio trascendental, de su aspecto religioso», como escribe comentando *Torquemada en la cruz*.[42] En esta atmósfera de religiosidad es posible la mitificación de las relaciones familiares. Clarín la encuentra nada menos que en el *Ramayana* y en su querido Renan: «La historia me enternece; tantos esfuerzos, tantas generaciones muertas —dirá a Galdós en carta de abril de 1887—, caídas como los polichinelas de un teatro, tantos dramas y dibujos y colores no se sabe para qué gran misterio, hacen amar todo lo que pasó, sobre todo admirarlo, compadecerlo. Piense usted en la historia oyendo buena música y las lágrimas saltan al cerebro». Como le saltaron a Bonifacio Reyes al descubrir el gran refugio cósmico de la cadena de generaciones. Se explaya Clarín confesando que conoce a ateos y pesimistas que se acogen, como a un santuario de asilo, al amor de sus padres, de su mujer, de sus hijos. En el pesimismo más radical, si es sincero, se encuentra «un respeto incólume, como un último culto: el de los lares, cual si volviera el hombre, desengañado, a la religión primitiva de nuestras razas, que le decía "Ama a los tuyos"».[43] En esta atmósfera de religiosidad brotan insistentemente la figura de Jesús, su único hijo, y de san José, el padre intermediario: Clarín los entresaca de inmediato en *Ángel Guerra*, y le comenta a Galdós (carta de 17 de junio del 91): «He visto que habla usted de san José y del niño Jesús y mi *Su único hijo* también tiene algo de eso, de otra manera».

En esta atmósfera de religiosidad la solución de los conflictos pasa por «la muerte del egoísmo», como en Tolstoy (*Amo y criado*,[44] *Resurrección*), por «el olvido del yo para dedicarnos al bien de los demás. Sólo puedo ser feliz cuando no busco mi felicidad en mí, sino en la felicidad de los demás. El mal que los demás me hagan, no es mal —para mí—, en cambio, lo es el que yo les haga a ellos».[45] «Para el hombre no hay más dicha ni más destino que la abnegación. No hace falta la ciencia, ni otra fe, ni el trabajo, ni nada más que el amor que obra en beneficio de lo ajeno».[46] Pero esta dicha es una forma dolorosa de felicidad y Clarín reivindica la subli-

me belleza derivada del dolor cristiano, fruto de la abnegación, del sacrificio, de la pasión del deber. Clarín la encuentra en el mismísimo Zola de *La terre*, al que califica como
«uno de los grandes poetas modernos del dolor»: «Eso que
podría llamarse lo bello doloroso, fecundo fermento formado
con miles de esperanzas e ilusiones disueltas, podridas, germen de una vaga aspiración humilde, en mi sentir *cristiana*,
a lo menos cristiana según el cristianismo de la agonía sublime de la cruz».[47] Y vuelve a encontrarlo en *Trabajo*, donde
«las dulces amigas del héroe, los de las mujeres más hermosas, espiritualmente, que ha creado Zola, verdaderas mujeres
del Evangelio (del cristiano), son bellas y grandes porque padecen, porque renuncian, por su abnegación, porque aman el
dolor por el dolor».[48] Emilia Pardo Bazán le habría aportado
el recuerdo de Dostoyevski: «el dolor es su religión suprema;
como su héroe el estudiante, se postra ante el sufrimiento
ajeno».[49] Pero sin duda una de las más clarividentes exposiciones argumentales de la filosofía del dolor redentor le corresponde al Clarín de *Teresa*, que contesta con la apoteosis
del sacrificio y de la pasión del deber las tentaciones amorosas que hicieron caer a Ana Ozores.

Directamente vinculado a la religiosidad del modelo se encuentra el tema de la redención, mecanismo narrativo que centra muchas de estas novelas. Ya doña Emilia lo había descubierto con fascinación en *Crimen y castigo* de Dostoyevski,
donde la niña a la vez prostituta y virgen redimirá con su
amor al estudiante criminal y soberbio. De distinta manera,
pero con una semejanza de fondo, Bonifacio Reyes encontrará el camino de su redención por el hijo y gracias a su querida, e historias de redención son las de María Blumengold en
*La rosa de oro, Doña Berta, El cura de Vericueto, El sustitu-
to* o *Viaje redondo*.

Las novelas espiritualistas se centran en conflictos de carácter ético, Clarín se cansa de advertirlo, y sus personajes
están poseídos por la pasión del deber. Así, las novelas de
Paul Bourget ofrecen al lector «un cuidado atento y solícito
del bien moral, un respeto jamás declamatorio de la ley ética,
una constante alusión implícita, como pudorosa, podría decirse, al santo deber, que necesariamente ha de tener un fundamento metafísico, sagrado, por recóndito que sea».[50] Pero
tal vez ninguna otra novela sea tan representativa de la índole de los conflictos narradores como *Realidad*, de Galdós, muy
cercana por otra parte a las novelas de Rod y de Bourget, y

que se desarrolla «en la región completamente ultrasensible del álgebra moral, es decir, en la psicología ética [...]. La pasión del deber, esta es la materia prima».[51] Y el personaje que más llama la atención de Clarín es Federico Viera, al que describe como «animal moral», y cuyo drama sintetiza para el lector: «se mata porque no puede transigir con la vida cuando ésta le pide transacciones a la conciencia». En esta novela, «un drama puramente *ético* pasa ante los ojos del lector», pues se trata de «una energía ética luchando con adversidades, defendiéndose con instintos y con tesoros de herencia».[52]

En muchas de estas novelas, tal vez por situar al lector en el corazón del drama ético, el crimen es un tema importante: «Como en *Le disciple*, en *Realidad* el *asunto* es un crimen; el fondo estético, la *moralidad* de los criminales».[53] Clarín no profundizó en el mundo de Dostoyevski, pero D.ª Emilia sin duda le recordó aquella «estética nueva, donde lo horrible es bello, lo desesperado consuela, lo inocente raya en sublime y donde las rameras enseñan el Evangelio, el presidio es escuela de compasión y elemento poético el grillete».[54] Algo así encontró Clarín en *Resurrección*. Él mismo es consciente de que buena parte de la novela rusa busca su espacio en un mundo de desheredados y miserables, y no le fue nada difícil conectar con ella al autor de *Pipá, Doña Berta, ¡Adiós Cordera!, La Ronca, Boroña, La conversión de Chiripa, El Quin, La trampa, La reina Margarita*, y hasta *Su único hijo*, crónica vodevilesca, si así se quiere, de los desatinos amorosos de un pobre diablo, una cómica de tercera fila, y una señora esposa cantidad de empreñadora.

Clarín distinguía, sin embargo, toda la diferencia que respecto a un Gogol o un Dostoyevski representaba la novela de P. Bourget, con su predilección por «la vida del gran mundo y la especie de deleite que encuentra en describir la *decoración* de ese brillante y lujoso teatro».[55] En *Cruel enigma*, en *Carrera de obstáculos*, en *Crimen de amor*, en *Mentiras*, se nota esa afición al lujo y a la *high life* que hace de su novela una novela mundana. En ello parece concentrar Clarín la diferencia de la novela de análisis francesa respecto de la rusa, dentro del común neoidealismo o espiritualismo. Y aún a la española, en la que un Galdós entra de lleno en el estudio de las relaciones éticas entre las clases sociales, como ocurre en el ciclo de Torquemada, o que se proyecta con *Narazín y Misericordia* en el mundo de lumpen y de la miseria.

Otro de los temas fundamentales de la novela psicológica

y espiritualista es el de las aspiraciones fracasadas, o como comenta Clarín respecto a la *Tristana* de Galdós con frases que resuenan a *Su único hijo* y a *Una medianía,*

> Yo veo allí puramente la representación bella de un *destino gris* atormentando un alma noble, bella, pero débil, de verdadera fuerza sólo para imaginar, para soñar, de muchas actitudes embrionarias, un alma como hay muchas en nuestro tiempo de *medianías* llenas de ideal y sin energía ni vocación seria, constante, definida.[56]

Emilia Pardo Bazán lo había observado en el *Demetrio Rudín*, de Turguenev, y otros protagonistas de grandes aspiraciones y voluntad rota, de espíritu soñador y actividad siempre finalmente neutralizada, poblaban la novela española, desde el *Doctor Faustino* de Valera, a Federico Viera y a Bonifacio Reyes y a su hijo, Antonio Reyes. Se estaba cociendo el gran tema noventayochista de la abulia, pero había sido una novela rusa la que había convertido al abúlico en paradigma universal: *Oblomov*. Doña Emilia la resume así: «el primer tomo empieza cuando el héroe se despierta y termina cuando se resuelve a vestirse y a salir a la calle». Y comenta: «la palabra *oblomovismo* ha entrado a formar parte del idioma, significando la típica pereza eslava».[57] ¡Si sólo fuera eslava!...

Algo que debió llamar la atención profundamente al Clarín de *Su único hijo* en la novela rusa y aun en la galdosiana, fue la mezcla indisoluble de lo mezquino y lo sublime, lo grotesco y lo magnífico, la miseria y el esplendor. En *Resurrección* vemos cómo un sórdido asesinato provoca una sublime redención, Dostoyevski teje su mundo novelesco con contrastes tan brutales que producen vértigo en el lector, y en el Galdós de *Nazarín* o de *Misericordia*, el supremo esfuerzo de caridad y de abnegación de sus protagonistas se lleva adelante en medio de la más sórdida miseria y brutalidad. También en *Su único hijo* una experiencia tan trascendental como la misteriosa Anunciación del hijo chocará cómicamente con el apego de Bonis a sus zapatillas, la pusilanimidad que le hace agachar las orejas ante las patadas físicas y morales de su Otela, o el resultado ridículo de su retorno a Itaca cuando vuelve acompañado de dos robustas comadronas. El Clarín del *Epistolario* muestra hasta qué punto su sensibilidad, herida por la enfermedad, estaba abierta a estos contrastes: «De buena gana iría a Madrid unos días, —le escribe a Galdós— pero por la mañana yo no soy una *inteligencia con vida por órganos*, sino *un vientre afligido por dolencias nerviosas*».[58] Y en otra ocasión echa la culpa de no haber escrito su proyectado drama *La Millonaria* al «estreñimiento», y exclama: «¡Esto de ser un espíritu y una alcantarilla!».[59]

Los personajes de la novela espiritualista están dominados por los imperativos categóricos, deberes inexcusables, son como Federico Viera animales morales. El prototipo más característico es el santo civil, teorizado por Clarín en el prólogo a *Resurrección*, identificado en el Jesús de Renan, añorado en *La terre* de Zola,[60] explicado con el ejemplo de Santa Teresa de Jesús:

> [...] lo más sublime en la Santa, que es, para muchos, para los que no participan de la ortodoxia del autor, el valor pura y exclusivamente humano del esfuerzo místico, la grandeza inenarrable de la espontaneidad natural, desamparada de todo auxilio milagroso, aunque probablemente en misteriosa, impenetrable. relación suprema con lo divino,[61]

y analizado en el Padre Gil de *La fe*, de Armando Palacio Valdés, en *Una cristiana*, de doña Emilia, o en los santos activos y prácticos de Galdós, como Ángel Guerra o Nazarín, que tan poco coincidían con la idea antiutilitarista y mística que Clarín tenía de lo que debía ser un santo de novela.[62]

De ahí que la novela espiritualista presione hasta el forzamiento una de las características de la novela realista: «la esencia del realismo, aparte retóricas, está en esto: en sacarle la sustancia poética a la vida prosaica, y convertir en *héroes*, con nombre en la historia del arte, los *héroes* sin nombre de la historia vulgar de los anónimos».[63] El espiritualismo, o bien incrustará en personajes mezquinos, humildes y aun minúsculos pobres diablos, a la manera de Maxi Rubín, de Bonifacio Reyes, del Pavel Pavlovich del *Eterno marido*, o de Benina, contenidos morales extraordinarios, o bien será directamente partidario de personajes de una exquisitez moral fuera de serie, como la Enriette de *La tierra prometida*, de Bourget, o el Orozco de Galdós, o capaces de transformaciones morales extraordinarias, como Ángel Guerra o Neklúdov. En todo caso la novela espiritualista tiende al caso excepcional y así lo recoge Clarín, comentando la teoría de Bourget, para quien la novela de costumbres, la social, se debe a los tipos normales, «mientras la novela psicológica [...] necesita siempre [...] referirse a los extremos [...] a los seres excepcionales, en los que no estudia un término medio de su género, sino una individualidad bien acentuada, original y aparte».[64]

Pero tal vez lo que más impresionó a Clarín de las novelas espiritualistas, especialmente de las rusas, fue la puesta en práctica de la llamada teoría de los caracteres compuestos. Así, Clarín se entusiasmaba en carta a Galdós con el juego de los dos amores de Federico Viera, la Peri y Augusta, y le confiesa: «La Peri, ¡magnífica!, la teoría (y la *práctica*) de la complejidad de los caracteres y su contradicción muy fuerte, muy elocuente, muy hábil, etc.».[65] Pero será en uno de esos dos magníficos artículos que Clarín dedicó a *Realidad,* donde desenvuelve plenamente su análisis:

> Federico tiene el alma y la vida llena de contradicciones, y es aquel espíritu como una de aquellas asambleas que tiene que disolver la autoridad, porque sus miembros no se entienden, se amenazan, se atropellan y son incapaces de adoptar un acuerdo y por la deliberación sólo llegan al tumulto. Instintos buenos y malos deliberan, luchan en el alma de Viera, y la voluntad, traída y llevada por tantas opiniones, por tantas fuerzas contrarias, termina lógicamente por negarse a sí propia; puesto que no *sabe* querer nada, acaba por querer la muerte. Federico se mata, porque en el arte de la vida su torpeza para ser bueno y su torpeza para ser malo le han llevado a profesar la religión del honor en el ambiente de la deshonra.

Clarín se entusiasma con la figura de Viera, y lanzado a tumba abierta en el análisis, como si algo le fuera en ello, escribe:

> Pues bien, Federico Viera no es *sencillo* en amor [...]. Empieza por tener el amor partido. En casa de la Peri está la dulce y tranquila intimidad, la paz del alma en el afecto; en casa de Augusta, la violencia, el fuego, la atracción corrosiva de la fantasía, del arte, de las elegancias. Pero el amor grande, el amor déspota, no está ni acá ni allá. De ser un Quijote, Viera...! parece mentira! tendría por Dulcinea la *moralidad.*[66]

El Clarín que aprendió en *Fortunata y Jacinta* la simbiosis final de valores entre matrimonio y pasión, que había de llevar a las dos mujeres de Bonifacio Reyes, aprendió en *Reali-*

dad la contradicción dentro de un mismo personaje, y si la Peri es la buscona que sin embargo representa el amor hogareño, Serafina será la amante con voz de madre mientras Emma será la esposa con apetitos de bacante. Clarín sintetizará ambas estrategias, y hará evolucionar las contradicciones: Serafina absorbe el papel de esposa y la artista nómada se aburguesa, mientras Emma hace suyo el papel de la amante y de señora del hogar se transforma en animadora de la *dolce vita* pueblerina. Dostoyevski lo habría firmado.

«La novela psicológica tiene por rasgo característico lo que puede llamarse "la catástrofe moral"», escribe Clarín,[67] y analiza con ello la tendencia de la nueva novela a la estructura dramática, con su condensación en escenas culminantes y su cumbre conflictiva en la catástrofe moral. Frente a la estructura basada en la progresión, desde la documentación del medio y de los personajes hasta la experimentación a través del conflicto, típica de la novela naturalista, la novela espiritualista sentiría esta atracción por los estirones sorprendentes y los cambios de rumbo que ha analizado C. Richmond en *Su único hijo*,[68] y la irregular diseminación de esos fogonazos súbitos que son las escenas de alta tensión emocional, muy a la manera de Dostoyevski.

Ello se refleja asimismo en el cambio de método creativo. El «novelista apóstol», como bautiza doña Emilia a todo novelista ruso, sustituye al novelista científico y, al hacerlo, dinamita lo que Clarín llama «la fábrica naturalista».[69] Comentando el libro *Le petit chose*, de Daudet, Clarín deja escapar sus sensaciones sobre su propio proceso creativo, tan irregular y agobiado como se muestra en las cartas a sus editores, a Galdós o a Menéndez Pelayo. Escribe Clarín en ese año de 1889:

> [...] se hizo *Le petit chose* a salto de mata, podría decirse: no en lenta pero asidua labor de cada día, en la soledad del gabinete, con documentos a la mano, ni con la regularidad que piden los bien organizados presupuestos de muchos autores del día [...]. [Sino] bebiendo los vientos tras la inspiración y dejando la pluma días y días, por semanas y meses, cuando el alma se encerraba en sí misma y no quería comunicar con el arte, confesarle sus recuerdos, sus penas, sus esperanzas, sus ensueños, o cuando la alegría, los placeres, las diversiones de París, los arranques báquicos de la juventud exigían emplear la vida en cosa más fuerte, de más emociones y movimiento que la producción artística.

Tras estas vacaciones, dilatadas a veces por mucho tiempo, volvía la fiebre del trabajo, la inspiración continua, y Daudet escribía donde quiera, en el campo, en un retiro a doscientas leguas de París, sin apuntes, sin libros auxiliares, sin consultas ni observaciones [...] ¿Para qué necesitaba de más que de sí mismo para escribir *Le petit chose?* En obras tales no hacen falta más documentos que el corazón, la memoria y la fantasía, y no por eso valen menos que otros libros que vienen a ser producto y extracto de miles de datos acumulados, especies de *Digestos* del arte realista. A diferente propósito, diferente procedimiento.[70]

Salvo aquello de «las diversiones de París», todo lo demás lo escribía Clarín de sí mismo, de *Su único hijo*. En cuanto a lo de París, seguro que lo envidiaba.

En la novela espiritualista sobrevive el arte naturalista del análisis de la realidad. La misma *Resurrección* de Tolstoy, la más extrema y pura muestra del género, es un análisis inmisericorde del funcionamiento de la sociedad rusa tras las reformas del zar Alejandro II. En *Su único hijo* hay toda una dimensión naturalista que no es posible olvidar: el estudio de la historia natural de los Valcárcel hasta su decadencia actual, el tratamiento de Emma como un caso de histeria, o las transformaciones asturianas de fin de siglo con la apropiación de la renta señorial por el capital especulativo y su reconversión en revolución industrial, tal como se muestra en el trasvase de la fortuna Valcárcel desde Emma hasta los Körner por intermedio de Nepomuceno. Todas ellas son pruebas bien concluyentes de que el análisis novelesco sigue buscando la realidad como protagonista, por más que haya estilizado sus procedimientos. Lo verdaderamente nuevo es que por debajo de esta novela naturalista, y más allá de sus capacidades explicativas, aflora todo un submundo que sólo es posible aprehender de otra manera, abismándose en el interior de los personajes. Una vez más Clarín lo analiza magistralmente a través de Galdós: «Lo que más importa en el libro —escribe sobre *Realidad*— es lo que le pasa a Federico por dentro: grandes esfuerzos de ingenio se necesitaban para llevar a feliz remate la empresa de hacer palpables, casi *teatrales*, estas luchas de conciencia». El escenario de la novela naturalista, que es el medio social, se traslada con la novela espiritualista a la conciencia de los personajes. La novela se interioriza y, al hacerlo, los hechos pierden su trascendencia, usurpada, como explicaba Bakhtine respecto de Dostoyevski, por su propio eco en la conciencia de los personajes. Clarín desvela con asombrosa lucidez la relación entre naturalismo y espiritualismo en su análisis del juego entre *La incógnita* y *Realidad*: «En este punto, la originalidad de Galdós no tiene ejemplo, que yo recuerde [...] nos ha demostrado que esa novela puede existir... debajo de la otra; que muchas veces donde se ha presentado un estudio de medio social vulgar, puede encontrarse, cavando más, lo singular y escogido, lo raro y curioso».[71]

Se trataría, por tanto, de hacer aflorar la posible novela espiritualista que hay dentro de toda novela naturalista, para lo cual hay que forzar el naturalismo, dotarlo de una perspectiva «de espíritu a espíritu» entre narrador, lector y personajes, alimentarlo a base de poesía, sentimiento y de profundidad psicológica, convertirlo en «arte del alma», en definitiva. La propuesta podía ser tan desestabilizadora como *Su único hijo* demuestra: allí la irrupción en superficie de la mirada interior provocará el rompimiento de las capas y estratos naturalistas de la novela, y como en un cataclismo geológico que se inicia la geografía de la novela quedará gravemente distorsionada. La misma perspectiva novelesca, con la mirada del autor sobre el narrador, y de éste sobre el personaje, quedará profundamente desestabilizada, y la ironía realista, presionada brutalmente por esa necesidad de mirada interior, oscila entre la reacción de resistencia, con la que se radicaliza y extrema, llegando fácilmente al sarcasmo y aun al pre-esperpento, y la desaparición literal, disuelta por una identificación sentimental y profunda entre narrador y personaje. *Su único hijo* pasa del predominio de una ironía especialmente cruel al traqueteo imprevisible y desestabilizador entre sarcasmo e identificación, a veces en muy pocas líneas, sobre todo a partir de la Anunciación del hijo. En la última parte de la novela los cambios son tan bruscos que nos sentimos llevados de Valle Inclán a Dostoyevski. La befa se nos atraganta con la compasión, pero al instante la compasión nos resulta una ridícula trampa. Clarín desestabiliza al lector, y cuando lo ha conseguido, en el momento supremo, cuando Serafina y Bonis se enfrentan cara a cara en la iglesia, él, ese narrador omnisciente que ha entrado a saco en los personajes a lo largo de toda la novela, que les ha usurpado la voz, que no ha permitido el más mínimo contacto directo entre lector y personaje, ese narrador déspota nos los deja allí, cara a cara, arrojándose sus verdades vehementes, y él se retira por el foro, callado por primera vez, cuidándose muy mucho de decirnos quién de los dos tenía la razón.

No es de extrañar en un autor que en esos años propugnaba el espiritualismo al mismo tiempo que seguía aferrándose al naturalismo.

No es de extrañar en un autor que había concebido una novela tan extraordinaria que hace del personaje principal un ser sublime a la vez que ridículo, que le hace triunfar —puesto que se realiza a sí mismo a través del hijo— al mismo tiempo que le hace fracasar —pues no podrá impedir el saqueo económico de la familia ni la ruina del patrimonio del hijo—, y que simultáneamente le hace recuperar la dignidad interior y caer en el más profundo ridículo de cara a la opinión pública. Al declararse padre, Bonifacio Reyes gana su propia batalla, pero pierde la de los demás. Y Clarín se retira a tiempo de no decirnos qué es lo que a él le importaba más. Nos deja por herencia, probablemente, su propia perplejidad.

NOTAS

1. «El diablo en Semana Santa» (1880), *Solos de Clarín,* Madrid, A. de Carlos Hierro, 1881. Cito por la ed. de Madrid, Alianza, 1975, p. 365.

2. «Un grabado», *Cuentos Morales,* Madrid, *La España Editorial,* 1896. Cito por la ed. de Madrid, Alianza, 1973, p. 110.

3. «Cambio de luz», *El Señor y lo demás, son cuentos,* Madrid, Fernández Lasanta, s.a. (1893). Cito por la ed. de Madrid, Austral, 1983, p. 23.

4. «La noche mala del diablo», *Cuentos Morales, op. cit.,* p. 171.

5. «Viaje redondo», *ibíd.,* p. 188.

6. S. Ortega, *Cartas a Galdós,* Madrid, Revista de Occidente, 1964, p. 260.

7. J. Blanquat y J.F. Botrel, *Clarín y sus editores,* Rennes, 1981.

8. *Ibíd.,* p. 42.

9. L. Alas, *Su único hijo,* ed. de C. Richmond, Madrid, Austral, 1979, p. XXX.

10. «En vano Bonifacio, que se había dejado querer, no quiso dejarse robar; Emma lo arrastró a la fuerza...», Ed. de C. Richmond cit. p. 4.

11. *Ibíd.,* p. 6.

12. García Sarriá, *Clarín o la herejía amorosa,* Madrid, Gredos, 1975, pp. 133-138.

13. L. Alas, *La Regenta,* ed. de J. Oleza, Madrid, Cátedra, 2.ª ed. 1986, vol. I, cap. X, nota 5 sobre el tema.

14. *Op. cit.,* p. 254.

15. *Ibíd.,* p. 280.

16. «Discours naturaliste et roman naturaliste», Conferencia de apertura del Colloque International sobre «Realismo y naturalismo en España», Toulouse, nov. 1987.

17. L. Alas, «Más sobre *Realidad*», en *Galdós,* Madrid, Renacimiento, 1912, p. 208.

18. L. Alas, «*Realidad*», en *ibíd.,* p. 198.

19. L. Alas, «Más sobre...» *op. cit.,* p. 206.

20. *Ibíd.,* p. 206.

21. «La novela novelesca», en *Ensayos y Revistas,* Madrid, Fernández y Lasanta, 1892, p. 145.

22. *Ibíd.,* p. 146.

23. *Cartas a Galdós, op. cit.,* p. 260.

24. «La novela novelesca», *op. cit.,* p. 150.

25. Véase nota 21. Este artículo fue tempranamente destacado en su importancia por M. Baquero Goyanes, «Clarín y la novela poética», *BBMP,* XXIII, 1947, pp. 96-101.

26. *Ibíd.,* pp. 151-153.

27. «Lo indudable es que, hoy por hoy, esta tendencia cuasimítica a la comunión de las almas separadas por dogmas y unidas por hilos invisibles de sincera piedad [...] esta tendencia a efusiones de inefable caridad que van, como efluvios, de campo a campo [...] el que hoy, desde uno u otro partido, confesión, sistema, escuela, o lo que sea, da un paso en este camino de concordia [...]» etc. etc. «Revista literaria (noviembre, 1889)», en *ibíd.,* p. 215.

28. Y. Lissorgues, *La pensée philosophique et religieuse de Leopoldo Alas (Clarín). 1875-1901.* Eds. CNRS. París, 1983.

29. Una buena muestra de esta atracción-repulsión son los dos artículos sobre «Nietzsche y las mujeres», publicados el 6 y 7 de septiembre de 1899 en *El Español,* y rescatados por A. Ramos Gascón en *Clarín: Obra olvidada,* Madrid, Júcar, 1973.

30. *Cartas a Galdós, op. cit.,* p. 240.

31. L. Tolstoy, *Resurrección,* con un prólogo de L. Alas, Clarín, 2.ª ed., Barcelona, Maucci, 1901, tomo I, p. VIII.

32. *Ibíd.,* p. IX.

33. *Ibíd.,* p. XIV y XV.

34. *Ibíd.,* p. XVI.

35. «La novela novelesca», *op. cit.,* p. 141.

36. *Clarín y sus editores, op. cit.,* pp. 14, 15 y 18.

37. *Ibíd.,* p. 61.

38. *Ibíd.,* p. 61.

39. «*Realidad*», *op. cit.,* p. 193.

40. «La novela del porvenir», en *Ensayos y Revistas, op. cit.,* p. 389.

41. «La novela novelesca», *op. cit.*, p. 157.

42. «*Torquemada en la cruz*», en *Galdós*, *op. cit.*, p. 259.

43. «Zola: *La terre*», en *Ensayos y Revistas*, *op. cit.*, p. 50.

44. «*Amo y criado*: último cuento de Tolstoy», artículo de 8 de junio de 1895 rescatado igualmente por Ramos Gascón, *op. cit.*, pp. 161 ss.

45. Prólogo citado a *Resurrección*, p. XII.

46. «*Amo y criado*», *op. cit.*, p. 165.

47. «Zola: *La terre*», *op. cit.*, p. 31.

48. «*Trabajo*: novela de Emilio Zola», en *La lectura*, abril de 1901. Cif. *Obra olvidada*, *op. cit.*, p. 231.

49. E. Pardo Bazán, *La revolución y la novela en Rusia*, en *Obras Completas*, Madrid, Aguilar, 1973, t. III, p. 862.

50. «Paul Bourget», en *Mezclilla*, Madrid, F. Fe, 1889, p. 152.

51. «*Realidad*», *op. cit.*, p. 194.

52. «Más sobre...», *op. cit.*, 214 y 215.

53. «*Realidad*», *op. cit.*, p. 197.

54. *La revolución y la novela...*, *op. cit.*, p. 855.

55. «Paul Bourget», *op. cit.*, pp. 157 y 158.

56. «Tristana», en *Galdós*, *op. cit.*, p. 252.

57. *La revolución y la novela...*, *op. cit.*, p. 855.

58. *Cartas a Galdós*, *op. cit.*, p. 285.

59. *Ibíd.*, p. 289.

60. «Zola: *La terre*», *op. cit.*, p. 47.

61. «Lecturas», en *Mezclilla*, *op. cit.*, p. 52.

62. Véase las reticencias de Clarín hacia los «santos» galdosianos en *Galdós*, *op. cit.*, pp. 279, 286, 287...

63. «Alfonso Daudet», en *Mezclilla*, *op. cit.*, p. 254.

64. «Más sobre...», *op. cit.*, p. 212.

65. *Cartas a Galdós*, *op. cit.*, p. 255.

66. «Más sobre...», *op. cit.*, p. 228

67. *Ibíd.*, p. 209.

68. Edición citada, pp. XXIX y XXX.

69. «Alfonso Daudet», *op. cit.*, p. 253.

70. *Ibíd.*, pp. 246 y 247.

71. «Más sobre...», *op. cit.*, p. 213.

Benito Pérez Galdós

GALDÓS, ZOLA Y EL NATURALISMO
DE «LA DESHEREDADA»

Brian J. Dendle
(Universidad de Kentucky)

Desde la publicación de *La desheredada* (1881), la crítica ha insistido en el naturalismo de esta obra. Así, en su reseña de la primera parte de *La desheredada,* aunque reconoció que «la tendencia presente de Galdós» había aparecido ya en los *episodios nacionales,*[1] Clarín proclamó que esta novela marcaba un nuevo rumbo en la carrera galdosiana, expresado en la adopción deliberada de las prácticas y de los propósitos de Zola:

> Sin seguir las exageraciones teóricas, y menos las prácticas de este autor [Zola], Galdós ha estudiado imparcialmente la cuestión y ha decidido, para bien de las letras españolas, seguir en gran parte los procedimientos y atender a los propósitos de ese naturalismo tan calumniado como mal comprendido y ligeramente examinado [Alas, p. 133].

En su estudio, Clarín detalla los rasgos naturalistas de *La desheredada:* la acción de la novela es sencilla (Clarín reconoce que la misma sencillez existe en *Un coeur simple* de Flaubert y en *Eugénie Grandet* de Balzac); Galdós estudia, en Isidora Rufete, «los estragos del orgullo aguijoneado por la miseria y por las sugestiones de una fantasía exaltada» (p. 134); retrata, como Zola, sin idealismo (y sin el empleo de «palabras indecorosas») la «podredumbre moral» (p. 135) de «este

Madrid pobre, fétido, hambriento y humillado, que por una parte toca en la barbarie y en todas sus aberraciones, y por otra parte en la decadencia pestilencial de los pueblos viejos, cansados, de refinada cultura» (p. 136). Como Flaubert y Zola, Galdós emplea el estilo indirecto libre para dar a conocer la situación de un personaje. En su reseña de la segunda parte de *La desheredada*, Clarín subraya otra vez el naturalismo de una obra que él llama «imitación de la vida real». Los personajes hablan con el lenguaje y estilo de su clase social; la acción de la novela carece de complicaciones artificiosas. Isidora no es una abstracción psicológica sino una mujer que vive en unas circunstancias concretas:

> Isidora no es el tipo de la mujer que se pierde por el orgullo, por la concupiscencia del placer y la molicie, por los ensueños vanos; es *una mujer* de carne y hueso, que tiene todos esos vicios y defectos, y que se pierde por ellos, lo cual es muy diferente [p. 144].

Más recientemente, Walter T. Pattison ha presentado unas pruebas externas para confirmar la adopción por Galdós de principios naturalistas: la declaración de Clarín que Galdós había estudiado

> [...] los métodos de Zola, la presencia en la biblioteca de Galdós de las seis primeras novelas de la serie Rougon-Macquart en la edición de 1878 y una carta de abril de 1882 dirigida a Francisco Giner de los Ríos en la cual Galdós anuncia que había inaugurado en *La desheredada* su «segunda o tercera manera».[2]

De más peso son los argumentos basados en el análisis del texto. Robert Russell ha proclamado que *La desheredada* es «Galdós's first fullblown experiment in naturalism»; sus elementos naturalistas comprenden «the minute and occasionally fatiguing itineraries», «the precise symptoms of illness», la evocación de «the lowest degradation of human personality» y, sobre todo, el empleo del ambiente y de la herencia como elementos determinantes.[3] Para Antonio Ruiz Salvador, *La desheredada* es una «novela experimental» en la cual se examina el «caso clínico» de España; la novela es naturalista en su observación minuciosa, en su empleo de la locura hereditaria, en su evocación del momento histórico y en su riguroso determinismo histórico.[4] De manera semejante, Eamonn Rodgers, Marie-Claire Petit, Carmen Bravo Villasante, Walter T. Pattison y Chad C. Wright reconocen que en *La desheredada* Galdós ha adoptado hasta cierta medida los procedimientos naturalistas.[5] Más recientemente, Stephen Gilman, en su provocativo estudio de *La desheredada*, hace hincapié en la deuda de Galdós hacia Zola y se refiere, en términos algo exagerados, al «implacable determinism of imposed history and heredity» que encuentra en esta novela.[6]

Sin embargo, la mayor parte de los críticos modernos ha expresado cierto reparo al hablar del naturalismo de *La desheredada*. Robert Russell sugiere que Galdós se separa de los naturalistas tanto en el didactismo de la novela como en la posibilidad que otorga a Isidora de escoger su destino; Isidora, declara Russell, es «a girl who made the wrong choice and not a helpless victim of heredity and environment». Eamonn Rodgers confirma que la degeneración moral de Isidora resulta de decisiones conscientes de su parte, y que no está totalmente determinada por su herencia biológica. Carmen Bravo Villasante y Walter T. Pattison creen que Galdós se distingue de Zola en su uso del humor; Pattison emplea el término «mitigated naturalism» para describir el procedimiento galdosiano.

Cuatro críticos —Casalduero,[7] Ruiz Salvador, Bravo Villasante y Pattison— han indicado, de paso, que la evocación del contexto histórico en *La desheredada* se parece en mucho a la presentación de la historia en los *episodios nacionales*. Russell, además, declara que el «sense of mission» que Galdós revela en *La desheredada* tiene más en común con sus novelas anteriores que con el método experimental de Zola. Finalmente, Wright descubre en las descripciones en *La desheredada* la misma tentativa de representación histórica ya evidente en *La Fontana de Oro*; Galdós ha adaptado, sugiere Wright, el naturalismo zoliano a su propia visión alegórica de España.

Las dificultades encontradas por los críticos que investigan el naturalismo de *La desheredada* tienen su origen, creo, en la tentativa de relacionar la novela galdosiana con las teorías de *Le Roman expérimental*. Aunque la crítica moderna reconoce que existen grandes diferencias entre *La desheredada* y las teorías zolianas y distingue en obras anteriores de Galdós rasgos que se continúan en *La desheredada*, los investigadores persisten en dos suposiciones que a mi parecer no tienen fundamento: *a*) que *La desheredada* representa una ruptura sensible con la práctica novelística galdosiana anterior, y *b*) que la novela refleja, aunque quizá solamente en parte, el «estudio» por parte de Galdós de los procedimientos de Zola.

Las seis novelas de la serie Rougon-Macquart que Galdós poseía en la edición de 1878 y que habría podido leer antes de escribir *La desheredada* son: *La Fortune des Rougon, La Curée, Le Ventre de Paris, La Conquête de Plassans, La Faute de l'abbé Mouret* y *Son Excellence Eugène Rougon*. No he podido percibir más que semejanzas puramente fortuitas entre estas novelas y *La desheredada*. Los *episodios nacionales* ofrecen más paralelos.[8]

Existen, claro, coincidencias entre *La desheredada* y las novelas zolianas. En *La Curée*, Zola acentúa la importancia de las apariencias en una sociedad corrompida; una mujer se ve obligada a sacrificarse sexualmente para pagar deudas contraídas en su afán del lujo. Renée, sin embargo, se encuentra atrapada por las maquinaciones de su marido; las deudas de Isidora Rufete, al contrario, son la consecuencia de sus propios defectos morales. También la pelea de las dos pescadoras en *Le Ventre de Paris* tiene su paralelo en la riña entre Isidora y la *Sanguijuelera;* tales incidentes han debido ocurrir frecuentemente en la vida proletaria y han podido ser observados por Galdós. (Cf. la batalla entre las verduleras en *Napoleón en Chamartín,* de 1874.)

Los rasgos que más llaman la atención en la obra zoliana no tienen eco en la galdosiana. Zola se deleita en narrar las intrigas de una sociedad arribista para lograr la riqueza y el poder. Zola no se limita a la evocación histórica. Representa luchas titánicas entre fuerzas abstractas: la guerra entre los gordos y los flacos en *Le Ventre de Paris,* el combate entre las fuerzas de la fertilidad y las de la esterilidad en *La Faute de l'abbé Mouret.*

Zola se distancia mucho más de sus personajes. Ofrece resúmenes de conversaciones en las cuales un personaje se explica; raramente penetra en la vida interior. Galdós, por el contrario, entra en la mente de Isidora. Zola, como Balzac, da por sentado un orden fijo de comportamiento social; así, Félicité Rougon, con su inteligencia y su experiencia, puede instruir al joven abate Faujas. Para Galdós, las relaciones sociales son más problemáticas. Se comprenden con la experiencia, y no con las fórmulas pedagógicas de otros. Además, los personajes galdosianos tienen una libertad de opción moral negada a los de Zola.

Galdós se distingue de Zola en su concepto de la relación entre personaje novelístico e historia. Zola pinta individuos que funcionan en circunstancias específicas. Los personajes de las primeras novelas de la serie Rougon-Macquart explotan las oportunidades ofrecidas por la sociedad del Segundo Imperio; son individuos controlados en sumo grado por elementos hereditarios; solamente en conjunto formarán la sociedad de la Francia de Napoleón III. Isidora Rufete, al contrario, tiene una marcada significación simbólica; *representa* la sociedad de la Primera República y de la Restauración; no funciona meramente dentro de ella.[9]

Por cierto, hay elementos en *La desheredada* que se pueden calificar como «naturalistas». La novela contiene escenas de brutalidad[10] y delinea el descenso de Isidora a la prostitución. El intento de Galdós no es de divertir al lector; ofrece un estudio serio de la obsesionada Isidora y examina ciertos males de la Restauración. No idealiza a los personajes. Con la excepción del degenerado Gaitica, no es posible categorizarlos fácilmente entre buenos y malos; son presentados en términos de mayor o de menor conciencia de sí mismos.

Sin embargo, Galdós no presenta en la familia Rufete el proceso de la locura hereditaria.[11] Isidora no hereda la locura ni de su padre ni de su tío. Recibe de ellos una educación falsa, un modo distorsionado de mirar el mundo; Isidora reconoce que su tío era «un maestro contra la realidad» (p. 439). Tampoco representa el Riquín macrocéfalo la transmisión hereditaria de defectos físicos. Como observa perceptivamente Chad Wright, Riquín simboliza el sistema político de la Restauración: «a head without a functioning body [...] a transitory, intermediate stage of embryonic growth — an ironic reflection of the government of the Restoration as an aborted, unfinished entity» (Wright, p. 243).

El ambiente influye en las acciones de los personajes de *La desheredada* pero no las determina. Mariano es temporalmente transformado por sus visitas al teatro (p. 210); Isidora se tranquiliza en el ambiente del piso de Emilia (p. 365), hasta que sucumbe a las seductoras alturas representadas por una modista ubicada en un piso superior. Sin embargo, las aspiraciones interiores, y no las circunstancias físicas, dominan el comportamiento. Los locos de Leganés niegan su ambiente; durante años Isidora rehúsa adoptar las actitudes mentales del pueblo, y al ser encarcelada sabe imponer durante cierto tiempo sus fantasías en vez de aceptar la «realidad» de su situación.

El momento histórico tiene, por supuesto, un papel importante en el desarrollo de la novela. Isidora presencia la manifestación de las *mantillas blancas*[12] y las celebraciones que acompañan la abdicación de Amadeo. Galdós pinta con mano experta los detalles de la corrupta sociedad de la Restauración, es decir, un sistema social basado en la hipocresía, la explotación, la envidia, la credulidad, y la obsesión con las apariencias, una sociedad en que representantes de todas las capas sociales idean elaboradas intrigas que no son más que maneras de evasión y de engaño de sí mismos. Así, el aristócrata mantiene inflexibles los ideales del pasado; el proletario sueña ingenuamente con la destrucción del orden social; y el universitario urde proyectos fantásticos para obtener la riqueza y la situación social propias de los que han nacido en circunstancias más afortunadas.

Sin embargo, Galdós no solamente estudia un caso individual (el de Isidora) y la sociedad en que ella funciona. También, continuando con su práctica en los *episodios nacionales* y en notable contraste con el naturalismo de Zola, atribuye a Isidora las enfermedades que afligen a la España de su época. Coincidencias de fechas —la degradación moral de Isidora tiene su principio el mismo día de la abdicación de Amadeo— y numerosas referencias culturales —al *Quijote*, a Larra,[13] a las aleluyas que motivan las bandas de guerreros juveniles, a Beethoven— sirven no solamente para establecer el ambiente cultural sino también para sugerirle al lector que Isidora simboliza una nación que, como Galdós había proclamado tantas veces en los *episodios nacionales*, no había sabido constituirse en el siglo diecinueve. Isidora, como España, sueña con una grandeza que tiene su base en una idea errónea del pasado. Perdida en un mundo fantástico, está a la vez aislada de los otros y manipulada por ellos. Isidora, como España, cree en las esencias; cree que es, sencillamente, aristócrata y «honrada». Totalmente concentrada en sí misma, quiere que el mundo externo se conforme con sus caprichos. Definiéndose por modelos novelísticos, no puede aceptar que su situación y sus acciones desmientan sus pretensiones. Ella, como España, es «una desheredada»; no recibe ninguna dirección del pasado que pueda serle útil en el presente.[14] En vez de adaptarse a las circunstancias, se aferra a la fantasía novelística, negándose a escoger entre las posibilidades prácticas (y honradas) que todavía le quedan. Galdós se separa de los naturalistas no solamente al rechazar el determinismo y al asimilar el caso individual de Isidora al tema más amplio de una nación perturbada, sino también enseña un mensaje, un mensaje de reforma de la nación y del individuo. El fracaso de Isidora, como el de España, se debe a sus propios defectos morales.[15] Su paso a la prostitución, como el desorden nacional que Galdós había atacado tan severamente en los *episodios nacionales*, ejemplifica la ley moral en que creía tan profundamente Galdós: que cosechamos lo que sembramos.[16]

La lección de *La desheredada*, lección notablemente ausente en las primeras novelas de la serie Rougon-Macquart, es la de una responsabilidad personal y nacional. Isidora, Melchor y Joaquín Pez buscan la explicación de su destino en las culpas de los otros;[17] son incapaces de un esfuerzo sostenido; esperan soluciones milagrosas para las dificultades que se han creado a sí mismos. Isidora, Galdós lo hace patente, ha escogido su camino en la vida; Miquis y Emilia de Relimpio, al contrario, toman otro rumbo. Estos reconocen los límites del individuo y de los demás; renuncian al mundo estéril de los sueños; sacrifican los placeres del momento para alcanzar una felicidad duradera y fundada en la realidad. El mensaje galdosiano no se dirige a Isidora sino a España. Los españoles, si quieren perdurar en forma de nación, deben moderar sus ambiciones; deben buscar un porvenir fundado en el trabajo y la evaluación práctica —y por eso exacta— de la realidad; deben evitar los extremos de una exaltación o de un pesimismo exagerados; deben comprender que las ideas existen solamente dentro de un contexto determinado;[18] las acciones, y no las ideologías, determinan la vida de la nación y del individuo.

Llama la atención la medida en que Galdós continúa los procedimientos de su carrera anterior. En 1870, en sus «Observaciones sobre la novela contemporánea en España», Galdós había definido la novela moderna en términos aplicables a *La desheredada*: una novela basada en la observación, cuya intriga se desarrolla con lógica y con sencillez, «la novela de verdad y de caracteres, espejo fiel de la sociedad en que vivimos».[19] En sus coincidencias con Zola —preocupación por el detalle documentado, seriedad de intención, busca de la verdad— Galdós sigue en *La desheredada* el camino que había empezado nueve años antes en los *episodios nacionales*.

453

En marzo de 1879, Galdós le anunció en una carta a Pereda su proyecto de una novela —*La desheredada*— que tendría como tema la política, no la religión.[20] En las últimas líneas de *Un faccioso más y unos frailes menos* (diciembre de 1879), Galdós declaró que conservaba los personajes de los *episodios* «para casta de tipos contemporáneos».[21] Su intento de relacionar el mundo de los *episodios* al de *La desheredada* es obvio. Se refiere en *La desheredada* a Sor Teodora de Aransis (*Un voluntario realista*) y a Juan Pipaón (segunda serie de *episodios,* passim). Los personajes de *La desheredada* tienen sus precursores en los *episodios*: los demagogos, los locos, los políticos egoístas, los proletarios bestiales. Los temas de los *episodios* son los de *La desheredada*: una vida nacional formada de ficciones, la predilección española por la forma y no por la substancia, la corrupción de la vida por valores literarios o retóricos. El mensaje de Galdós no ha cambiado: nuestras acciones influyen más en nosotros que nuestra ideología; no podemos ser de otra manera que lo que somos. Inés y Solita, las heroínas de las dos primeras series de *episodios nacionales,* escogen con plena conciencia el trabajo, la moralidad, y el sentido común. Renuncian de manera explícita al mundo estéril de la fantasía.[22] Isidora representa el otro lado de la moneda moral. Isidora se niega a trabajar; no es capaz de planear su porvenir; huye constantemente de la realidad para entrar en un mundo vacío creado por su fantasía. La consecuencia es, necesariamente, la degradación moral.

Pretender que Galdós haya adoptado en *La desheredada* —consciente o inconscientemente— los métodos de Zola es insostenible. Durante toda su carrera, Galdós reconoció a dos maestros: Balzac y Dickens.[23] Las pocas referencias al naturalismo que se encuentran en sus ensayos literarios y en su correspondencia son de una banalidad asombrosa. Así, en 1901, en su Prólogo a *La Regenta* de Clarín, Galdós declaró que el naturalismo no era más que la tradición picaresca y cervantina de la novela española, a la cual los franceses habían restado el humorismo español; el naturalismo no representaba ninguna novedad en España:

> [...] todo lo esencial del Naturalismo lo teníamos en casa desde tiempos remotos, y antiguos y modernos conocían ya la soberana ley de ajustar las ficciones del arte a la realidad de la naturaleza y del alma, representando cosas y perso-

nas, caracteres y lugares como Dios los ha hecho. Eran tan
sólo novedad la exaltación del principio y un cierto desprecio de los resortes imaginativos y de la psicología espaciada
y ensoñadora.[24]

En 1910, Galdós negó haber imitado la técnica de Zola:

> Yo creo que cuando uno es uno, aunque quiera no puede
> ser lo que otro. Yo me lo explico así. Yo sentía el arte a mi
> modo, y aun admirando mucho a Zola y haciéndome sentir
> y pensar muchos sus novelas, no se me ocurrió nunca ha-
> cerlas a su manera.[25]

¿Por qué se ha empeñado tanto la crítica en clasificar *La
desheredada* como «novela naturalista»? El origen de este error
debe buscarse en la exagerada importancia dada a las dos
reseñas escritas por Clarín al publicarse la novela y en cierta
ignorancia crítica del contexto en que escribía Clarín. Clarín
era un hombre joven, de unos veintiocho años, sin conocimiento especial del propósito de Galdós (en otra parte he demostrado su interpretación errónea de dos novelas anteriores de
Galdós, *Gloria* y *Marianela*);[26] estaba reseñando separadamen-
te las dos partes de *La desheredada* para la prensa popular.
Sus reseñas son poco más que una publicidad para la última
novela galdosiana. El entusiasmo clariniano por Zola, y su
fácil identificación del naturalismo con el espíritu moderno
en la literatura, le habrían llevado a ensalzar *La desheredada*
como obra de la nueva escuela. En la reseña de la segunda
parte de la novela, es evidente que Clarín considera *La desheredada* y el «naturalismo» armas en su campaña contra la
novela idealista.[27]

Se ha gastado mucha energía crítica en la investigación
de la supuesta influencia zoliana en la obra galdosiana. Sin
embargo, casi no existe evidencia de una deuda de Galdós
hacia el escritor francés. Más provechosa sería la investigación
del papel de *La desheredada* dentro del contexto de la totalidad de la obra galdosiana. *La desheredada* representa el desarrollo lógico de las veinte novelas históricas que la habían
precedido. Es una historia moral en la cual Galdós ejemplifica, en la España contemporánea, las mismas enfermedades nacionales que había diagnosticado en los *episodios nacionales*.

1. Leopoldo Alas, «*La desheredada*», en Armando Palacio Valdés, y Leopoldo Alas, *La literatura en 1881,* Madrid, 1881, pp. 133 y 134.

2. Walter T. Pattison, *El naturalismo español,* Madrid, Gredos, 1965, pp. 90 y 91. La referencia de Galdós a una «segunda o tercera manera» no representa su adhesión al naturalismo. No hay mención del naturalismo ni en la carta de Giner del 20 de marzo de 1882 ni en la contestación de Galdós del 14 de abril de 1882; Galdós confirma solamente que *La desheredada* representa una nueva etapa en su carrera, eso es, que no es ni *episodio nacional* ni está escrito en el estilo de *Gloria* y *La familia de León Roch.* Giner había escrito: «Creo señalar una nueva etapa en la historia de sus obras. ¡Adelante y *excelsior!* Ya no hay que hablar de *Episodios,* ni de *León Roch,* ni de *Gloria,* etc., etc. Ahora es V. el autor de *La desheredada*». Véase William H. Shoemaker, «Sol y sombra de Giner en Galdós», *Homenaje a Rodríguez-Moñino,* Madrid, Castalia, 1966, II, p. 224.

3. Robert H. Russell, «The Structure of *La desheredada*», *Modern Language Notes* 76 (1961), pp. 794-800.

4. Así, para Ruiz Salvador, la degradación moral de Isidora y de la España de 1881 es inevitable, dados los términos en que Galdós presenta la situación. Véase «La función del trasfondo histórico en *La desheredada*», *Anales Galdosianos* I (1966), pp. 53-62.

5. Véanse Eamonn Rodgers, «Galdós' *La desheredada* and Naturalism», *Bulletin of Hispanic Studies* 45 (1968), pp. 285-298; Marie-Claire Petit, «*La desheredada,* ou le procès du rêve», *Romance Notes* 9 (1968), pp. 235-243; Carmen Bravo Villasante, «El naturalismo de Galdós y el mundo de *La desheredada*», *Cuadernos Hispanoamericanos,* n.º 230 (febrero 1969), pp. 479-486; Walter T. Pattison, *Benito Pérez Galdós,* Boston, 1975, pp. 63-67; y Chad C. Wright, «The Representational Qualities of Isidora Rufete's House and Her Son Riquín in Benito Pérez Galdós' Novel *La desheredada*», *Romanische Forschungen* 83 (1971) pp. 230-245.

6. Stephen Gilman, «*La desheredada*», en *Galdós and the Art of the European Novel: 1867-1887,* Princeton, 1981, p. 127.

7. Joaquín Casalduero, *Vida y obra de Galdós (1843-1920),* Madrid, Gredos, 1961, p. 80.

8. De esas seis novelas, los personajes históricos tienen papel importante solamente en *Son Excellence Eugène Rougon* (1876). Zola, como el Galdós de los *episodios,* establece fuertes paralelos entre individuos históricos y personajes novelísticos; así, Eugène Rougon y sus secuaces tienen vidas paralelas a las del Emperador y sus dependientes. Loefectos *tremendistas* tan practicados por Zola (por ejemplo, la ejecución del idealista Sylvère en el momento de celebrar su tío su triunfo político en *La fortune des Rougon,* la quema de la casa Faujas en *La Conquête de Plassans*) tienen paralelos no

en *La desheredada* sino en la segunda serie de los *episodios*; cf. el suicidio-ejecución del Tilín en *Un voluntario realista,* las grotescas escenas de carnicería en *El Terror de 1824,* el derrumbamiento de la casa de Carnicero en *Un faccioso más y unos frailes menos.*

9. Simbolizando la España de los años setenta del siglo pasado, Isidora no es un «documento humano» sino más bien, en gran medida, una abstracción moral. Zola, al contrario, retrata no una abstracción formada de su visión de la sociedad del Segundo Imperio sino «l'histoire naturelle et sociale d'une famille sous le Second Empire».

10. Galdós ya había presentado escenas de salvajismo goyesco en *El terror de 1824* (1877) y costumbres proletarias en *Un faccioso más y unos frailes menos* (1879).

11. Hay dos referencias a la herencia en *la novela.* La primera mención ocurre en la descripción de las bandas de guerrilleros juveniles: «El raquitismo heredado marcaba, con su sello amarillo, multitud de cabezas, inscribiendo la predestinación del crimen» (*La desheredada,* Madrid, Alianza Editorial, 1967, p. 93). La segunda mención es cuando Miquis se refiere a la macrocefalia de Riquín: «¡Misterios de la herencia fisiológica!» (p. 246). Las referencias subsiguientes de Miquis a la «delirante ambición» y al «vicio mental» de Isidora establecen claramente el simbolismo moral de la anormalidad de Riquín. La «locura» de Isidora no se parece en nada a la de Marthe Mouret en *La Conquête de Plassans;* la demencia de Isidora es escogida y ofrece paralelos con la de la nación española; la de Marthe Mouret es automática, la consecuencia de factores hereditarios e independiente del ambiente y de la elección moral. En un artículo de 1886, discutiendo el sacerdote asesino Galeote, Galdós declaró que la locura del sacerdote era hereditaria; en el mismo artículo, aceptó la posibilidad de curar a los dementes, y que la ciencia no había resuelto todavía los problemas de la responsabilidad y de la locura (*Cronicón 1886-1890,* Madrid, Renacimiento, s.a., pp. 177-182). Tres años después, tratando el suicidio de Rodolfo de Austria, Galdós declaró que la ciencia no había definido con precisión «el concepto de la locura» (*Cronicón,* p. 201).

12. La crítica no ha notado la ironía de la admiración de Isidora para los aristócratas («Es la gente principal del país, la gente fina, decente, rica; la que tiene, la que puede, la que sabe», p. 79). Isidora está proyectando una visión sentimental y errónea; entre los «aristócratas» —como sabría todo lector de 1881— se encontraban prostitutas, pagadas por Felipe Ducázcal para sabotear la manifestación. Véase mi estudio «Isidora, the *mantillas blancas,* and the Attempted Assassination of Alfonso XII», *Anales Galdosianos* 19 (1984), pp. 85-107.

13. Nótense las numerosas alusiones a «La Nochebuena de 1836»: las grotescas celebraciones de la Navidad (pp. 190 y 191), las referencias al malhadado 24 de diciembre (la salida de Mariano de la

cárcel, el nacimiento de Riquín). Existen también alusiones a «El casarse pronto y mal» (Isidora emplea términos parecidos a los de la heroína de Larra, p. 270) y a «El castellano viejo» (el exclusivismo de Juan Bou, p. 281).

14. Cf. también el papel del huérfano Gabriel Araceli en la primera serie de *episodios nacionales*.

15. «Era forzoso rendirse a la fatalidad, según Isidora decía, llamando fatalidad a la serie de hechos resultantes de sus propios defectos» (p. 339). «Nuestra pobre amiga —dijo Augusto—, llevada de su miserable destino, o si se quiere más claro, de su imperfectísima condición moral...» (p. 463).

16. Cf. los castigos que reciben Monsalud y Genara por su egoísmo en *Los cien mil hijos de San Luis*.

17. Isidora acusa a su «familia» (p. 270), a su tío (p. 439) y a Dios (pp. 372 y 467). Melchor y Pez tienen más razón en culpar la educación que habían recibido.

18. Los locos Canencia y Santiago Quijano-Quijada ofrecen una mezcla de sentido común y de disparates. El lector o interlocutor debe juzgar lo que dicen, pesando el valor de cada declaración.

19. Benito Pérez Galdós, *Madrid*, Madrid, 1957, pp. 224, 225 y 240. En el mismo ensayo, denuncia el vicio moderno de la «vanidad» («el que todos queramos ser algo superior a los demás», p. 243).

20. «Ahora tengo un gran proyecto. Hace tiempo que me está bullendo en la imaginación una novela que yo guardaba para más adelante, con objeto de hacerlo detenida y juiciosamente. Pero visto el poco éxito de la última (mostrado para la tercera parte), quiero acometerlo ahora. Necesito un año y medio. Este asunto es bueno en parte político pero no tiene ningún roce con la religión». Carta de 4 de marzo de 1879, publicada por Carmen Bravo Villasante, «Veintiocho cartas de Galdós a Pereda», *Cuadernos Hispanoamericanos*, n.ºs 250-252 (oct. 1970-enero 1971), pp. 31 y 32.

21. *Un faccioso más y unos frailes menos*, Madrid, 1898, p. 321. Galdós declaró, en el segundo prólogo a la edición ilustrada de los *episodios* (1885), haber basado su retrato de los españoles del pasado en la observación de sus contemporáneos: «[...] traté de buscar la configuración, los rasgos y aun los mohínes de la fisonomía nacional, mirando mucho los semblantes de hoy para aprender de ellos la verdad de los pasados. Y la diferencia entre unos y otros, o no existe o es muy débil». (William H. Shoemaker, *Los prólogos de Galdós*, México, 1962, p. 59.)

22. Cf. la descripción de la decisión de Solita de casarse con Benigno Cordero: «La fantasía estaba cansada de su trabajo estéril, de aquella fatigosa edificación de castillos llevados del viento y descompuestos en aire como las bovedillas de la espuma, que no son más que juegos de jabón transformándose por un instante en pedrería de mil matices» (*Los apostólicos*, Madrid, 1983, p. 115).

23. «Consideraba yo a Carlos Dickens como mi maestro más amado. En mi aprendizaje literario, cuando aún no había salido yo de la mocedad petulante, apenas devoraba *La Comedia Humana* de Balzac, me apliqué con loco afán a la copiosa obra de Dickens». (*Memorias de un desmemoriado*, Madrid, 1931, p. 213.)

24. Galdós emitió una opinión parecida en su prólogo a *El sabor de la tierruca* (1882), de Pereda.

25. El Bachiller Corchuelo, «Benito Pérez Galdós», *Por Esos Mundos* 11 (julio de 1910), p. 33.

26. Véanse «Galdós, Ayguals de Izco, and the Hellenic Inspiration of *Marianela*», en Robert J. Weber, ed., *Galdós Studies II*, Londres, Támesis, 1974, pp. 1-11, y «Perspectives of Judgment: A Reexamination of *Gloria*», *Anales Galdosianos* 15 (1980), pp. 23-43.

27. Por ejemplo, en su reseña de *Haroldo el Normando* por Echegaray, Clarín definió el naturalismo como la expresión de la vida y la cultura modernas: «[...] yo no soy más que un oportunista del naturalismo: creo que es la manera adecuada a nuestra vida y nuestra cultura presente» (*La literatura en 1881*, p. 192). El naturalismo no era quizá la principal preocupación de los críticos españoles; Gifford Davis concluye que el debate sobre el idealismo y el realismo en los años setenta se condujo en términos casi idénticos a los empleados en el debate posterior sobre el naturalismo; véase Gifford Davis, «The Spanish Debate Over Idealism and Realism Before the Impact of Zola's Naturalism», *PMLA* 84 (1969), pp. 1.649-1.656.

GALDÓS: LECTURA Y CREACIÓN

Alicia G. Andreu
(Middlebury College)

Benito Pérez Galdós le escribió una carta a Ricardo Palma el 12 de octubre de 1901 [1] en la que manifiesta la gran admiración que siente por el autor de las *Tradiciones Peruanas*. Estos sentimientos se hacen sentir en el tono de intimidad y de franqueza con que Galdós expresa algunas de sus ideas, especialmente aquéllas vinculadas a sus obras en general, y a la escritura, en particular. Alaba Galdós la obra de Palma, «La lectura de sus *Tradiciones Peruanas* ha sido para mí la más grata y sabrosa que pueda imaginarse». Más adelante añade que sus obras «superan a cuanto en igual género poseemos aquí». Elogia también el gran conocimiento del lenguaje español que Palma despliega en su obra, «escribe usted el castellano con tal conocimiento del idioma y tan extraordinaria riqueza de modismos y locuciones familiares, que de ellos resulta miel sobre hojuelas».

Benito Pérez Galdós conocía a fondo la obra de Ricardo Palma. En su carta al autor de las *Tradiciones* escribe, «De veras digo a usted (y sabiendo usted lo que vale no ha de tomarlo usted a lisonja) que sus *Tradiciones* son el más rico filón que conozco de asuntos novelescos y dramáticos». Un segundo aspecto de la familiaridad de Galdós con la obra de Palma se comprueba en la presencia de varias de las *Tradiciones* en la biblioteca de Galdós localizada actualmente en Las Palmas de Gran Canaria. Presentes están *Anales de la*

Inquisición de Lima, Mis últimas tradiciones peruanas y *Ropa vieja*. Galdós parece haber sacado mucho provecho de la lectura de estas obras. En la última *tradición* mencionada, *Ropa Vieja*, (dedicada personalmente a Galdós con fecha del 30 de octubre de 1889), el autor de los *episodios nacionales* ha dejado impresas varias de sus reacciones y comentarios.[2]

La familiaridad de Galdós con la obra del escritor peruano y el placer que parece haber recibido de su lectura fueron responsables de que el autor de *Fortunata y Jacinta* concibiera la posibilidad de escribir una pieza de teatro, que estuviera basada en una de las *Tradiciones* del popular escritor peruano, «me halaga la idea de llevar al teatro español una de esas tradiciones». Entre las obras de Palma, el dramaturgo señala una en particular a ser la llamada a servirle de modelo en su nueva creación, «Amor de Madre»:

> Después de mucho cavilar, eligiendo o desechando ésta y la otra de sus *Tradiciones*, acerté a poner la mirada en un recorte de «La Prensa» de Buenos Aires, recogido y guardado por mí, no sé en qué fecha, y me encontré con su titulada «Amor de Madre», crónica de la época del Virrey Brazo de plata. Aquí está mi asunto, me dije, y en verdad que no es fácil encontrar un tema trágico de mayor intensidad.[3]

A continuación Galdós va manifestando, no obstante, ciertos sentimientos de frustración como resultado de las dificultades en obtener el fin apetecido: «Pues sí, he tratado de extraer un drama de esa cantera, pero cuantas veces he puesto mano en ello, las dificultades del asunto me han hecho retroceder espantado». Más adelante señala que: «Pero luego me acobardé, y volvieron los escrúpulos a destruir en mi ánimo los atrevimientos del dramaturgo», y, finalmente, «francamente, no me atrevo a poner manos sobre o en el asunto». Como resultado, le escribe a Palma pidiéndole que le «facilite ciertos datos locales que, seguramente, habré de necesitar» al mismo tiempo que le señala que «ha de resignarse a tenerme por preguntón fastidioso, por consultador tenaz y prolijo». En resumen, Galdós se dirige al autor de las *Tradiciones* para solicitarle sus servicios de «traductor» del texto americano: petición vana, no obstante, ya que Galdós nunca llegó a producir una obra de teatro que estuviera basada en una de las *Tradiciones* de Palma.

Pero veamos con cierto detenimiento los obstáculos que

Galdós confronta en su nueva empresa. Según el autor de los *episodios nacionales*, las barreras que le están imposibilitando el logro de su obra no están vinculadas al hallazgo de personajes apropiados, debido a que algunos de los personajes en los que se basa la *tradición* palmiana le son conocidos: «No me es difícil imaginar las figuras, netamente españolas, de virreyes y frailes, de capitanes e inquisidores», aunque subraya que el «trasplante» de estos personajes españoles al lenguaje americano debe haber determinado «alguna modificación, por lo menos de forma». Si Galdós parece no tener mayores dificultades en la conceptualización de ciertos personajes habría que preguntarse, por consiguiente, de dónde emanan sus dificultades. En las palabras del mismo escritor, la respuesta radica en el «misterio poético» del mundo literario descrito por Palma.

Es evidente que cuando Galdós se refiere al «misterio poético» no se está refiriendo a la lexicografía mencionada —virreyes, frailes, capitanes e inquisidores— sino más bien a otra marginada de esta confraternidad lingüística española, y que Galdós agrupa en tres metáforas provinientes, esta vez, del discurso americano, la «dama limeña», el «indio peruano» y la «ciudad de Lima». Sobre la primera subraya Galdós: «¿Cómo habría yo de penetrar ese misterio poético de la dama limeña, que los de acá no podemos comprender?». De la segunda escribe: «¿Y el indio, el salvaje, desconfiado y astuto..., cómo conocerle, cómo pintarle?». Sobre la última se refiere en los siguientes términos: «¿y... esa ciudad de Lima que yo me figuro más poética que [todas] nuestras [grandes ciudades]... juntas?».

Al confrontarse con el problema del «misterio poético» del texto americano, Galdós trata de encontrar soluciones que de alguna manera le faciliten su aproximación a la *tradición*. Una de ellas ya se ha mencionado, la de pedirle a Palma que le «traduzca» cierto léxico. La segunda solución la busca en la yuxtaposición de una serie de imágenes provinientes de códigos americanos al discurso español. La «dama limeña» se convierte en la «dama y mujer española» aunque con «correcciones sociológicas». El indígena peruano es el «individuo de la raza vencida». Lima es las ciudades de Toledo, Granada, Córdoba y Sevilla. El silencio final de la obra teatral galdosiana evidencia, no obstante, la futilidad de esta tentativa. La yuxtaposición del discurso español al americano puede servir, tal vez, como punto de partida y/o como impulso promotor en el proceso de creación, pero eso es todo y lo es, simplemente, porque la dinámica del lenguaje es mucho más compleja y extensa que su lexicografía.

Antes de seguir adelante volvamos brevemente a la fecha de la carta que Galdós le escribió a Palma: octubre de 1901. Que esta carta en particular haya sido escrita en este momento, y no en otro, no es ninguna coincidencia del azar. Con la llegada del siglo veinte entramos en una época distinta a la del diecinueve, una época catalogada por la crítica contemporánea con el rótulo de posmodernidad: término de por sí conflictivo pero que de alguna manera nos ayuda a situar las preocupaciones que Galdós le manifiesta al autor de las *Tradiciones peruanas*.

La época de la posmodernidad en el campo de las letras representa la entrada de la metaficción, o sea de un nuevo cuestionamiento de lo que es la literatura y el proceso involucrado en la actividad literaria. Con la posmodernidad entramos en una etapa de ensimismamiento en la que la ficción piensa en sí misma y en la función que el lenguaje desempeña en la escritura. Como ya ha señalado Michel Foucault,[4] la modernidad del siglo diecinueve, preocupada por la relación entre las palabras y las cosas, pasa a concentrarse, con la posmodernidad del veinte, en las palabras mismas, en el lenguaje.[5]

Una segunda fase de la posmodernidad literaria, íntimamente vinculada a la anterior, radica en la función del lector en la actividad de la escritura en general. Mucho se ha escrito sobre la teoría (o teorías) de la lectura. Linda Hutcheon escribe que le metaficción posmodernista «has worked to make readers aware of both its production and reception as cultural products»,[6] y que, «what is new in modern self-conscious fiction is the acknowledged involvement of the reader».[7] Las estructuras metaficcionales del texto demandan la participación activa del lector, en tanto que la familiaridad del lector con las reglas y los códigos implícitos en la obra literaria es lo que le brinda al texto su significado. En esta paradoja radica la definición del posmodernismo.

Con la carta de Galdós de 1901 entramos en la época de la posmodernidad. En ésta revela Galdós el elemento de tensión que deriva de la transición que se está llevando a cabo en las letras españolas entre el «realismo» decimonónico y el «realismo» posmodernista. En esta carta manifiesta Galdós ciertas preocupaciones, específicamente posmodernistas, vinculadas a los dos polos que componen una obra de ficción:

el «artístico» y el «estético», la creación del texto por el autor
y la comprensión del texto a través del acto de la lectura.[8]
En la carta a Palma nos encontramos con un Galdós medi-
tando y reflexionando sobre el lenguaje como uno de los elementos intrínsecos de la obra literaria. En esta carta tenemos
también a un Galdós convertido en el lector de las *Tradiciones peruanas*. A medida que va participando activamente en
el acto de la lectura va reflexionando sobre su función de lector y sobre el proceso de significación del texto palmiano: de
identificación y de interpretación de sus estructuras internas.
Como lector español intuye Galdós que no puede llevar a cabo
el acto de descifraje sin estar familiarizado con las reglas y
con los códigos que definen el discurso del texto de Palma.

El estado de autoconciencia de la escritura galdosiana se
concentra en el cuestionamiento y revalorización de la naturaleza institucional del signo lingüístico. Todo signo es la propiedad de un sistema específico: obtiene su significado en su
relación con otro signo dentro de un sistema en particular, a
través de la repetición de un signo que lo precede y con el
cual nunca puede coincidir «since it is of the essence of this
previous sign to be pure anteriority».[9] Fuera del contexto de
este sistema el signo pierde su significado. Antepuesto este
concepto a la obra de Palma se puede afirmar que los signos
del discurso español americano adquieren su definición en la
medida en que se relacionan a otros signos dentro del sistema americano. Por lo tanto, el sistema discursivo americano
no puede ser transferido exactamente al europeo sin perder
algunas de sus características esenciales en el sistema de comunicación. De ahí que cuando Galdós se refiere a la composición de la pieza teatral, mencione que hará lo posible, «aunque el transportar mentalmente al Perú agrave las dificultades inherentes a esta clase de obras de arte».

Pero, se dirán ustedes, Benito Pérez Galdós es hispano hablante; como tal, no sólo produce léxicos, frases y oraciones
portadoras de significados particulares sino que también com-
prende la semántica del español vinculada a las palabras, a
los fonemas, a los morfemas y a aquellas reglas que se combinan para producir ciertos significados. En otras palabras,
la gramática interna de Galdós es muy semejante a la gramática interna de otro hispano hablante —europeo o americano—
con pequeñas variaciones. Por consiguiente, Galdós, hablante
adulto del español, es capaz de crear o entender un número
infinito de palabras u oraciones por él nunca escuchadas.

Lingüistas como Noam Chomsky [10] han demostrado, no obstante, que las reglas gramaticales de un lenguaje revelan la existencia de un sistema lingüístico mucho más profundo y complicado de lo que originalmente se había pensado. En 1965 señala que la estructura de un lenguaje en particular puede muy bien ser determinada, por la mayor parte, por factores sobre los cuales el individuo no tiene ningún control consciente y sobre los cuales la sociedad tiene muy poca posibilidad de decidir y seleccionar. [11] Sabemos ahora, por ejemplo, que aunque dos discursos compartan un mismo sistema, en el sentido de que ambos comparten la misma morfología, fonología, sintaxis y que las diferencias dialectológicas en ambos no son lo suficientemente amplias como para incapacitar el proceso de comunicación, no comparten necesariamente el contexto lingüístico de una palabra, de una frase, de una oración: contexto que determina su significación así también como el conocimiento que un hablante tiene de su lenguaje como un factor determinante en la manera en que éste produce o interpreta una palabra, frase, etc., en particular. Michail Bakhtin confirma esta misma visión del lenguaje en su definición de la *heteroglosia*. [12] Según el crítico ruso, cada enunciado está orientado hacia un horizonte social , el cual está compuesto de elementos evaluativos y semánticos. El número de estos horizontes verbales e ideológicos es alto pero no ilimitado, y cada uno de los enunciados cae, por definición, dentro de uno de los tipos de discursos determinados por el horizonte. [13]

Como hablante del español no existe ninguna duda de que Galdós es poseedor de la competencia lingüística necesaria para lograr el descifraje del español americano. Mantiene un conocimiento pleno del nivel gramático del discurso y de su nivel semántico. Lo que limita a Galdós, no obstante, es aquello que se ha dejado de definir. El horizonte social del discurso del texto de Palma determina en este caso su individualidad y, en su relación con el español europeo, su separación. El discurso español europeo y el peruano tienen diferentes *status* y corresponden a dos diversos niveles de significación.

Tomando en consideración estos criterios podemos sugerir, entonces, que el silencio, el vacío, de la obra de Galdós revela que el significado de un texto literario no puede existir independientemente del signo que lo contiene y que el signo no puede existir independientemente del sistema al que pertenece. Aún más: lo que Galdós parece señalar en su carta a

Palma es que aunque los dos discursos comparten, en algunos casos, semejanzas sintácticas y lexicográficas que hacen posible su aproximación, en otros, estas mismas semejanzas son solamente apariencias externas y, por consiguiente, insuficientes para la comunicación. En el caso de la tradición palmiana, el uso de palabras como virreyes, frailes, capitanes, inquisidores, etc., es sólo una máscara, un disfraz, de dos discursos que parecen ser uno pero que en cierta medida no lo son. Los léxicos la «dama limeña», el «indio peruano» y la «ciudad de Lima», pertinentes al discurso peruano, se oponen al español y resisten toda posibilidad de transferencia.

Como se ha tratado de demostrar, la lectura de las *tradiciones* tiene consecuencias dramáticas para Galdós. Como lector, suple éste la función de receptor del texto palmiano a nivel de la enunciación, con lo que se encuentra implicado en el texto mismo (Galdós como un elemento adicional en la situación narrativa) pero su integración en el texto depende de la posibilidad de «aprender» a leer el texto. Su falta de familiaridad con el horizonte social del sistema lingüístico americano le imposibilita este proceso. De resultas, no sólo medita sobre el lenguaje y el acto de la lectura señalados, sino que empieza a cuestionar las nociones que hasta este momento había mantenido sobre el arte, sobre la relación del arte con el lenguaje, y, por último, sobre su propia capacidad de comprender, de penetrar, el discurso del otro. Las consecuencias de su interrogatorio, de su meditación, traerán consigo la ruptura, el desmoronamiento, de los paradigmas literarios tradicionales.

Es evidente que Galdós, al confrontarse incialmente con este problema, no quiere darse por vencido. En su carta al tradicionalista le asegura que lo hará, «aunque en esto comprometa la poca reputación literaria que he podido adquirir». Trata de encontrar soluciones que le faciliten su aproximación al texto peruano. Tarea imposible: irrealizable es la construcción de un drama basado en un discurso que le es ajeno, en un sistema de signos que no puede descifrar. En otras palabras, la escritura galdosiana se siente inmovilizada ante el discurso americano, incapacitada en su proceso de descodificación. Como lector del texto americano Galdós resulta ser un lector insuficiente, aunque no deficiente.

Lo que Galdós denomina como «misterio poético» abarca, por consiguiente, todos los elementos lingüísticos que componen el complejo sistema del discurso americano, con los cuales él no se siente totalmente seguro, «¿Cómo ver?», lamenta Galdós, «con los ojos que no han visto?» *Ver*, sinónimo de comprensión, de familiaridad, con un sistema que le es ajeno. Con esta pregunta, cuestiona Galdós la posibilidad de formular una obra literaria sin tener un conocimiento cabal de toda la maquinaria que compone la compleja y difícil dinámica del discurso americano.

NOTAS

1. Galdós y Palma se escribieron, entre los años 1901 y 1907, un total de cuatro cartas. Copias de esas misivas, para ser publicadas en el próximo número de *Anales Galdosianos*, fueron obtenidas de los archivos de la biblioteca de Benito Pérez Galdós localizada en la Casa-Museo Galdós de Las Palmas de Gran Canaria. La carta escrita por Galdós, fechada el 12 de octubre de 1901, ha sido publicada, con ligeras variantes, por Joseph Schraibman, «An unpublished letter from Galdós to Ricardo Palma», *Hispanic Review*, XXXII (1964), pp. 65-68. De las tres cartas escritas por Palma, sólo una, la del 25 de agosto de 1903, ha sido publicada como parte de sus *Tradiciones Peruanas Completas*, ed. Edith Palma (Madrid, Aguilar, 1964) 1548. Las dos cartas restantes de Palma datan del 23 de noviembre de 1901 y del 7 de enero de 1907.

2. En el Índice de esta obra escribió, «El Rosal de Rosa». Al margen de una variedad de páginas se encuentran, asimismo, varias indicaciones escritas a puño y letra de Galdós: «Sastre y Sison. Dos parecen y uno son» (p. 1), «Pasquin y contra-Pasquin» (p. 5). En la página 8 vuelve a repetir, «El Rosal de Rosa» y en la página 10, «El capitán Zapata». Bastante marcadas también están la sección del «Refranero» (pp. 16-19), la del «Motín de limeñas» (pp. 19-21), la de «La Ovandina» (pp. 21-23), la de «La gran querella de los barberos» (pp. 23-26) y la de «El pleito de los pulperos» (pp. 65-67).

3. Carlos Miró Quesada Laos confirma la selección de la *tradición*, «Amor de madre», crónica del tiempo del Virrey don Melchor Portocarrero. *De Santa Rosa de Lima*, Lima 1958, pp. 95 y 96. Véanse, asimismo, los comentarios que sobre el respecto hace Robert Ricard en su reseña, «Otra vez Galdós y Ricardo Palma», *Anales Galdosianos* VII, 1972, p. 135.

4. Michel Foucault, *Las palabras y las cosas*, tr. Elsa Cecilia Frost, Barcelona, Planeta-De Agostini, 1984.

5. Roland Barthes subraya lo mismo: «l'oeuvre la plus "réaliste" ne sera pas celle qui "peint" la réalité, mais qui, se servant du monde comme contenu [...] explorera le plus profondément possible la réa-

lité irréelle du langage». «La Littérature, aujourd'hui», *Essais critiques*, París, Seuil, 1964, p. 164.

6. Linda Hutcheon, *Narcissistic Narrative: The Metaficional Paradox*, Nueva York, Methuen, 1984, XIII.

7. *Ibíd.* p. 47.

8. Wolfgang Iser señala que, «From this polarity it follows that the literary work cannot be completely identical with the text, or with the realization of the text, but in fact must be halfway between the two». «The Reading Process. A Phenomenological Approach», *New Literary History*, 3, Winter, 1972, p. 279. La lectura es un comentario sistematizado del texto, el cual se logra en el acto de nombrar involucrado en la lectura. Los significados nombrados nos orientan a otros nombres, los cuales son también nombrados y así *ad infinitum*, «names call to each other, reassemble, and their grouping calls for further naming: I name, I unname, I rename: so the text passes: it is a nomination in the course of becoming, a tireless approximation, a metonymic labor». Roland Barthes, *S/Z*, tr. Farrar, Straus and Giroux, Inc., Nueva York, Hill and Wang, 1974, p. 11.

9. Paul De Man, «The Rhetoric of Temporality», *Interpretation: Theory and Practice*, ed. Charles S. Singleton, Baltimore, The Johns Hopkins Press, 1969, p. 190.

10. *Syntactic Structures*, La Haya, Mouton, 1957.

11. Noam Chomsky, *Aspectss of the Theory of Syntax*, Cambridge, The MIT Press, 1965, p. 59.

12. Véase la obra de Michail Bakhtin, *The Dialogic Imagination*, ed. Michael Holquist y tr. Caryl Emerson y Michael Holquist, Austin, University of Texas Press, 1981.

13. Tzvetan Todorov, *Michail Bakhtin. The Dialogical Principle*, Minneapolis, Univ. of Minnesota Press, 1984.

EL NATURALISMO DE PÉREZ GALDÓS

Ignacio Elizalde
(Universidad de Deusto, Bilbao)

No es de extrañar que en España el primer artículo que discute el naturalismo no le llame por su nombre y el autor suponga que Zola es desconocido al sur de los Pirineos. Fue Charles Bigot, corresponsal en París de la *Revista Contemporánea,* quién revela a los españoles la existencia de Zola, en un artículo del 30 de abril de 1876. El primer crítico español que se alista en el naturalismo parece ser Felipe Benicio Navarro que colabora en la *Revista de España.* En 1879 nos dirá que «las corrientes realistas, o si se quiere naturalistas, hoy están de boga». Y en su afán de encontrar un autor español, al nivel de esta última moda, se fijará en Pereda, aplicándole el mote de naturalista. Pereda reacciona vigorosamente contra la designación de naturalista, en el Prólogo de *De tal palo, tal astilla.*

El naturalismo no gana mucho terreno en España, antes de 1880. Habrá que esperar hasta este año para encontrar traducciones de las novelas francesas naturalistas. Los españoles, con excepción de algunos críticos, ignoran el naturalismo literario, hasta 1879 o 1880.

En España había una corriente científica y librepensadora que regía entre los jóvenes españoles, antes de la aparición del naturalismo literario, y que facilitaría la acogida de éste en España.

Pero también había otra corriente puramente literaria que

tendía al mismo fin. El costumbrismo, con su observación directa de los tipos y su estilo cada vez más realista culmina en la obra casi naturalista de Pereda. Galdós también tiene mucho de costumbrismo en los retratos de personajes, semejantes a los tipos o «fisiologías» de Zola. Las descripciones de Pardo Bazán y especialmente de Blasco Ibañez, en sus novelas valencianas, toman su procedimiento de las escenas mencionadas. El costumbrismo contribuye mucho a las novelas naturalistas.

La orientación hacia el estudio analítico es el primer aspecto de este naturalismo. Se nota especialmente al ponerse en boga las «fisiologías», en las que se analizan las características de un tipo de la sociedad contemporánea, empleando humorísticamente la terminología científica de la botánica o de la zoología.[1]

Lo que diferencia la observación del costumbrista de la del novelista es la insistencia sobre lo típico, en lugar de lo personal o individual, según Pattison.[2]

En la España de la primera mitad del siglo XIX, la realidad era una cosa regional y su descripción tenía que insistir en el color local. Un detalle de este realismo regional es el acercamiento al lenguaje hablado y el abandono paulatino de la imitación de los clásicos. Es un estilo realista que anuncia la técnica de Pereda y que daría motivo a Galdós para declarar al montañés «porta-estandarte del realismo literario» e incluirle entre los naturalistas.

Otro punto de contacto entre este costumbrismo y naturalismo, según Pattison,[3] será su actitud frente a la picaresca. Varias veces declaran los discípulos de Zola en España que éste no es el verdadero iniciador del movimiento, sino que tuvo su origen en la novela picaresca. Galdós nos dirá que las formas francesas del realismo no «ofrecen, bien miradas, novedad entre nosotros, no sólo por el ejemplo de Pereda, sino por las inmensas riquezas de este género que nos ofrece la literatura picaresca. Esto se escribió en 1882, cuando todavía no se habían formado ideas muy claras acerca del naturalismo. Pero Galdós sostendrá lo mismo 20 años más tarde. Insiste en que el naturalismo «no significa más que la repatriación de una vieja idea». Se refería principalmente a la picaresca.

Para la crítica moderna hay un abismo entre el naturalismo y la novela picaresca. Galdós mismo nos dirá que «el naturalismo cambió de fisonomía en manos francesas: lo que perdió en gracia y donosura, lo ganó en fuerza analítica y en extensión, aplicándose a estados psicológicos que no encajan fácilmente en la forma picaresca».[4]

Pero si se admite que el naturalismo es, en parte, una continuación del costumbrismo (como nota Galdós), hay que tomar en cuenta la actitud de los escritores de costumbres con respecto a lo picaresco. En la novela española naturalista se encuentran elementos picarescos que es forzoso relacionar con el costumbrismo. Galdós, al principio y al fin de *El amigo Manso*, hace alusiones al diablo cojuelo.[5] En *El doctor Centeno* las relaciones entre Celipín y Agustín Miquis recuerdan las de Lazarillo y el escudero.

Otra característica del naturalismo es la falta de argumento complicado y la «abundancia de pormenores filigranados con admirable minuciosidad y arte exquisito», afirma Pardo Bazán, como se nota en las obras de Pérez Galdós, Zola y Daudet. La escritora gallega se lanza a un encomio de *La desheredada*, obra recientemente aparecida, y hasta entonces la única novela naturalista escrita en español. Aunque le parece excesiva la extensión de la obra, elogia la manera, según la cual, Galdós presenta asuntos escabrosos sin emplear palabras ofensivas y su talento magistral en «la expresión de sentimientos y pasiones». No censura la observación paciente, minuciosa, exacta... Desaprueba, como yerros artísticos, la elección sistemática y preferente de asuntos repugnantes o desvergonzados, la proligidad nimia, y a veces cansada, de las descripciones. En resumidas cuentas, Pardo Bazán arguye a favor de una componenda, un justo medio entre la doctrina naturalista y la literatura del pasado, como la *Celestina* y el *Quijote*.

Al mismo tiempo que apareció *Un viaje de novios*, en el invierno de 1881-1882, el Ateneo de Madrid reconoció la existencia del naturalismo y apadrinó un debate sobre este tema en la Sección de Literatura y Arte.

En su discurso en el Ateneo, Clarín afirma que no cree existan dramas naturalistas, ni que sea fácil que esta forma se adapte a la nueva estética. Entre los generosos intentos alaba la pieza de Ayala, *Consuelo*. Sus elogios más calurosos se dirigen a Galdós, citando especialmente *La desheredada*.

Otro principio de Zola es la impersonalidad del autor, quien, exactamente, como el hombre de ciencia, observa, anota la realidad, llegando así a una transcripción verdadera de la vida.

Según Vidart, Pardo Bazán hace una «profesión de fe realista o naturalista», en el prólogo de *Un viaje de novios*, aceptando sin reservas que la novela debe ser un estudio serio y que el autor debe ser más bien observador impersonal que creador. Su novela es «una novela de costumbres del género naturalista», donde se puede observar la presión determinista no de la herencia, sino de las costumbres sociales. Vidart proclama que toda novela de costumbres «o es naturalista o no es novela de costumbres». Y revela la latitud de su concepto del naturalismo, citando como miembros de la escuela a Thackeray, Dickens, Galdós, Valera, Alarcón y Pereda. Además ya era naturalista Cervantes, no sólo en ciertas *Novelas ejemplares*, sino también en el mismo *Quijote*. Vidart tiene una idea bastante clara de lo que es el naturalismo, pero poca habilidad en la aplicación de esta idea a los juicios particulares. Sin duda quería incluir tantos autores como fuera posible en su lista para mayor importancia de la escuela que él favorecía.

Cuando salió *La desheredada*, el naturalismo no contaba con gente de reputación establecida, salvo en el caso excepcional de Benito Pérez Galdós. De ahí la inmensa importancia de Galdós para la nueva generación. Citemos algunos elogios.

Clarín se apresuró a aclamar la novela en la que veía un ejemplo de naturalismo templado.

> Sin las exageraciones teóricas, y menos las prácticas de este autor [Zola], Galdós ha estudiado imparcialmente la cuestión y ha decidido, para bien de las letras españolas, seguir en gran parte los procedimientos y atender a los propósitos de ese naturalismo tan calumniado como mal comprendido [...] Considero que debe ser bendito y alabado el cambio sufrido por Galdós en su última novela, *La desheredada* [...].[6]

Galdós mismo, en una carta a Francisco Giner de los Ríos, del 12 de abril de 1882, confiesa que ha cambiado:

> Efectivamente, yo he querido en esta obra entrar por nuevo camino o inaugurar mi segunda o tercera manera, como se dice en los pintores.[7]

La sospecha de Clarín de que Galdós haya estudiado la cuestión se confirma con el escrutinio de la biblioteca particular de don Benito, en la cual se encontraban seis novelas de Zola, todas publicadas en 1878. También se da cuenta Luis Alfonso del naturalismo galdosiano. Ya había notado indicios del cambio en *La familia de León Roch.*

> Esta idea, lo diré pronto y claro, es que el insigne novelista se aprovecha de Zola. «Se aprovecha» he dicho, porque a mi entender, esta es la frase que mejor traduce mi pensamiento [...]. Significa, pues, lo dicho que Pérez Galdós ha leído y estudiado a Zola [...].[8]

Luis Alfonso, que mostraba bastante prevención contra el naturalismo, distingue entre el movimiento y el autor de *El amigo Manso,* cuando alaba a éste mientras halla defectos en la escuela. «Galdós —afirma— se ha prendado de la escuela naturalista por lo que tiene de bueno, de bello y verdadero, y entra en ella, no a la zaga de nadie, sino por su propio impulso [...]».[9]

No cabe duda de que Galdós se alistó en el nuevo movimiento con los jóvenes escritores. Así no nos sorprende ver su nombre asociado a ellos entre los redactores de una revista, *Arte y Letras,* que representa la tendencia naturalista. En el primer número (1882) forman la redacción Benito Pérez Galdós, Leopoldo Alas, Armando Palacio Valdés, Eugenio Sellés y José Yxart. Aunque Galdós ocupa el puesto de honor a la cabeza de la lista, nunca colaboró en esta publicación.

Las alabanzas a Galdós llegaron a su apogeo en el banquete que le dieron a título de homenaje, tributo ideado precisamente por el grupo de jóvenes naturalistas o simpatizantes del movimiento.

En resumen, podemos constatar que la novela naturalista española fue fomentada por un grupo de jóvenes que comenzaron a formarse bajo la influencia del krausismo y especialmente del librepensamiento, producto de esa filosofía. Y habían encontrado un campeón de sus actitudes liberales en el autor de *Gloria* y *La familia de León Roch.*

Los galdosianos, generalmente, se niegan a ver influencias extranjeras en la obra de Galdós. Se sabe que el novelista canario afirmó que Zola no había influido en él: «Yo sentía el arte a mi modo, y aun admirando mucho a Zola y haciéndome sentir y pensar mucho en sus novelas, no se me ocurrió nunca hacerlas a su manera». Más tarde había de negar semejanzas con Ibsen y con la literatura rusa. El conocimiento de tal autor extranjero sirve tan sólo de catalizador para enfocar ideas ya existentes en Galdós. Así la idea del determinismo ambiental la expresó ya en 1870.

Galdós consideraba la mezcla armónica de naturalismo e idealismo como el *desiteratum* literario. Hay un cambio notable entre *Lo prohibido* (1884-1885), la más zolaísta de sus novelas, y *Fortunata y Jacinta*(1886-1887), donde encontramos un naturalismo espiritual evocador de *La guerra y la paz*. En 1884, se tradujo esta novela al francés, y esta edición se hallaba en la biblioteca particular de don Benito, con muchos pasajes marcados. No cabe duda que la novela rusa dio nueva orientación al naturalismo de la obra maestra galdosiana.

No se ha hecho destacar la relación entre el naturalismo moderado, con su ideal de un justo medio entre el naturalismo y el idealismo, y la nueva corriente espiritualista. Dentro de la fórmula adoptada por casi todos los literatos españoles no hacía falta más que un pequeño cambio de acento para llegar al naturalismo espiritual. Este paso fue dado en *La incógnita* y *Realidad*, donde Galdós nos muestra que las fuerzas deterministas —herencia y medio ambiente— no bastan para explicar las acciones humanas. El movimiento hacia la espiritualidad puede considerarse, hasta cierto punto, una evolución indígena de tendencias nacionales.

Los críticos vieron en *La incógnita* y *Realidad* algo como una renuncia a la fórmula estrecha del naturalismo. Los contemporáneos vieron claramente la nueva orientación galdosiana. Ortega y Munilla nos dice de *La incógnita:* «da novela que acaba de publicar Galdós presenta una nueva fase en el vario y extensísimo talento de su autor».[10]

Clarín aprovecha la ocasión, al publicarse *Realidad*, para entrar en consideraciones sobre el puesto actual del naturalismo y las nuevas tendencias religioso-psicológicas. Las nuevas corrientes —afirma— no van contra lo que el naturalismo afirmó y reformó, sino contra sus negaciones, contra sus límites arbitrarios. Compara a *Realidad* con la novela psicológica de Bourget. *Realidad* —dice— es el drama interior y psicológico de las vidas que se presentaron en forma de novela de costumbres, en *La incógnita*.

También Luis Alfonso reconoció algo nuevo en *La incógnita* y *Realidad*. «El gran novelista español ha dado un nuevo giro, el tercero, a su manera de novelar».[11]

Cuando apareció *Ángel Guerra*, los críticos hicieron destacar el elemento psicológico del libro. Pardo Bazán encuentra en la novela un misticismo y fe que «parece proceder de alguna de las mejores inspiraciones de Tolstoy».

En las reseñas de obras subsecuentes de Galdós, los elementos religiosos y psicológicos siempre ocupan un lugar importante. Hablando de *Torquemada en la cruz*, Clarín nos dirá que su amigo

> [...] llega en estos últimos años a un nuevo modo de idealidad combinada con su peculiar realismo, y va dejando la pintura puramente artística, imparcial, de la vida ordinaria, para preferir lo excepcional, significativo y preocuparse con los grandes asuntos del misterio transcendental, de su aspecto religioso [...].[12]

«La desheredada»

La desheredada, «el gran proyecto», que anunciara a Pereda, es un relato que constituye por sí sólo un elocuente paradigma de lo que se ha llamado naturalismo galdosiano. Por eso vamos a dedicar a esta novela más extensión.

En *La desheredada*, su autor no duda en transigir en algunos aspectos con la escuela naturalista, en la que ve rumbos prometedores para la novela española. El naturalismo aquí está concebido como una técnica. La forma mitigada de novela experimental que ensayó Galdós arrastra una dosis de espiritualismo que trasciende los moldes estrechos de Zola. Al trazar *La desheredada*, siguiendo un esquema de contrastes entre realidad y símbolo, sensatez y locura, historia y ficción, que en juego antitético estructura su condición dualista, según Mariano López,[13] el autor deja ver las coordenadas y el significado pleno de la obra.

Las dos grandes aportaciones introducidas por Zola en la escuela naturalista fueron el estudio de la herencia —consecuencia de las investigaciones en biología y de la hipótesis transformista— y el estudio del medio, consecuencia del análisis histórico. Galdós, en *La desheredada*, realiza un estudio sobre la herencia y sobre el medio social, en el cual se mueve Isidora, la protagonista de la novela. Pero, al mismo tiempo, estudia el ambiente de la sociedad madrileña por los años 1871-1877, época importante en la historia de España y en la vida de Galdós, tema de numerosas novelas del autor. Y encontrará un simbolismo entre la vida de Isidora y la historia de España, dándole así a la novela un nuevo nivel de significación, ajeno a Zola.

La novela tratará de la excesiva ambición de la protagonista, como secuela de la locura en sus variadas formas. Galdós nos da acceso al mundo imaginario de la novela, haciéndonos pasar previamente por un manicomio, en el que encontraremos un cuadro clínico de la locura, en sus formas más desbordadas. Con este mundo complejo no se pretende sentar precedentes hereditarios que influyen sobre el obrar de los personajes, sino crear un ámbito simbólico y espiritual para la acción de la novela. No le movía al autor, en su visita a este manicomio de Leganés, el cientismo determinista, ni el deseo de estudiar las enfermedades mentales para convertir la novela en diván de psicoanalista, al estilo de Zola. Galdós supera el prurito pseudocientífico de Zola y su deseo es auscultar las palpitaciones humanas para darles una nueva dimensión histórica y de símbolo.

Se puede llegar a pensar que el suicidio o muerte moral de Isidora es efecto de un determinismo ineluctable con origen en antecedentes hereditarios, concretamente en la locura de su padre. Pero esto no es más que apariencia. Los desajustes psíquicos de Isidora tienen origen en la conducta irresponsable de su padre y en la suya propia, no en un contagio hereditario. Como el autor no cree en inexorables signos hereditarios, pasa por alto la actuación irresponsable del loco Rufete para estudiar el proceso degenerante de Pecado, y, sobre todo, de Isidora.

La joven protagonista, aunque soñadora y extravagante, tiene un alma generosa y, en ocasiones, noble y no vive completamente fuera de la ley moral. Isidora es moralmente culpable. Por eso sus caídas hay que medirlas, según el módulo de la persona humana, del que son parte fundamental la libertad y la responsabilidad.

Por eso el autor trata de facilitar cables a Isidora que le unan con los valores éticos de la razón y de la convivencia social. Por ejemplo, Miquis, el médico, hombre práctico, que le da buenos consejos. Como pretendiente ofrece a Isidora un amor sincero que pudo haber sido la raíz moral de su vida. Pero ella lo subestima y lo rechaza. Más tarde, en funciones de médico, el consejo sabio de Miquis llega rebosando prudencia y humanidad. Defiende que antes que leyes químico-orgánicas están las leyes vitales. Piensa que «el mundo se pudriría si le faltara en su momento el desinfectante de la virtud».[14] Este humano personaje aconseja a la pobre heroína que busque la salvación en la vuelta a la realidad.

La familia de Emilia sería la antítesis de la vida de Isidora que no tiene ni bondad ni seguridad. Miquis desea salvar a Isidora y quiere elevarle a ese medio positivo y ejemplar de la vida de Emilia. Isidora ve la posibilidad de una nueva vida.

> Y véase aquí la eficaz influencia del medio ambiente. A los tres o cuatro días de estar allí, el espíritu de Isidora se adaptaba mansamente a la regularidad placentera de la casa, a la poca luz, al olor de badana, a la vista de los feos objetos y notaba en sí una tranquilidad, un gozo que hasta entonces le fueron desconocidos.[15]

Es el caso de *L'Assommoir*, pero al revés. La influencia del medio, de que habla Zola, pero en un aspecto positivo y pedagógico.

En otra ocasión en que Miquis le reprende porque ha contravenido sus instrucciones, en su loco descenso, hacia la degradación, le contesta desmoralizada: «no me he de curar, ni quiero curarme».[16] Aquí aparece el dominio de su voluntad contra un determinismo naturalista.

No sólo del exterior, de Miquis, le viene a Isidora la advertencia del peligro que corre. También le vendrá del intramundo de la conciencia, porque no es la protagonista enteramente mala. En el capítulo XX, Isidora oye lo íntimo del subconsciente, una voz de su conciencia que le pone en guardia del peligro, lo mismo que Miquis. En este monólogo interior, diríamos que la conciencia de Isidora es la misma conciencia de Galdós.

Lo que decide el sino de Isidora no son las leyes de herencia, ni las emanaciones del medio ambiente. En su aventura siempre se le ofrece la posibilidad de elegir con acierto. No tiene lo más mínimo de razón cuando grita: «Dios no quiere favorecerme, Dios me persigue, me ha declarado la guerra [...]. Como Dios me abandona, yo me vendo».[17] Llama fatalidad «a la serie de hechos resultado de sus propios defectos».[18] A Isidora le perderá el exceso de libertad al pisotear los valores éticos y buscar compasión en la vida de prostíbulo, el nuevo narcótico de su vida.

No hay duda de que por encima de las complejas circunstancias en que vive la protagonista: condicionantes socioeconómicas, pasiones desbordantes e interferencias de otros personajes, la libertad individual y la persona humana de Isidora siempre quedan a flote. Frente al personaje ético irresponsable de Zola los de Galdós descansan sobre el concepto filosófico del hombre, como ser moral, consciente de que en el ejercicio de su voluntad se juega su propio destino.

Es verdad que en la novela hay algunos caracteres bajo especie animal. Pero la visión de estos caracteres está articulada en un contexto de valores humanos que la trasciende.

Podemos decir que en el caso de Pecado, el proceso degenerador que le convierte en profesional del crimen no obedece a una concepción materialista de la vida. Galdós sabía bien la dosis de determinismo que podía permitir en la novela. Y señalaba los factores sociales como condicionantes de su comportamiento, en concreto, el ambiente del suburbio y, sobre todo, su inadecuada educación. Pecado no es un personaje de la fauna social de Zola. El personaje galdosiano no está desprovisto de sentido moral.

Claire N. Robin[19] advierte otro aspecto naturalista de la obra de Galdós: su abundante teratología. Parece que los locos apasionan a Galdós no solamente porque viven en un mundo coherente, parecido al nuestro, sino porque no obedecen a las mismas reglas. Lo observamos ya en *La desheredada*:

> La movilidad de sus facciones y el llamear de sus ojos, ¿anuncian exaltado ingenio, o desconsoladora imbecilidad? No es fácil decirlo, ni el espectador, oyéndole y viéndole, sabe decidirse por la compasión o la risa.[20]

En *La sombra,* Galdós había subrayado la ambigüedad y la ambivalencia posible en estos locos. Galdós juega hábilmente con muchos de sus personajes, en los que es difícil distinguir entre la locura y la razón.

Otro aspecto muy propio del naturalismo es la presencia del médico. No del médico que cuida del enfermo, sino como intérprete de la realidad. Pascal es el intérprete de Zola, el que explica las diferentes fases de la decadencia fisiológica y mental de la familia de Rougon-Macquart. Augusto Miquis, médico, será en *La desheredada* testigo-intérprete de la patología de Isidora. Pero a diferencia del doctor Pascal, será un personaje normal y ejemplar, ideal galdosiano de la burguesía.

Por otro lado, hay que señalar que *La desheredada,* considerada en su dimensión colectiva, rebasa la esfera de lo ficticio y de lo individual, para incidir en lo nacional y nutrirse del dato histórico y del símbolo. Esta propensión al recurso histórico y al símbolo es uno de los aspectos más significativos del naturalismo galdosiano que lo distingue del de Zola. Algunos críticos afirman que *La desheredada* debe ser contemplada como imagen de España y responde, en gran parte, a insinuaciones de tipo histórico.[21] Lo que significa que es necesario conocer la historia contemporánea de ésta para comprender la novela.

Bajo este punto de vista la pequeña aventura de Isidora cobra profundidad y significación al proyectarse sobre el amplio cuadro de España que siguió a la Revolución de Septiembre.

El contexto histórico le da pie al autor para una constante denuncia nacional. José F. de Montesinos, uno de los que mejor ha interpretado la novela en sentido histórico-simbólico, escribe:

> *La desheredada* es dos cosas a la vez: un estudio de carácter femenino admirable de exactitud y justeza y una nueva indagación en los problemas de la paranoia hispánica.[22]

Montesinos añade que Galdós, como Cervantes, viene a decirnos: no enfrentarse con la realidad tal como es, empeñarse en plegarla a los caprichos del ensueño, equivale a quitar a la vida todo su sentido.

El mal de España, como el de Isidora, está —en opinión de Galdós— en creerse lo que no es. El lento proceso de su locura, que viene operando de siglos atrás, es obra colectiva de los españoles. No sucede lo mismo con otros personajes de la novela, difíciles de identificar. Predomina en ellos su condición de símbolo, como en el caso de don Manuel José Ramón del Pez, a quien el escritor le describe irónicamente en el capítulo *Los peces (sermón)*, donde emplea la técnica de panegírico de expresividad exacerbada. Este «ilustre jefe» de los Peces «más que hombre es una generación y más que personaje es una casta, una tribu, un medio Madrid, cifra y compendio de una media España».[23] El medio de *La desheredada* es Madrid, ese Madrid donde la vieja aristocracia ha sido sucedida por una nueva burguesía adinerada que, en penoso éxodo, ha llegado de los pueblos a la capital.

En *La desheredada* (Isidora) España vuelve a sucumbir.

Ñoña y frívola, pero con indudable nobleza (la Historia de España desde la revolución del 68 hasta el asesinato de Juan Prim), empieza a perder su estatura moral con la llegada de la primera República. En esa noche del 11 de febrero de 1873, Isidora decide su destino, como advierte Ruiz Salvador, en la calle del Turco. Al hacer que la Rufete se lance en los brazos de su primer amante, en la calle del Turco, está recreando la escena del asesinato de Prim en la misma calle, donde está «escrita la página más deshonesta de la historia contemporánea».[23] La relación Isidora-España queda más apuntalada: si el asesinato de Prim precipitó a España de la revolución del 68 en la anarquía, el «suicidio» de la Rufete (título de un capítulo) la hundirá en la prostitución. En el final de La desheredada, la España a quien degeneran sus manías de grandeza y una serie de amantes cada vez de peor estofa, ha perdido toda su dignidad. «En un final, concluye Ruiz Salvador, en que la destrucción es tan total, como irremediable, Galdós ha reunido la profecía histórica con el determinismo naturalista».[24]

El Galdós anterior a La desheredada actúa como médico de cabecera de la enclenque nación española. Pero desde 1881, muy consciente del empeoramiento de la salud nacional, Galdós está muy cerca de desahuciar al paciente que no sigue sus consejos médicos. De la mano del naturalismo, el médico de cabecera se convierte en cirujano forense, y La desheredada, que tanto se parece a una autopsia literaria, presenta fría y científicamente la Historia clínica de España. Sólo la dedicatoria de la novela presenta una esperanza de salvación. Cuando «curanderos y droguistas» (filósofos y políticos) han fracasado en sus diagnósticos y recetas, cuando el «infeliz paciente» agoniza sin remedio, Galdós acude «a los que son o deben ser sus verdaderos médicos: a los maestros de escuela».

No cabe duda de que la España del siglo XIX, con sus manías de grandeza y cándido anacronismo, esta siendo víctima de una alienación profunda. En el sentido simbólico de La desheredada, hay una visión noventayochista de aquella España que al no acertar a administrar su pasado glorioso, sufre el fracaso de sus ideales que le lleva a su indigencia espiritual.

En esta síntesis de realidad y fantasía, de historia y ficción, los elementos naturalistas están frenados por un potente espiritualismo. El naturalismo y el espiritualismo, dos grandes fuerzas antitéticas, ya no son signos de oposición irreductible, en esta novela, sino que confluyen en el realismo trascendido y humano de Pérez Galdós.

NOTAS

1. Esta clasificación pseudocientífica continúa en uso hasta la época de *Fortunata y Jacinta*. Los amigos de Maxi Rubín reciben apodos de *Quercus gigantea* y *Ulmus sylvestris*.

2. Walter T. Pattison, *El naturalismo español*, Madrid, Gredos, 1965, p. 30.

3. *Op. cit.*, p. 32.

4. Prólogo de *La Regenta*, segunda edición.

5. *El amigo Manso*, caps. 1 y 50.

6. *El Imparcial*, 9·V·1881.

7. *La Lectura*, XX (1920), part. I, p. 254.

8. *La Época*, 7·XI·1881.

9. *La Época*, 28·VIII·1882.

10. *El Imparcial*, 14·X·1889.

11. *La España Moderna*, III, 1890, p. 143.

12. *El Imparcial*, 22·I·1894.

13. Mariano López, «El naturalismo galdosiano de *La desheredada*», en *Perspectivas sobre la novela*, Ebersole, Valencia, 1979, p. 14.

14. OC, t. I, Madrid, Aguilar, 1973, p. 1.008. Las citas serán de esta edición.

15. *Op. cit.*, p. 1.022.

16. *Op. cit.*, p. 1.050.

17. *Op. cit.*, p. 1.020.

18. *Op. cit.*, p. 1.062.

19. *Le naturalisme dans «La desheredada» de Galdós*, París, 1976, p. 27.

20. *Op. cit.*, p. 1.072.

21. José Schraibman, en «El ecumenismo de Galdós», en *Hispania*, 53 (1970), p. 881, hace notar que «el realismo español, a la par que el realismo europeo es esencialmente histórico».

22. *Galdós*, t. II, Madrid, Castalia, 1969, p. 2.

23. *Op. cit.*, p. 1.060.

24. Antonio Ruiz Salvador, «La función del trasfondo histórico», en *Anales Galdosianos*, p. 57.

Emilia Pardo Bazán

DE «LA CUESTIÓN PALPITANTE» A «LA TRIBUNA»: TEORÍA Y PRAXIS DE LA NOVELA EN EMILIA PARDO BAZÁN

Nelly Clemessy
(Universidad de Niza)

En octubre de 1882, Emilia Pardo Bazán acaba su tercera novela: *La Tribuna,* al mes siguiente *La Época de Madrid* empieza a publicar *La cuestión palpitante.*[1] Tal coincidencia no es fortuita. En su estudio fenomenológico del realismo y del naturalismo ultrapirenaico, la autora rechaza la filosofía naturalista pero defiende a Zola elogiando su genio artístico, valora además entre otras, la obra de Flaubert, Les Goncourt, Daudet. En esta fecha, D.ª Emilia considera oportuno inspirarse en la corriente francesa sin disimularlo y predica con el ejemplo en *La Tribuna.*[2] Intentaré examinar pues como, en este caso concreto, la escritora ha pasado de los juicios críticos a la práctica.

Al elegir como objeto principal de *La Tribuna* el estudio de la clase obrera de Marineda, o sea La Coruña, Pardo Bazán sigue el ejemplo francés y particularmente a Zola en *L'Assommoir.* El título de la obra centra el interés en la protagonista. Dos hilos estructurales se entrelazan en la narración: el político y el amoroso. Amparo, joven y fogosa cigarrera, encabeza en la Fábrica de Tabacos el movimiento republicano federal, y su actuación le merece la apelación de «Tribuna del pueblo», por otra parte, es cortejada por Baltasar, hijo de ricos burgueses. Cede al seductor con promesa de matrimonio que no se cumple. Al final de la novela, a la cigarrera abandonada le nace un hijo.

En el prólogo de su novela, la autora declara su adhesión:

485

«al método de análisis implacable que nos impone el arte moderno [...]»,[3] se sitúa así en la línea científica naturalista. Sin embargo, cabe precisar que en *La cuestión palpitante*, toma sus distancias frente al cientifismo de Zola a quien reprocha respecto a la novela una actitud semejante a la del hombre de ciencia. Su propia actitud no es doctrinal, se deduce de la definición que da del naturalismo al final de *La cuestión palpitante*, lo considera como método más que como escuela: «un método de observación y experimentación que cada cual emplea como puede».[4]

En *La Tribuna*, utiliza como base de su estudio una observación y documentación rigurosas. Según lo escribió en sus *Apuntes autobiográficos:*

> Dos meses concurrí a la Fábrica mañana y tarde, oyendo conversaciones, delineando tipos, cazando al vuelo frases y modos de sentir.[5]

Para la trama histórica, habló con antiguas cigarreras que vivieron la época revolucionaria y se procuró también periódicos federalistas locales. Por fin, refrescó los recuerdos de la ciudad nativa, tal como estaba en 1868, cuando ella tenía dieciséis años.

En *La cuestión palpitante*, la autora afirma:

> [...] de todos los territorios que puede explorar el novelista realista y reflexivo, el más rico, el más variado e interesante es sin duda el psicológico [...] tanto y más interesante [...] que los mercados de Zola en el *Vientre de París*.[6]

Pero en *La Tribuna*, no pasa a la práctica. El hecho es comprensible si se toma en cuenta el que la escritora está en pleno período de aprendizaje de la novela realista y es demasiado novata aún, en materia de análisis psicológico. Sin embargo, no dejan de interesarla ya, las modalidades de presentación de la vida interior de los personajes, como las ha observado en Flaubert y Zola. En *La cuestión palpitante* admira el arte con que este último logra que «el lector se forje la ilusión de ver pensar a sus héroes [...] sin necesidad de aquellos sempiternos monólogos [...]».[7] En *La Tribuna* se ensaya en el empleo del indirecto libre en muy contadas ocasiones y sobre todo respecto a la protagonista, pero el recurso no profundiza mucho la psicología. Globalmente los personajes son vistos todos desde fuera y el elemento psicológico de la novela es muy superficial.

Doña Emilia privilegia otro campo de estudio. Centra su atención en la recreación del mundo externo. A este efecto, emplea una profusión de descripciones detallistas con pretensión documental. En *La cuestión palpitante,* no sin cierta indulgencia, critica la prolijidad descriptiva de Zola, su tendencia al inventario, su falta de selectividad,[8] pero en *La Tribuna,* aunque con más moderación, no procede de otra manera. Menudean las enumeraciones, los inventarios, los bodegones literarios (por ejemplo un puesto de mariscos en el mercadillo), las lecciones de cosas, como el proceso de fabricación de barquillos o de un puro. Otras descripciones, más ambiciosas, son verdaderos cuadros a la manera naturalista, como la descripción del taller de cigarros (cap. VI) y también las del desvanado y picadura del tabaco (cap. XXI), que están animadas además con un soplo épico de clara resonancia zolesca. Según lo ha demostrado Mariano Baquero Goyanes en su conocido estudio, Pardo Bazán emplea una serie de recursos tradicionales en la narrativa realista pero que llegaron a ser característicos de los naturalistas por el empleo sistemático que hicieron de ellos.[9]

En *La Tribuna,* la prolijidad descriptiva puede justificarse funcionalmente como procedimiento de recreación realista del medio ambiente, pero no se justifica siempre. No faltan descripciones del todo superfluas;[10] por otra parte, con afán de imitar a los naturalistas, la novelista ha cargado la mano en la representación de lo vulgar, lo feo, y hasta lo repugnante. Son múltiples los ejemplos: casucha miserable de la familia de Amparo, calle llena de inmundicias (cap. I, II) o atmósfera del taller de cigarros puros tratado de modo a reproducir la sensación olfativa:

> La atmósfera estaba saturada del olor ingrato y herbáceo del virginia humedecido y de la hoja medio verde, mezclado con las emanaciones de tanto cuerpo humano y con el fétido vaho de las letrinas próximas.[11]

Respecto a los personajes, la novelista insiste en los datos físicos y fisiológicos y mucho también en los datos clínicos, aunque con intención diferente de la de Zola. En efecto, en *La cuestión palpitante,* censura en el novelista francés la preferencia por los casos anormales, patológicos, que facilitaban la demostración de su tesis basada en las teorías positivistas.[12] En *La Tribuna,* los numerosos datos clínicos, en la mayoría de los casos sirven para mostrar la miseria fisiológica de las clases menesterosas; con todo, se observa cierta propensión maniática en el uso del recurso que a veces no se justifica. Por ejemplo, la descripción reiterada (véase cap. II y XXVIII) de La Porreta, una enorme comadrona, sólo se explica por el placer de describir por describir; y tal personaje poco tiene que ver con el naturalismo, es más bien una amable figura costumbrista.

En cambio la influencia naturalista es patente en la manera de enfocar la temática amorosa privilegiando lo físico. El deseo de Baltasar se mide por el número de pulsaciones que determinan en él «la calentura amorosa»[13] y el narrador resume el breve idilio de la pareja en estos términos:

> En suma, Baltasar y Amparo se hallaron como dos cuerpos unidos un instante por afinidad amorosa separados después por repulsiones invencibles.[14]

Otro rasgo de índole naturalista, frecuente en *La Tribuna,* es el rebajamiento del ser humano por referencia a lo animal. Así, un crío es asimilado a una «infeliz oruga humana» (cap. V), con el mismo propósito se encuentra el recurso a la cosificación despreciativa. Por ejemplo, el recién nacido de la protagonista es «un bollo [...] de cráneo blando y colorado como una berenjena» (cap. XXXVIII). En cuanto a las operarias de un taller forman: «una enorme ensalada humana» (cap. VI).

En *La cuestión palpitante,* la autora proclama su preferencia por el realismo cuyo criterio estético le parece más completo que el naturalismo porque lo abarca todo, espíritu y materia, belleza y fealdad.[15] Con todo, defiende el naturalismo de Zola afirmando que, en la práctica, no sólo Zola sabe pintar la belleza de lo feo sino que ha dedicado páginas inolvidables a asuntos bellos.[16] En *La Tribuna,* fiel a su criterio realista, la escritora no deja de equilibrar lo feo con lo hermoso, hay por ejemplo, hermosas evocaciones del paisaje de la bahía y del puerto y elaborados retratos de la protagonista en que sobresale un talento de colorista a lo Goncourt (véanse cap. VII, VIII, XXVII).

En *La cuestión palpitante* elogia el refinado colorismo de los hermanos quienes dieron impulso a su propia inclinación natural (véase cap. XI).

Llegado a este punto del análisis formal de *La Tribuna* se echa de ver que la novelista orienta su realismo hacia una dirección naturalista, pero se observa que cuida de no excederse nunca. Una de las principales acusaciones expresadas en la época contra las novelas de Zola era su inmoralidad. En *La cuestión palpitante,* la Pardo Bazán rectifica ese juicio afirmando rotundamente que Zola y sus adeptos son moralistas y que sus novelas no incitan al vicio sino que al contrario son una medicina.[17] ¿A qué mujer le apetecería en efecto el destino de *Nana*? Por otra parte, la escritora tiene el mérito de disipar la confusión que reinaba entre lo inmoral y lo grosero.[18] Reconoce que Zola carece a menudo de delicadeza y no sabe respetar lo que ella llama «la decencia artística» —noción que reputa por lo demás bastante fluctuante— sin pecar por eso de inmoral.[19] Ella sabe mantenerse en los límites del buen gusto mostrándose prudente por ser señora y escribir por lectores timoratos. Los diálogos inspirados en el ejemplo de Galdós y Pereda, según afirma la autora,[20] deben su verismo a la lengua coloquial popular, a las palabras y a la sintaxis deformadas, a los galleguismos, pero la novelista evita todo vocablo malsonante o grosero. En materia erótica, sale del paso poetizando el deseo sexual de Baltasar por medio de una metáfora recurrente: Amparo toda impregnada de olor a tabaco «es un puro aromático, exquisito, que apetece fumar» (cap. XXVII). Escamotea también la escena de la seducción desplazando el centro de interés de la pareja hacia una visión nocturna, de cuño más romántico que realista: «un cuarto de amorosa luna hendía como alfanje de plata los acumulados nubarrones» (cap. XXXI). En cambio, en los dos últimos capítulos multiplica los detalles sobre el parto de Amparo: preparativos, dolores de la parturienta, y hasta modulaciones de sus gritos. Este alarde de vigoroso realismo fue muy censurado en la época y calificado de naturalista. Bien mirado, lo cierto es que no hay nada de escabroso en este largo episodio final. En cambio, gracias a la firmeza del realismo la novelista atenúa considerablemente el clisé folletinesco de abolengo romántico, de la chica ingenua y buena, engañada por un vil seductor. Al mismo tiempo, dentro del contexto acrecienta la dramatización, por cierto irónica, del desenlace, extremando el contraste entre «la tribuna del pueblo engañada en sus ambiciones y la proclamación de la federal vitoreada en la calle». El título del penúltimo capítulo: «Lucina plebeya» procede de una voluntad de distanciación irónica de la que hablaremos más adelante.

Ahora conviene situar en otro terreno la comparación entre teoría y práctica de la novela. En *La cuestión palpitante*, D.ª Emilia reprocha a Zola su concepto del hombre enteramente tributario del determinismo materialista, le opone la teoría del libre albedrío y la acción redentora de la gracia,[21] pero, por otra parte, señala que la teología católica no negó nunca la influencia de factores exteriores sobre la conducta humana ni tampoco la influencia del cuerpo sobre el alma y viceversa. En *La Tribuna*, sin prejuicio de sus convicciones religiosas y sin entrar en el sistema de Zola, el autor implícito, subraya por ejemplo, taras hereditarias en la familia de una cigarrera, *La Guardiana* (cap. XI); a propósito del trabajo en la fábrica, se acoge a la ley de la selección natural y adaptación al medio afirmando: «El individuo que lograba triunfar de estas malas condiciones de vida ostentaba doble fuerza y salud».[22]

Hace además múltiples referencias a la influencia del medio y del oficio sobre el físico y comportamiento de los obreros. En la protagonista, el narrador pone de realce las influencias conyugadas del medio y de las circunstancias. Amparo, de tanto correterar desde chiquilla por la ciudad, ha adquirido un carácter independiente, «instintos nómadas», hecho explicable por el abandono forzado en que la dejaron sus padres (cap. II); luego, las ideas igualitarias propaladas por los republicanos influyen en su mente poco reflexiva, hasta el punto de parecerle muy normal casar con un burgués. Dicha idea constituye un *leitmotiv* en la segunda mitad de la novela.

Como si quisiera disipar toda ambigüedad en el espíritu del lector, la autora recuerda la existencia del libre albedrío con una reflexión explícita del narrador:

> [Baltasar] nunca quiso pensar, que hasta en eso de pensar sobre una cosa, suele determinarse la voluntad libremente.[23]

Pero, la insistencia con que D.ª Emilia ejemplifica los postulados positivistas en toda la narración presta cierto color naturalista a su novela, aun cuando se trata de un ropaje superficial.

En *La cuestión palpitante*, al estudiar el estilo de Zola, la escritora aborda el problema de la impersonalidad. Estima que el jefe del naturalismo, al imitar a Flaubert: «extremó el sistema perfeccionándolo» (cap. XV). En *La Tribuna*, se esfuerza por ser objetiva desapareciendo desde el primer capítulo detrás de un narrador omnisciente; pero éste, en muchas ocasiones, pierde su neutralidad, traicionándose por el empleo de tal o cual adjetivo o imagen. Y sobre todo, rompe el hilo del relato con observaciones, comentarios, explicaciones que tienden a orientar la opinión del lector. Además la temática política da lugar a un enfoque muy subjetivo. Como es sabido, Pardo Bazán de sensibilidad conservadora y siempre fiel a la Corona, tenía marcadas prevenciones contra el régimen republicano. Lo han demostrado tanto Víctor Fuentes como Germán Gullón en sus respectivos estudios sobre *La Tribuna*.[24] D.ª Emilia no quiso ocultar su pensamiento que se expresa claramente, por ejemplo en este comentario desenfadado del narrador:

> Feliz o desgraciadamente, lo que Vdes. quieran, que por eso no reñiremos, los tiempos eran más económicos que trágicos.[25]

Con notable ironía rebaja los impulsos patrióticos de la protagonista que sueña con sacrificarse heróicamente, declarando:

> Los loables esfuerzos de Amparo no le conquistaron otra corona de martirio sino el que en la Fábrica se prohibiese la lectura de diarios, manifiestos, proclamas, hojas sueltas [...].[26]

Ironía y burla infiltran además varios episodios de asunto político. Culminan en el capítulo XVIII, titulado: «Tribuna del pueblo». La descripción del banquete ofrecido a los delegados federalistas es cómica y desprestigia el acontecimiento histórico; el mismo título del capítulo cobra resonancia irónica cuando el lector se entera de lo grotesco de la situación. El presidente que llama, muy emocionado, a Amparo «Tribuna del pueblo», es un anciano medio chocho, calificado de «patriarca» y se trata nada menos que del padre espiritual del movimiento federal.

En materia de impersonalidad, Pardo Bazán se sitúa pues a mucha distancia de Zola, se acerca más a la manera galdosiana, con la enorme diferencia de que su novela vehicula una ideología de signo distinto, todavía muy conservadora en esas fechas.

Esta constatación me lleva a abordar la cuestión de la finalidad del Arte. En *La cuestión palpitante*, la autora considera como grave error estético la finalidad utilitaria que Zola asignaba a la novela naturalista; toma muy al pie de la letra las afirmaciones del novelista en *Le roman expérimental*. No admite que con la novela experimental pretenda «regular la marcha de la sociedad, ilustrar al criminalista, sociólogo, moralista, gobernante»,[27] aunque para Zola fuera más bien un ideal con vistas al futuro. La Pardo Bazán se muestra partidaria del concepto hegeliano del arte considerado como objeto propio de sí mismo y desaprueba la novela tendenciosa, la novela docente.

Sin embargo, en *La Tribuna* sólo queda fiel a medias a sus principios. En el prólogo, afirma que ha querido representar lo pintoresco y lo típico de un estrato social y no yerra su objetivo. Hay mucho pintoresquismo costumbrista en la novela. Véanse, cap. III: la misa y el paseo domingueros; cap. IV: la comida del santo de Balstasar en casa de los Sobrados; cap. XXII: el carnaval de las cigarreras; cap. XXVII: la fiesta de la Candelaria, etc., con lo que supone de herencia romántica. La misma figura de la cigarrera era ya un tipo literario del costumbrismo.[28] Sin embargo, Amparo cobra otra dimensión porque está incluida en un contorno social y un momento histórico preciso.

Con acierto Germán Gullón ha calificado *La Tribuna* de «novela social frustrada». En efecto, la autora ha tenido conciencia del antagonismo burguesía-pueblo, ha hecho de la oposición riqueza-pobreza uno de los ejes estructurales de la narración, pero Pardo Bazán se ha negado a sacar consecuencias de los hechos. Se contenta con constatarlos. En opinión mía, uno de los mayores intereses de la novela, en cuanto al fondo, es su valor testimonial.[29] La representación fiel, aunque incompleta, de la vida miserable de las capas bajas y del mundo obrero de La Coruña, pone de realce la falta de condiciones higiénicas y de seguridad en el trabajo, la precariedad del destino de las obreras viejas o baldadas y de los artesanos. La reconstitución histórica no es menos fiel aun cuando el autor implícito recalca con ironía en la ignorancia de las cigarreras (cap. IX y X), hace hincapié en una realidad y sabe evocar el ambiente de confusión en que nació y creció el ideal federalista entre las cigarreras, y la lenta toma de conciencia de clase gracias a la unión obrera, nacida de la solidaridad fabril.

Pero, al tratar este tipo de asunto, Pardo Bazán se desvió de su concepto del arte por el arte y lo confiesa en el prólogo de su novela:

> Al artista que sólo aspiraba a retratar el aspecto pintoresco y característico de una capa social, se le presentó la añadidura, la moraleja, y sería tan sistemático rechazarla como haberla buscado.[30]

La afirmación suena a disculpa. En *La Tribuna*, las preocupaciones de la autora no son sociales sino únicamente morales. Al final de *La cuestión palpitante*, alude ya a su novela observando: «El realismo es un instrumento de comprobación exacta que da en cada país la medida del estado moral». Y se felicita de la superioridad en este dominio de España sobre Francia.[31]

A todo lo largo de la novela, pone de relieve las virtudes cristianas del mundo fabril procediendo a una amalgama con el asunto político. En el prólogo revela el pensamiento clave que ha determinado el desarrollo argumental. El a priori revela una actitud escéptica respecto al liberalismo.

> [...] Es absurdo el que un pueblo cifre sus esperanzas de redención y ventura en formas de gobierno que desconoce, y a las cuales por lo mismo atribuye prodigiosas virtudes y maravillosos efectos.[32]

Con la historia de su protagonista, ilustra la autora sus convicciones personales. Confiada en el ideal igualitario de la Federal, Amparo ha creído posible cambiar de clase social, se ha perdido y queda engañada. Esta es toda la moraleja.

Al nivel estético, la preocupación moral ha engendrado un tratamiento ambiguo de la protagonista. Por un lado, opone, D.ª Emilia, a las frívolas e inútiles chicas casaderas de la burguesía, la figura simpática de la cigarrera valiente, capaz por su trabajo de adquirir independencia y de exaltar el ideal en sus compañeras;[33] por otro lado, se halla obligada a dejar a su personaje castigado para asegurar la coherencia ética de la narración.

Concluiré con unas breves reflexiones. En primer lugar,

es obvio que Pardo Bazán ha utilizado hasta cierto punto, ideas teóricas de Zola y el ejemplo de sus novelas que hay que calificar de moderado. Y los ha utilizado no para crear una estética nueva sino como medio de enriquecer el realismo nacional. Por otra parte, se observa en *La Tribuna*, cierto desajuste respecto a los juicios críticos expresados por la escritora, escisión que evidencia las dificultades de todo artista cuando quiere pasar de la teoría a la praxis.

Cómo enjuiciar pues *La Tribuna*, cómo una novela naturalista, según lo han afirmado bastantes críticos y en particular Guillermo de Torre que la califica de «verdadera novela naturalista».[34] Personalmente, disiento de tal opinión; tampoco me satisfacen los calificativos empleados para designar el presunto naturalismo de D.ª Emilia: naturalismo atenuado, mitigado, edulcorado. Prefiero hablar de realismo vivificado por el naturalismo, un realismo nacional que, claro está, sigue ligado al costumbrismo y deja transparentarse algunos resabios románticos. Con todo, de parte de Pardo Bazán *La Tribuna* representa un avance notable en el aprendizaje de la novela realista, incluso dentro del molde de la novela de *costumbres*, que ella pretendió escribir.

NOTAS

1. *La cuestión palpitante,* se publicó entre el 7 de noviembre de 1882 y el 18 de abril de 1883. La primera edición salió en 1883 con prólogo de Clarín. Imp. Saiz, Madrid.

2. En el prefacio de *Un viaje de novios,* 1881, su segunda novela, D.ª Emilia se acogía al realismo nacional, rechazando toda aproximación al naturalismo francés. *Obras completas,* Aguilar, Madrid, 1973, t. III, pp. 571-573.

3. *Obras completas,* Aguilar, Madrid, 1947, t. II, p. 116 a.

4. *Obras completas,* Aguilar, Madrid, 1973, t. III, p. 646 a.

5. *Los Pazos de Ulloa,* prólogo, Daniel Cortezo, Madrid, 1886, t. I, p. 74.

6. *La cuestión palpitante,* Aguilar, Madrid, 1973, t. III, p. 645 a y 605 a.

7. *Ibíd.,* p. 627 a y 628 b.

8. *Ibíd.,* p. 629 c.

9. «La novela naturalista española, Emilia Pardo Bazán». *Anales de la Universidad de Murcia,* Murcia, 1954-1955, XIII; reimpresión, Universidad de Murcia, 1986, 212 pp.

10. Véase la descripción del reloj a finales del capítulo XXIX, ejemplo dado con mucho acierto por Maurice Hemingway, *Emilia Pardo Bazán, The making of a novelist*, Imp. Cambridge University, 1983, p. 14.

11. *La Tribuna, Obras completas*, Aguilar, Madrid, 1947, t. II, p. 133 a.

12. *La cuestión palpitante, Obras completas*, Aguilar, Madrid, 1973, t. III, p. 201 a.

13. *La Tribuna, Obras completas*, Aguilar, Madrid, 1947, t. II, p. 186 a.

14. *Ibíd.*, p. 201 a.

15. *La cuestión palpitante, Obras completas*, Aguilar, Madrid, 1973, t. III, p. 582 a.

16. *Ibíd.*, p. 625.

17. *Ibíd.*, p. 633 b.

18. *Ibíd.*, p. 630 y 631.

19. *Ibíd.*, p. 632 b y 633 a.

20. *La Tribuna, prólogo, Obras completas*, Aguilar, Madrid, 1947, t. II, p. 116 b.

21. *La cuestión palpitante, Obras completas*, Aguilar, Madrid, 1973, t. III, p. 578 y 579.

22. *La Tribuna, Obras completas*, Aguilar, Madrid, 1947, t. II, pp. 185 b y 186 a.

23. *Ibíd.*, p. 202 a.

24. Víctor Fuentes, «La aparición del proletariado en la novelística española sobre *La Tribuna* de Emilia Pardo Bazán». *Grial* (1971), n.º 31, pp. 90-94; Germán Gullón, «Del naturalismo al modernismo», *El narrador en la novela del siglo XIX*, Taurus, Madrid, 1976, pp. 43-64; véase también, José Sánchez Reboredo, «Emilia Pardo Bazán y la realidad obrera, notas sobre *La Tribuna*», *Cuadernos hispanoamericanos* (1979), n.º 531, pp. 567-580.

25. *La Tribuna, Obras completas*, Aguilar, Madrid, 1947, t. II, p. 160 a.

26. *Ibíd.*, p. 160 a.

27. *La cuestión palpitante, Obras completas*, Aguilar, Madrid, 1947, t. II, p. 581 a.

28. Véase por ejemplo, Antonio Flores, *Los españoles pintados por sí mismos, Costumbristas españoles de los siglos XVII al XX*, selección Evaristo Correa Calderón, Aguilar, Madrid, t. I, p. 1.312.

29. Véase, Germán Gullón, obra citada, nota 24; Francisca González Arias, «*La Tribuna* de Emilia Pardo Bazán como novela histórica», *Anales Galdosianos* (1986), n.º 19, pp. 133-140.

30. *La Tribuna, prólogo, Obras completas*, Aguilar, Madrid, 1947, t. II, p. 115 b.

31. *La cuestión palpitante, Obras completas*, Aguilar, Madrid, 1973, t. III, p. 647 a.

32. *La Tribuna, prólogo, Obras completas,* Aguilar, Madrid, 1947, t. II, p. 115 b.

33. Véanse, Ronald Hilton, «Pardo Bazán et le mouvement féministe en Espagne», *Bulletin hispanique* (1952), t. LIV, n.º 2, pp. 153 y 154; J. Manuel González Herrán, «*La Tribuna* de E. Pardo Bazán, y un posible modelo real de su protagonista», *Ínsula* (1975), n.º 3, pp. 1, 6 y 7.

34. Guillermo de Torre, «Emilia Pardo Bazán y las cuestiones del naturalismo», *Cuadernos americanos* (1960), n.º 2, pp. 245 y 246; Robert, E. Osborne, *Emilia Pardo Bazán su vida y sus obras,* ediciones de Andrea, México, 1964, pp. 44-49.

«LA TRIBUNA», DE EMILIA PARDO BAZÁN, ENTRE ROMANTICISMO Y NATURALISMO

José Manuel González Herrán
(Universidad de Santiago de Compostela)

Uno de los tópicos más arraigadamente repetidos en la crítica y bibliografía pardobazaniana es el que afirma que *La Tribuna* es no sólo su novela más específicamente naturalista, sino, acaso, la primera del llamado «naturalismo español»; y, a juzgar por los testimonios que podrían aducirse,[1] parece que su adscripción a la escuela de Zola tiene su más sólido apoyo en la evidente simultaneidad entre la redacción de esa novela y la publicación en *La Época* de los artículos de *La cuestión palpitante;* obviamente, resulta muy tentadora la hipótesis de que, al tiempo que teorizaba sobre aquella corriente (aunque, dicho sea entre paréntesis, doña Emilia en esos artículos más que teorizar se limita a historiar y describir), la escritora coruñesa ponía en práctica aquellos postulados con un relato *à la manière* de Zola; y es forzoso reconocer que, al menos en su estrato más superficial o aparente, *La Tribuna* está cuajada de *tics* supuestamente naturalistas; son, por decirlo con la certera observación de Sáinz de Robles, «conatos muy pronunciados —y muy amanerados— de naturalismo».[2]

Pues bien, mi intención aquí es poner en cuestión aquel tópico crítico, sugiriendo que, por debajo de su aparente naturalismo, en la novela que nos ocupa perduran procedimientos, actitudes y gestos propios de la estética literaria inmediatamente anterior al realismo, más vigente de lo que suele creerse en la novela española de principios de los ochenta («el Realismo de hoy —advertía Rafael Altamira en 1886—, ya libremente practicado, ya en su tendencia *naturalista* o *determinista* [...] tiene aún, sin reconocerlo a veces, muchos dejos y elementos románticos».[3] En consecuencia, lo que sugiero es que, lejos de ser uno de los ejemplos primeros y más representativos de la novela naturalista española, *La Tribuna* merecería con más justicia el calificativo de romántica (de un romanticismo tardío, claro es), ya que:

a) su aparente *documentalismo experimental* es más bien *pintoresquismo costumbrista;*

b) la historia que relata, más que *tranche de vie* (como quería Zola) obedece a los esquemas más explotados por el *folletín social;*

c) la autora no mantiene la imparcialidad y objetividad que demandaba la poética naturalista, sino que, movida por prejuicios ideológicos e intención docente, hace reiterado uso de la sátira tendenciosa.

Ahora bien, no seré tan insensato que piense que se equivocan todos cuantos han visto y ven aspectos y rasgos naturalistas en este libro; sería difícil no verlos, tras el esfuerzo deliberado de la autora para hacerlos notorios. Pero acaso en ello resida su principal limitación: más que consecuencia o efecto de una opción estética, coherentemente desarrollada a lo largo de la obra, aquellos rasgos no son sino *gestos,* a veces llamativos, pero superficiales: meras apariencias que no consiguen maquillar del todo la verdadera fisonomía del producto.

Dejo a un lado (y sé que es mucho dejar) la cuestión de las indiscutibles relaciones y coincidencias entre la estética naturalista y la romántica; o, más exactamente, lo que de romántico tiene el naturalismo. Son muchos los que piensan que, en el fondo, las teorías (y más, las ficciones) de Zola no son otra cosa que romanticismo. Aunque ello sea así, mi propuesta no pretende ir por ese camino, sino por el más llevadero de rastrear en esta novela la persistencia de ciertos rasgos propios de la narrativa prerrealista. En todo caso, al final tal vez alcancemos alguna conclusión que incida en el aspecto soslayado, y podamos confirmar, si bien con argumentos distintos de los esgrimidos por el ensayista gallego, la afirmación de Domingo García-Sabell, quien en un artículo de 1951 calificaba el arte de doña Emilia como romántico y no como realista.[4]

Para la *lectura* que propongo (y que no podré desarrollar

sino sólo apuntar en los minutos de que dispongo) nos servirá de guía eficaz el prólogo que la autora puso a su novela. Es sabido que a lo largo de su carrera, doña Emilia hizo reiterado uso del prólogo no sólo para explicar y justificar la obra que presentaba, sino para exponer su concepción del género, lo que —visto desde hoy— nos permite ir reconstruyendo el proceso evolutivo de su poética: recordemos tan sólo, además de este de *La Tribuna*, los prólogos a *Pascual López, Un viaje de novios, El cisne de Vilamorta* o *La dama joven*. Pues bien, ese texto, con sus declaraciones, sus excusas y sus silencios, puede ayudar, más allá de las intenciones de su autora, a descubrir el romanticismo latente de una novela aparentemente naturalista.

Comienza afirmando algo muy útil para mi propuesta: «*La Tribuna* es en el fondo un estudio de costumbres locales» (p. 1);[5] Baquero Goyanes, en su ya clásico trabajo de 1954-1955 —ahora reeditado— se fijó sobre todo en el término *estudio*, y ello le permitía situar la novela «en la línea documental, científica, que Zola había propugnado»;[6] yo creo que, pese a tales resonancias, el sintagma *estudio de costumbres locales* tiene una raíz bastante anterior, en el más rancio costumbrismo romántico, hasta el punto de consagrarse como etiqueta o subtítulo de la mayor parte de las colecciones de apuntes, tipos y escenas. No creo casual que la escritora coruñesa pusiese en uno de los primeros párrafos de su prólogo tan tajante afirmación; al contrario, pienso que la intención costumbrista es prioritaria en el ánimo de la autora al dar a la estampa aquel libro.[7] Otra cosa bien distinta es que, animada por el ejemplo de Zola (a quien entonces leía y trataba de divulgar entre sus compatriotas), pretendiera que su *estudio* pudiera parangonarse con los que llevaban a cabo el admirado escritor francés y sus seguidores. Pero el resultado era todavía demasiado deudor, en procedimientos descriptivos y narrativos, de la rica y fructífera tradición del costumbrismo (género que la autora había cultivado en su juventud, en textos poco conocidos, como el titulado «La evolución de una especie»).[8]

Ejemplos de lo que digo podrían ser la misa dominical y el paseo subsiguiente en el capítulo III, la «pesada comida de provincia» en el IV, la fiesta de la Candelaria en el XXVII, ciertas «fisiologías», como las de la *Guardiana* y la *Comadreja* en el XI,[9] la de la «señorita» en el XIV o el estudio sobre Borrén, en las páginas iniciales del XXII, interesante ejemplo de las borrosas fronteras entre la «fisiología costumbrista» y el «caso clínico naturalista». Y, sobre todo, el notabilísimo capítulo XXII, «El carnaval de las cigarreras», todo él un *cuadro* de costumbres,[10] aunque su sabor pintoresco lleve ciertos toques *picantes* —como se decía entonces— propios del gusto naturalista.

En su citado estudio sobre la Pardo Bazán, el profesor Baquero Goyanes llamó la atención sobre «la estrecha ligazón existente entre costumbrismo y naturalismo»,[11] explicando cómo la técnica descriptiva naturalista está preludiada y engendrada por la literatura de costumbres; y aunque entre los ejemplos aducidos sólo hay uno de *La Tribuna,* creo que es precisamente en esta novela dónde mejor se advierte lo certero de su observación; son varias las descripciones cuya minuciosidad suele ser considerada como naturalista pero que en procedimientos, tono e intención se acercan más al gusto por el detalle pintoresco y característico, propios del costumbrismo; analícense con tal perspectiva apuntes como el del mercadillo del capítulo XVII, el banquete del XVIII, el barrio de Amparo en el XXX, o algunas de las que el mismo Baquero llamó «lecciones de cosas» (la elaboración de barquillos, cigarros o pitillos), cuyo detallismo, por más que fuese fruto de documentada observación a la manera zolesca, no está lejos del que podemos encontrar en los apuntes de un Estébanez.

Tras aquella afirmación del prólogo («*La Tribuna* es [...] un estudio de costumbres locales») la autora advierte que en la trama de su novela están entretejidos los recientes sucesos de la Revolución de 1868; y a propósito del modo e intención con que se propone evocar aquellos acontecimientos (que, como es sabido, recrea en el ambiente de las cigarreras coruñesas),[12] plantea algo muy pertinente para el objeto de nuestra discusión; «no quise hacer sátira política», declara (p. 2); puntualización tan necesaria como escasamente convincente; al menos no lo fue para los primeros lectores de *La Tribuna,* según la autora recordaba en sus *Apuntes autobiográficos:* «ni el más leve conato de sátira encerraba el libro [...]. Pues bien, *La Tribuna* descontentó a tirios y troyanos. Los republicanos se creyeron puestos en caricatura, y los conservadores, gente almizclada, se sublevaron contra la descripción sincera y franca del pueblo y de la vida obrera».[13] Enseguida veremos cuánta razón asistía a los lectores republicanos; lo que ahora me importa es llamar la atención sobre uno de los postulados básicos de la estética de Zola: la imparcialidad y objetividad escrupulosas que debía mantener el novelista experimental»[14] Que doña Emilia, al menos en este punto y en esta novela, se encontraba lejos de tal imparcialidad, resulta evidente desde este sugestivo prólogo, en el que formula así lo que ella misma llama *moraleja* de su historia: «que es absurdo el que un pueblo cifre sus esperanzas de redención y ventura en formas de gobierno que desconoce, y a las cuales por lo mismo atribuye prodigiosas virtudes y maravillosos efectos» (pp. 2-3). Con tales presupuestos (o prejuicios) ideológicos y políticos, nadie podría esperar que la novela fuese un documento objetivo acerca del republicanismo de las cigarreras coruñesas; además, aquel evidente propósito de ridiculizar, o cuando menos, poner en duda la validez de un sistema político —el republicanismo federal— contradecía uno de los postulados que la propia Pardo Bazán formulaba, por aquellos días, en uno de los artículos de *La cuestión palpitante*: «la novela hoy, más que enseñar o condenar estos o aquellos ideales políticos, ha de tomar nota de la verdad ambiente».[15]

Por el contrario, como ya advirtió Alas,[16] en *La Tribuna* la autora hace un uso reiterado de procedimientos degradadores en todo aquello que se refiere a la Revolución y a la República, en especial al concepto que de ellas y sus efectos tienen las ingenuas obreras. Como ejemplos dignos de mención y análisis citaré, en los capítulos IX y XII, la difusión de la propaganda política, a través de los periódicos, entre Amparo y sus compañeras; los diálogos que abren el X, muestra de una tosca ironía contrarrevolucionaria; todo el episodio del Pacto Federal (capítulos XVII, XVIII y XIX), salpicado de viñetas caricaturescas: la comitiva de los Delegados, el banquete en el Círculo Rojo, la Asamblea Constitutiva de la Unión del Norte...; el contraste irónico que en los capítulos XXIV y XXV se establece entre la fe revolucionaria de las cigarreras y su arraigada religiosidad primitiva, o los comentarios que hacen a propósito de la Comuna parisiense, en el capítulo XXXIV; en este mismo, el relato de la revuelta de las obreras en la fábrica, episodio cuyo potencial heroísmo aparece degradado con algunos rasgos grotescos; la parodia de la literatura dramática revolucionaria que ofrece el capítulo XXXVI; y, finalmente, el sarcasmo que resume el grito final («¡Viva la República federal!»), con su contraste entre la esperanza colectiva y la desesperación individual.[17]

Cabría plantear, a propósito de algunos de los ejemplos

citados, hasta qué punto no es también un resabio romántico ese frecuente recurso a lo grotesco, especialmente cuando se emplea como procedimiento degradador, por contraste, de elementos usualmente cargados de connotaciones elevadas. Pienso, por ejemplo, en el párrafo final del capítulo XIV, ridículo contraste con ciertas descripciones ambientales del mismo capítulo, deliberadamente líricas; o en el tratamiento degradado de ciertos símbolos: las palomas, al final del capítullo XIX; Borrén, que pretende ser Mefistófeles y no es sino un «pobre diablo», en el XXIII, o el «mezquino paraíso» de coles y cebollas en el XXXI.

Comentando el pensamiento político-social de la Pardo en esta novela, Robert E. Osborne escribe: «nos llama la atención [...] su deseo de no mostrarse prevenida contra la clase obrera y sus aspiraciones políticas»; y, en apoyo de esa observación —que podría parecernos discutible—, argumenta que, pese a haberse mofado en alguna ocasión de las ideas democráticas y del sufragio universal, doña Emilia «puede compadecerse del obrero y de las injusticias que padece».[18] La matización es muy pertinente para mi propósito en la medida en que puede ayudarnos a precisar, además de la ideología, la estética de esta novela; la actitud compasiva frente a la cuestión social no está muy alejada del sentimentalismo humanitarista[19] del folletín romántico.

Como ha observado algún crítico, la historia de Amparo, la cigarrera seducida y abandonada por un señorito militar, tiene mucho de folletinesco y precedentes reconocibles en la literatura prerrealista del XIX.[20] Mas no es sólo en el plano de la *historia* donde hay ecos del género que cultivara Ayguals de Izco; también en el nivel del *discurso* podemos encontrar procedimientos narrativos y recursos estilísticos usuales en aquellos relatos.

A veces hay una evidente utilización irónica, similar en su propósito a la que hemos visto en las alusiones políticas: así sucede en el final del capítulo XVII, cuando Amparo se imagina protagonista de una historia de heroísmo revolucionario; en el XXXIII, sus reclamaciones de igualdad, con retórica prestada tanto de la prosa periodística como de los folletines «socialistas»; o en el XXXVI, la representación del drama «Valencianos con honra», cuyo asunto es parodia de los de cualquier melodrama o folletín. En otros casos la ironía es más velada: las ilusiones de la Tribuna, cuando se ve como señora de Sobrado (capítulos XXIX y XXXII) o el aviso profético de la Porreta, al comienzo del XXVIII. Escenas plenamente folletinescas son también las del capítulo XXXIII, al descubrirse el embarazo de Amparo y reclamar esta inútilmente a su seductor el cumplimiento de su promesa matrimonial; el recurso del anónimo, en el XXXV; y, al final del XXXVI, la impotencia de Amparo frente a los muros de la casa burguesa, con su obvio simbolismo.

Como quedó dicho, al margen de cualquier otra interpretación que podamos apuntar, es claro que en el ánimo de la autora estaba la intención de hacer un relato que pudiera parecer zolesco; de ahí la advertencia —que parece excusa pero es sugerencia— que apunta: «Tal vez no falte quien me acuse de haber pintado al pueblo con crudeza naturalista»; apunta así hacia el aspecto que, efectivamente, ha servido de argumento principal para quienes adscriben *La Tribuna* al naturalismo. Enseguida veremos hasta qué punto ello es así; lo que ahora me importa es recordar y comentar las razones con que la escritora defiende y justifica la posible crudeza de su pintura: «nunca seguiré la escuela idealista de Trueba y de la insigne Fernán, que riñe con mis principios artísticos. Lícito es callar pero no fingir»; se trata pues de una opción a la vez estética y ética: realismo y verdad, frente a fingimiento idealista. Pero no nos engañemos: a renglón seguido asoma el prejuicio que desvirtuará su pintura: «Afortunadamente —observa— el pueblo que copiamos los que vivimos del lado de acá del Pirineo no se parece todavía, en buena hora lo digamos, al del lado de allá»;[21] juicio que apoya con una enumeración de las virtudes que adornan al pueblo español; «ojalá pudiese yo —concluye— sin caer en falso idealismo, patentizar esta belleza recóndita». Para conseguirlo, el procedimiento idóneo será el ecléctico: «pintémosle —propone—, si podemos, tal cual es, huyendo del *patriarcalismo* de Trueba como del socialismo humano de Sue» (pp. 3 y 4). Eclecticismo que, a nivel estético, será también el que caracterice esta novela, entre romántica y naturalista.

Apunté al principio de mis palabras la opinión de que los rasgos naturalistas de *La Tribuna*, tan evidentes como abundantes, no obedecen a un planteamiento estético coherente, sino acaso a una mera adopción, superficial y bastante gratuita a veces, de determinados gestos —los más llamativos del reportorio— que pudieran ser tenidos por naturalistas. Por supuesto que sugerir esto es más fácil que demostrarlo; afortunadamente (para mí) el tiempo juega en mi favor y el que se me ha concedido está próximo a agotarse. Por ello, me limitaré a una sucinta enumeración de los ejemplos que habría que analizar y discutir; ejemplos, además, harto citados y comentados por los críticos que defienden el naturalismo de *La Tribuna*.

Así sucede con los abundantes casos en que aparece eso que la autora en su prólogo llamaba «crudeza naturalista», esto es, lo sórdido, lo sucio, lo feo, lo monstruoso en ambientes o personajes;[22] igualmente, las detalladas explicaciones del proceso de elaboración de barquillos o cigarros, cuyo naturalismo puse en duda anteriormente. Deliberada y tópicamente naturalista es también el alarde —no siempre oportuno y con frecuencia pedante— de terminología tomada de las ciencias biológicas y médicas, que lo mismo explican una peculiaridad («la acuidad[23] del sentido del olfato es notable en las cigarreras: diríase de la nicotina, lejos de embotar la pituitaria, aguza los nervios olfativos», p. 91), la muerte de un personaje («Sabiendo cuánto influyen en los sacudimientos cerebrales y en las hemorragias internas los accesos de furor [...]», p. 146), la belleza de una dentadura adolescente («dos dientes, servidos por un estómago que no conocía la gastralgia, parecían treinta y dos grumos de cuajada leche», p. 65) o la influencia de un medio insalubre («la labor sedentaria, la viciada atmósfera, el alimento frío, pobre y escaso, eran parte a que en la fábrica hiciesen estragos la anemia y clorosis», p. 202).

Este último texto ejemplifica, además, otro de los *motivos* temáticos característicos del zolismo; pese a lo que había declarado en *La cuestión palpitante*,[24] la autora de *La Tribuna*, parece aceptar, aunque sólo sea como fórmulas, ciertos tópicos darwinistas (la ley de la herencia, la influencia del medio, cierto fatalismo determinista...).[25] Más darwinista aún es la insistencia en la metaforización animalizadora, especialmente a propósito de Chinto, personaje que reúne todos los rasgos de la *bête humaine*: a lo largo de la novela se le compara o identifica con un moscardón, un perro, una alimaña montesa, un mulo, un becerro, un borrego, un buey, un mono, un asno, un lobo...

No cabe duda de que, para muchos de los lectores de entonces, el más claro indicio de la escuela de Zola era el atrevimiento al tratar asuntos o situaciones escabrosas. No se libró *La Tribuna* de censuras en este terreno, a pesar del exquisito cuidado de la autora en no sobrepasar los límites del buen gusto y de lo entonces tolerable, como muestra el pudor con que están referidos el episodio de la «caída» de Amparo, en el capítulo XXXI,[26] o el del alumbramiento de su hijo, en el XXXVIII;[27] en cambio hay otras situaciones en el libro de notable aunque sutil contenido erótico: el enfrentamiento de Amparo y Chinto en el capítulo XX (escena de violencia y sexo que, dicho sea de paso, acaso inspiró otra muy similar en *Sotileza*),[28] la curiosa mezcla de voluptuosidades —sexo y tabaco— que siente Baltasar en presencia de Amparo (capítulos XXVII, XXXI y XXXII);[29] el ambiguo erotismo que, como dije, hay en esa saturnal de mujeres solas, el carnaval de las cigarreras del capítulo XXII.

Prescindiendo de otros rasgos aparentemente naturalistas que aún podríamos señalar, quiero referirme a uno muy significativo y al que también aludía la autora en su prólogo; apoyándose en el ejemplo de Galdós y Pereda, Pardo Bazán justifica «la licencia que me tomo —dice— de hacer hablar a mis personajes como realmente se habla en la región en donde los saqué» (p. 4). Si así lo hubiese hecho, la novela se acercaría efectivamente a lo que debería ser un *roman expérimental;* pero tampoco ese requisito se cumple; de nuevo, los prejuicios derivados de la actitud costumbrista (la búsqueda de pintoresquismo y color local) falsean el producto, de modo que los diálogos populares de *La Tribuna,* aunque están cuajados de lo que la autora llama «expresiones populares, incorrectas y desaliñadas, pero frescas, enérgicas, donosas» (p. 5), distan mucho de reflejar veraz y documentalmente el habla de la Galicia urbana del último tercio del XIX.

Aduciré en apoyo de mi opinión el dictamen autorizado del historiador y crítico gallego César Barja, para quien «cuanto de dialecto gallego hay en *La Tribuna* [...] no es cosa mayor, ni como cantidad, ni como calidad».[30] Bien es verdad que doña Emilia tuvo que enfrentarse con un problema de no fácil solución: en estricta observancia de los presupuestos naturalistas, los personajes populares de esta novela deberían expresarse en gallego, (o en *castrapo*), algo que excedía con mucho lo que la autora y sus lectores podían afrontar. De ahí que optase por unos diálogos en castellano contaminado de algunos galleguismos fonéticos, léxicos o morfosintácticos; el resultado no siempre es acertado y, como apunté, es más un rasgo de pintoresquismo costumbrista que de documentada observación naturalista.

Un último aspecto cabría señalar en este rastreo de huellas románticas en *La Tribuna*: el nivel estilístico; no puedo ya demorarme en su análisis, pero sí debe quedar constancia del sabor romántico que tienen determinadas descripciones y evocaciones, cuyo tono, que podríamos llamar lírico, está conseguido mediante la utilización de un léxico, una adjetivación y una imaginería de indudable estirpe romántica (y que habría que relacionar con la producción poética juvenil de la escritora). Valgan como ejemplo estas dos *marinas* del capítulo XIV: «a lo lejos, el blando murmullo de las olas, que parecían un lago de plata, decía cosas embriagadoras y poéticas; cantaba un idilio intraducible al humano lenguaje» (pp. 103 y 104); «susurraban las acacias, llenaba el aire el misterioso silabeo de las conversaciones de última hora y el amoroso gemido del mar, besando el parapeto, completaba la sinfonía» (pp. 106 y 107). Y acaso debiera considerarse aquí el rasgo más llamativo estilísticamente de *La Tribuna* y que han comentado todos sus críticos, desde Alas a Clemessy:[31] su afán colorista, que si bien puede ser deliberado alarde imitativo del aspecto que más admiraba en la prosa de los Goncourt,[32] demuestra también la pervivencia de ciertos recursos expresivos románticos (aunque algún crítico haya considerado que tal técnica es impresionista y aún modernista).[33]

Termino apuntando algunas de las conclusiones que considero de interés entre las que podrían deducirse de mi *lectura*. La primera, obviamente, sería la confirmación de lo que a modo de hipótesis propuse al comienzo: el carácter aún romántico y escasamente naturalista de *La Tribuna*. Es posible que mis argumentos y explicaciones no hayan sido bastante convincentes, pero confío en que al menos sirvan para suscitar otras cuestiones de más alcance e importancia, no sólo para la obra de doña Emilia, sino para el tema que nos ha reunido en este Congreso.

En cuanto a lo primero, esta novela de la Pardo Bazán parece dar la razón a quienes consideran que lo característico de su estética literaria es un eclecticismo de compromiso, que a un substrato romántico, nunca del todo abandonado, va superponiendo, sucesivamente, ademanes o gestos del realismo, naturalismo, espiritualismo, decadentismo, modernismo...[34]

Y por lo que se refiere al debate sobre realismo y naturalismo en España, quiero recordar aquí algunas de las preguntas que Yvan Lissorgues formulaba en el Programa orientativo que nos sirvió de convocatoria: «¿Representa el realismo una ruptura real con el romanticismo y con el *costumbrismo*? El costumbrismo y ciertas formas de romanticismo (que están por caracterizar), ¿no se integran en la orientación realista? [...] ¿Es paradójico ver en el naturalismo una prolongación de las novelas de tesis?»

Espero que algunas de las observaciones referidas a *La Tribuna* que aquí he expuesto nos ayuden a responder a esos interrogantes; o —lo que sería más interesante— nos planteen otros nuevos. Ustedes tienen ahora la palabra.

NOTAS

1. «La señora Pardo Bazán, después de publicar teorías tan bien pensadas como las de su *Cuestión palpitante,* da a la estampa su novela *La Tribuna,* naturalista por todos lados» (L. Alas, «*La Tribuna.* Novela original de doña Emilia Pardo Bazán», en *Sermón perdido,* Madrid, Fernando Fe, 1885, p. 113); «Elle ne se tint pas à la théorie; elle se mit à écrire des romans. Comme il fallait s'y attendre, elle debuta par le pastiche de Zola [...] est le roman naturaliste selon la formule» (B. de Tannemberg, *L'Espagne littéraire. Portraits d'hier et d'aujourd'hui,* París, A. Picard-Toulouse: E. Privat, 1903, p. 305); «*La Tribuna* entraba ya decididamente, por clasificación rigurosa, en el catálogo de obras naturalistas [...] Era naturalista por todos conceptos» (A. González Blanco, *Historia de la novela en España desde el Romanticismo a nuestros días,* Madrid, Sáenz de Jubera, 1909, p. 489); «En su época rotunda, decididamente naturalista, destacan tres obras [...]. Puede que de las tres sea *La Tribuna* la más próxima al naturalismo francés, a la manera de Zola [...] debió escribirla casi para completar con la práctica su defensa teórica del naturalismo en *La cuestión palpitante*» (M. Baquero Goyanes, *La novela naturalista española: Emilia Pardo Bazán,* Murcia, Universidad, 1986², p. 11); «The critics seem unanimous in their veredict that this is a novel naturalistic in every respect [...] In any case, it is apparent that *La Tribuna* is an experimental novel written and composed faithfully according to the Zola pattern» (D.F. Brown, *The Catholic Naturalism of Pardo Bazán,* Chapel Hill: *The University of North Carolina Press,* 1957, pp. 72 y 83); «Tras la tormenta que desencadenó, quiso demostrar la práctica de sus teorías en la primera novela que publicó después [de *La cuestión palpitante*], *La Tribuna,* que cae por completo dentro de la técnica naturalista de la interpretación que la autora se forjó» (J. de Entrambasaguas, «Emilia Pardo Bazán (1851-1921)», en *Las mejores novelas contemporáneas,* III, Barcelona, Planeta, 1967, p. 927); «Después de haber escrito sus impresiones y teorías sobre el naturalismo, ¿cómo

resistir la tentación de componer una novela que pusiera estas mismas teorías en la práctica? [...] en *La Tribuna* por fin tenemos una verdadera novela naturalista, naturalista, desde luego, según las teorías de doña Emilia» (R.E. Osborne, *Emilia Pardo Bazán, su vida y sus obras*, México, De Andrea, 1964, pp. 44 y 47); «A poco de publicar *La cuestión palpitante* [...] la Pardo Bazán, predicando con el ejemplo, da a la estampa su novela *La Tribuna* [...] en donde se acentúan las características naturalistas ya presentes en *Un viaje de novios*» (V. Fuentes, «La aparición del proletariado en la novelística española: sobre *La Tribuna* de Emilia Pardo Bazán», *Grial*, 31 [1971] p. 90); «While the quarrel over Zolaism was at its heigh, Pardo Bazán was preparing a truly Naturalistic novel. In the manner of the French head of the movement, she first documented herself [...] The Naturalism of this work lies in various aspects» (W.T. Pattison, *Emilia Pardo Bazán*, Nueva York, Twayne Publishers, 1971, pp. 45 y 46); «Con *La Tribuna* [...] se inicia en España la novela naturalista» (B. Varela Jácome, *Estructuras novelísticas de Emilia Pardo Bazán*, Santiago de Compostela: CSIC, Anejo XXII de Cuadernos de Estudios Gallegos, 1973, p. 48); «Doña Emilia mettait donc clairement en application, dans *La Tribuna*, les idées qu'elle avait exprimées dans *La cuestión palpitante* en adoptant les procédés et à la fois l'intention principale des romanciers naturalistes français» (N. Clemessy, *Emilia Pardo Bazán, romancière*, París, Centre de Recherches Hispaniques, 1973, vol. I, p. 201).

2. F.C. Sáinz de Robles, «Estudio preliminar» a su ed. de Emilia Pardo Bazán, *Obras completas*, I, Madrid, Aguilar, 1964, p. 49.

3. R. Altamira, «El Realismo y la literatura contemporánea», *La Ilustración Ibérica*, n.º 198 (16 de octubre de 1886), IV, p. 667.

4. Pedro Abuín [D. García-Sabell], «El realismo de doña Emilia Pardo Bazán», en *Presencia de Curros y doña Emilia*, Vigo, Galaxia (Colección *Grial*, 3), 1951, pp. 45-54.

5. Cito por la primera edición, en Madrid, Alfredo de Carlos Hierro editor, sin año (pero 1883); en adelante me limito a indicar, entre paréntesis, las páginas correspondientes, siempre de esa misma edición.

6. Baquero, *op. cit.*, p. 11; este ensayo se había publicado previamente en *Anales de la Universidad de Murcia*, XIII (1954-1955), pp. 157-234 y 539-639.

7. Algo parecido sugiere Clemessy, *op. cit.*, p. 397: «Elle révèle cependant une conception fondamentalement traditionaliste que se situe dans une perspective encore très romantique. Lorsqu'elle fait revivre les moeurs et les manières d'être populaires de La Corogne, doña Emilia est mue par des sentiments qui rappellent ceux des "costumbristas" pour leurs modèles». Pero, a mi juicio, no son sólo los sentimientos sino los procedimientos literarios los que aproximan *La Tribuna* a la literatura costumbrista.

8. En *El Heraldo Gallego*, de Orense, núms. 224 (15 de octubre) y 225 (20 de octubre de 1877), pp. 149, 150 y 157-159.

9. También Pattison, *op. cit.*, p. 47 considera que «along with the Naturalistic element there is a strong dose of *costumbrismo*, the native Spanish realism which favored picturesque types and popular scenes. Several *cigarreras*, friends of Amparo, are good examples of *costumbrista* types».

10. De la misma opinión es Entrambasaguas, *op. cit.*, p. 928.

11. Ya algunos críticos de la época comentaron la relación exitente entre costumbrismo y naturalismo; citaré dos ejemplos: «La novela de costumbres, o es naturalista o no es novela de costumbres [...] la novela de costumbres debe apuntarse a las reglas que establece la moderna escuela naturalista» (L. Vidart, «El naturalismo en el arte literario y la novela de costumbres», *Revista de España*, tomo LXXXV, n.º 338 (1882), pp. 190 y 191); «Sabido es que no se manifiesta el naturalismo ahora en los artículos de costumbres, que fue donde hizo su primera aparición» (A. Cánovas del Castillo, *El «Solitario» y su tiempo*, Madrid, Dubrull, 1883, tomo I, p. 167). Para las observaciones de Baquero Goyanes, cfr. *op. cit.*, pp. 41, 143, 144 y 159.

12. Así lo explicaba, años después, en sus *Apuntes autobiográficos:* «Quien pasee la carretera de mi pueblo natal al caer la tarde, encontrará a docenas grupos de operarias de la Fábrica de cigarros, que salen del trabajo. Discurría yo al verlas: "¿Habrá alguna novela bajo esos trajes de percal y esos raídos mantones?" "Sí, me respondía el instinto; donde hay cuatro mil mujeres, hay cuatro mil novelas de seguro: el caso es buscarlas". Un día recordé que aquellas mujeres, morenas, fuertes, de aire resuelto, habían sido las más ardientes sectarias de la idea federal en los años revolucionarios, y parecióme curioso estudiar el desarrollo de una creencia política en un cerebro de hembra, a la vez católica y demagoga, sencilla por naturaleza y empujada al mal por la fatalidad de la vida fabril. De este pensamiento nació mi tercera novela, *La Tribuna*» (E. Pardo Bazán, *Apuntes autobiográficos* [1886], en *Obras completas*, III, Madrid, Aguilar, 1973, p. 725).

13. *Apuntes autobiográficos* edición citada, p. 725.

14. «Je passe à un autre caractère du roman naturaliste. Il est impersonnel, je veux dire que le romancier n'est qu'un greffier, qui se défend de juger et de conclure [...] le romancier doit également s'en tenir aux faits observés, à l'étude scrupuleuse de la nature, s'il ne veut pas s'égarer dans des conclusions menteuses. Il disparaît donc, il garde pour lui son émotion, il expose simplement ce qu'il a vu [...]. L'intervention passionnée ou attendrie de l'ecrivain rapetisse un roman, en brisant netteté des lignes, en introduisant un élement étranger aux faits, qui détruit leur valeur scientifique» (É. Zola, «Le naturalisme au théâtre», en *Le roman expérimental* [1880]; cito por la edición de París, Garnier-Flammarion, 1971, pp. 150 y 151).

15. Emilia Pardo Bazán, *La cuestión palpitante*, Madrid, V. Saiz, 1883, p. 178.

16. «Parece que el autor quiere dibujar el perfil cómico de la revolución, según la entendió el pueblo en algunas provincias», escribía Leopoldo Alas en su artículo citado en *Sermón perdido*, p. 116. Otros críticos posteriores han opinado de manera similar; así C. Barja (*Libros y autores modernos*, Madrid: Rivadeneyra, 1925, p. 559), para quien *La Tribuna* «puede pasar como sátira política y como novela docente»; V. Fuentes, art. cit., p. 93, opina que Pardo Bazán «presenta aquella realidad mediatizada por la ironía y la sátira»; también Clemessy, *op. cit.*, pp. 445-449, comenta lo que de sátira político-social hay en *La Tribuna*. *Vid.* ahora sobre esas cuestiones el artículo de N.G. Round «Naturalismo e ideología en *La Tribuna*» y el de D. Henn, «Aspectos políticos de *La Tribuna* de Emilia Pardo Bazán», en Ruiz Veintemilla, J.M. (ed.), *Estudios dedicados a James Leslie Brooks*, Barcelona, Puvill / University of Durham, 1984, pp. 77-90.

17. Distinta es la interpretación de V. Fuentes, art. cit., p. 94: «el final de la novela resulta tan ambiguo y contradictorio como el resto de la novela» ya que «lejos de probar la moraleja que expone la novelista en el prólogo, este cuadro de la obrera militante, engañada por un señorito seductor, dando el pecho al hijo recién nacido, mientras sus compañeras marchan por la calle, en compacto pelotón, vitoreando a la República federal, intensifica —contra las intenciones de la autora— la perspectiva revolucionaria de la novela».

18. Osborne, *op. cit.*, pp. 46 y 47. En cambio, V. Fuentes, art. cit., p. 91 opina que la contradicción entre su ideología conservadora y los procedimientos naturalistas le conducen a «manipular esta realidad de modo que pruebe la moraleja que quiere extraer de la novela». No era eso, por supuesto, lo que pensaba la autora, quien estaba convencida de haber sido objetiva e imparcial en su tratamiento de la historia; «no necesité agrupar sucesos, ni violentar sus consecuencias, ni desviarme de la verdad concreta y positiva», escribía en el Prólogo, p. 2.

19. Ya Rafael Altamira, art. cit., p. 570 (n.º 192, 4 de septiembree de 1886) había advertido que «una de esas reminiscencias de pasados ideales en literatura [...] es el sentimentalismo humanista [...] resabio de aquel de los comienzos de la centuria».

20. Cfr. J. Sánchez Reboredo, «Emilia Pardo Bazán, y la realidad obrera, Notas sobre *La Tribuna*», *Cuadernos Hispanoamericanos*, n.º 351 (septiembre de 1979), pp. 570-573. También V. Fuentes, art. cit., p. 90 señala que el tema del obrero menesteroso había dominado en la novela folletinesca, aunque observa que la clase obrera, idealizada por Ayguals y sus colegas, aparece aquí en su verdadera dimensión.

21. En *La cuestión palpitante*, ed. cit., p. 189, decía algo parecido: «Acá, los que estudiamos el pueblo, no ya en las aldeas, no en las comarcas montañosas, que gozan fama de morigeradas costum-

bres, sino en un centro fabril, notamos —sin pecar de optimistas— que, a Dios gracias, nuestras últimas capas sociales se diferencian bastante de las que pintan Goncourt y Zola».

22. Por ejemplo, la casa de Amparo (caps. II, III); el grupo de chiquillos que cantan villancicos (cap. V); el «Infierno» de la fábrica; los mendigos del cap. XXV; la esperpéntica señora Porreta (caps. III y XXVIII). Cfr. sobre todo esto los comentarios de Brown, *op. cit.*, pp. 74-80, Baquero Goyanes, *op. cit.*, pp. 110, 120-122 y 156-159; Clemessy, *op. cit.*, pp. 276 y 277.

23. Así, en la primera edición; en cambio editores recientes (F.C. Sáinz de Robles en *Obras completas*, II, Madrid, Aguilar, 1964, p. 130; B. Varela Jácome, en Madrid, Cátedra, 1975, p. 121 y J. Hesse, en Madrid, Taurus, 1982, p. 91) leen «agudeza».

24. Cfr. «[...] el darwinismo no pertenece al número de aquellas verdades científicas demostradas con evidencia por el método positivo y experimental que Zola preconiza [...]; sino que hasta la fecha, no pasa de sistema atrevido, fundado en algunos principios y hechos ciertos; pero riquísimo en hipótesis gratuitas, que no descansan en ninguna prueba sólida», *La cuestión palpitante*, ed. cit., p. 131.

25. Cfr. a este propósito las observaciones de Osborne, *op. cit.*, pp. 48 y 49; Clemessy, *op. cit.*, p. 279.

26. Cfr. Osborne, *op. cit.*, p. 48: «Sólo en un lugar la autora se niega a hablar con toda franqueza, en el de la seducción de la protagonista [...] la escena a que nos referimos es casi el único rasgo romántico de la novela»; también Clemessy, *op. cit.*, pp. 281, 282, 289 y 290.

27. En su artículo «Cartas son cartas», publicado en *La Época*, de Madrid, el 31 de marzo de 1884, Luis Alfonso reprochaba a doña Emilia esa «escena obstétrica» (citado por W.T. Pattison, *El naturalismo español*, Madrid, Gredos, 1969, p. 115). En cambio, para este crítico americano (en *Emilia Pardo Bazán*, Nueva York, Twayne Publishers, 1971, p. 46), esa situación es un buen ejemplo de lo que llama «mitigated naturalism», ya que, como recuerda, «in fact, the whole scene is described not from Amparo's room, but from the adjacent one where the invalid mother lies in bed. Groans and screams pierce the thin wall; the midwife and later the doctor make brief reports on the condition of their patient; at no time are we visual witnesses of the parturient».

28. Me refiero a la que se produce en el capítulo XXI, entre Muergo y Sotileza (en la edición de *Obras completas*, tomo IX, Madrid, Tello, 1888, pp. 398-402). Aunque no cita ese episodio, acaso se apoye en la semejanza que señala J. de Entrambasaguas, *op. cit.*, p. 928, cuando escribe que «Chinto [...] recuerda lejanamente al Muergo de Pereda»; aunque conviene precisar que la novela de doña Emilia es anterior en dos años a la de don José María, por lo que, en todo caso, será Muergo quien recuerde a Chinto.

29. Lo ha notado y comentado Clemessy, *op. cit.*, p. 540.

30. C. Barja, *op. cit.*, p. 556. En cambio otros críticos extranjeros han valorado positivamente este aspecto de la novela; para R. Osborne, *op. cit.*, p. 48, «no cabe imaginar un diálogo más natural o mejor escrito. Estas cigarreras hablan el castellano precisamente como las obreras de una fábrica»; y W.T. Pattison, *op. cit.*, p. 46 escribe: «From her observation in the factory the Countess picked up a quantity of popular modes of speech and used them to make her characters talk with the authentic speech of the common people».

31. «La señora Pardo Bazán es de todos los novelistas de España el que más pinta: en sus novelas se ve que está enamorada del color [...] en *La Tribuna*, con haber mucho bueno, todavía es lo mejor el color y la fuerza y corrección con que se emplea» (L. Alas, *op. cit.*, pp. 113 y 114); J. Vida opinaba que «hay en esta novela muchas nimiedadees de color que indican complacencia en sorprenderlas y hacerlas ver» (citado por R. Altamira, art. cit., n.º 191, 28 de agosto de 1886, p. 554). Cfr. también Brown, *op. cit.*, pp. 78 y 79 y Clemessy, *op. cit.*, pp. 704-708.

32. «This masterly handling of color recalls Pardo's admiration for the Goncourts as *coloristas*» (Brown, *op. cit.*, p. 79). En efecto, hay abundantes testimonios de esa admiración; vgr., en *La cuestión palpitante*, ed. cit. pp. 103-105. Véase también una interesante confidencia, en carta a Menéndez Pelayo del 29 de septiembre de 1882: «es en mí cosa inevitable, condición de mi temperamento ver antes que todo el color [...] el sentido del color impera en mí hasta el grado que parecerá inverosímil al que no sepa lo que se afinan y excitan los sentidos por la contemplación artística. De tal manera me parece característico este modo de sentir las diversas vibraciones luminosas, que se me figura que siempre mis escritos se resentirán de esta excesiva sensibilidad de mi retina» (M. Menéndez Pelayo, *Epistolario*, V, Madrid, Fundación Universitaria Española, 1983, pp. 482 y 483).

33. Me refiero al artículo de M.E. Giles «Impressionist Techniques in Descriptions by Emilia Pardo Bazán», *Hispanic Review*, XXX (1962), en especial las páginas 307-309, que se ocupan del empleo de esas técnicas en *La Tribuna*.

34. Además del artículo de García-Sabell citado en la nota 4, puede servir de muestra de ese tipo de juicios éste de Blanca de los Ríos en su artículo «Elogio de la Condesa de Pardo Bazán», *Raza Española*, III, n.º 30 (junio 1921), pp. 28 y 29: «La Condesa de Pardo Bazán era [...] una ingente personalidad romántico-realista y un generoso criterio ecléctico; y si se aficionó al naturalismo fue por lo que de romántico y realista tenía [...] siempre afirmó su credo católico opuesto al determinismo, su independencia del documentarismo y su fuerte y sano realismo español, que, paso a paso, fue derivando hacia el idealismo más exaltadamente espiritualista».

Juan Valera

JUAN VALERA Y EL ARTE DE LA NOVELA, SEGÚN MANUEL DE LA REVILLA

Adolfo Sotelo Vázquez
(Universidad de Barcelona)

I

La muerte de Manuel de la Revilla en 1881 concita un amplio número de recuerdos de su personalidad intelectual. Urbano González Serrano, en el Discurso que pronuncia el 17 de diciembre en el Ateneo madrileño y que luego sirvió de *Discurso preliminar* a la recopilación de las *Obras* de Manuel de la Revilla que el Ateneo dará a luz en 1883, tras observar que su formación y andadura intelectual fueron paralelas a las de Revilla —«la educación casi idéntica que tuvimos los dos durante largos días; el trato continuo, íntimo, afectuoso, que engendran la comunidad de ideas y la homogeneidad de aspiraciones»—[1] subraya las dimensiones intelectuales de la personalidad del fallecido: pensador, profesor, orador, poeta y crítico de arte. González Serrano, que ve el principal mérito en el prisma de varias caras que había tenido la tarea de Revilla, porque «vivió y pensó en su tiempo y con su tiempo»,[2] no vacila en destacar como un quehacer principal las críticas de arte y literatura.[3]

También Leopoldo Alas, que había mantenido discrepancias ideológicas y estéticas con Revilla desde las páginas de *El Solfeo* —valgan como indicador los comentarios al debate sobre el federalismo entre Pi i Margall y Revilla, y el largo estudio que dedicó a los *Principios generales de literatura*—,[4] señala el indiscutible mérito de Revilla en el terreno de la crítica literaria, recordando, además —se trata de páginas de *La literatura en 1881*— que «yo hice mis primeras armas luchando contra Revilla».[5]

Y, en efecto, la crítica literaria española de la década de los setenta, especialmente en su segundo lustro, tiene en Manuel de la Revilla a su mejor crítico, si por ello entendemos el más atento a las novedades literarias que los años inmediatamente posteriores al sexenio van produciendo. Y ello es así porque, si bien desde el año setenta sus artículos se publicaban en el *Boletín Revista de la Universidad de Madrid*, *El amigo del pueblo*, *La Crítica*, *La Academia*, *La Ilustración Española y Americana*, la *Revista Europea*, la *Revista de España*, *El Liceo*, *El Imparcial* o *El Globo*, su labor como crítico de libros, novelas y obras dramáticas se desarrolló fundamentalmente en la sección «Revista Crítica» de la *Revista Contemporánea*, en tanto que ésta fue conducida por José del Perojo, es decir, desde su fundación en diciembre de 1875 hasta febrero de 1879. En ella publicó más de cincuenta revistas críticas que constituyen, a juicio de Francisco de Asís Pacheco en la espléndida semblanza que de Revilla dio a luz en la *Revista Hispanoamericana* en 1881, «una verdadera crónica del movimiento científico y literario contemporáneo, donde discurría sobre los trabajos de las asociaciones doctas, como el Ateneo, la Institución Libre de Enseñanza, etc. y sobre los libros que se iban publicando».[6]

Dejando a un lado la relevante importancia de Perojo en la empresa de la *Revista Contemporánea*, saludada por Clarín, en un artículo de enero de 1876, como una empresa patriótica que intentaba renovar los obstáculos que se oponían al verdadero europeísmo científico y literario,[7] hay que convenir que la labor de Manuel de la Revilla fue crucial para el regeneracionismo *avant-la-lettre* del que fue adalid la *Revista Contemporánea*.

En el primer número de la *Revista Contemporánea*, fechado el 15 de diciembre de 1875, el crítico madrileño, que se había formado en la escuela krausista, da noticia de las pretensiones de su sección y, en general, de la revista:

> Dar cuenta sumaria, pero exacta y razonada, de las principales manifestaciones de la vida intelectual de España, ya examinando los libros más importantes que se publiquen, ora reseñando los debates y trabajos de todo género de las Aca-

demias y Ateneos, ya enfín, dando idea de las producciones que aparezcan en nuestros teatros, es el objeto de estas Revistas Críticas, que han de ser según esto, una sumaria, pero fidelísima crónica del movimiento intelectual de España.[8]

Desde estos presupuestos, y tras reconocer el triste panorama de la vida intelectual de España, Revilla señala el balbuciente renacer de las ciencias filosóficas y de la novela española gracias al quehacer, en este último campo, de Alarcón, Valera y, sobre todo, Galdós.

A partir de este momento, los artículos de Revilla en la *Revista Contemporánea* dan cuenta de unas inquietudes prolíficas y de variada temática, aunque la máxima atención recaiga sobre la novela y su emergencia en esos años. Desde el punto de vista filosófico-político, lo más relevante son los trabajos que genera la polémica de la ciencia española; y junto a ello, una serie de artículos que revelan un analista lúcido en su constante crítica del idealismo desaforado y del materialismo positivista, para propugnar una vía intermedia que coincide con los supuestos neokantianos expuestos por Perojo y a los que se adhiere firmemente. Artículos que, es necesario señalarlo, estaban amparados por los debates del Ateneo, en los que a menudo participaba el propio Revilla dando cuenta en las páginas de la *Revista Contemporánea* del desarrollo de los mismos, y que postulaban una armonización entre especulación y experiencia, con notable y progresiva flexibilidad hacia los dominios del positivismo. Armonización que late a su vez en el quehacer de Giner, Salmerón o Leopoldo Alas, si bien dicha conciliación deriva hacia puntos no exactamente coincidentes: hacia el krauso-positivismo en Salmerón, hacia un idealismo flexible a las verdades de la experiencia que no pongan en peligro la metafísica en Giner o Clarín, y en un tránsito hacia el positivismo en Revilla. Las respectivas reseñas de Revilla y de Alas del prólogo de Nicolás Salmerón al libro de Hermenegildo Giner, *Filosofía y Arte* (1878), son significativas del distinto enfoque que el crítico madrileño y el asturiano dan a las importantes reflexiones del que había sido profesor de ambos.

II

Desde el punto de vista literario, las «Revistas Críticas» de Manuel de la Revilla se ven acompañadas por una serie de «Bocetos literarios» y de una notable lista de artículos doctrinales, en los que traza las señas de identidad de su estética que, inicialmente, tienen que ver tanto con la *Estética* hegeliana como con el *Compendio de Estética* de Krause, traducido al castellano por Francisco Giner, para, posteriormente —el bienio 1877-1878 es clave— teñirse de un sentido positivista que, no obstante, no le facilitó la comprensión de las teorías de Zola a las que llamó «demagogia del realismo» con notable incomprensión de la experimentación, concepto señero en las doctrinas del autor de *Nana*, y magistralmente leído en España por el autor de *La Regenta*.

Revilla defendía en 1875 —y cuando aún no había nacido la empresa de Perojo— como tipo ideal de novela contemporánea, la verdadera novela psicológica, a cuya configuración estaban cooperando los esfuerzos de novelistas como Alarcón y Valera, especialmente desde libros como *Pepita Jiménez*. Tal afirma en la primera crítica que dedica a Valera con motivo de la publicación de *Las ilusiones del doctor Faustino:*

> [...] al Sr. Valera corresponde parte muy señalada en esta regeneración de la novela. Su *Pepita Jiménez* representa un paso decisivo en esta senda a cuyo término ha de hallarse la verdadera novela psicológica, tipo ideal de novela contemporánea en sus varias manifestaciones,[9]

añadiendo días después, en su reseña de *El escándalo*, que estas novelas psicológicas responden a «una concepción moral y filosófica y a una concepción artística».[10] Concepciones que rara vez suelen rayar al mismo tiempo a gran altura, produciéndose dos tipos de posibilidades:

> O en el autor el filósofo aventaja al artista, o el artista supera al filósofo, reproduciéndose, como es natural, este fenómeno en la obra. Lo primero se observa, por ejemplo, en las novelas del Sr. Valera; lo segundo se verifica en la última novela del Sr. Alarcón.[11]

Así, Revilla situaba a Valera —autor ya de *Pepita Jiménez* y *Las ilusiones del doctor Faustino*— en el grupo de novelistas que practicaban el género psicológico, con prevalencia del elemento filosófico sobre el artístico. Notemos que el parecer de Revilla está en total acuerdo con las opiniones de Valera que, años después, y en diversas ocasiones —en la crítica de *El gusano de luz*, novela de Salvador Rueda, apareci-

da en *El Imparcial* el 18 de marzo de 1889, por ejemplo—
señala la importancia de las obras de Alarcón y de su propia
primera serie de novelas en el diseño de este género psico-
lógico-social que, meses más tarde —agosto de 1891— y en
«Carta a la *Revista Ilustrada de Nueva York*» llama «novela
psicológica de costumbres contemporáneas»:

> Después, Alarcón y yo, antes de que apareciesen y brilla-
> sen Pérez Galdós, Jacinto Octavio Picón, Armando Palacio
> Valdés, Emilia Pardo Bazán y tantos otros, compartimos, sin
> disputárnosla, la honra de cultivar con éxito cierta clase de
> novela, poco cultivada antes en España, y que podemos lla-
> mar novela psicológica de costumbres contemporáneas.[12]

Pero el acuerdo y, en consecuencia, el buen sentido de las
referencias críticas de Revilla con respecto a Valera, no para
ahí. Ambos entienden similares poéticas para la novela psicológica que practicaba el escritor cordobés. Ya en el año
1872, en *Principios generales de la literatura* —libro impreso
en tres ocasiones durante el último cuarto de siglo XIX— señala Revilla entre los diversos géneros novelescos el de la novela psicológica, ya sea de carácter o de costumbres, perfi-
lando el primer tipo —novela psicológica de carácter— del siguiente modo:

> [...] la acción en ella es antes interna que externa, y la
> acción externa no es más que la consecuencia lógica de la
> interna, o el medio de exponer y desarrollar ésta. Generalmen-
> te estas novelas tienen un protagonista, cuyo nombre suele
> ser título de la obra y cuya historia íntima es su asunto.[13]

Meses después, y aludiendo a las primeras novelas de Valera, juzga que los requisitos de este género de novela psicológica son: en primer lugar, lo equiparable que en ellas es la
intención y trascendencia del asunto con el interés dramático
de la acción; en segundo término que, como novelas de análisis, la maestría del filósofo y el talento del artista se armoni-
zan para pintar caracteres y tipos; y, en tercer lugar, y fundamentalmente, que más que una acción de ajetreados lances, importa

> la fiel y delicada pintura de las pasiones y caracteres hu-
> manos, pintura bajo la cual se oculta un importante problema
> o una profunda enseñanza.[14]

Esta definición que Revilla ejecuta en dos tiempos se acerca notablemente a la que practicaba en sus novelas y afirmaba en sus teorizaciones sobre el género el autor de *Pepita Jiménez*. Valera, decidido partidario de considerar la novela género poético, como sustentaba en el temprano estudio «De la naturaleza y carácter de la novela» (1860) —«llamo a la novela *poesía* aunque las novelas, por lo general, se escriben en prosa, porque ni son historias, ni Ciencia, ni Filosofía, y, aunque no estén en verso, no dejan de ser parto de la imaginación poética»— [15] explicaba en la posdata que cierra la segunda edición de *Las ilusiones del doctor Faustino* (1879) que «mi intento es hacer una pintura de las costumbres y pasiones de nuestra época; una representación fiel y artística de la vida humana», [16] aderezando su constante preferencia por la novela psicológica y de análisis, pues, como dejó dicho en los *Apuntes sobre el nuevo arte de escribir novelas* (1886-1887): «la novela es acción contada. La acción brota de los caracteres», [17] lo que es una manifiesta declaración de que la novela se desenvuelve por la vía de la narración y no de la imitación pura, como también había afirmado Revilla: «la vida humana no se representa en la novela; se narra, y las composiciones de este género son, por consiguiente, dramas narrados», [18] añadiendo en enjundiosa nota a pie de página —que sin duda fascinaría a Gerard Genette— que las novelas epistolares «son narrativas, siquiera la narración se ponga en boca de los personajes». [19] Los dos, Valera y Revilla, parecen estar de acuerdo en que la «pintura de actos y pasiones de la vida humana» [20] —palabras con las que Valera alude a la novela en su interesante glosa del *Discurso* de ingreso de Pereda en la Academia en 1897— debe crear una ilusión de mímesis, pero lograda esencialmente a través de la diégesis. Volviendo al tipo ideal de novela que Revilla propugnaba en los albores de la Restauración, y en cuyo resurgimiento trabajaban Alarcón, Valera y, a partir de la publicación de *Doña Perfecta*, Pérez Galdós, conviene recordar el doble aspecto que Revilla adivinaba en dichas creaciones: el filosófico-moral y el artístico. Ambos, desde su óptica, son importantes, pero para que el arte tenga validez en cuanto tal: «El fin docente o trascendente de la obra poética siempre ha de ser secundario y subordinado al puramente artístico». [21]

Formulación que constituye el eje sobre el que se articula su importante estudio *La tendencia docente en la literatura contemporánea*, en el que se expresa la filiación idealista de su pensamiento estético: «nuestra fórmula es la del arte por el arte, o mejor, por la belleza».[22] Revilla cree que el fin capital y primero de la obra poética es la realización independiente y sustantiva de lo bello, lo que supone un pleno acuerdo con lo que don Juan Valera había establecido en los primeros meses de la década del sesenta cuando se había ocupado con asiduidad de los temas estéticos. Así en «De la naturaleza y carácter de la novela» (1860) escribe: «Yo soy más que nadie partidario del *arte por el arte*. Creo que la poesía tiene un fin altísimo, cual es la creación de hermosura»,[23] afirmación que constituye una de las principales consecuencias de sus lecciones sobre filosofía del arte, impartidas en el Ateneo de Madrid en los días finales de 1859 y de las que da oportuna noticia su epistolario con Gumersindo Laverde. Este pleno acuerdo entre Valera y Revilla en lo que concierne al fin primero e irrenunciable de la obra poética y, en consecuencia, de la novela, tiene su fundamento en el alto grado de hegelianismo que anida en la base de sus respectivas estéticas.

Tal como expresó Hegel en un pasaje de sus *Lecciones de estética*, corolario de su conocida concepción de la superioridad de la belleza del arte sobre la belleza de los seres naturales, al ser la primera producto del espíritu.

> El verdadero fin del arte es, por consiguiente, representar lo bello, revelar esta armonía. Este es su único destino. Cualquier otro fin, la *purificación*, el *mejoramiento moral*, la *edificación*, la *instrucción*, son accesorios o consecuencias,[24]

Valera y Revilla concuerdan en el fin esencial de la realización de lo bello que conviene a la obra de arte. Sin confundir los *efectos* del arte con su verdadera *finalidad*, hay, sin embargo, entre el crítico madrileño y el novelista andaluz una importante diferencia de matiz que dilucida mejor sus particulares posiciones estéticas. Mientras Revilla, inspirándose en una tesis típica del krausismo formulada por don Francisco Giner en el importantísimo estudio de 1862, *Consideraciones sobre el desarrollo de la literatura moderna*, según la cual, en igualdad de circunstancias estéticas, debe reconocerse el mayor valor de la producción que una al valor estético un alcance didáctico, moral o social, escribe en 1877: «Preferimos, en igualdad de circunstancias, las obras que hacen pensar, sentir y gozar a las que sólo hacen gozar y sentir»[25] Lo que posibilita, en primer lugar, que junto a la realización sustantiva de lo bello, la obra de arte sea influyente y educadora, cumpla una misión filosófico-moral, sin involucrar el juicio artístico y moral, si bien prefiriendo las obras que reúnan ambas facetas; por otra parte, posibilita también el camino a la comprensión de las novelas tendenciosas, capítulo en el que Revilla, merced a su conversión neokantiana, fue más tolerante que su maestro Giner, pues en tanto que éste emitía un severo juicio de *La familia de León Roch* en las páginas de *El Pueblo Español*,[26] Manuel de la Revilla glosa con satisfacción, en la *Revista Contemporánea*, la nueva novela galdosiana, por la eficaz unión de lo bello, lo verdadero y lo bueno que en ella se ofrece, como certifican las palabras finales de su «Revista crítica»:

> Presentar a los ojos de la humanidad el espectáculo de la belleza, es sin duda empresa meritoria; pero ¡cuánto más grande es llevar una piedra al magnífico edificio del progreso y contribuir al glorioso triunfo de la verdad y del bien![27]

A Valera, en cambio, el subjetivismo estético y el conservadurismo moderado le impiden derivar hacia una orientación ética o sociológica de la literatura. Y si ya en 1860 confesaba: «Creo que la poesía, y por consiguiente la novela, se rebajan cuando se ponen por completo a servir a la ciencia, cuando se transforman en argumento para demostrar una tesis».[28]

Años después, y aprovechando la distinción hegeliana entre finalidad y efectos del arte, trató de justificar la trascendencia de su *Pepita Jiménez*, insistiendo en su cómodo y ecléctico *panfilismo*, tal y como evidencian las conocidas líneas del prólogo que en 1886 antepuso para la edición en lengua inglesa de su obra maestra:

> Objeto del arte es la creación de la belleza, y le humilla quien le somete a otro fin, por alta que sea su utilidad. Pero puede ocurrir, por un conjunto de circunstancias favorables, por inspiración dichosa, porque en un momento dado todo esté dispuesto como por magia o sobrenatural determinación, que el alma de un autor venga a ser como limpio y hadado espejo, donde se reflejan las ideas y los sentimientos todos que agitan el espíritu colectivo de un pueblo, y pierdan allí la discordancia y se agrupen y se combinen en suave conciliación y armonía.[29]

que son estrictamente contemporáneas de su refutación de los principios doctrinales del naturalismo, en la que vuelve a insistir en que los libros que engendran los postulados de Zola se alejan de la novela, entendida como «una obra de la imaginación, para crear belleza, para dar deleite o pasatiempo»,[30] según escribe en los *Apuntes*.

Idearío que mantuvo a lo largo de su vida, refutando por igual la novela tendenciosa de los años setenta, el naturalismo de los ochenta, la novela novelesca de los albores de 1890 y la que él llamaba «novela terapéutica» de la crisis de fin de siglo. No en balde, a las objeciones que la posdata de *Las ilusiones del doctor Faustino* recoge en 1879: «mi idea de componer cuentos, narraciones, o lo que sean, ya que no sean novelas, no es probar nada»,[31] hay que sumar las conocidas de los *Apuntes sobre el nuevo arte de escribir novelas*, estudiadas por Luis López Jiménez,[32] y las malhumoradas que le provoca la novela novelesca en un poco conocido artículo que *El Heraldo de Madrid* publicó dentro de una interesantísima serie el 5 de junio de 1891, y en el que bajo el rótulo de «La novela enfermiza», Valera afirma: «En vez de aspirar a que las novelas sean *docentes*, contentémonos con que sean *decentes*»,[33] añadiendo, por último, las que giran en torno a la literatura terapéutica de la crisis de fin de siglo, momento en el que el prefacio de *Morsamor* (1899) le sirve para sentenciar:

> Yo sólo pretendo divertir un rato a quien me lea, dejando a los sabios enseñar y adoctrinar a sus semejantes, y dejando a nuestros hombres políticos la difícil tarea de regenerarnos y de sacarnos del atolladero en que nos hemos metido.[34]

III

Establecidos los anteriores supuestos que ponen de relieve las notables concomitancias de los postulados estéticos de Revilla y Valera (si bien la actitud crítica de Revilla fue evolucionando, desde el punto de vista de la mimesis artística, hacia el realismo a medida que nos acercamos a 1880, lo que significa una modificación de los supuestos de 1875 en aras de atender a una síntesis racional y crítica de lo ideal y lo real, según propugnaban las doctrinas neokantianas y el propio Revilla expone en mayo de 1879 en su ensayo *El Naturalismo en el arte*, publicado en la *Revista de España*), abordemos algunos aspectos de las reseñas críticas que Revilla dedicó a la obra novelística de Valera, en el marco de la por ambos llamada novela psicológica y de análisis.

Con excepción de *Pepita Jiménez*, las cuatro novelas restantes correspondientes al primer ciclo de la narrativa de Valera merecieron la atención de Revilla, quien, por otra parte, da abundantes notas críticas de la obra maestra de Valera al correr de las demás reseñas, entre las que la de *Pasarse de listo* es la más negativa con respecto a su arte de novelar y, en concreto, en lo que atañe a la construcción de los caracteres novelescos, demasiado amañados por el ingenio escéptico de su autor y muy lejanos —siempre a juicio de Revilla— del verdadero corazón humano, lo que le lleva a afirmar que Valera, a fuerza de talento e ingenio, ha concluido por no conocer al hombre ni a la sociedad:

> El tono ligero y maleante, los toques escépticos y las paradógicas ingeniosidades de que tanto gusta el Sr. Valera, perjudican no pocas veces el elemento patético y serio de la obra, no menos que el profundo desconocimiento de la sociedad y del corazón humano que en ella, como en todas las suyas, manifiesta su autor, sin duda por pasarse de listo.[35]

Impugnación dura y tajante que aparece más matizada en las demás reseñas, y que sentó muy mal a Valera según se desprende de la comunicación epistolar del 21 de julio de 1878 en que le confiesa a Menéndez Pelayo: «Mi *Pasarse de listo* vale poco, pero el Sr. Revilla, que celebra mil tonterías, ha estado harto severo en la crítica que de *Pasarse de listo* ha hecho en la *Revista Contemporánea*»,[36] si bien, unos días antes y al remitirle un ejemplar, le había anticipado que era «la más endeble sin duda de mis novelas; pero como me la pagan y yo necesito dinero, no hay más que publicarla».[37]

Al margen de esta reseña crítica de singular dureza, los sucesivos trabajos de Revilla analizando las novelas de Valera revelan que el crítico madrileño, cuya actitud obedece cada vez más a un concepto realista de la novela y a una vinculación del género con los ideales de la sociedad contemporánea, muestra una mirada cada vez más crítica y severa respecto a las obras del novelista andaluz. Sin embargo, y obviando los interesantes aspectos de esta evolución, las críticas de Revilla señalan constantemente algunos rasgos de la novela de Valera:

En primer lugar, en la reseña de *Las ilusiones del doctor Faustino*, que es la más elogiosa de la serie, tras admitir que esta obra es más novela que *Pepita Jiménez*, advierte ya que la obra maestra de Valera «era un estudio psicológico más que una novela»,[38] si bien como tal estudio ahonda magistralmente en el drama íntimo que se desarrolla en los senos profundos de la conciencia. Tal decantación de Valera por el plano filosófico y de análisis más que por la trama artística vuelve a ser subrayada en la reseña de *El Comendador Mendoza* (*Revista Contemporánea*, 30·VII·1877), donde afirma que «sucede al *Comendador Mendoza* lo que a todas las obras novelescas del Sr. Valera; más que como novelas, valen como trabajos literarios».[39] Meses después, en enero de 1878, al trazar el boceto de Valera para la serie que primero publicó *La Crítica* y luego la *Revista Contemporánea*, tras insistir en el escepticismo lucianesco y el humorismo alegre del novelista andaluz, adopta un prisma tal vez más sagaz para detectar las insuficiencias de Valera como novelista, que son, en cambio, leídas como méritos indiscutibles de escritor, pensador y psicólogo, y es el de reconocer el talento que recubre sus creaciones, haciendo que «la crítica se rinda ante ese poderoso esfuerzo del ingenio que sabe hacer una novela de lo que no es novela, y un notable novelista de quien no tiene condiciones de tal».[40] Más malhumoradamente vuelve a indicar en su reseña de *Doña Luz* (mayo de 1879) que Valera tiene más de psicólogo profundo e ingenioso que de novelista, poniendo de relieve las insuficiencias del arte de novelar de Valera en orden a la acción novelesca, que ya en el boceto de 1878 había calificado de «pobre y poco interesante»,[41] y a la que ahora atribuye falta de intriga e interés dramático; y en orden a la construcción de los personajes, demasiado semejantes a su autor, si bien reconoce la grandeza del padre Enrique.

Sintéticamente, se podría afirmar que Revilla, en su seguimiento de las obras de Valera, ha destacado con notable agudeza crítica su urdimbre psicológica a la par que desde su progresiva aceptación de los moldes de la novela realista, ha ido endureciendo sus censuras respecto a la falta de una verdadera acción interesante que, a la altura de 1879, consideraba capital en la novela, pues entendía la tarea del novelista —ya un tanto distante del inicial marco psicológico— como la de un hombre.

> [...] que sepa pintar con verdad, animación e interés dramático una acción humana, llevando la emoción al ánimo del lector, deleitando su fantasía con el animado cuadro de las pasiones del hombre, no reconcentradas en el fondo del alma, sino empeñadas en enérgica y acalorada lucha, que se traduzca en dramáticos y conmovedores hechos[42]

según escribe en la reseña crítica de *Doña Luz*.

En segundo lugar, Revilla, que censuró cada vez con mayor severidad el relativismo moral e intelectual que el escepticismo de Valera comportaba, coincidiendo en tal censura con el joven Leopoldo Alas, advirtió desde su primera reseña que Valera era incapaz de eclipsarse ante sus personajes, que hablaban en el mismo tono y manera que lo hacía él. Así, en el comentario de *Las ilusiones del doctor Faustino*, señala que múltiples pasajes de la novela parecen «una conversación entre una multitud de encarnaciones distintas del espíritu de Juan Valera, multiplicado en sus personajes»,[43] para, dos años después, en la ya mencionada semblanza del escritor cordobés, reiterar que «todas las figuras hablan y piensan casi lo mismo, como que no son otra cosa que manifestaciones distintas de la personalidad del Sr. Valera».[44] La pertinencia del juicio de Revilla quedaría corroborada años después por el magnífico análisis que Leopoldo Alas realizaría de este aspecto de la narrativa de Valera en *Del estilo en la novela* (1882-1883) y por los sagaces juicios de doña Emilia Pardo Bazán, cuando a la muerte del autor de *Pepita Jiménez* dedicó tres importantes artículos a su personalidad de crítico y novelista en la revista *La Lectura*; y también por la propia confesión de Valera que, en unas tardías digresiones acerca de la *tendencia* en la novela, aparecidas en los primeros días de septiembre de 1896 en *El Liberal*, tras sostener que el poeta (y el novelista) pone el alma en lo que escribe, afirma que «poniendo el alma en su obra, pone también los enigmas y los problemas que en ella hay y los descifra o los resuelve a su modo»,[45] lo que venía a ser nueva confirmación de su temprana adhesión a la novela psicológica, aquella que busca «lo ideal dentro del alma»,[46] según había escrito en «De la naturaleza y carácter de la novela».

En consecuencia y en última consideración del presente asedio, Revilla no es sólo el primer crítico, junto a Clarín, de la novelística de Valera, sino una figura capital para entender las inflexiones del realismo novelesco en los años inmediatamente anteriores a la década dorada de la novela española del siglo XIX, en la que no pudo brillar en la creación novelística la personalidad de Valera, definida agudamente por Revilla en su análisis de *El Comendador Mendoza* como un compendio de:

> [...] el espíritu sutil del bizantino, la intención escéptica del volteriano, la erudición del humanista, la pulcritud del académico, la distinción del aristócrata y la gracia incomparable del andaluz.[47]

Compendio de buen sentido que le permitió a Valera juzgar en 1903 —muy lejanos ya los tiempos aquí examinados— la labor de Revilla como crítico literario con estas palabras:

> Impulsado Revilla por las nuevas corrientes que empezaron a prevalecer en España en el segundo tercio del siglo XIX, y muy versado también en la ciencia, hasta cierto punto nueva, que vino a llamarse estética, fue, en mi sentir, un crítico literario discretísimo, imparcial y juicioso, y mucho más benévolo e indulgente de lo que generalmente se piensa.[48]

NOTAS

1. Urbano González Serrano, Discurso Preliminar a M. de la Revilla, *Obras*, Víctor Saiz, Madrid, 1883, p. 1. Posteriormente recogido en Urbano González Serrano, «Manuel de la Revilla», en *Estudios Críticos*, Tip. del Hospicio, Madrid, 1892, p. 11.

2. U. González Serrano, «Manuel de la Revilla», en *Estudios Críticos, op. cit.*, p. 12.

3. *Ibíd.*, p. 10.

4. Se trata del conjunto de artículos de Leopoldo Alas *Clarín* aparecido el *El solfeo* (12, 18, 21 y 23 de mayo de 1878), a propósito de la segunda edición de los *Principios generales de literatura*, Librerías de F. Iravedra y A. Novo, Madrid, 1877.

5. L. Alas, *Clarín*, «Revilla» en A. Palacio Valdés/L. Alas, *Clarín, La literatura en 1881*, Alfredo de Carlos Hierro, Madrid, 1882, p. 129.

6. F. de Asís Pacheco, «Manuel de la Revilla», *Revista Hispanoamericana* (1·X·1881), p. 445.

7. L. Alas, *Clarín*, «Libros y libracos», *El solfeo* (14·I·1876). Recogido en *Preludios de Clarín*, ed. de J.F. Botrel, Idea, Oviedo, 1972, pp. 43 y 44.

8. M. de la Revilla, «Revista Crítica», *Revista Contemporánea* (15·XII·1875). Artículo no recogido posteriormente en ninguna de las selecciones que se hicieron de la obra de Revilla. Una investigación en curso, en la que cuento con la colaboración de mi discípula, la profesora Marta Cristina, detallará con la máxima precisión las colaboraciones que, bajo el genérico título de «Revista Crítica», Manuel de la Revilla publicó en la revista de Perojo.

9. M. de la Revilla, «Crítica literaria. *Las ilusiones del doctor Faustino*», *Revista Europea* (11·VII·1875). Incluido en *Críticas* (2.ª serie), Tip. de Arnaiz, Burgos, 1885, p. 264.

10. M. de la Revilla «*El escándalo* por P.A. de Alarcón», *Críticas* (1.ª serie), *op. cit.*, p. 8. Revilla publicó el artículo el 15 de julio de 1875.

11. *Ibíd.*, p. 8.

12. J. Valera, «Carta a la *Revista Ilustrada de Nueva York*» (23·VIII·1891). Recogido en *O.C.*, t. III, Aguilar, Madrid, 1947, p. 419.

13. M. de la Revilla, *Principios generales de literatura, op. cit.,* p. 423.

14. M. de la Revilla, «Crítica literaria. *Las ilusiones del doctor Faustino*», *Críticas* (2.ª serie), *op. cit.*, p. 265.

15. J. Valera, «De la naturaleza y carácter de la novela», *Crónica de Ambos Mundos* (3·VI·1860). *Estudios críticos sobre literatura, política y costumbres de nuestros días*, F. Álvarez, Madrid, 1884[2], t. I, pp. 280 y 281.

16. J. Valera, *Las ilusiones del doctor Faustino*, ed. de C. De Coster, Madrid, Castalia (clásicos Castalia), 1970, p. 448.

17. J. Valera, «Apuntes sobre el nuevo arte de escribir novelas», *Revista de España* (10·IX·1886). *Nuevos estudios críticos*, M. Tello, Madrid, 1888, p. 49.

18. M. de la Revilla, *Principios generales de la literatura, op. cit.,* p. 418.

19. *Ibíd.*

20. J. Valera, «Carta a *El Correo de España* de Buenos Aires» (22·III·1897). Recogido en *OC*, t. III, *op. cit.*, p. 496.

21. M. de la Revilla, «La tendencia docente en la literatura contemporánea», *La Ilustración Española y Americana*, 21 (1877). Recogido en *Obras*, 1883. Y en *Krausismo: estética y literatura*, ed. de J. López Morillas, Labor (Textos Hispánicos Modernos), Barcelona, 1973, p. 194.

22. M. de la Revilla, «La tendencia docente en la literatura contemporánea», *Krausismo: estética y literatura, op. cit.*, p. 195.

23. J. Valera, «De la naturaleza y carácter de la novela», *Crónica de Ambos Mundos* (24·VI·1860). *Estudios Críticos, op. cit.*, t. I, p. 317.

24. G.W.F. Hegel, *De lo bello y sus formas (Estética)*, Espasa Calpe (Austral), Madrid, 1980, p. 48.

25. M. de la Revilla, «La tendencia docente en la literatura contemporánea», *Krausismo: estética y literatura, op. cit.,* p. 195.

26. F. Giner de los Ríos, «Sobre *La familia de León Roch*», *El Pueblo Español* (16 y 18·XII·1878). Recogido en *Estudios de Literatura y Arte, OC,* t. III, La Lectura, Madrid, 1919. Y en *Ensayos,* ed. J. López Morillas, Alianza, Madrid, 1969, pp. 64-77.

27. M. de la Revilla, «Análisis y ensayos. *La familia de León Roch* de Benito Pérez Galdós, *Revista Contemporánea* (28·II·1879). *Críticas* (2.ª serie), *op. cit.,* p. 177.

28. J. Valera, «De la naturaleza y carácter de la novela», *Crónica de Ambos Mundos* (24·VI·1860). *Estudios Críticos, op. cit.,* t. I, p. 317.

29. J. Valera, *Pepita Jiménez,* ed. de Adolfo Sotelo, SGEL, Madrid, 1983, p. 206.

30. J. Valera, «Apuntes sobre el nuevo arte de escribir novelas», *Revista de España* (10·VIII·1886). *Nuevos estudios críticos, op. cit.,* p. 13.

31. J. Valera, *Las ilusiones del doctor Faustino, op. cit.,* p. 448.

32. L. López Jiménez, *El Naturalismo y España (Valera frente a Zola),* Alhambra, Madrid, 1977.

33. J. Valera, «La novela enfermiza», *Heraldo de Madrid* (5·VI·1891). Recogido en C. de Coster, *Obras desconocidas de Juan Valera,* Castalia, Madrid, 1965, p. 283.

34. J. Valera, *Morsamor,* ed. J.B. Avalle Arce, Labor (Textos Hispánicos Modernos), Barcelona, 1970, pp. 45 y 46.

35. M. de la Revilla, «Revista Crítica», *Revista Contemporánea* (15·VII·1878). *Críticas* (2.ª serie), *op. cit.,* p. 289.

36. M. Menéndez Pelayo, *Epistolario,* ed. M. Revuelta Sañudo, Fundación Universitaria Española, Madrid, 1983, t. III, p. 184.

37. *Ibíd.*

38. M. de la Revilla, «Crítica literaria. *Las ilusiones del doctor Faustino*», *Críticas* (2.ª serie), *op. cit.,* p. 280.

39. M. de la Revilla, «Análisis y ensayos. *El Comendador Mendoza*», *Revista Contemporánea* (30·VII·1877). *Críticas* (2.ª serie), *op. cit.,* p. 280.

40. M. de la Revilla, «Bocetos literarios. Don Juan Valera», *Obras, op. cit.,* p. 53.

41. *Ibíd.,* p. 52.

42. M. de la Revilla, «*Doña Luz*». *Críticas* (2.ª serie), *op. cit.,* p. 296.

43. M. de la Revilla, «Crítica literaria. *Las ilusiones del doctor Faustino*», *Críticas* (2.ª serie), *op. cit.,* p. 270.

44. M. de la Revilla, «Bocetos literarios. Don Juan Valera», *Obras, op. cit.,* p. 53.

45. J. Valera, «Fines del arte fuera del arte», *El Liberal* (1·IX·1896). *A vuela pluma,* Fernando Fe, Madrid, 1897, p. 245.

46. J. Valera, «De la naturaleza y carácter de la novela», *Crónica de Ambos Mundos* (17·VI·1860). *Estudios Críticos, op. cit.*, t. I, p. 300.

47. M. de la Revilla, «Análisis y ensayos. *El Comendador Mendoza*». *Críticas* (2.ª serie), *op. cit.*, p. 280.

48. J. Valera, «Manuel de la Revilla», *Florilegio de poesías castellanas del siglo XIX*, Fernando Fe, Madrid, 1903, t. V, p. 328.

José María de Pereda

«LA MONTÁLVEZ», DE JOSÉ MARÍA DE PEREDA: UN NATURALISMO DISTORSIONADO

Laureano Bonet
(Universidad de Barcelona)

«[...] también los vicios
tienen su estética [...]»

José M. de Pereda,
La Montálvez

La *Montálvez* vio la luz el 10 de enero de 1888, según confirma un suelto aparecido en *El Atlántico* este mismo día. En pocas semanas el libro causó entre la opinión pública un notable «estruendo», al decir de José María Quintanilla, el crítico y discípulo de Pereda.[1] Así, algún comentarista lo tildaría de inmoral, no sin la consternación del propio escritor, quien tuvo que recabar la voz apaciguadora de Luis Coloma en carta publicada, a su vez, en *El Atlántico*.[2] Algún rasgo esencial en el libro como, por ejemplo, su hostilidad hacia el gran mundo madrileño, desataría una fuerte polvareda en la que también el novelista polanquino salió malparado, conforme demuestran diversos epistolarios. Cabe no olvidar, en este sentido, que *La Montálvez* es brillante ejemplo de la novela aristocrática, tan en boga en nuestros años ochenta y noventa: una tendencia narrativa fruto —a juicio de Rafael Altamira— de la entonces creciente «inquina hacia la aristocracia», inquina, de hecho, «más política que artística».[3]

Entre este 'estruendo' que arropó la salida de *La Montál-vez* sobresale una cierta discusión en torno a sus presuntos rasgos naturalistas. J.M. Quintanilla indicaría, significativamente, que «con la palabra *naturalista* se ha dirigido un ataque» contra esta novela.[4] Tal discusión enlazaba, de hecho, con una ya larga polémica acerca de las afinidades, o discrepancias, existentes entre el zolaísmo y la narrativa perediana. Polémica formulada en preguntas tales como: ¿es Pereda un naturalista 'involuntario'? ¿Está, por el contrario, vinculado al viejo realismo hispánico? ¿Es incompatible el ideario perediano con el credo estético del autor de *L'Assommoir*? ¿Existen, tal vez, fisuras en ambos sistemas artísticos que propician algún paralelo entre Zola y el escritor español? El hecho cierto es que tales interrogantes volvieron a abrirse a propósito de *La Montálvez* en estos primeros —y difíciles para Pereda— meses de 1888, y digo difíciles porque la tan negativa reacción de la crítica ante esta novela conturbó aún más el ánimo, ya de por sí tan frágil, de nuestro autor.

Veamos, no obstante, algún testimonio de ese debate, o discusión, en torno al presente libro. Para Clarín, por ejemplo, aludir a una influencia del positivismo literario en Pereda «es demostrar que no se sabe quién es el novelista santanderino», puesto que todo, en él, sería «espontáneo».[5] Luis Ruiz Contreras indica, a su vez, que en *La Montálvez* se «habla con tonillo zumbón del *medio ambiente*» y se «*apunta* maliciosamente a los fisiólogos».[6] Por otra parte, la tesis de Antonio Rubió y Lluch es firme: esta obra, a su entender, está «trazada con arreglo a los cánones inflexibles de la [...] escuela naturalista».[7] Otro crítico, Fidel Melgares, señala que Pereda ha incurrido «en el fatalismo de la doctrina del medio ambiente, según la cual no hay iniciativa individual que no se doblegue ante la fuerza de las circunstancias [...]».[8] Antonio Cortón, en quinto lugar, considera que el autor de *Sotileza* ha publicado una novela con «el marchamo de la escuela aborrecible» y en la que «se ve el medio ambiente influyendo, por manera fatal, en los personajes [...]».[9]

Por su parte, J.M. Quintanilla acuña para *La Montálvez* el concepto, tan afortunado, de «naturalismo aparente», habida cuenta que nuestro escritor no «profesa las doctrinas del positivismo filosófico».[10] Matiza, sin embargo, este crítico que sí utiliza Pereda «procedimientos naturalistas», como lo atestiguan el énfasis puesto en el estudio del entorno ambiental y un empeño por la introspección psicológica. En efecto, «se ha concebido un tipo femenino [Verónica Montálvez], se le ha hecho vivir en el único mundo en que pudiera existir con arreglo a su carácter [...], y así, muestra de prodigioso examen analítico, se ha presentado al juicio de sus lectores [...]».[11] Por último, y en séptimo lugar, Josep Yxart anota los, a su juicio, graves fallos de *La Montálvez:* la estructura del relato —basado en unos *Apuntes* autobiográficos escritos por la protagonista— malograría cualquier atisbo por estudiar la realidad doméstica y social, dado que se suprime el punto de vista omnisciente, oscureciéndose, pues, el conocimiento de «la influencia del *medio*» y de «los resortes cotidianos que mueven a los personajes».[12]

Que Pereda pretendía con *La Montálvez* componer una novela *à la mode* psicologista y urbana es propósito que ha sido cumplidamente fijado por la crítica. Novela cercana, en algunos aspectos formales, al naturalismo y que encerraba —como contraste— un momentáneo alejamiento del personal *huerto* regionalista, de tapias bien robustas y aisladoras del mundo circundante. En este sentido —según han indicado J.F. Montesinos y J.M. González Herrán—,[13] el prólogo a *Sotileza* avanzaría ya alguno de los tópicos que más tarde cristalizarán en la propia *Montálvez*. Así, motivos tales como «la levita y el *boudoir*, y el banquero agiotista, y el político venal [...], y el *problema* del adulterio, y el *problema* de la prostitución [...]»,[14] presagian, en ráfaga léxica vivaz y agresiva, una iconografía humana, un espacio aristocrático e, incluso, un afán reflexivo que, sin duda, conforman la futura novela. Paralelamente nuestro autor confesará a Galdós que, con este libro, ha pretendido plasmar en lo posible un «análisis psicológico» libre de «todo prejuicio».[15] Otro tanto declara a J.M. Quintanilla: «[...] he querido hacer un 'alarde' de 'novelador analítico' [...]. Este es todo el 'problema'».[16] Confidencias estéticas ambas que apuntan, por sus connotaciones naturalistas, a un cierto afán analítico y el anhelo por alcanzar la asepsia, u objetividad, narrativa: en suma, un programa literario no excesivamente alejado del zolaísmo, por lo menos en su vertiente más *técnica* y menos filosófica.

La Montálvez, pues, podría ser considerado el texto peridiano donde refulgen con mayor vigor incrustaciones de índole naturalista, tanto en un sentido léxico[17] como formal, aunque al cabo —y esta es la tesis inserta en nuestra ponencia— la personalísima ideología de Pereda, sus 'miedos' morales y antipatías clasistas —su índole de *cristiano viejo*, por decirlo con frase que sintetiza muy bien una particular visión de su vida—, contaminen por entero el texto y falsifiquen, consecuentemente, dicho naturalismo, entrando en conflicto con las anteriores confesiones 'impersonalistas' vertidas por el autor. Podríamos incluso afirmar que quizá el novelista montañés manipule a posta algunas leyes zolaescas para, así, apuntalar mejor su código de valores mediante una retórica diríase *edificante*, si utilizamos aquí un término caro a la propia literatura católica de la época. La presente obra sería, por ello, un precioso 'laboratorio' para sopesar las tan confusas, tensas y contradictorias relaciones existentes entre el zolaísmo y la narrativa perediana, dada, además, la presencia opinante —y casi comprometida— del narrador en un puñado no desdeñable de páginas: laboratorio, ciertamente, más nítido, más abierto, que la densa, y hermosa, *Sotileza* o esa novela irónica, apacible, casi 'dickensiana', titulada *La puchera*. En fin, en mi intento por capturar en lo posible ese juego de ambivalencias entre el autor de *Germinal* y Pereda utilizaré, a modo de escala comparativa, alguna declaración de la poética positivista, si bien —no debiéramos olvidarlo— sea el Zola fabulador quien, en algún momento, 'traicione' al propio Zola estético o teórico. Por lo tanto no nos libraremos por entero de la ambigüedad aunque, creo, sí podemos perfilar con cierto éxito las personales *traiciones* de don José María al naturalismo.

Pero introduzcámonos, ya, en la propia *Montálvez,* novela que pretende capturar —en palabras del autor— «la ebullición de la vida madrileña,' [...], la de la gente de dinero y lustre en los campos colindantes de los placeres y de la política» (p. 140). Una breve noticia argumental podrá sernos útil para un primer asedio al problema que estamos debatiendo: la 'historia' de Nica Montálvez desde su infancia hasta su espléndida madurez encierra —según la articula Pereda— unos aparentes avisos naturalistas, en el sentido de narrativizar las leyes de la herencia y del medio ambiente, por más que tales leyes estén, en manos del novelista, supeditadas a esquemas ideológicos previos, conforme intentaré demostrar, insisto, en las próximas páginas. Nuestra heroína, recordémoslo, es hija de un matrimonio de la buena sociedad madrileña, el cual acepta a regañadientes que su primer retoño no sea varón: dicha frialdad, junto a la vida ostentosa de los padres, condicionará fuertemente el carácter de Verónica. Más tarde, siendo ésta ya una atractiva joven, casa —por puro afán de lucro— con un banquero de dudosa reputación, sellándose así un pacto en el que su marido se convierte en simple «señor *legal*» (p. 206). Nuestra marquesa, por el contrario, hállase enamorada de Pepe Guzmán, aristócrata elegante y ambicioso, naciendo de tales relaciones secretas una hija, Luz. Pronto muere el marido de Nica Montálvez —exiliado de España tras los acontecimientos revolucionarios del 68— y ésta, a partir de entonces, se lanza a una agitada «vida pecadora» (p. 310), en la que impera la prodigalidad sexual más generosa. Con el paso del tiempo Luz se convertirá, a su vez, en adolescente fina y sensible, pretendida por Ángel Núñez, abogado en ciernes de la clase media. No obstante, el noviazgo se frustra: un anónimo desvelando la verdadera personalidad de su madre, herirá de muerte a la muchacha. Dicha muerte será —y aquí brota la enseñanza moral de nuestra novela— castigo a la escandalosa existencia de Verónica, como ésta confiesa en las últimas líneas del libro, justificando, así, sus propios *Apuntes* autobiográficos, escritos —indica— para «lanzarlos al mundo», fruto, como son, de una alma «contrita» (p. 450).

Tal es, a grandes trazos, la 'historia' de Nica Montálvez. Pero observemos, ahora, alguno de sus rasgos formales y lingüísticos, a fin de precisar mejor nuestro análisis del presunto naturalismo de esta novela. En efecto, ya sea en los propios *Apuntes,* en boca de los distintos personajes, o vertido por la pluma del narrador que transcribe e interpreta el texto autobiográfico de la marquesa —primero con cierta asepsia 'positivista', luego, dato revelador, con creciente voluntad censorial—, esa incidencia del desamor y la bambolla de sus padres, la crianza fuera del hogar y en tierras extranjeras, es condición fatalista que impera en todo el libro: será el légamo hereditario que tuerce el «rumbo» vital (p. 13) de la futura mujer e, incluso —visible huella moralista—, el de la propia hija. Los progenitores de Ángel, por ejemplo, se oponen a que éste case con Luz a causa de su creencia de que «el honor de las hijas depende del buen ejemplo de las madres» (p. 291). Un cínico *gomoso* madrileño, por su parte, justifica así el temperamento de Verónica: «[...] al cabo es hembra, hija de su madre y curada por ésta [...] de ciertos escrúpulos» (p. 232). Y, en otra página, asoma sin timidez el compromiso ideológico de Pereda: «[...] de todas las mujeres malas era la peor la madre [...] deshonesta, porque sus escándalos dañaban también a sus hijos, de los cuales apartaban los suyos las madres honradas, como se aparta el fruto sano del sospechoso»

(p. 437). Finalmente, la propia marquesa recuerda del siguiente modo la «indiferencia» paterna (p. 12) que sufrió en su infancia, siendo aún «crisálida» (p. 22): «[...] aquel desdén que rayaba en antipatía, con que empapó mi corazón, en una edad en que arraigan las impresiones para el resto de la vida [...]» (p. 32).

Alguna de esas citas podría pasar, ciertamente, por material léxico naturalista: tenemos, en efecto, unos enunciados que nos hablan de la herencia, fruto, en buena parte, de un llamemos 'microclima' familiar, en el que privan la frivolidad y el parasitismo económico más *pecaminosos*. Ahora bien, este último término —tan impregnado de connotaciones religiosas— representaría ya en Pereda un claro distanciamiento ante la gelidez fenoménica que pregonaba Zola. Herencia, por otra parte, enteramente psicológica, con lo que el escritor santanderino rehúye la más mínima alusión materialista. Recordemos que, para el maestro de Médan, el positivismo literario debiera investigar al individuo «soumis aux lois physico-chimiques»[18] de su cuerpo, para precisar, así, los «phénomènes cérébraux et sensuels».[19] Por el contrario, insisto, en *La Montálvez* no hallamos un estudio de los posibles resortes hereditarios de índole fisiológica o, en un sentido más amplio, un análisis de las 'piezas' que componen la 'máquina' somática de Verónica —dicho sea de nuevo con terminología zoliana—.[20]

Pero hagamos, ahora, una pequeña experiencia semantológica a fin de desenmascarar los elementos idealizantes —«l'inconnu», para Zola—[21] que se agazapan tras el teórico lenguaje naturalista de *La Montálvez*. En efecto, el siguiente mosaico de retazos léxicos revela un calco —muy superficial, por cierto— y, a la par, una manipulación ideológica, de la ley de la herencia, subrayándose, además —nueva pista significativa— cómo Pereda, mediante un lenguaje por entero populista, no pretende abandonar nunca su propio territorio doctrinario, territorio atemporal hincado en las para él *sanas* tradiciones hispánicas, y sin la menor afinidad con esa atmósfera laica, cientificista, burguesa, tan típica del XIX y que Émile Zola consideraba el sedimento más profundo de su poética. Pepe Guzmán, por ejemplo, increpa a Verónica con estas palabras: «Eres una manirrota [...], como toda tu casta...» (p. 246). El narrador, a su vez, comenta: «Ya se sabe que [Verónica] no estaba formada del peor de los barros posibles [...]» (p. 312). El antes citado *perdís* madrileño define así a nuestra marquesa: «[...] una criatura de la cepa de esa infeliz»

(p. 233). Y, finalmente, el propio narrador indica, ahora en torno a la perenne hostilidad hacia Luz por parte de la madre de Ángel: «[...] tan pronto como conociera de qué tronco procedía [la muchacha], porque las tachas de este linaje eran la manía de la obcecada señora [...]» (p. 369). En suma, términos tales como *casta, barro, cepa, tronco, linaje,* con su semasia entre tradicionalista y refranesca, fijan los límites del tan desvaído planteamiento de nuestro escritor, planteamiento sin embargo crucial para el propio desarrollo 'fatalista' del relato, que culminará —vuelvo a repetirlo— en la crispada moraleja inserta en su cierre. Efectivamente, a la incidencia familiar, social, modeladora de la personalidad de Nica, se sobrepondrá, a la postre, la destrucción involuntaria de Luz por aquélla que, con grito autopunitivo, dirá: «[...] ¡la mataba yo!» (p. 443).

La estrategia naturalista, pues, ha sido sustituida por una violenta *lectio moralis* —literaturizada en forma, diríamos, de folletín 'blanco'—, lección no extraída de los propios fenómenos, y de sus interacciones mutuas, tal como exige Zola, sino, por el contrario, secuela de la personal ideología de Pereda. Dicho de otro modo: tal vez nuestro autor haya aprovechado algún rasgo positivista —si bien neutralizando al máximo sus contenidos materialistas—, por ejemplo, la ley de la herencia, para así, acto seguido, injertarlo retóricamente en su relato y mudarlo en un rígido fatalismo que se pretende 'justiciero' y, de hecho, responde al *dictum* moralista de que todo pecado exige su castigo. La hinchada dramaticidad del relato brotaría, por lo tanto, para bien o para mal, de este esquema ideológico previo, que malogra, o desdeña, la estricta observación de los datos orgánicos, psicológicos y sociales defendida por Zola.[22]

Pero veamos, ahora, la presencia también distorsionada en *La Montálvez* de otra importante regla naturalista: el influjo del 'medio ambiente' en los personajes, ese «*medio ambiente,* tan traído y tan llevado [...] por la gente de mi oficio*» (p. 14), según declara el propio narrador en una de sus apariciones polémicas, tan ricas, por cierto, de savia documental. Atmósfera sociológica e histórica mucho más decisiva para el propio novelista francés que la herencia, quizá porque permite al buen escritor una mayor *movilidad* analítica en su estudio de las relaciones existentes entre el individuo y el entramado colectivo en que aquél se halla inmerso. Confiesa, así, Zola que «je crois que le milieu social a [...] une importance capitale»,[23] no pudiendo, pues, el hombre ser desgajado de él, puesto que «nous ne noterons pas un seul phénomène de son cerveau ou de son coeur, sans en chercher les causes [...] dans le milieu».[24] También en *La Montálvez*, sin la menor duda, el ambiente alcanza primacía, ejerciendo un papel narrativo notablemente superior al de la herencia. Más aún, es el punto, sin duda crucial, en el que debiéramos situar nuestra discusión sobre el retoricismo naturalista de esta novela pues, probablemente, en el influjo de la circunstancia doméstica y sociológica sobre Verónica alcance su mayor virulencia la propuesta *tendenciosa* de Pereda.

He apuntado ya antes que, al decantarse Pereda por una herencia psicologista, debiéramos hablar de un pequeño 'clima' familiar, de clase, que impregnará la personalidad de nuestra marquesa con unos comportamientos —estima el autor— típicos de la aristocracia madrileña. Tendríamos, por lo tanto, en la novela tres 'espacios' narrativos de mayor a menor amplitud, apelotonados entre sí, y fundiéndose a la postre: *Madrid + clase aristocrática + ámbito particular de los Montálvez.* Sin duda, este mito negativo que para Pereda es Madrid entraña, ya, como enunciado totalmente abstracto, un primer atisbo de la manipulación que del naturalismo realiza nuestro autor. La Corte y Villa sería, por supuesto, culpable de la conducta pecaminosa de Verónica —y es curiosa, por cierto, esa enemiga de una cierta *intelligentsia* regionalista hacia las grandes urbes, acaso porque estas urbes eran símbolo de la nueva civilización liberal—. Así el siguiente fragmento léxico encierra, ya, un enunciado del halo corruptor que emana de la gran ciudad: «[...] ese Madrid que acaso tiene la culpa de que la marquesa de Montálvez no sea una mujer sin tacha [...]» (p. 376). Y un dato nuevamente singular, síntoma, sin duda, de este fatalismo ideológico que convierte el libro en relato edificante, es la reiteración impugnadora de tal ambiente urbano mediante metáforas —tan típicas, por cierto, en los púlpitos y los periódicos católicos de la época— de no difícil significación traslaticia para el lector [= la corrupción de la alta sociedad madrileña]. En efecto, abundan en el libro imágenes 'oscuras', fétidas, malsanas, reiteradas una y otra vez, con función nominal, adjetival o verbal, como *charca, ciénaga, tufo, peste, lepra, gangrena, contagio, veneno,* contrapuestas, todas ellas, a otro campo semántico —sin la menor duda 'positivo' para nuestro novelista—, repleto de tropos 'luminosos', perfumados, apacibles, como *Luz, flor, jardín, río cris-*

talino, pradera, arboleda, senderos blandos, cabellos rubios,...
Lo más revelador en ese moralismo enmascarado con una cierta intencionalidad naturalista es observar que, también aquí, los símiles 'negativos' brotan de la pluma de Verónica, están puestos en labios de diversos personajes, conforman la pesadilla que padece Luz poco antes de su muerte o, finalmente, se desprenden de la propia voz narradora, con lo que la índole 'polifónica' de la buena novela realista —una de las garantías de la impasibilidad zolaesca— enmudece por completo, disparándose, por el contrario, un seco, y desapacible, discurso narrativo. Diríase, pues, que en alguna de estas imágenes se halla acaso la clave —o una de las claves— de la mutación del naturalismo de *La Montálvez* en un yerto fatalismo religioso, que reduce los pliegues ficticios del relato en una única, e inflexible, trama ideológica. Dicho de otro modo: la *charca* —si seleccionamos el símil más poderoso de la novela—, podría muy bien ser el signo lingüístico en el que se encarnan las peculiares creencias, o convicciones, del autor. Todo, en un texto literario, es 'intencionado' —escribió Sartre en su momento—, y esa intencionalidad maniquea, punzante como un dardo, nada reblandecida por la siempre fértil ambigüedad literaria, es visible, desde la primera hasta la última hoja, en *La Montálvez*.

Mas veamos, ya, alguna muestra de tales construcciones léxicas: su simple presencia, creo, demostrará mejor mi lectura del texto perediano. Verónica, por ejemplo, recuerda del siguiente modo la propuesta de adulterio efectuada por Guzmán: «[...] no había que olvidar quién era yo y quién era Pepe Guzmán, en qué *medio* nos habíamos formado; a qué costumbres estábamos hechos; qué mecanismo era el de nuestro mundo, y por qué leyes se regía». (p. 193). Pero salvo este pequeño *manifiesto* diríase naturalista, a lo largo de la novela, repito, el 'medio' aristocrático-madrileño en el que se hallan inmersos los actuantes cuajará en las imágenes antes seleccionadas, con vistas a robustecer, y simplificar al máximo, las tesis morales que plantea el libro. Así, la propia Verónica alude al ambiente en que vive con esta desazonante metáfora zoomórfica, cargada de semasia descalificadora: «[...] en derredor de mí, envolviéndome, asfixiándome como anillos de serpiente, una atmósfera de insanos elementos, narcótica, enervante [...]» (p. 210). Atmósfera, en suma, convertida en *peste*, conforme indica nuestra heroína: al recordar su agrado por los amoríos con Guzmán, comenta que «sería [...] un contagio de la peste que respiraba» (p. 192). Y el antes citado *calavera* madrileño, en uno de sus procaces chismes sobre Verónica, declara en palabras, creo, decisivas para comprobar la vampirización que experimenta dicha fórmula naturalista en manos de un rígido moralismo: «Ponme una santa rodeada de perdidas y de bribones, persíganla sin tregua ni descanso con ejemplos y sofismas, denle el veneno hasta en el aire que respire [...]» y la misma santa caerá [...]» (p. 233).

La propia Luz, repito, cuenta, ya agonizante, la pesadilla que ha padecido, y en su sueño —repleto de tupidas arborescencias metafóricas— emerge, con una transparencia casi insolente, la manipulación del medio ambiente naturalista efectuada por nuestro narrador. Así el jardín en que la muchacha cree morar será anegado por una marea oscura y venenosa:

> Había vuelto a mis jardines [...]. En esto, el sol se oscureció de repente, y comenzó a enturbiarse aquel río tan cristalino... y a crecer, a crecer... turbio, ¡muy turbio! y cubrió los arbustos de las orillas; y siguió enturbiándose, enturbiándose, y creciendo y creciendo; y llegó a las praderas más bajas, y seguía enturbiándose y creciendo todavía. Entonces tuve yo gran miedo donde estaba, y llamé a Ángel muchas veces... y Ángel no vino. Subí a lugar más alto, y al ver que las aguas también subían, corrí, de altura en altura, hasta refugiarme en el chalet. Salí a la azotea, y ví con asombro que las aguas lo habían invadido todo, ¡todo cuanto alcanzaba la vista! Temblé de espanto al contemplar aquella desolación y verme tan sola allí... A poco rato volvieron a bajar las aguas poco a poco..., turbias, ¡siempre turbias!... hasta encauzarse otra vez entre las orillas del río... Pero lo que ellas habían inundado, todo lo que se descubría con los ojos, era un lodazal tristísimo, sin praderas, sin flores y senderos... Sólo el chalet en lo más elevado... [pp. 446 y 447].

Un poco antes, el médico que atiende a Luz nos había ofrecido una explicación de su grave dolencia, sugiriéndose con imagen sin duda reveladora que dicha dolencia era propiciada por una muy concreta atmósfera *mortífera* —repárese en la bisemia físico-moral inserta en este término—: el paralelo entre el sueño alegórico y las palabras del doctor es, pues, bien visible, destacándose una vez más el inflexible mecanismo mental (y narrativo) escondido en *La Montálvez*. Escuchemos tales palabras, transcritas por la propia Verónica, y en las que también impera un tropismo denso, malsano: «[...] comenzó a hablarme de la vida de ciertas flores [...]: unas hojas, muy frescas ayer, que hoy se contraen y marchitan de repente; un tallo muy erguido que se encorva de pronto bajo el peso de la flor... y una ráfaga insana que la tocó al pasar [...]» (p. 442).

En suma, metaforismo que, en su afán por robustecer el mensaje ideológico —simplificándolo, a la par—, se repite una y otra vez, mediante un sistema de preferencias lingüísticas antitéticas que, por supuesto, reflejan un crudo maniqueísmo moral: por una parte, insisto, los grupos léxicos 'positivos', luminosos, botánicos; por otra, los 'negativos', repugnantes, animalescos. Los primeros serán destruidos, y aquí cabría hablar de un palpable pesimismo autoral —ese pesimismo tan típico de las mentalidades reaccionarias, que diría Simone de Beauvoir—, amén de una visión ciertamente levítica de la naturaleza humana que, sin embargo, y gracias a su «lógica despiadada», tiñe de oscura dramaticidad las últimas páginas de *La Montálvez,* como ya observara Galdós en aguda reseña.[25] Pero, además, estas constantes reiteraciones de unas mismas imágenes, descalificadoras todas ellas de la alta sociedad madrileña —*peste, charca, tufo, ciénaga*—, resbalan, diríase, por la superficie sociológica del relato, sin apenas arraigar en ella, y su misma abstracción generalizadora [Madrid = charca] es síntoma del desinterés, o impotencia, de Pereda por investigar los por él llamados 'mecanismos' internos del mundo aristocrático: los prejuicios del narrador —y su escaso conocimiento de este mundo— impiden, sin duda, tal horadamiento analítico. Y menos, aún, intenta nuestro autor dinamizar dicho análisis para, así, brindarnos una visión dialéctica del tejido social que, poco a poco, va corrompiendo a Verónica y, al cabo, destruirá a su propia hija. Visión dialéctica que —en palabras de Zola— aspira, en un sentido naturalista, a observar atentamente un fenómeno para, con ello, localizar *la causa, o las causas, que han determinado su floración*:[26] si falla el estudio de esas condiciones conectadas entre sí, el texto, diríase, se desmorona, se agrieta, y de sus hendiduras manará el personalísimo mundo del escritor, mundo que —continuando con el planteamiento zolaesco— contaminará 'fatalmente' con su propio código de valores la realidad fenoménica, falseándola en buena parte, tal como demuestran, en nuestro caso, las páginas de *La Montálvez.*

Gilles Deleuze ha afirmado que, en sus novelas, Zola agota

el tema, esto es, el «medio preciso», hasta desmenuzarlo en sus partículas más imperceptibles.[27] Aquí radicaría la razón estética y, en último término, filosófica, del naturalismo, razón que sin duda hoy —situados nuestros narradores en parámetros artísticos muy distintos— podrá parecernos arbitraria, insatisfactoria o, quizá, propuesta sugestiva, mas al lado de otras no menos fascinantes. Si aplicamos, en cambio, las reglas de juego propuestas por Zola —reglas tan discutidas en la España de los años ochenta—, no hallaremos en *La Montálvez* un 'desgaste' o agotamiento, del tema, nuestro escritor, repito, apenas se adentra en él, y falla un asedio analítico que reduzca la realidad sociológica a microorganismos más y más diminutos. Por el contrario, el sistema narrativo imperante en el libro —a causa de los prejuicios del autor y de su miedo por adentrarse en la *terra incognita* del eros—, está a menudo agujereado por el vacío, el silencio, el 'guiño' al lector, en suma, diríamos, el *grado cero de la escritura...* Por estos 'agujeros' textuales —y aquí debiéramos recabar algún planteamiento semiótico de Philippe Hamon—[28] se filtran los miedos ideológicos del santanderino, sus obsesiones, sus tabúes, su exiguo horizonte vital y de clase; pero, paradójicamente, dichos vacíos —y la literatura es fértil en tales ironías estructurales— pueden en algún momento enriquecer la presente novela, aparte de brindarle un curiosísimo sabor canallesco, con soluciones dramáticas nada desdeñables y sugeridoras, en cierto modo, del descripcionismo elíptico, o sintético, tan propio de la futura narrativa del 98: ese sintetismo literario, por cierto, que el mismo Pereda plasmaría de modo tan hábil en la 'nouvelle' —mitad onírica, mitad alegórica— titulada *Pachín González*, y brillante cierre, sin duda, a su carrera de escritor.

A punto, ya, de ultimar estas apresuradas notas sobre *La Montálvez* indicaré —con ánimo justificatorio— que nos hemos situado en 1888, cuando aún arreciaba en España la polémica sobre la grandeza y la miseria del zolaísmo: polémica en la que uno de los combatientes sería, precisamente, José M. de Pereda. En nuestro viaje retrospectivo hemos escuchado —a modo de pequeña 'tertulia'— las dispares interpretaciones de algunos críticos acerca del naturalismo real, o falso, de *La Montálvez*, ignorando los defensores de la tesis afirmativa —Rubió y Lluch, Melgares, Cortón, Vidart— que el hipotético positivismo de este libro era, de hecho, fruto residual de una personalísima lectura de la poética zoliana y de sus contenidos cientificistas, laicos, que ciertamente, no casaban con la mentalidad tradicionalista del escritor de Polanco. No obstante, tal vez supere Pereda la simple asunción de algunos elementos retóricos del naturalismo: acaso, a la postre, componga un contra-naturalismo en el que la apariencia lingüística de su novela podría, en alguna página, acercarse al zolaísmo, pero anidando, tras esa corteza retórica, un ideario por entero dispar al materialismo sustentado por el autor de *Nana:* el tan descarnado tránsito del determinismo fenoménico al fatalismo religioso —repleto de incomprensiones y odios clasistas— así lo demostraría.[29]

Quizá —es hipótesis que exigiría profundizar mucho más en la cultura eclesiástica de la Restauración— con esta novela propagandística y edificante, en suma 'de tesis', pretenda Pereda, conforme proponían algunos intelectuales católicos de la época, apropiarse del instrumento positivista, pero *sin mancharse los dedos*, para así luchar contra el enemigo 'naturalista' —en el sentido más amplio del término: la civilización liberal— con sus propias armas. Sería, pues, *La Montálvez* buen ejemplo de ese «naturalisme chrétien» que —como ha estudiado Solange Hibbs en *La Hormiga de Oro*— revela «une volonté d'adaptation de surface aux temps mais pour mieux imposer ce qui pour l'Eglise est par essence immuable».[30] Naturalismo católico o, simplemente, «literario» —recordemos las palabras de Zola a propósito de Emilia Pardo Bazán—,[31] en el que las raíces laicas y cientificistas han sido por completo extirpadas. En suma, una fórmula estética muy lejana —a pesar de algún espejismo léxico— de esa «*extrema izquierda*» del realismo que fuera, en palabras de Rafael Altamira, el zolaísmo.[32] No erraba J.M. Quintanilla: el naturalismo de *La Montálvez* es, ciertamente, una naturalismo 'aparente'.

NOTAS

1. C. Fernández-Cordero y Azorín, «Cartas de Pereda a José María y Sinforoso Quintanilla», *Boletín de la Biblioteca de Menéndez Pelayo*, año XLIV (1968), p. 193. Carta a J.M. Quintanilla del 4 de enero de 1888, comentando nuestro novelista tal concepto.

2. José M. de Pereda, «*La Montálvez*», juzgada por el P. Coloma», *El Atlántico* (Santander), año III, núm. 28 (28 de enero de 1888).

3. Rafael Altamira, «El realismo y la literatura contemporánea»,

La Ilustración Ibérica (Barcelona), año IV, núm. 195 (25 de septiembre de 1886), p. 618.

4. 'R. Gil Osorio y Sánchez' [J.M. Quintanilla], «Crítica literaria. La última novela de Pereda», *Revista de España*, t. 119, núm. 474 (29 de febrero de 1888), p. 610. Subrayado por el autor.

5. Clarín, *«La Montálvez»*, en *Mezclilla*, Fernando Fe, Madrid, 1889, p. 118.

6. 'Palmerín de Oliva' [L. Ruiz Contreras], «*La Montálvez*. Novela de J.M. de Pereda», Tip. de Manual G. Hernández, Madrid, 1888, p. 16. Subrayado por el autor.

7. A. Rubió y Lluch, «*La Montálvez*. Novela por D. José M. de Pereda», *Correo de las Aldeas* (Bogotá), serie II, núm. 23 (18 de octubre de 1888).

8. 'D. Félix de Montemar' [Fidel Melgares], «*La Montálvez*. El medio ambiente. IV», *El Noticiero* (Madrid), año VI, núm. 1.205 (9 de abril de 1888).

9. Antonio Cortón, «Pereda y *La Montálvez*», *El Buscapié* (Puerto Rico), año XII, núm. 13 (25 de marzo de 1888). Comp. esta tesis de Cortón con el siguiente texto de Luis Vidart defensor, sin la menor tilde, del naturalismo inserto en la presente novela perediana: «Es *La Montálvez* [...] una de las mejores producciones del Sr. Pereda, y de las que presentan más valederos títulos ante el tribunal de las modernas teorías, en que se da tanta importancia al medio ambiente para determinar el carácter de los personajes novelescos. La Marquesa de Montálvez es lo que la hicieron que fuese su educación, las compañías que la rodearon, la atmósfera moral que desde su niñez respiró y las circunstancias que determinaron su matrimonio y sus desdichados amores. Si a esto se llama determinismo, séalo en buena hora». (Luis Vidart, «La historia y la novela», *Revista de España*, t. 121, núm. 480, año 1888, pp. 222 y 223).

10. 'Pedro Sánchez' [J.M. Quintanilla], «Autores y libros. *La Montálvez*. II», *El Atlántico*, año III, núm. 64 (6 de marzo de 1888).

11. 'Pedro Sánchez' [J.M. Quintanilla], «Autores y libros. *La Montálvez*. II», *El Atlántico*, año III, núm. 32 (1 de febrero de 1888).

12. J. Yxart, «De nuestra colaboración particular. *La Montálvez*», *La Vanguardia* (Barcelona), año VIII, núm. 136 (22 de marzo de 1888). Subrayado por el autor.

13. José F. Montesinos, *Pereda o la novela idilio*, El Colegio de México, México DF, 1961, p. 192. José Manuel González Herrán, «Sobre la elaboración de *La Montálvez*, de Pereda: texto inédito de dos de sus capítulos», *Boletín de la Biblioteca de Menéndez Pelayo*, año LVII (1981), p. 220. No debiéramos olvidar, sin embargo, un sugestivo precedente perediano a *La Montálvez* que contiene *ab ovo* todos sus ingredientes ideológicos, morales y sociológicos: *La mujer del César*, novela corta que vio la luz en 1870 en la *Revista de España*. Se desgranan en este relato, efectivamente, los mismos elementos conceptuales y estructurales que más tarde, amplificados al má-

ximo, hallaremos en *La Montálvez:* el parasitismo económico; la frivolidad; el culto a la apariencia; la incomunicabilidad matrimonial;
la frialdad de los padres hacia los hijos; esa ambientación doméstica
—tan hinchada de semas moralistas— asfixiante, tupida, repleta
de cortinajes y sombras, en la que no entra el oreo y las luces del
mundo exterior...

14. José María de Pereda, «A mis contemporáneos de Santander
que aún vivan», *Sotileza,* Tello, Madrid, 1885, p. 8. Subrayado por
el autor.

15. Soledad Ortega (ed.), *Cartas a Galdós,* Revista de Occidente,
Madrid, 1964, pp. 123 y 124. Carta del 22 de febrero de 1888.

16. *Op. cit.* en nota 1, p. 190. Carta del 22 de diciembre de 1887.
Entrecomillado del autor.

17. Incrustaciones, por ejemplo, de carácter médico, fisiológico,
si bien superficiales y casi siempre mal justificadas por el contexto.
He aquí alguna muestra: «[...] temperamento [...] *linfático* [...]», «[...]
mi temperamento [...]», «[...] trastorno nervioso [...]», «[...] estado
histérico [...]», «[...] inquietud nerviosa [...]», «[...] crisis histérica
[...]», etc. (José María de Pereda, *La Montálvez,* Tello, Madrid, 1888,
pp. 10, 24, 136, 162 y 188, respectivamente. A partir de ahora la
paginación de las citas de esta novela irá entre paréntesis en el cuerpo del texto.

18. Émile Zola, «Le roman expérimental», en *Le roman expérimental,* Charpentier, París, 1880 (cuarta ed.), p. 22.

19. *Ibíd.,* p. 20.

20. *Ibíd.,* p. 15.

21. Escribe, efectivamente, Zola —y podemos aplicar por entero
estas palabras a Pereda—: «[...] les romanciers idéalistes restent de
parti pris dans l'inconnu, par toutes sortes de préjugés religieux et
philosophiques, sous le prétexte stupéfiant que l'inconnu est plus
noble et plus beau que le connu» (*Ibíd.,* p. 25).

22. Zola define el fatalismo como actitud mental (y artificio narrativo) con esta frase que, ciertamente, desvela sin la menor dificultad los mecanismos ideológicos encerrados en *La Montálvez:* «Le
fatalisme suppose la manifestation nécessaire d'un phénomène indé-
pendant de ses conditions [...]» (*Ibíd.,* p. 28). El fatalismo pereda-
no —de claras raíces *metafísicas,* diría un positivista— que en apariencia puede pasar por ley naturalista, no es tal, por supuesto, a
causa de su indiferencia por estudiar las condiciones objetivas que
han propiciado la 'enfermedad' moral de Verónica. O planteado,
ahora, desde otro ángulo de visión (estructural) que, creo, perfila
mejor mi planteamiento: el cierre moralizante de la novela puede muy
bien —dada su índole autobiográfica— aprisionar *en arrière* a la propia historia narrada, hasta ahogar con dicha acción 'retroactiva'
buena parte del asedio analítico de la temática con que se enfrenta
el novelista. Así, esa acción *hacia atrás* —hasta alcanzar a los primeros capítulos del libro— sería semejante al salto de las truchas

remontando la corriente del río, si se me permite utilizar una de esas imágenes interpretativas tan del gusto de Viktor Sklovski. La estructura autobiográfica de *La Montálvez* —que aboca a este cierre moral y, a la par, rebrota de él una y otra vez— se convertirá, pues, en cabal coartada para el escritor (e ideólogo) Pereda...

23. *Ibíd.*, p. 18.

24. «Du roman», *op. cit.* en nota 18, p. 228.

25. Véase, en efecto, W.H. Shoemaker (ed.), *Las cartas desconocidas de Galdós en «La Prensa» de Buenos Aires*, Cultura Hispánica, Madrid, 1973, p. 305.

26. Indica, por ejemplo, Zola, suscribiendo los planteamientos de Claude Bernard —y este texto lo podemos contraponer a lo dicho en nota 22— que la metodología utilizada por el escritor naturalista «consiste à trouver les relations qui rattachent un phénomène quelconque à sa cause prochaine [...]» («Le roman expérimental», *op. cit.* en nota 18, p. 3). Sería utilísimo —en relación con este punto— realizar un estudio comparativo entre *Nana* y *La Montálvez* a fin de perfilar mejor la tan contrastada estrategia descriptiva de sus autores ante un mismo tema, esto es, la progresiva desintegración de la aristocracia urbana. En la novela perediana, insisto, es la propia alta sociedad madrileña —así, *in extenso*— la que pervierte a Verónica. En *Nana*, por el contrario, el proceso de descomposición no surge de una atmósfera sociológica previa que fuese poco a poco intoxicando a los personajes, sino que, mediante una 'movilidad' analítica en la que cristaliza la teoría positivista del *circulus social*, advertimos cómo a partir de un corpúsculo individual —el dorado cuerpo de Nana— el «ferment de destruction» irá corrompiendo al gran mundo parisino: proceso zolaesco, pues, apenas abstracto o sometido a interferencias subjetivas (Émile Zola: «Nana», en *Oeuvres Complètes*, t. IV, Cercle du Livre Précieux, París, 1967, p. 171). ¿Leyó Pereda *Nana*? Sería interesantísimo, insisto, un análisis sobre los paralelos y los contrastes entre ambos libros. Pero tampoco debiéramos desdeñar un estudio de la posible incidencia de *Lo prohibido* en *La Montálvez*, leída por el santanderino pocos meses antes de que iniciara los primeros tanteos de su novela madrileña: es curiosa la parcial coincidencia nominal entre el protagonista galdosiano —José María Bueno de Guzmán— y el antagonista perediano —Pepe Guzmán—. Ambos personajes, además, muestran alguna similitud temperamental: despreocupación, frivolidad, cinismo, rasgos, todos ellos, tan propios del *alto* Madrid canovista (a pesar de que la secuencia histórica en que aparece inicialmente el Guzmán perediano se halle iluminada por los primeros fuegos revolucionarios del 68). Y un último dato —ahora formal— no menos significativo: las dos novelas están articuladas a modo de relatos memorialísticos.

27. Gilles Deleuze, *La imagen-movimiento. Estudios sobre cine. I*, Paidós, Barcelona, 1984, p. 181. Subrayado por el autor.

28. Consúltese Philippe Hamon, *Texte et idéologie*, PUF, 1984,

especialmente pp. 7-19. Escribe, por ejemplo, este crítico, asumiendo unas palabras de P. Macherey, que «L'oeuvre existe surtout par ses absences determinées, par ce qu'elle ne dit pas, par son rapport à ce qui n'est pas elle [...]» (*Ibíd.,* p. 12). Quizá este planteamiento —y si tensamos al máximo, no sin algún riesgo, nuestra propia propuesta— defina cabalmente la tensión paradójica que bulle en el interior de *La Montálvez:* las ausencias, o vacíos, textuales como signos del miedo, zozobra, o fracaso, de Pereda por acercarse al estereotipo naturalista fijado por Zola y, a la par, como puntos referenciales del propio crecimiento orgánico de la novela (a mi juicio aquí radicaría uno de sus rasgos formales más sugestivos).

29. Comp. con Zola: el escritor naturalista debiera «contrôler le plus qu'il le pourra [son] sentiment personnel [et son] idée à priori par l'observation et par l'expérience» («Le roman expérimental», *op. cit.* en nota 18, p. 52).

30. Solange Hibbs-Lissorgues, «La presse traditionaliste face à la littérature. *La Hormiga de Oro*», en *Typologie de la presse hispanique,* Actas del Coloquio celebrado en Rennes en 1984, Presses Universitaires de Rennes, 1986, p. 73.

31. É. Zola, «Carta-prólogo», en Narciso Oller, *La mariposa,* Arte y Letras, Barcelona, 1886, p. VII.

32. *Op. cit.* en nota 3, núm. 183 (3 de julio de 1886), p. 430. Subrayado por el autor.

Vicente Blasco Ibáñez

VICENTE BLASCO IBÁÑEZ
Y «LA ARAÑA NEGRA» (1892): PRODUCCIÓN FOLLETINESCA, LITERATURA DE PROPAGANDA Y REALISMO

Maryline Lacouture
(Universidad de Clermont-Ferrand)

La araña negra, primera novela de cierta importancia escrita por el joven Blasco, se publica en Barcelona en 1892: por entregas primero, y luego en dos tomos de 1.048 páginas cada uno con ilustraciones de Eusebio Planas. Su trama, provocadora y explosiva en la España de fines de siglo, pone en escena la supuesta poderosísima Compañía de Jesús con la cual el periodista de *La Bandera Federal* anduvo en dimes y diretes.[1] En la novela, se trata de la captación de una herencia por parte de la Compañía de Jesús con la consiguiente persecución de una familia española a lo largo de tres generaciones. El tema del folletín parece seguir las huellas de una celebérrima producción folletinesca francesa, *El judío errante* de Eugenio Sue.[2] Dicho folletín se publicó en el periódico *Le Constitutionnel* en 1844 y 1845 y obtuvo gran éxito: al poco tiempo, se llegó a traducir a varios idiomas (una de las más famosas traducciones en lengua española la hizo Wenceslao Ayguals de Izco en 1845 por mediación de «La Sociedad Literaria».[3]

El interés de *La araña negra* reside en el hecho de que la novela aparece, bajo varios aspectos, como un modelo del género folletinesco. Desde un punto de vista formal, la obra pone de manifiesto hasta qué punto Blasco Ibáñez asimila y reproduce las «recetas» propias de este tipo de escritura. Por otra parte, conviene subrayar que *La araña negra* representa ser un vehículo ideológico que le proporciona al autor los medios indispensables para dar a conocer sus ideas anticlericales. Asimismo, le permite expresar su fe en las doctrinas políticas progresistas. El problema es saber si, en primer lugar, el hecho de pertenecer la obra a un género tan marcado como lo es la literatura folletinesca, y en segundo lugar, la explícita voluntad de poner la novela al servicio de la propaganda ideológica, son compatibles con el concepto de realismo literario tal y como se ha venido estableciendo en la segunda mitad del siglo XIX. En efecto, ¿dónde se pueden situar *La araña negra* y las otras dos producciones de idéntica vena (*¡Viva la República!* en 1893 y *Los fanáticos* en 1894) en el panorama literario español de la época?

No cabe duda de que *La araña negra* obedece las reglas de la escritura folletinesca, sobre todo si se admite que el folletín ha de someterse a unas normas más o menos rígidas que corresponden, sin lugar a dudas, al gusto y a las costumbres del público lector de los periódicos o de las entregas. Sea a través de los títulos secundarios —o títulos de capítulos—, sea a través de los elementos espaciales o temporales, parece constantemente guiada y descifrada la lectura. El lector cuenta con que le propongan unos ingredientes determinados y obligados: unos hitos temporales que le permitan recordar los numerosísimos acontecimientos novelescos en el conjunto complejo de la intriga, unos decorados arquetípicos que determinen la presencia de personajes y peripecias dados, y por fin arquetipos humanos por los que el lector sabrá de antemano qué tipo de sentimiento ha de experimentar. Desde luego, el dualismo moral que impera en el folletín impone el afrontamiento sistemático de los detentores del Bien y de los consabidos detentores del Mal. Este afrontamiento pasa por el retrato físico y por el retrato moral; también se da a conocer por la elaboración de tipos claramente señalados de manera positiva o negativa, según el caso, alrededor de los cuales gravita un séquito de personajes adyuvantes igualmente tipificados. Por lo tanto, el maniqueísmo que reina despóticamente en *La araña negra* no es más que la traducción de un mito: el Mal —es decir los jesuitas y más ampliamente la Iglesia y el estamento noble— se opone inexorablemente al Bien —es decir la burguesía media—. El contenido tendencioso de *La araña negra* es evidente: en efecto, el objetivo de Blasco es vituperar a los jesuitas de modo que la Compañía de Jesús resulta petrificada en su papel negativo.

Paralelamente, el autor propone implícitamente una solución para las lacras de su país: su fe en la Razón y en la Ciencia para luchar contra el fanatismo religioso que, según el mismo Blasco Ibáñez, es una de las causas del retraso intelectual, social y político de su país.

Entonces, todo pasa como si la novela no se acercase para nada al ámbito del realismo literario tal y como lo define el mismo novelista en una conferencia del año 1909: «En el naturalismo, los personajes aparecían como reales, como en la vida, de carne y hueso [...]. En las obras de Zola [...], los personajes se mueven solos, sólo por esas causas intangibles e invisibles que en la vida hacen mover a los seres humanos».[4] Cierto es que, en *La araña negra*, Blasco pone en escena personajes irreales, esbozados con pinceladas estereotipadas, y viene a desempeñar el papel de titiritero.

Sin embargo, no se puede negar que Blasco se da perfecta cuenta de la inadecuación de su obra respecto a las corrientes literarias de moda en su época. Así, en la novela, podemos apuntar críticas y alusiones irónicas a las novelas folletinescas:

> Los personajes hablaban como serafines, se pasaban la vida suspirando, no conocían sino de oídas la maldad que tanto abunda en el mundo, y se movían como las figurillas de un teatro mecánico a voluntad del escritor. La protagonista, joven cándida, inocente y angelical, envuelta siempre en blancas vestiduras y tan ideal y vaporosa a fuerza de ser llorona que llegaba a dudarse si sus diminutos pies tendrían a continuación carnales pantorrillas, pasaba las de Caín perseguida siempre por el traidor de la obra, un señor que, por añadidura, nunca iba a misa y hablaba mal de los curas; pero el lector, después de sufrir y llorar con las desdichas de Eulalia, quedaba consolado y alegre, pues en el epílogo moría el monstruo y triunfaba la inocencia, pues hay un Dios que premia la virtud y castiga la maldad, aunque en el mundo vemos lo contrario todos los días.[5]

Todo pasa como si, al fin y al cabo, el novelista se sintiese «incómodo» en el ámbito del folletín, quizá por depender éste en demasía del dualismo moral o social y de la tesis que su autor quiere defender a toda costa.

En la novela, se puede leer una frase evocadora pronunciada por un jesuita que busca a un panfletario capaz de servir a la Compañía: «Palo seco con todos, y mucha verdad en la descripción, sin temor a incurrir en una crudeza impropia de un sacerdote: ahora está en moda el naturalismo».[6] Entonces, no cabe duda de que aparecen, en la novela, características de otra índole y veleidades literarias que alejan la novela de la escritura folletinesca. En efecto, Blasco se muestra conforme con Emilio Zola en cuanto a «las hipótesis sobre las cuestiones hereditarias y la influencia de los medios».[7] El autor insiste repetidas veces en el capital genético de algunos personajes para explicar sus carencias. Escribe por ejemplo: «El endiablado sabio, plebeyote hasta la médula y orgulloso de su origen, estremecíase de horror ante la posibilidad de unirse por lazo alguno con cualquiera de aquellas familias elevadas corroídas por dolencias extrañas y hereditarias [...]». Su frase favorita era: «La aristocracia es un pudridero» y hablaba con gran elocuencia del «caudal de enfermedades y gérmenes de locuras que el aislamiento de clase y el horror a cruzarse con gentes más humildes y vigorosas había ido amontonando en aquellas familias.[8] De todos modos, siempre se trata de protagonistas que pertenecen a la aristocracia: esto último nos da la prueba de que a Blasco le interesa ante todo la diatriba contra una clase social determinada. El autor acusa a la nobleza sin cesar, poniendo de realce sus vicios hereditarios,[9] más por intención didáctica que por convicción científica y, por consiguiente, literaria.

Por lo visto, no basta con escribir las palabras «herencia» o «degeneración» para elaborar un novela realista. Así lo entendió el propio Blasco que, luego de escribir sus obras juveniles, las tachó de «basura romántica» y se negó a publicarlas en sus obras completas.

A pesar de que, en las primeras partes de la novela, la inexistente caracterización psicológica se suple con abundantes referencias a las sensaciones experimentadas por los personajes, en el tomo segundo, Blasco nos presenta a un personaje cuya evolución no corresponde a las reglas del folletín tradicional. El autor dedica varias páginas interesantes a Marujita Quirós, actriz de la tercera generación, y se puede apreciar el acierto con que Blasco evoca la metamorfosis biológica de la niña en la pubertad:

> La pubertad parecía haber limpiado obstruidos canales de su organismo por donde circulaban nuevos torrentes de vital energía [...]. Parecía que [...] sus miembros, antes enjutos, ágiles y nerviosos como los tentáculos de un insecto, al

henchirse en el presente con esa fuerza vital que hace estallar el capullo y esparce en el espacio un tropel de colores y perfumes, adquirían nueva fuerza, y lo que perdían en ligereza ganábanlo en solidez siendo como raíces que la unían a la vida.[10]

Esta cita pone de realce el papel que desempeña la Naturaleza en la evolución del personaje; ella es quien moldea y metamorfosea al ser humano. La metáfora que establece un paralelo entre el nacimiento de la flor y el de la mujer le agrega poesía a la descripción del fenómeno. Pero, ¿será incompatible la poesía con el naturalismo? No es así, según Emilio Zola que asevera que «se deben aceptar en las letras todas las escrituras que aparezcan» y «se deben considerar como las expresiones de los temperamentos literarios de los escritores».[11] Al comparar el cuerpo de la joven con un árbol lleno de savia arraigado en la tierra lo mismo que se arraiga en la vida el ser humano, Blasco pone de manifiesto sus dotes estilísticas y su filosofía de la vida. Además, la exactitud con la cual el autor estudia las manifestaciones de la pubertad para pasarlas luego al folletín nos incita a pensar que, a partir de entonces, va anunciándose el estilo más maduro que se afirmará en las novelas posteriores. No cabe duda de que quien lee estas páginas de *La araña negra* no puede conformarse con pensar que se trata de una escritura y de una visión del mundo propias de la literatura folletinesca. Ha de verse la aparición de una nueva sensibilidad que impulsa a Blasco a acatar las leyes de la Naturaleza y a estudiar los vínculos que existen entre ésta y el ser humano. Por otra parte, el espectáculo de la naturaleza circundante tendrá una influencia notable sobre el personaje al que hemos aludido. Marujita va descubriendo la belleza y la fuerza vital de los paisajes valencianos y, paralelamente, se va dando cuenta de la metamorfosis que sufre su cuerpo. En la terraza del colegio desde donde se complace en *observar* lo que la rodea, Marujita, se siente en completa armonía con lo que está viendo, con el decorado *real* que también es un símbolo del despertar de la Naturaleza.

El espectáculo que desde allí se gozaba, llenaba por completo la aspiración que sentía su alma por todo lo grande, lo inmenso. Además, en aquel ambiente de libertad, limitado por el infinito, se respiraba mejor que en el interior del colegio, entre las oscuras paredes, desnudas y frías, como el afecto mercenario de las buenas madres.[12]

Aquí se trata de una experiencia vivida por Blasco que, con fuerza, experimentó en su alma aquella ósmosis entre él mismo y los paisajes de su tierra a la cual estaba tan aferrado. La libertad que necesita la adolescente se materializa y se desarrolla ampliamente en la inmensidad de la Naturaleza. Esta influencia de la Naturaleza —es decir del medio— sobre el personaje aparece como una de las bases —quizá superficial a nivel literario— de las técnicas naturalistas, la que consiste en considerar que el medio determina al hombre, lo mismo que lo determina su capital genético.

Idéntica determinación por el medio podría aplicarse a otros personajes: a Juanito Zarzoso, un estudiante joven a quien Blasco traslada a París por las necesidades de la intriga, o a José Agramunt, el periodista subversivo. Se trata de una determinación esporádica, sólo digna de interés por el aspecto autobiográfico que en ella se puede notar. En efecto, Blasco tuvo que exiliarse por motivos políticos en 1890,[13] y se quedó un año en París. Desde allí, escribía artículos que mandaba a Valencia y que se publicaban en el periódico El Correo de Valencia. Desde un punto de vista estilístico, muchas descripciones del París de La araña negra parecen ser exactas y fieles reproducciones de las crónicas de 1890 y 1891 recogidas en las obras completas bajo el título de París. Impresiones de un emigrado.[14] Así, la evocación de París en la novela no puede ser más real, ya que aparece como el fruto de una experiencia vivida por el mismo autor; de la misma manera, Blasco recalca sus propios sentimientos cuando alude a los exiliados españoles en tierra francesa y a las reuniones en los cafés parisienses a las cuales solía acudir.[15]

Por otra parte, huelga decir que Blasco emprende una labor de recuperación de sus propios escritos. Acabo de referirme a las crónicas de los años 1890-1891; también podría destacar que Blasco integra en la novela numerosos datos históricos (recuérdese que la acción se desarrolla a lo largo de tres generaciones, desde el absolutismo de Fernando VII hasta la restauración alfonsina). Entonces es cuando Blasco adapta parcialmente, y siempre movido por su intención didáctica, una obra suya titulada Historia de la Revolución Española que parece ser la obra del exilio y que fue publicada en 1891 por la casa editorial Gil de Barcelona.

Puede parecer un tanto sorprendente este deseo mío de aludir al realismo y al naturalismo respecto a un folletín como *La araña negra*. En efecto, existe sin lugar a dudas un hiato fundamental entre las reglas del folletín y las teorías naturalistas. Cierto es que el Blasco de *La araña negra* está en la fase de los tanteos literarios. Conocía a Zola, sabía algo de la existencia de «otra» concepción de la literatura, sobre todo después de su exilio en París, pero sus preferencias no se encaminaban entonces hacia una reflexión sobre la estética de la novela y sobre las relaciones entre ficción y realidad. En aquella época, Blasco ponía sus dotes de escritor prolijo al servicio de sus ideas: la tesis importaba más que la forma, y el método, más que el realismo, más que el naturalismo. En *La araña negra*, se impone el joven novelista como defensor de una ideología determinada que reduce la obra de arte a la función de vehículo propagandístico. No importa que los personajes no sean más que fantoches —caricaturas las más de las veces—; no importa que la intriga no acate las leyes de la verosimilitud: para el escritor, la demostración es el eje mismo de su obra. Cierto es que todos estos aspectos van en contra del naturalismo teórico que, según Zola, denuncia «esos personajes esbozados según las necesidades de la defensa».[16]

Se ha podido notar que, en *La araña negra*, rebosan las intenciones didácticas. Zola asevera que «el novelista experimentador [...] es el que no permite que intervenga su opinión personal más que en los fenómenos cuyo determinismo no queda claro todavía, tratando de controlar la opinión personal, la idea *a priori* gracias a la observación y la experiencia».[17] No se negará que, en la novela de Blasco, se acumulan los juicios, las ideas *a priori* aceptadas como tal, estando presente el autor y orientando de manera sistemática la reflexión del lector.[18] Por consiguiente, en este tipo de novela tendenciosa, resulta inoperante la teoría de la impersonalidad de la obra que defiende Flaubert. En 1878, Clarín opina por su parte que es de rechazar la novela de tesis porque «afea no poco la obra bella la tendencia del autor a demostrar [...] determinadas afirmaciones de un orden cualquiera [...]. Los poetas y demás artistas deben huir para siempre de toda tendencia en sus obras».[19] Según las teorías literarias de la segunda mitad del siglo XIX, el novelista debía desaparecer por completo de su obra para que se impusiera la realidad, de hecho suficiente, siendo la tesis un obstáculo inútil. En resumidas cuentas, se consideraba que la novela tendenciosa limitaba y reducía la literatura royendo y destruyendo la realidad.

Ahora bien, de este rápido paralelo entre *La araña negra* y el realismo y naturalismo literarios, recordaremos el vigor y la fe —es decir el compromiso— que caracterizan al Blasco de la última década del siglo XIX. Fascinado por la política y los ideales de Pi y Margall, el novelista se lanza en un combate literario que le permite propalar su ideario político. En cuanto a la obra novelística de Blasco, habrá que esperar algunos años para que, en cierta medida, el escritor deje de lado su voluntad explícita de demostrar y su deseo de divertir y educar. Sólo a partir de las novelas del ciclo regional, Blasco establecerá un pacto con el naturalismo «justiciero». Sólo a partir de entonces, se irán borrando las reglas de un género y una visión maníquea de la vida que ya no corresponden a los anhelos del autor. Conviene añadir, sin embargo, a modo de conclusión, que no cambiará el modo de novelar de Blasco. El novelista seguirá escribiendo rápidamente, y no dudará en utilizar escritos suyos (o de otros) para componer sus obras.

NOTAS

1. Véase *La Bandera Federal* del 17 de junio de 1892: «Blasco Ibáñez y el jesuita Vicent».

2. Véase mi tesis doctoral: *Eugène Sue et Vicente Blasco Ibáñez: Le juif errant (1845) et La araña negra (1892), une étude comparative*, Universidad de Toulouse-le Mirail, ejemplar dactilografiado, 1987, 400 pp.

3. Véase el artículo de Vicente Carrillo, «Marketing et édition au XIXème siècle: La Sociedad Literaria de Madrid», en *L'infra-littérature en Espagne aux* XIXème *et* XXème *siècles*, Presses Universitaries de Grenoble, 1977, pp. 7-101.

4. *Conferencias de Buenos Aires (1909)*, en *Obras Completas*, t. IV, Aguilar, Madrid, pp. 1.183-1.336. Es de notar el parecer de Blasco acerca de lo que él mismo llama el romanticismo literario: «El romanticismo era falso en cuanto se refería a personajes irreales [...]. En la escuela del romanticismo, el autor aparece a cada instante en escena, entre bastidores, hablando con todos y hablando por boca de todos. Se ven los hilos del que mueve a los personajes, como se veía la acción de Maese Pedro en el retablo aquel de que Cervantes nos habla en *Don Quijote*».

5. *La araña negra,* en *Obras Completas,* t. I, I, parte cuarta, XV, p. 315 b.

6. *Ibíd.,* I, I, parte séptima, VII, p. 932.

7. Emilio Zola, artículo publicado en *Le Voltaire* el 20 de octubre de 1879.

8. *La araña negra,* II, parte cuarta, IV, pp. 749 y 750.

9. Se puede leer en *La araña negra,* I, parte primera, I, p. 26: «Aquel condesito de Baselga era un hermoso ejemplar de fatuos dañinos; y honraba, tanto en lo físico como en lo moral, a su privilegiada clase demostrando que en la nobleza no todas las familias degeneran a pesar de los incesantes cruzamientos entre individuos de idéntica sangre». y «[...] este representante de la degeneración aristocrática, que era un tipo acabado de esa degeneración hereditaria de las altas familias, que tiene su principio en la glotonería y en la lujuria y su fin en el raquitismo y la imbecilidad» (II, parte sexta, III, p. 886).

10. *La araña negra,* II, parte tercera, VIII, p. 694.

11. Emilio Zola, *Le roman expérimental,* Garnier-Flammarion, París, 1971, p. 92.

12. *La araña negra,* II, parte tercera, VIII, p. 695. Algunos párrafos de este capítulo titulado «Sinfonía de colores», no dudará Blasco en reproducirlos fielmente en *Arroz y tartana* (1894), *Obras Completas,* t. I, VI, p. 333 a (en particular el que empieza por «Primero, las notas aisladas [...]»).

13. Se puede leer en el *Suplemento a la Bandera Federal* publicado en julio de 1890 tras la manifestación anti-conservadora verificada en Valencia el día 8 de julio del mismo año: «Cuatro procesos formados al Sr. Blasco Ibáñez, por protestar en la tribuna y en la prensa contra la monarquía y la teocracia, le han obligado a abandonar España, por no sufrir la afrenta de ir a presidio como el más vil de los criminales, y hoy padece la nostalgia de la patria en extrangero [*sic*] suelo, lejos de sus amigos y de su familia, por haber cumplido como perfecto ciudadano con sus deberes de propagandista y hombre de partido, sin que tanta pena haya logrado ni por un instante entibiar su fe y su entusiasmo».

14. Entre los numerosos ejemplos que nos proporciona una lectura paralela de los artículos de los años 1890 y 1891 y de *La araña negra,* notaremos esta descripción del Barrio Latino: «Si yo tuviera que simbolizar alguna vez al pueblo francés, lo pintaría como Jano, con dos caras [...]. Yo creo que los dos grandes hombres que Francia debe considerar como suyos son Víctor Hugo y Rabelais [...]. El uno es el genio sublime [...] que canta [...] las eternas aspiraciones de la Humanidad; el otro es la carcajada que huele a vino o la voz ronca que [...] hace la apología de los apetitos brutales o relata los cuentos más insulsos e indecentes». (En «Las dos caras de los franceses», 18 de agosto de 1890, *París. Impresiones de un emigrado, op. cit.*). Y: «París es hoy un nuevo Jano de doble faz [...]. A un

lado, Rabelais con su guasona sonrisa, su panza de vividor y su mirada de escéptico [...]. Al otro lado, Víctor Hugo, con su serenidad olímpica y su frente de dios en la que se refleja el iris de la inmortalidad, dejando caer de sus tranquilos labios las perdurables estrofas que [...] elevan el ánimo a las regiones de lo infinito y hacen creer en un más allá que es la regeneración de la Humanidad libre y dichosa [...]» (*La araña negra*, II, parte quinta, I, p. 785 a-b).

15. Recuerda Blasco que «muchos días, después de almorzar, me iba al jardín del Luxemburgo y allí sentado en un banco entre las estatuas, leía los periódicos valencianos y madrileños», citado por Pilar Tortosa, en *La mejor novela de Vicente Blasco Ibáñez: su vida*, Prometeo, Valencia, 1977, p. 114.

16. Emilio Zola, *op. cit.*, «Du roman», p. 313.

17. *Ibíd.*

18. El crítico Juan Ignacio Ferreras explica muy bien el fenómeno de la literatura de tesis cuando afirma que «oponer dos visiones del mundo, por ejemplo la de don Quijote y Sancho, puede producir la mejor novela del mundo; sin embargo, la oposición a la que me refiero no es imparcial, no respeta las determinaciones de cada polo opuesto, sino todo lo contrario, parte de uno de los dos elementos confrontados y desde este elemento, visión del mundo, ideal, polo, combate y describe el opuesto. A partir de este falseado planteamiento, todo equilibrio y todo realismo desaparecen como por encanto. Las novelas del dualismo [...] son novelas partidistas, combatientes, injuriosas incluso; se trata de predicar la bondad, moral, política, social, de un elemento en detrimento del contrario», en *La novela por entregas (1840-1936)*, Taurus, Madrid, 1972, VII, p. 270.

19. «*La familia de Leon Roch*», artículo publicado en *La Unión* el 24 de diciembre de 1878 y citado por Yvan Lissorgues, en *Clarín político II*, France-Ibérie Recherche, Toulouse, 1981, 225 p.

LAS NOVELAS VALENCIANAS
DE BLASCO IBÁÑEZ:
DESTINO Y ECONOMÍA

Françoise Peyrègne
(Universidad de Orleans)

Maryse Villapadierna
(Universidad de la Sorbonne Nouvelle, París III)

Nuestro estudio se refiere a las cinco novelas de Blasco Ibáñez que se suelen calificar de «valencianas», es decir *Arroz y tartana, Flor de mayo, La barraca, Entre naranjos* y *Cañas y barro,* escritas en pocos años, entre 1894 y 1902, pero cuyas ficciones abarcan esencialmente la segunda mitad del siglo XIX.[1]

En los primeros decenios de nuestro siglo, fueron sobre todo las peripecias sentimentales o dramáticas de estas novelas las que suscitaron el interés, y confirieron a Blasco Ibáñez una fama internacional de novelista popular. Hoy día, en cambio, no nos llaman la atención las ficciones o los protagonistas en sí mismos, sino como representación del individuo en sus relaciones con el medio social y económico en que actúa; economía —la del País Valenciano— predominantemente agrícola y, por lo tanto, más bien estancada y cerrada sobre sí misma (con excepción de la incipiente exportación de naranjas), dentro de una España desgarrada por las contradicciones y transformaciones económicas de este final de siglo.[2]

En cada una de las cinco novelas el destino individual de los protagonistas se encuentra influido, determinado o enfrentado con microcosmos geográficos o socioeconómicos distintos: el del pequeño comercio de la capital en *Arroz y tartana,* el de los pescadores del Cabañal en *Flor de Mayo,* el de los huertanos de la Alboraya en *La barraca,* el de la burguesía terrateniente de Alcira en *Entre naranjos,* y el de los seres anfibios que pueblan los pantanos de la Albufera en *Cañas y barro.* Lo que nos interesa, pues, estudiar aquí es la intersección entre la suerte individual de unos seres de ficción con la realidad económica tal como la percibe el diputado y novelista Blasco Ibáñez, a la vez analista de la realidad en tanto que político, y creador de ficciones en tanto que novelista.[3]

Debido a las limitaciones impuestas a nuestro trabajo, pasaremos directamente a enunciar las conclusiones que hemos sacado de nuestro análisis, que toma únicamente en cuenta a los protagonistas principales de las novelas, como más significadamente simbólicos de las concepciones del autor.

En cada uno de los microcosmos evocados más arriba, Blasco Ibáñez no pretende trazar un panorama global y completo de la sociedad; al contrario selecciona, esquematizándolo, el grupo social más determinante en la estructura económica dejando en la sombra a los representantes de los otros sectores. Por ejemplo los comerciantes de *Arroz y tartana* o los huertanos de *La barraca.* Pero entre estos actores económicos determinantes, cabe establecer una distinción de otro tipo: las mujeres no intervienen en la actividad económica al mismo nivel que los hombres y, quizás por eso, no conocen el mismo destino final. Esta diferencia se refleja en la estructura narrativa, en particular en el desenlace de las ficciones. Veremos en efecto que las protagonistas-mujeres participan en el desarrollo de las últimas escenas de un modo distinto del de los hombres.

En cuanto a los protagonistas masculinos, están vinculados con la producción: son ellos los que sacan los frutos de la tierra y el pescado del mar, como es evidente en *La barraca, Flor de Mayo* y *Cañas y barro.* En el caso de *Entre naranjos,* el vínculo económico del hombre con la tierra se hace a nivel simbólico, ya que el protagonista principal, Rafael Brull, diputado conservador y latifundista naranjero, es el representante político e ideológico de los productores terratenientes, y se revela incapaz de entender, de oír siquiera, a su futuro suegro, don Matías, exportador de naranjas, portavoz de un posible progreso económico de la región, y de su posible integración en la economía moderna. Además, a estos hombres casi no se les ve participando efectivamente en los intercambios económicos, o manejando el dinero. Por ejemplo, en *La barraca* permanecen implícitos gran parte de los eslabones económicos entre la producción de la materia prima (la cosecha de Batiste) y su conversión en dinero. En el Cabañal *(Flor de Mayo)*, en Alboraya *(La barraca)*, en el Palmar *(Cañas y barro)*, cuando disponen de alguna cantidad en efectivo, se la confían a sus novias, esposas o madres. Rafael Brull *(Entre naranjos)*, aunque dueño de inmensos naranjales y representante de la burguesía adinerada en Alcira, no aparece nunca como actor económico, hasta el punto de que tiene que robar algunos billetes —que son suyos— en el *secrétaire* de su madre para huir a Valencia con su amante Leonora. Sin embargo, hay que matizar el análisis al referirse a *Arroz y tartana*, cuya acción se desarrolla en los barrios céntricos de Valencia: no vive allí ningún representante del sector primario; se trata de un grupo social urbano enteramente dedicado a la actividad comercial.

Las protagonistas-mujeres, en cambio, están vinculadas con el sector secundario y terciario. Son ellas las que venden la materia prima extraída de la tierra o del mar por sus maridos, hijos, padres o novios. Vendedoras de leche o de hortalizas, pescaderas, obreras de la seda o del tabaco, son ellas las que cobran un salario o el precio de las mercancías, son ellas las que compran los objetos de uso doméstico y, por eso, son las que unen el campo y la ciudad con su vaivén cotidiano para ir a trabajar, vender o comprar en la capital. Las pocas ocasiones en que los hombres van a Valencia se destinan a tratos imposibles de gestionar para una mujer: comprar la jarcia de un barco nuevo *(Flor de Mayo)*, un caballo, pagar el arriendo de la tierra *(La barraca)*. Las mujeres burguesas de *Arroz y tartana* y *Entre naranjos* aparecen también estrechamente vinculadas con los intercambios comerciales, pero más bien como compradoras y consumidoras de productos de lujo. La doña Manuela de *Arroz y tartana*, que en las primeras páginas de la novela se ve derrochando a manos llenas el dinero en el mercado, así como la Leonora de *Entre naranjos*, viven rodeadas de una multitud de objetos preciosos en cuyo valor comercial insiste reiteradamente el relato: joyas, loza de porcelana, copas de cristal, abrigo de pieles, frascos de plata, etc. Es una mujer, doña Bernarda, quien gestiona la hacienda de los Brull. Es una mujer, viuda de un pescador, la tía Tona de *Flor de Mayo*, a quien se le ocurre convertir el barco de pesca de su difunto marido en cafetín, pasando así del sector primario de producción al sector comercial de servicios, entonces en pleno auge en la re-

gión. En cuanto a la artista dramática Leonora, cuya actividad profesional permite ubicarla en el sector terciario, es ella
la única administradora de una fortuna constituida por objetos de valor y «acciones de ferrocarriles a través de países
salvajes, [...] valores de empresas locas que se desarrollaban
en las praderas yankis o las pampas argentinas». (p. 614)

En conclusión, al lado de unos hombres agobiados por faenas agotadoras o una ideología caduca, o que la evolución
económica ha dejado atrás, las mujeres representan el elemento movible, dinámico, dispuesto al cambio de trabajo, de lugar
o de forma de inversión según se lo permita su clase social.

* * *

No es, pues, extraño que, insertándose de manera distinta en las estructuras económicas, los protagonistas-hombres
y las protagonistas-mujeres resistan con energía desigual las
vicisitudes personales resultantes del estancamiento e incluso
de la regresión económica del País Valenciano.

El relato presenta a los protagonistas masculinos como víctimas de esta decadencia, que pagan con su propia destrucción física el no haber querido o sabido entender las leyes del
nuevo orden económico. Por una parte están las víctimas pa-
sivas, los representantes de las generaciones antiguas, testi-
gos atrasados de un sistema ya caduco. En *Arroz y tartana,*
don Manuel Fora, industrial de la seda, muere súbitamente
al saber que uno de sus corresponsales ha quebrado. Don Eugenio García, ex socio de don Manuel, fundador de Las Tres
Rosas, donde vendía los géneros fabricados por su amigo,
muere súbitamente al enterarse de la quiebra de la tienda.
En *Entre naranjos,* es una muerte simbólica, la de Rafael
Brull, ya mencionado como representante ideológico de los terratenientes. La tercera parte de la novela lo presenta llevando la vida rutinaria y vacía de un diputado conservador, pre-
maturamente afeado y envejecido. En el último encuentro con
su ex amante Leonora, ésta le echa en cara su degradación
física y psíquica: «Tú eres un muerto» y el narrador, volviendo a tomar la palabra, recalca el significado simbólico de esta
constatación: «Sí, era un muerto que paseaba su cadáver bajo
la luz triste de los faroles». (p. 685).

Pero más numerosos son los protagonistas que pagan con
la muerte el haber pretendido transgredir el orden socioeconómico al que debían estar sometidos. «Querer subir»: ésta

es la obsesión de casi todos los protagonistas, o, a lo menos, querer participar de este irresistible impulso hacia la posesión bien sea de dinero, de tierra, de casas, de medios de producción, o de una posición social. Pero esta «lucha por la vida» (expresión recurrente en las cinco novelas) exige una energía o una ciencia que los héroes de Blasco Ibáñez en general no poseen. El Juanito Peña de *Arroz y Tartana* muere desesperado por haber especulado estúpidamente, vendiendo tierras y empeñando locamente todo su capital; por haber participado en un juego demasiado brutal, y cuyas reglas desconocía. Al describir su agonía, se le ocurre a Blasco Ibáñez una metáfora reveladora:

> La válvula vieja y gastada que parecía mugir dentro de su pecho fue aminorando lentamente el fatigoso movimiento. Cesó el estertor, como si se cerraran los escapes de aquella locomotora que sonaba a lo lejos [p. 391].

La máquina de vapor, símbolo de la energía moderna y del «progreso» en esos últimos decenios del siglo XIX, se convierte aquí en el símbolo mismo de la «fuerza vital» humana, que en el caso de Juanito fue insuficiente para que pudiera vencer.

En *Flor de Mayo*, Pascual, pescador proletario, ha querido «subir» también, haciéndose patrón y comprando un barco con el beneficio del contrabando de tabaco. Se hunde el barco nuevo durante una tempestad y mueren ahogados él, su hermano y su hijo.

En *La barraca*, el arrendatario Pimentó no quiere pagar el alquiler de la tierra a su patrona, doña Manuela. ¿Es una casualidad si, al final, perece asesinado? En cuanto al protagonista principal, Batiste, que durante toda la vida luchó por salir de la marginalidad social y económica, no muere, pero la última página de la novela lo describe anonadado ante el incendio de su barraca, después de haber perdido su hijo menor, «víctima inocente de una batalla implacable» (p. 561), la de la «lucha por la vida».

De todos estos casos, el más revelador es el de Tonet, el héroe de *Cañas y barro*. Nieto de pescador e hijo de campesino, se niega a ser ambas cosas. No «quiere subir»; transgrede el orden económico rechazándolo todo en bloque. Se alista para la guerra de Cuba y, al volver, lleva la vida ociosa y pasiva de un marginal. Por fin, amante sometido, criminal infanticida, se autodestruye suicidándose. Así vemos que viejos, adultos o niños (como el Pascualet de *Flor de Mayo*, el Albaet de *La barraca* y el recién nacido de *Cañas y barro*), la gran mayoría de los protagonistas masculinos caen víctimas de su debilidad ante no se sabe qué ley implacable.

En cuanto al don Juan Fora de *Arroz y tartana*, si sobrevive a la decadencia de la industria sedera, es retrayéndose en su oscuro caserón lleno de telares muertos. Este protagonista, testigo rezagado de una industria ya muerta, es el único representante de su generación que sigue hasta el fin de la novela con vida, honra y hacienda. Pero esta salvación física y moral, parece haberla adquirido abstrayéndose de toda actividad económica. Va dedicando los restos de su fortuna a la acumulación improductiva de antiguallas en una mansión de postigos cerrados para siempre, como si fuera esta casa desierta y polvorienta la metáfora de unas estructuras económicas definitivamente caducas.

El destino final de las mujeres es mucho más ambiguo. Primera constatación: sobreviven todas. Sobreviven profundamente heridas, sobreviven deshonradas, sobreviven desengañadas, pero siguen viviendo. Al contrario de Juanito Peña, doña Manuela, su madre, que derrocha como él su fortuna y sus tierras para «salirse de la esfera» (p. 394), seguirá viviendo, mantenida por su hermano mayor Juan. Sólo perece su honra, por haber vendido su cuerpo a un amante adinerado. Su destino se puede comparar con el de Neleta, en *Cañas y barro*. Públicamente infamada por sus amores ilegítimos y el infanticidio cometido por su amante, se queda con vida, con dinero y con la esperanza de llevar otra existencia en la ciudad, desde siempre anhelada. En *Flor de Mayo*, es más evidente todavía el contraste entre el destino de los hombres y el de las mujeres del Cabañal. Mientras que la tripulación completa del barco desaparece bajo las olas de la tempestad, todas las mujeres del pueblo, irguiéndose en la orilla, desafiando el viento y la lluvia, tratan primero de salvar a los pocos marineros arrastrados hasta las rocas. Luego, es una de ellas, la abuela Picores, vieja pescadera de cuerpo descomunal y energía casi sobrehumana, la que lanza invectivas a los burgueses de la ciudad, verdaderos responsables, según ella, de estas muertes. La «bruja del mar» (como la llama Blasco Ibáñez), con sus tetas enormes y su vientre hinchado, aparece entre todas las mujeres del Cabañal como la simbolización grotesca y temible de una fuerza vital indestructible.

El último capítulo de *Entre naranjos* también nos ofrece un contraste del mismo tipo. Ya hemos señalado que el protagonista-hombre se evocaba como simbólicamente muerto. Frente a él se yergue su ex amante Leonora, ya sola, ya desengañada, pero siempre hermosa, «arrogante y victoriosa» (p. 684), encarnación de la Walkiria de Wagner cuyo papel sigue representando en todos los teatros del mundo.

¿Cómo interpretar, pues, la concepción de la mujer que se esboza aquí? ¿Cabe atribuirla a un reflejo más o menos indirecto en el valenciano Blasco Ibáñez, del matriarcado tradicional en los países mediterráneos? ¿O más bien a la función simbólica devuelta a la mujer por el naturalismo? La mujer, encarnación de la energía vital, manifestada ya sexual, ya socialmente; la mujer dominadora, la mujer «mangeuse d'hommes» de Zola, pero que, en el novelista español, quizás más puritano o más complejo que el francés, disfraza más a menudo su apetito físico bajo el deseo de ascensión social; la mujer que, como la serpiente mítica de *Cañas y barro* y como la Walkiria de *Entre naranjos*, consigue ahogar al hombre y convertirlo en un ser pasivo, enfermo, suicida o criminal. Sea lo que fuere, el fin trágico de todos estos protagonistas no carece de ambigüedad. Si es cierto que hay víctimas en las novelas valencianas de Blasco Ibáñez, ¿a quién o a qué se le debe atribuir la causa? En algunos casos, los que mueren aparecen como los juguetes de un destino fatal heredado de los padres o de la raza. En otros, parecen arrollados por el orden implacable de la explotación económica.

En ciertas novelas como *Arroz y tartana*, *La barraca* y *Entre naranjos*, Blasco Ibáñez insiste sin cesar en el origen «árabe», «moruno» o «beduino» de los protagonistas principales. De sus antepasados moros, el tío Barret y Batiste heredaron la altivez, la gravedad, y también, contradictoriamente, los accesos de violencia y la pasividad ante la desdicha. De Batiste (héroe de *La Barraca*) nota la voz narrativa que «da mala suerte le perseguía» (p. 497). Y, al final, después de perderlo todo en el incendio de su barraca, se sienta a esperar el amanecer «con resignación oriental», siguiendo el curso del fuego «con la pasividad del fatalismo». En cuanto a Rafael Brull *(Entre naranjos)*, hasta en su apariencia física se transparenta su ascendencia africana: «cierta gracia ondulante y perezosa en el cuerpo, que le daba el aspecto de esos jóvenes árabes de blanco alquicel y ricas babuchas» (p. 576). Y es esta misma indolencia, esta misma pasividad la que lo mantiene sometido primero a su madre, luego a su amante, y siempre a la tradición de los «taifas o waliatos» (p. 568), cuyos intereses anacrónicos seguirá defendiendo hasta el fin ante el Congreso.

En el caso de Juanito Peña *(Arroz y tartana),* lo describe el narrador, al principio de la novela, como el prototipo del futuro comerciante, hijo de comerciante, honrado y mediocre, que heredó de su familia lo que su padre llamaba «sangre comercial». Por haber traicionado esta predestinación biológico-económica, le abandona al final toda fuerza vital y muere desesperado y arruinado.

En todos estos casos, el destino individual parece predeteminado por el pasado de la raza, por la herencia biológica, se llame «resignación», «fatalismo», «ascendencia» o «sangre». Pero otros ejemplos (y a veces los mismos) nos sugieren una apreciación totalmente distinta de la ideología de Blasco Ibáñez. Son los en que el destino final del protagonista se presenta como consecuencia del orden socioeconómico vigente. Cuando naufraga la *Flor de Mayo* con toda su tripulación ¿no es por haber querido su patrón salir de su condición de proletario? ¿No es por culpa de la avidez de los burgueses de la ciudad, como lo proclama la tía Picores en las últimas líneas de la novela?

> Ya no enseñaba el puño al mar. Le volvía la espalda con desprecio, pero amenazaba a alguien que estaba tierra adentro, a la torre del Miguelete [...]. Allá estaba el enemigo, el verdadero autor de la catástrofe [...] ¡Que viniesen allí todas las zorras que regateaban al comprar en la Pescadería! ¿Aún les parecía caro el pescado? [...] ¡A duro debía costar la libra! [p. 478].

Y en *La Barraca,* cuando el tío Barret asesina a su patrón porque no puede pagar el arriendo de la tierra y por eso muere en el presidio, ¿no se puede interpretar la ficción novelística como un replanteamiento del latifundismo? Así parece que el novelista, en aquel período (entre 1894 y 1902), oscila entre dos orientaciones ideológicas distintas, entre dos tipos de análisis de la situación socioeconómica de sus conciudadanos. Por una parte un positivismo elemental, que pondría de relieve la herencia no se sabe si biológica o psíquica de los protagonistas; por otra parte un análisis en términos de oposición de clases. También permanece ambigua la relación entre herencia individual y responsabilidad social. ¿Es el peso fatal de la herencia el que provoca el fracaso económico?, ¿o es la presión económica la que causa el aniquilamiento del individuo? Esta ambigüedad, que caracteriza el naturalismo de Blasco Ibáñez en su serie valenciana, de todos modos no podía resolverse visto el atraso socioeconómico del País Valenciano bajo la Restauración. Por otra parte, quizás esta misma ambigüedad caracterice también el naturalismo en su conjunto.

NOTAS

1. Las referencias están sacadas de V. Blasco Ibáñez, *OC*, Aguilar, Madrid, 1958, I. II.

2. Véase J.L. León Roca, *Blasco Ibáñez y la Valencia de su tiempo*, Ayuntamiento de Valencia, Valencia, 1978; E. Sebastiá, *València en les novel·les de Blasco Ibáñez: proletariat, burgesia*, l'Estel, Valencia, 1966; J. Vicens Vives, *Historia social y económica de España y América*, Ed. Vicens Vives, Libros Vicens-bolsillo, Barcelona, 1974, V.

3. J.N. Loubès y J.L. León Roca, *Blasco Ibáñez diputado y novelista*, France-Ibérie Recherche, Université de Toulouse-le Mirail, 1972.

BLASCO IBÁÑEZ VS. ÉMILE ZOLA: CUATRO JINETES PARA UNA DERROTA (NOTAS)

Carlos Serrano
(Universidad de la Sorbonne Nouvelle, París III)

La Débâcle es de 1892; *Los cuatro jinetes del Apocalipsis* de 1916:[1] a casi un cuarto de siglo de distancia, el maestro, Zola, y el que en varias ocasiones había pretendido ser su discípulo, Blasco Ibáñez, tratan el mismo tema (la guerra), con los mismos protagonistas (franceses contra alemanes). Esta coincidencia sugería entonces un examen comparativo entre ambas obras, aquí donde se nos ha propuesto como posible tema de estudio los avatares del naturalismo español. Sin ningún ánimo de ser completo —¡quien avisa no es traidor!—, quisiera tan sólo esbozar lo que no pretende ser un auténtico estudio de los puntos de contacto y de divergencia entre ambos universos novelescos, sino una mera aproximación al tema.

De hecho, son varios los elementos de la novela de Blasco Ibáñez que parecen provenir directamente de la de Zola, repitiéndose en una u otra figuras o situaciones. Y, para empezar, un estado de espíritu general: el escritor español, republicano e incluso en ocasiones patriotero, demócrata por lo menos de palabras, no podía menos de oponerse a una Alemania guillermina, imperial y militarista, apoyada, para mayor escarnio, por toda la *España negra*, casta militar, aristocracia, tal vez el propio Soberano; y, en todo caso, por esa burguesía enriquecida de la que provienen esas familias que componen la colonia española de Biarritz durante el verano de

1914, «*boches* en su mayoría» según dice un personaje (p. 226), obvio portavoz del autor en ese instante. El conflicto mundial provoca en España una conocida división de opiniones, en particular intelectuales; y, como otros muchos, Blasco Ibáñez es entonces apasionadamente francófilo, y puede por lo tanto adoptar sobre esta guerra franco-alemana un punto de vista próximo al del francés Zola frente a la guerra franco-prusiana. No caben duas: el enemigo es el alemán; y, en ambas novelas, se le retrata de la manera más negra. A veces ridículo, es más, generalmente brutal, salvaje, hasta sanguinario. No vacila nunca en hacer correr la sangre inocente. Se fusilan elementos de la población civil en *Los cuatro jinetes,* de la misma forma que el paisano Weiss era fusilado, tras una vana resistencia y la caída de Bazeilles, en *La Débâcle;* la misma impasibilidad altiva caracteriza a los oficiales alemanes de las dos novelas cuando los azares de la guerra permiten que las dos ramas, francesa y alemana, de una misma familia se vuelvan a encontrar: el «primo Gunther» del alsaciano Weiss, oficial de la guardia prusiana en la novela de Zola, sólo tiene un «vago gesto», *à peine un frémissement,* cuando se entera de la muerte cruel de un familiar francés y se limita a hablar de la «suerte de la guerra» y de la voluntad alemana de imponer su dominnio sobre un enemigo hereditario (p. 768). Asimismo el Otto von Harttrot de *Los cuatro jinetes* suelta un idéntico «es la guerra» cuando las evidencias le impiden ya negar las atrocidades cometidas por sus compañeros de armas en el castillo de su tío francés Desnoyers (p. 261).

La semejanza en el enfoque de los acontecimientos bélicos entre los dos novelistas no se limita, sin embargo, a este gran esquema interpretativo que hace de los franceses los «buenos», y de los alemanes no sólo sus adversarios sino que también los enemigos irreductibles de la civilización. La inspiración de Blasco Ibáñez parece alimentarse en la de Zola, y trasciende los límites de una oposición a un adversario supuestamente común. De hecho, algunos protagonistas pasan de una novela a la otra, acentuando algunos de sus rasgos definitorios en este tránsito. Este es el caso —creo yo— del Maurice de *La Débâcle.*

> engagé volontaire [...] à la suite de grandes fautes, toute une dissipation de tempérament faible et exalté, de l'argent qu'il avait jeté au jeu, aux femmes, aux sottises de Paris dévorateur [p. 405].

Esta figura anuncia la de Julio Desnoyers de *Los cuatro jinetes,* idénticamente corrompido por el dinero y las mujeres de París, antes de convertirse inesperadamente al heroísmo del momento y alistarse en el ejército francés, para acabar muriendo, anónimo, en un confuso campo de batalla (pp. 182 y 392). Parecidas interferencias se reproducen en torno a esa imagen fuerte —que, por cierto, creo que también tuvo impacto en Unamuno— por la cual Zola mostraba al labrador, impávido, que sigue labrando su campo en el momento álgido de la batalla, prestándole estos pensamientos: «Pourquoi perdre un jour? Ce n'était pas parce qu'on se battait, que le blé cesserait de croître et le monde de vivre» (p. 664).

El novelista español recoge esta interrogación, la hace suya y hasta la amplifica en este párrafo:

> El labriego tenía arado el bancal y relleno de semilla el surco. Podían los hombres seguir matándose; la tierra nada tiene que ver con sus odios y no por ellos va a interrumpirse el curso de su vida. La reja había abierto sus renglones rectos e inflexibles, como todos los años, borrando el pateo de hombres y bestias, los profundos relejes de los cañones. Nada desorientaba su testarudez laboriosa. Los embudos abiertos por las bombas los había rellenado [p. 389].

Pero donde las dos narraciones evidentemente más cercanas parecen, es en la doble evocación de la derrota, la *débâcle* precisamente, con sus retiradas precipitadas, incomprensibles tras el entusiasmo inicial. Objeto central, verdadera esencia del relato de Zola, este movimiento opaco en el que parecen hundirse todas las esperanzas y todos los razonamientos, encuentra su equivalente en dos momentos claves de *Los cuatro jinetes:* el capítulo tres de la segunda parte, «La retirada», y el capítulo cinco de esta misma segunda parte, «La invasión»: hombres, caballos, cañones parecen sumirse en el más profundo caos, del que sólo emerge el *leit-motiv:* «no comprendemos» (p. 211), eco a su vez de aquel otro *leit-motiv* de la novela francesa, resumido en unas pocas frases cuyo estilo indirecto libre excluye que sean atribuidas a nadie en concreto para mejor parecer opinión de todos.

> Ah! de fameux chefs, sans cervelle, défaisant le soir ce qu'ils avaient fait le matin, flânant quand l'ennemi n'était pas là, filant dès qu'il apparaissait! Une démoralisation dernière achevait de faire de cette armée un troupeau sans foi, sans

discipline, qu'on menait à la boucherie par les hasards de la route [p. 502].

Pero precisamente en este punto las semejanzas entre las dos novelas parecen cesar. Desde luego, sería posible encontrar otros muchos parecidos, acumular más detalles de mayor o menor trascendencia. Pero es preciso, en todo caso, situarlos en el contexto de la dinámica general de la novela en la que aparecen, precisar por lo tanto su *dirección,* que es radicalmente contraria en una y otra obras.[2] El ejército deshecho, condenado a replegarse dentro de Sedan, la capitulación de Metz y el sitio de París, la misma *Commune,* toda esta avalancha de desastres está enfocada por Zola como una especie de indispensable sangría gracias a la cual podría pensarse en ese renacer de Francia, con cuya evocación concluye su novela. Y ésta, escrita veinte años después de los sucesos que relata, vendría a ser como la prueba de que efectivamente el país se había orientado hacia su propia regeneración.

El enfoque es totalmente diferente en el caso de la novela de Blasco Ibáñez, escrita al calor de los acontecimientos que relata, en un momento en que, después de la batalla del Marne y antes de la de Verdun, parece haberse producido un giro radical en la marcha de la guerra: la ofensiva alemana ha sido detenida, los franceses recuperan la iniciativa. De hecho, Blasco Ibáñez describe una victoria ahí donde Zola pintaba una derrota. Si el novelista francés escribía su novela para mostrar cómo podía superarse el hundimiento momentáneo de su país, el español pretende describir ese instante decisivo en el que, superando sus divisiones y sus debilidades iniciales, sacando fuerzas de flaqueza, esa misma nación modificaba el curso de su historia e infligía sus primeras derrotas a los invasores. Este cambio radical, auténtico *rebondissement* narrativo, con el que se acaba la segunda parte de *Los cuatro jinetes,* antes del empantanamiento de la guerra de trincheras cuya descripción esboza la tercera parte, tiene un significado claro: la valentía y el arrojo de las tropas francesas, los prodigios del famoso *75,* la victoria del momento, que anuncia otras más decisivas («Alemania será derrotada [...]. No sé cuándo ni cómo, pero caerá lógicamente», hace el autor que diga el simpático anarquista y pacifista ruso Tchernoff, casi al final de la novela, p. 336), representan al mismo tiempo una revancha histórica y un programa político.

El desastre, en *La Débâcle,* es en primer lugar militar, un hundimiento del ejército; pero es sobre todo el hundimiento de los jefes, del mando, desde los mariscales hasta el propio emperador, enfermo y casi irrisorio en su presencia inútil. A la inversa, la victoria desdibujada en *Los cuatro jinetes* es la del país, de la nación y de su tropa: tumba del Imperio en el primer caso, la guerra se convierte en apoteosis de la República en el segundo, de esa República que realiza la *unión sagrada* y logra arrastrar consigo tanto al cura de Villeblanche (p. 254: ¡Viva la República!, gritó el alcance; ¡Viva Francia! —dijo el cura) como al obrero rebelde («La noche que asesinaron a Jaurés rugió de cólera, anunciando que la mañana siguiente sería de venganza [...]. Pero la guerra iba a estallar. Algo había en el aire que se oponía a la lucha civil, que dejaba en momentáneo olvido los agravios particulares, concentrando todas las almas en una aspiración común», p. 156). Blasco Ibáñez se hace aquí a la vez discreto e insistente. Se trata de mostrar a Francia entera en pie de guerra, pero a una Francia que es inseparable del régimen político de que se ha dotado. Y así, emocionado, el viejo Desnoyers contempla por ejemplo el desfile de todas las banderas extranjeras de los voluntarios venidos del mundo entero a ayudar al ejército nacional francés, mientras el autor le hace murmurar estos pensamientos.

> Todos estos hombres se movían con espontáneo impulso, deseosos de manifestar su amor a la República [...]. El pueblo de la Revolución legisladora de los Derechos del Hombre recolectaba la gratitud de las muchedumbres [p. 153].

En diversas ocasiones reaparece en *Los cuatro jinetes* esta misma idea según la cual la República es la que real y verdaderamente representa a Francia, unánime detrás de su bandera, heredera de los soldados de Valmy y dueña de un imperio colonial que le permitía lanzar al combate las aguerridas tropas africanas, *zouaves* y *tiradores* senegaleses o argelinos (pp. 308 y 355). La francofilía de Blasco Ibáñez está estrechamente vinculada aquí con su republicanismo de siempre.

Pero lo más importante acaso no sea esto.

Todo tiende, en *Los cuatro jinetes,* a presentar la guerra presente bajo el signo invertido de la guerra anterior y la propia construcción de la ficción se somete a esta regla: así es como el viejo Desnoyers se lamenta de haberse negado a combatir en 1870 y ve con orgullo a su hijo declararse voluntario en 1914. El alistamiento del hijo rescata la deserción del padre y de este modo Blasco Ibáñez sugiere que la guerra presente es algo así como la revancha de la anterior, que el pueblo francés tendrá que llevar hasta el desenlace natural: su victoria y la reconstitución de la integridad nacional, mediante la reconquista de Alsacia. Pero el autor español no se limita a la descripción del honor mancillado de los franceses y su legítimo deseo de conseguir una reparación. La causa francesa, más generalmente, podría ser también la de los españoles: ¿la revancha evocada, no sería la de ese «espíritu latino», que tan malparado habían dejado los acontecimientos de 1898? Esto es lo que sugieren, en todo caso, los pensamientos que el autor atribuye a Marcelo Desnoyers, el padre, casi al final de la novela, ante los inmensos campos de batalla en que yace el cadáver de su hijo, pero también los de innumerables enemigos: en definitiva, un «balazo del "latino" despreciable» también podía hacer bajar «a la tumba con todos sus orgullos» al arrogante «cruzado del pangermanismo» (p. 386). La evocación inicial de la guerra de 1870 tiene por tanto, en *Los cuatro jinetes,* la función estructural de presagiar su reverso esencial que es —o tiene que ser— la guerra de 1914. De este modo, la derrota y el hundimiento militar relatados por Blasco Ibáñez corresponden más a una necesidad funcional de la novela que a una fidelidad histórica: representan en el presente (de la acción) el recuerdo de un pasado superado simbólicamente por el desarrollo de los acontecimientos imaginarios, a su vez posibles presagios de un desenlace real deseado por el autor. En este sentido, el hundimiento militar de *Los cuatro jinetes,* temáticamente inspirado en el que Zola describe con *La Débâcle,* viene a ser su antítesis casi absoluta, su contrario funcional.

La transformación a la que Blasco Ibáñez somete los elementos que le vienen de su modelo francés parece ser hasta ahora esencialmente de índole temática; de hecho, implica toda una estética. La opacidad de la historia, en *La Débâcle,* es esencial para el sentido mismo de la lección que Zola pretendía sacar de la campaña de 1870 y de la revolución subsiguiente. Dejándose llevar por la minuciosidad descriptiva, por la acumulación de «pequeños hechos» —supuestamente— verídicos, Zola quiere expresar la realidad íntima de aquella guerra que, por otro lado, es también el objeto explícito del mensaje: idas y venidas, marchas y contramarchas, una esperanza siempre renaciente y una desilusión repetida hasta la saciedad son, para Zola que quiere dárnoslo a vivir desde dentro, las causas mismas de la derrota, del hastío de los soldados, de la revolución que él condena por otra parte. La amplitud de la novela, la insistencia puesta en las descripciones meticulosas de un cotidiano triste y a veces sórdido, sirven entonces para *expresar* lo que, por otro lado, *dice* explícitamente la novela. Se trataba nada menos que de restituir la atmósfera en la que se disolvían para siempre los ensueños épicos arrastrados por los franceses desde las campañas de Napoleón, del absurdo conflicto en que el nuevo Imperio se iba a hundir sin gloria, en una ausencia de plan de batalla coherente, que, a su vez, es reflejo y símbolo de la ceguera de la Francia del momento. Todo, en *La Débâcle*, tiende a oscurecer el ambiente, hasta la separación final de Jean y Henriette con la que concluye la novela que, por necesidad interna, tenía que ser un relato *negro*. A la inversa, *Los cuatro jinetes* está pensada desde una perspectiva optimista, en la que la esperanza debe surgir del seno mismo de la tormenta: el desenlace será positivo, aunque lo demoren funestas peripecias. Donde Zola insiste en el lento e inexorable encadenamiento que conduce al desastre, Blasco Ibáñez construye, a la inversa, un itinerario de cambios insospechables, de mudanzas rápidas, de transformaciones súbitas, que deben llevar al lector a una imagen de la salvación. De este modo, la meticulosidad investigadora y descriptiva del francés es sustituida por un cuadro *novelesco* de aventuras y sobresaltos.

No es esta la ocasión para entrar en los detalles, imprescindibles para un análisis más profundo, y me limitaré a la evocación de algunos resortes esenciales de esta transformación. Y para empezar creo conveniente subrayar esa especie de *amplificatio* narrativa que parece caracterizar la actitud de Blasco Ibáñez ante su modelo francés. Así, por ejemplo, como anteriormente quedó apuntado, el novelista valenciano parece encontrar en Zola el motivo de la familia dividida entre franceses y alemanes, cuyas relaciones son cordiales hasta el inicio de la guerra, en la que unos y otros se adhieren a su campo respectivo. Pero el tratamiento de este motivo es muy diferente en ambos casos. En *La Débâcle*, donde no pasa de ser un poco marginal, sirve sobre todo para poner de relieve la situación particular de una Alsacia doblemente codiciada. Ahora bien, en *Los cuatro jinetes* este aspecto desaparece por completo; en cambio, el motivo sirve ahora para llevar al lector a una Argentina mítica, tierra virgen y materia bruta, reino del «centauro Madariaga», en la que no existen las divisiones heredadas de la historia que ensangrientan la vieja Europa. De este modo, en los primeros capítulos de la novela el lector se ve desplazado del escenario europeo al universo fabuloso de una pampa de aventuras y de todas las (aparentes) libertades. En esa tierra, los Desnoyers y los von Hartrott pueden afincarse y convivir en la paz relativa de la inmensa hacienda donde galopan, libres, fogosos caballos.

Partiendo de un elemento marginal de su modelo, Blasco Ibáñez ha recogido sobretodo el carácter de intensidad dramática que semejante situación le ofrecía, y construye su propia novela en consecuencia, otorgando una importancia considerable al tema, que adquiere aquí un valor narrativo nuevo, de aventura y exotismo, no exento de cierta dimensión simbólica como luego se verá. Y lo mismo ocurre con otro empréstito probable, igualmente sometido a esta ley de la *amplificatio* deformadora: la vida despreocupada del Maurice de *La Débâcle*, reelaborada a través del Julio de *Los cuatro jinetes*. Frívolo, calavera, éste sólo piensa en su amante, la hermosa Margarita, desentendiéndose de una guerra que, como argentino de París, no le concierne. Pero eso era olvidarse los giros y bandazos que imponen las grandes emociones. Ante su marido, horriblemente mutilado durante la batalla, Margarita se arrepiente de sus ligerezas; conmovido, Julio la contempla y la admira... y a su vez se convierte al heroísmo ambiental, alistándose voluntario para el frente. Lleno de remordimientos desde 1870, el padre, que despreciaba la vida fácil del hijo hasta ese instante, puede abrazarle ya, orgulloso y feliz, antes de echarse a llorar, triste pero siempre feliz... Un sentimentalismo virtuoso y llorón se convierte de este modo en el principal resorte novelesco, puesto que él es el que rige la transformación de los personajes y hace que *Los cuatro jinetes* se parezca de repente más a una novela rosa que al relato negro que le inspira.

Amplificación retórica, exotismo, peripecias, sentimentalismo y aventuras galantes, todos estos elementos que habría que examinar más en detalle, son totalmente ajenos al relato naturalista. *Los cuatro jinetes* proviene de *La Débâcle*, pero contaminándose con el contacto de la novela popular y desvirtuando la lección literaria e histórica del modelo. Zola trataba de penetrar las razones íntimas de un acontecimiento concreto, situándolo en una *historia* o, mejor dicho, en esa «historia *natural y social* de una familia bajo el segundo Imperio» que pretende ser la serie de los *Rougon-Macquart*. Nada similar ocurre con el novelista español. Referida a Francia y a Alemania, la guerra surge aquí menos como el producto de sus historias respectivas que como una especie de conmoción cósmica que afecta a la humanidad en su totalidad, y que sirve de marco para las aventuras de héroes particulares pero casi alegóricos. Esta transformación del enfoque me parece particularmente perceptible en la conclusión de ambas novelas.

Zola, llevado por un gusto, acaso excesivo, por la dimensión sombría de las cosas, pretende dar un toque de optimismo añadido, que sirva de contrapunto a su retrato triste de la Francia hundida. Las últimas líneas, en *La Débâcle*, miran hacia un futuro alentador:

> Le champ ravagé était en friche, la maison brûlée était par terre; et Jean, le plus humble et le plus douloureux, s'en alla, marchant à l'avenir, à la grande et rude besogne de toute une France à refaire [p. 912].

Mucho menos político, idéntico toque de optimismo concluye *Los cuatro jinetes del Apocalipsis*, con la evocación de ese cuerpo de mujer preñada descrita en sus últimas líneas: «Y sus faldas, libres al viento, moldearon la soberbia curva de unas caderas de ánfora» (p. 396). Hasta en el carácter trillado de la imagen —¡cosa ante la cual jamás se arredró Blasco Ibáñez!— esta frase quiere proclamar, en un ingenuo *naturalismo* primitivo, en que se resume el vitalismo cósmico del autor, la superioridad de las fuerzas de la vida sobre esos *cuatro jinetes* fúnebres que acumulan cadáveres en el campo de batalla. Ya no hay país que reconstruir, en un momento dado de la historia, ni paisaje en ruina como telón de fondo a esa marcha al futuro de Jean, sino perpetuación de la especie, representada en su máxima generalidad a través de ese cuerpo femenino generador de una nueva vida. De *La Débâcle* a *Los cuatro jinetes* se pasa así del enfoque específico y especificador de Zola a la perspectiva universalista y generalizadora de Blasco Ibáñez. Pero ésta, a su vez, me parece corresponder a una angelical aspiración mesocrática a la concordia universal, en la que desempeña un nada desdeñable papel el mito americano. Frente a las divisiones sangrientas del Viejo Mundo, fruto de larga historia, América surge, como juvenil y, sobre todo, virginal símbolo de paz: piénsese en el ensueño pacifista que no tardará en manifestar el propio presidente norteamericano Wilson, y que, a su modo, Blasco Ibáñez podía compartir, proyectándolo sobre esa Argentina a la que había dedicado en 1910 su libro *Argentina y sus grandezas* y hacia cuyas libertades ya había dirigido los personajes liberados de *La bodega*.[3]

Estas implicaciones acaso tengan entonces que ver con el éxito de esta obra del novelista valenciano. Técnicamente, frente a la obra de Zola, Blasco Ibáñez procede a un desplazamiento del plano descriptivo y analítico funcional, al plano de la intriga, acudiendo a múltiples resortes narrativos (sentimental, decorativo, etc.) para conseguir un modelo literario de fácil penetración, con destino a un amplio público (que, inicialmente, pudo leer la novela como folletín en *El Heraldo de Madrid*). En este sentido, me parece que con el Blasco Ibáñez de *Los cuatro jinetes* hay como un agotamiento de la problemática literaria del realismo/naturalismo, y la elaboración de otro esquema, que hay que analizar ya en términos de *literatura de masas,* cosa que, por otro lado, parece corroborar el amplio y duradero éxito de la obra. La editorial Prometeo, anunciaba en los volúmenes de la cuarta edición (desgraciadamente sin fecha, pero probablemente todavía de 1916), que había alcanzado una tirada de 58.000 ejemplares. El futuro no desmentiría tal triunfo, apuntándose esta novela el mérito de lograr nada menos que tres adaptaciones cinematográficas: Rodolfo Valentino en persona desempeñaba el papel de Julio Desnoyers en 1921 (director, Rex Ingram) y Glenn Ford lo sustituiría en 1962, al lado de Charles Boyer, bajo la dirección de Vicente Minelli.[4] Mucho más superficial que su modelo francés, pero con un enfoque universalista que no limitaba el impacto de su obra a una circunstancia, Blasco Ibáñez logró de esta forma, escapar al inevitable desgaste del tiempo que sí afectó al parecer a la obra del novelista francés.[5] Su peculiar mezcla de realismo descriptivo y de narración *novelesca* —cuyos procedimientos habría que analizar con mayor detenimiento— le ha permitido servir de puente, en la tradición del relato de buenos sentimientos y grandes causas, entre el folletín popular decimonónico y el cine del siglo XX.

NOTAS

1. Cito por V. Blasco Ibáñez, *Los cuatro jinetes del Apocalipsis,* Valencia, Prometeo, 4.ª ed., s.a., (¿1916?), y Émile Zola, *La Débâcle,* en *Les Rougon-Macquart (Histoire naturelle et sociale d'une famille sous le second Empire),* V, París, Gallimard, (La Pléiade), (dir. A. Lanoux; estudios, notas y variantes por H. Mitterand), 1967.

2. Ninguno de los dos novelistas pretende reproducir la totalidad de la guerra; textos de cierto modo *comprometidos,* las dos novelas adoptan un punto de vista específico, cuya inversión se refleja en los gritos atribuidos a los soldados: «¡A Berlín!, ¡A Berlín!»», en el entusiasmo ilusorio de los franceses del principio de *La Débâcle* (p. 408); *«Nach Paris!»* para los alemanes invasores de *Los cuatro jinetes* (p. 249).

3. Ver Paul Smith, *Vicente Blasco Ibáñez, an annotated bibliography,* Londres, Grant and Cutler Ltd., 1976, y Carlos Serrano, «Personnage, mythe et mystification: Salvochea et *La Bodega* de Blasco Ibáñez», en Gérard Brey *et alii, Un anarchiste entre la légende et l'histoire: Fermín Salvochea,* París, Presses Universitaires de Vincennes, 1987, p. 112.

4. Para lo referente a las adaptaciones fílmicas de las novelas de Blasco Ibáñez, además de la bibliografía antes citada, ver *Ciclo Blasco Ibáñez y el cine,* Filmoteca valenciana, Valencia, Generalitat Valenciana, 1985.

5. H. Mitterand, en las notas de la ed. mencionada de *La Débâcle* (p. 1.361) indica que en la fecha de 1927 esta novela había alcanzado una tirada de 265.000 ejemplares; pero, a su vez, Roger Ripoll, en la edición París, Fasquelle (Le Livre de Poche), 1986, de la novela, indica que hoy ésta es una de las que menos se venden de toda la serie de los *Rougon.*

CONFERENCIA DE CLAUSURA:

EL LENGUAJE DE
LA NOVELA NATURALISTA

Gonzalo Sobejano
(Universidad de Columbia, Nueva York)

Toda novela es construcción de un mundo imaginario, pero no toda novela quiere ser percibida primariamente como construcción: la novela naturalista prefirió parecer reflejo del mundo real, testimonio de la evolución de la sociedad contemporánea.

En cualquier novela, desde un complejo de actitudes se representa un mundo organizado según una estructura dominante en un lenguaje, dentro del cual los varios estratos expresivos responden a la unitaria intención de efecto que puede llamarse estilo.

Hablar del lenguaje de la novela naturalista presupone aceptar que existe una novela naturalista (en vez de tantas y tan varias como autores y como casos singulares) y creer que, en el lenguaje solamente, puede hallarse todo lo necesario para definirla o describirla. Conviene advertir, por eso, que aquí se va a tratar de unas pocas novelas que sus autores compusieron bajo el estímulo del nuevo arte de escribirlas que concibió e ilustró Émile Zola: de Galdós *La desheredada* (1881) y *Lo prohibido* (1884-1885), de Pardo Bazán *La Tribuna* (1882), de Clarín *La Regenta* (1884-1885), de Pereda *La Montálvez* (1888) y de Palacio Valdés *La espuma* (1890).[1] Conviene advertir también que por lenguaje se entiende aquí la forma de expresión de las actitudes, de los temas y de las estructuras desde el punto de vista de su resultado como texto escrito.

Un fenómeno actitudinal como la *impersonalidad* propuesta por Flaubert, por Zola y por Alas, es un modo enunciativo de distanciación cuyos efectos lingüísticos serían la anulación de la primera persona de singular en descripciones y narraciones, y la omisión de comentarios discursivos dentro del relato o como acotaciones al diálogo. Factores temáticos como la *corporeidad* y la *socialidad* traen consigo la abertura del texto a un léxico hasta entonces desusado en una novela (el parto, la enfermedad, el trabajo, el dinero, por citar sólo algunos). En el orden estructural, lo que pudiera llamarse la *biomorfología,* es decir, la composición de la novela conforme al movimiento de la vida en su compleja totalidad, se traduce en hechos de lenguaje como la descripción funcional, el empleo abundante del imperfecto de habitualidad, o la renuncia a aclaraciones causales en favor de una presentación de los sucesos en el modo como se producen, dando lugar al capítulo heterogéneo, las escenas simultáneas o el final abierto. Por último, un programa estilístico como el de Zola (que todo en la novela deba «sonner la vérité») o como el de Alas (el estilo «latente») implican, en su común propósito de *verismo impresionista,* la proscripción del lenguaje lírico, la incorporación de prosaísmos y tecnicismos a un léxico no rebuscado, el uso de un diálogo diferenciador o la primacía de la metonimia sobre el símil o la metáfora.

Tal será el orden de las consideraciones que siguen, y las novelas escogidas servirán de muestrario de estas cuatro cualidades básicas. Dos de ellas (la impersonalidad enunciativa y la corporeidad y socialidad) son, en la dinámica del naturalismo, notas que se oponen a la acentuada subjetividad y a la intensa espiritualidad románticas; las otras dos poseen un carácter más afirmativo, pues la mímesis de los azares y mareas de la vida prosigue en la novelística de nuestro siglo (en Baroja, en Cela, en los neorrealistas del cincuenta) y el impresionismo se afianza en los primeros lustros de la centuria (en Azorín y Baroja, en Valle-Inclán y Miró).

Si aceptamos la definición hegeliana de la novela como epopeya burguesa nacida del conflicto entre la prosa del mundo moderno y la poesía del corazón, los sucesivos cambios en el siglo XIX parecen dibujar esta trayectoria: la novela romántica exalta la poesía del héroe sobreponiéndola a la prosa del mundo que está fuera (y todavía no dentro del cerco narrativo); la novela realista acoge en sí la prosa del mundo para que un sujeto de heroicidad problemática o vacilante ejercite aún su empeño en quebrantar o vencer a aquélla; la novela naturalista ofrece ya generalizada la prosa del mundo en su fácil triunfo sobre un personaje que, o no tiene conciencia de su capacidad de poesía, o, si la tiene, se sabe condenado a la derrota (antihéroe él mismo, o héroe desarmado); y la novela simbolista o modernista, conociendo extintos los ideales anteriores (el pueblo, Dios, la mujer, la acción, la justicia) propone el refugio en el arte a través del cultivo de la sensación, encarnando el nuevo ideal de un protagonista ensimismado.

Hago estas observaciones generales para recordar que nunca fue la novela tan prosa-prosa como en el naturalismo. La distanciación del narrador es antes que nada un freno contra las efusiones líricas; la visión del hombre como animal sujeto a las determinaciones de la naturaleza y de esa segunda naturaleza que son los hábitos sociales, lo retrae de la imaginación a las servidumbres de la fisiología y la economía; la imitación de la vida en la disposición de la novela tiende a borrar lo que ésta significa como construcción artística para hacer sólo presente el reflejo; y el propósito de que el verbo suene a verdad parece prohibir al escritor todo intento de ascensión al sueño y a la fantasía. Ni debe de ser casual que novelistas anteriores como Goethe, Hugo o Manzoni fuesen poetas en verso, mientras no lo fueron en medida apreciable Balzac ni Alas, Zola ni Galdós. Cierto que Flaubert fue tan alto poeta en prosa como Baudelaire en verso y que en un cuento de Clarín cabe hallar más sustancia lírica que en todas las rimas de Campoamor; pero el poeta que es novelista, o el novelista que es poeta, deviene tan raro por esas fechas como el centauro.

Antes de pasar adelante, no será inoportuno recordar las premisas de Zola respecto al lenguaje. El narrador no se exhibe (se oculta), aunque el autor exprese su temperamento, sometido al control de la verdad, de un modo personal y crítico. Se trata de ver y de hacer ver la verdad, describiendo aquello que completa y determina al personaje y dejándole hablar como en la vida. No tejer una trama: presentar un trozo de vida y exponerlo sin sacar conclusiones. En su palabra, el novelista persigue la lógica y la vitalidad.[2]

Leopoldo Alas fue el novelista español que con mayor lucidez se ocupó de la expresividad conveniente a la nueva novela, y de sus escritos teóricos de 1882-1883 se deduce la defensa de la profundidad de pensamiento frente a la superficialidad; el empeño en abarcar la verdad extensa o total, procurando una ilusión de realidad, notas que se oponen a la idea tendenciosa, al localismo y al uso de un lenguaje que estorbe a aquella ilusión; frente a la imagen estática, predica Alas la cãptación del movimiento de la vida en su natural suceder y coincidir; y el ideal de escritura que profesa consta de virtudes de sobriedad: sencillez, modestia, transparencia, estilo «latente», naturalidad, guerra al circunloquio y al eufemismo.[3]

Lo más notable en este credo clariniano es la adhesión al lenguaje de Stendhal y de Balzac, preferible por su sencillez y diafanidad al más exquisito y exigente de Goncourt, de Flaubert y de Zola mismo. Tal preferencia acusa en Clarín un gusto especial por la prosa directa y fácil, casi periodística o cronística, corroborado por la admiración que siempre sintió hacia Galdós en este aspecto y la insatisfacción que le causaban el estilo patente de Valera, el casticismo adocenado de Alarcón, las intervenciones narratoriales y las perífrasis y el localismo de Pereda, así como la «afectación» de Pardo Bazán, defecto que enjuiciaba Clarín como «la mayor antítesis posible del naturalismo» y que consistía en este caso en el empleo de arcaísmos, hipérbatos violentos y otras galas de académica elocuencia. En Galdós, en cambio, hallaba Clarín un lenguaje natural, fácil, enérgico y rico, moderno, revelador de la verdad en palabras, y elogiaba *La desheredada* porque todo aquí contribuía al «efecto de realidad», y *El amigo Manso* por el encanto de cierta escena dialogal hecha con naturalidad, frases entrecortadas y suspendidas, y figuras de pasión.[4]

Se advierte fácilmente que Clarín insiste acaso más de lo justo en encarecer el lenguaje de Balzac y criticar el de Flaubert por excesivamente esmerado, como si la exigencia del escritor por hallar la palabra única y la expresión irrevocable entorpeciera en lo más mínimo la transparencia de la visión. Es éste un error en el que Zola no incurrió: Zola está más próximo a Flaubert que a Balzac, y tal proximidad le favorece.[5]

Recordadas estas premisas, añadiré que las novelas españolas elegidas como muestras son de aquellas cuyo naturalismo (con las atenuaciones que se quiera) parece menos dudoso. *La desheredada* fue sentida por Clarín como índice de que «muchas de las doctrinas del naturalismo las ha tenido por buenas el autor y ha escrito según ellas y según los ejemplos de los naturalistas», y Galdós no rechazó la adscripción.[6] En una escena de *Lo prohibido* ciertos contertulios se burlan de las imágenes naturalistas o pornográficas de alguien que fustiga el idealismo español místico y caballeresco, y el narrador no encubre su disgusto ante tan «socorridos anatemas».[7] Pardo Bazán da a entender en el prólogo a *La Tribuna* que está dispuesta a admitir el reproche de «crudeza naturalista» más que a seguir el idealismo de Trueba o de Fernán Caballero, reñido con sus principios artísticos, y alaba a Galdós por haber llevado a *La desheredada* el habla de los barrios bajos.[8] En 1881 se titulaba Clarín «naturalista empedernido», y nunca abjuró la filiación.[9]

Por lo que hace a Pereda, si no quiso que se comparasen sus estampas montañesas con el naturalismo de Zola, parece obvio que en *La Montálvez* se acerca a él. Concede que el «medio ambiente» influye mucho en la condición moral y en el desarrollo físico, pero que hay caracteres no determinados por el ambiente,[10] aunque al final resulta —contra la voluntad del escritor— que Verónica, la Montálvez, mujer de buen carácter, se estropea condicionada por el medio, y su hija, Luz, figura angelical en un mundo perverso, incapaz de cualquier resolución libre, muere víctima de la aislada educación a través de la cual su madre la apartó de ese mismo mundo en que habría de vivir.

Finalmente, en *La espuma*, Palacio Valdés pone en boca de cierto majadero que no le vinieran a él «con esas novelas pesadas donde le cuentan a uno las veces que un albañil se despereza al levantarse de la cama [...] ni le hablaran de partos y otras porquerías semejantes»,[11] mientras queda claro que el autor recurre a temas y motivos naturalistas con mayor prodigalidad acaso que ningún otro de sus colegas españoles. No refiere un parto, eso no; pero saca a relucir «porquerías» innúmeras.

1. Impersonalidad

Escribía Clarín a Galdós el 8 de abril de 1884: «cada día va Vd. acercándose más al ideal del estilo del narrador, a lo que yo llamo para mí el *estilo latente*»; «También desearía que ensayara Vd. una vez, en una novela *fuerte*, como Tormento o la Desheredada, la *impersonalidad* que exageró Flaubert y de que Zola usó muy bien».[12]

Lo que Leopoldo Alas entendía por «estilo latente» queda

más claro cuando, refiriéndose a Valera, alega que «su manera de entender el género le aparta de la corriente de la actualidad, que nos lleva a la forma naturalista pura, en la que el autor se esconde y deja que la realidad imitada aparezca sola en el libro».[13] Sería, pues, el estilo latente lo contrario de la patencia del autor en su palabra: una justeza expresiva al servicio de la transparencia de lo representado. La impersonalidad, por su parte, vendría a ser un concepto correlativo de mayor amplitud: no sólo la expresión ocultaría al autor como voz (narrador extradiegético), sino que en la ideación y composición de la novela el autor permanecería siempre a distancia, sin dejarse envolver en el destino de ninguna de sus criaturas.

Ello no significa que el narrador no pueda infundirse en la conciencia del personaje (lo hace a menudo en el estilo indirecto-libre, que no es procedimiento subjetivista, sino objetivista: confundir la propia personalidad con los seres y cosas que se quiere describir.) Tampoco significa que la perspectiva del narrador haya de ser siempre la omnisciente (adopta la *vision avec* o focalización interna para aprehender, además de la totalidad, la interioridad, parte recóndita de aquélla). Como señala Günther Mahal: lo que es interior e invisible lo plasma el naturalista en lo externo observable, pero precisamente esta superficialidad que renuncia a la especulación, a la conjetura, a lo completo y subyacente, es lo que permite ver una estructura profunda que no es adición subjetiva del autor, sino la concreta estructura profunda de la figura en cada caso esbozada.[14]

El narrador de todas las novelas en cuestión, salvo una, no es un personaje, sino una entidad que narra desde un ámbito externo, fundiéndose con sus personajes en los momentos dialogales y monologales, acompañándolos en sus reflexiones y manteniendo en los sumarios narrativos y en las descripciones funcionales la omnisciencia y la distancia. *Lo prohibido* es excepción sólo en la medida en que ahí el narrador es el protagonista (la autodiégesis es insólita en Flaubert y en Zola), pero se trata de un protagonista que habla como un Yo representativo y no como un Yo individual «novelesco» o «interesante». En *La desheredada*, Isidora Rufete, no obstante su prosaico proceso y su sino sórdido, era todavía un personaje «novelesco» para sí misma: leía novelas, ansiaba emular a las heroínas de la pobreza que al fin se descubrían nobles, ricas y destinadas a gozar de los deleites del mundo. José María Bueno de Guzmán se despoja, en el umbral, de toda aureola:

> No: yo no soy *héroe*; yo, producto de mi edad y de mi raza, y hallándome en fatal armonía con el medio en que vivo, tengo en mí los componentes que corresponden al origen y al espacio. [...] Yo no soy personaje *esencialmente activo*, como, al decir de los retóricos, han de ser todos los que se encarnan en las figuras del arte; yo soy pasivo [...]. Las pasiones pueden más que yo.

Y lo que desea es

> [...] contar llanamente mis prosaicas aventuras en Madrid desde el otoño del 80 al verano del 84, sucesos que en nada se diferencian de los que llenan y constituyen la vida de otros hombres, y no aspirar a producir más efectos que los que la emisión fácil y sincera de la verdad produce.[15]

Curioso en este aspecto narratorial es el caso de *La Montálvez*. En la presentación declara el autor que la novela debiera ser autobiográfica, pero que él ha encontrado en los «Apuntes» de la protagonista mucho que huelga, algo que es desaliñado y no poco que demanda precedentes y noticias que sólo pueden conocerse contemplando las cosas «desde afuera». Al mismo tiempo, los apuntes tienen un «color de humanidad» que los hace dignos de reproducción parcial; por eso, se resuelve a copiar al pie de la letra muchas veces esos apuntes. Adopta así Pereda un procedimiento mixto, y es transcriptor y narrador complementario que, no perfilado como persona pero identificable casi siempre con el autor real, refiere y enjuicia.

Pereda procede del costumbrismo regionalista y practica durante años la novela tendenciosa y polémica en torno a la cuestión política y a la cuestión religiosa. Galdós, diez años más joven, procede a su vez de la novela histórica y avanza por ese mismo camino de la novela de tendencia. Para uno y otro (sobre todo para el montañés) no hubo de ser fácil adaptar la mirada a las cuestiones económica y social que el naturalismo, secundando a la ciencia, se proponía abordar en novelas que fuesen estudios comprobatorios más que tramas intensas. Para escritores más jóvenes como Clarín, Palacio Valdés y Pardo Bazán, que no habían novelado antes del naturalismo, éste era el modo pertinente, el patrón novelístico de su propio clima histórico.

Así, el narrador de *La desheredada* se deja percibir bastante a fuerza de intención pedagógica, y la novela, aunque naturalista en muchos rasgos (prosa del mundo, verismo, caudalosa extensión, composición polifacética) todavía expresa el mensaje educativo con demasiada claridad. A Pereda le ocurre esto, más exageradamente. *La Montálvez* tiene un sentido de instrucción moral muy marcado y deriva hacia la lección explícita. No cumple, pues, con la impersonalidad enunciativa, pero se acerca al naturalismo temáticamente.

En el narrador de *La Regenta* se han señalado varios estratos, pero aunque la ironía precipite en expansiones satíricas y la compasión elegíaca en momentos de compenetración emocionante, aunque el narrador emita a veces en el presente del discurso opiniones del autor, y aunque puedan rastrearse alusiones metanovelísticas, su figura no es la de una persona sumida en la diégesis, sino una instancia que narra de lejos (en ocasiones, desde arriba) y que presenta las escenas exteriores e interiores en fusión empatética con los personajes (sobre todo, los dos protagonistas), dejando finalmente al lector en relativa libertad para que interprete la significación de la historia y la contemple por los muchos lados en que la ha desenvuelto. Una voluntad crítica se desprende de lo narrado, pero se desprende: no se impone. La función capital del narrador de *La Regenta* no es ética (expresión de un Yo) ni patética (persuasión al Tú del lector): es presentadora, representativa, lógica, centrada en el Ello.

Palacio Valdés puede compararse en este punto con Clarín mejor que con Galdós y Pereda. En *La espuma*, la historia de Raimundo Alcaraz, fascinado por la dama mundana Clementina Salabert y pasajeramente envuelto en su vida de disipación hasta el instante en que a ella le conviene dejarle plantado, la refiere un narrador que cuida de lograr un tono impersonal, infringido sólo por ocasionales glosas irónicas o por indicios retratísticos en que no faltan las calificaciones negativas, como cuando Cobo Ramírez se desahoga contra el naturalismo de albañiles y partos, afirmando que en las novelas deben ponerse cosas agradables puesto que se escriben para agradar, y el narrador apostilla: «Esto decía con notable firmeza, resollando al hablar como un caballo de carrera».

La espuma no sigue la norma de los capítulos sin titulación (la de Flaubert, Zola y Clarín). El lector que ve el título de la primera unidad («Presentación de la farándula») puede sospechar que la ironía va a continuar, pero el caso no se repite más que en el capítulo IV («Cómo alentaba a la virtud el señor duque de Requena», rebosante de enredos financieros y de lubricidades al estilo de *Nana*) y en el XII («Matinée religiosa», befa de las reuniones devotas como pretextos para crear intereses).

Podría decirse, pues, que la impersonalidad es una meta a la que estos escritores naturalistas se aproximan, pero a la que no sacrifican ciertas tendencias autoriales: la tendencia satírica y la elegíaca, Leopoldo Alas; la ironizadora, Palacio Valdés; la educativa, Galdós; la moralizante, Pereda. Y, a decir verdad, debe reconocerse que la impersonalidad es un ideal, como todos los ideales, «imposible». La prosa impávida de Flaubert disimula, pero no anula, el impulso romántico reprimido del gran artista, que siembra de líricos destellos el bien labrado tapiz del relato. La prosa de Zola, tan atenta a la del mundo que minuciosamente describe, estalla de vez en cuando en relámpagos de impresiones y en nimbos simbólicos. Pues de lo que se trata no es de que el creador (o experimentador) suprima su personalidad (ésta aparecerá como manifestación de su temperamento, si bien sujeta al control de la verdad). Se trata de que el narrador no descubra su subjetividad, guarde para sí sus emociones y exponga, sin parcialidades ni tesis, lo observado.

2. Corporeidad, socialidad

Fundamental es el empeño del naturalismo en reflejar dentro de la novela la totalidad de un mundo, de una época, de la vida. Tal empeño no surge como proyecto consecuente hasta Balzac con su *Comédie humaine*, y en España reitera esa ambición Galdós en la historia vertical de sus *Episodios nacionales* y en la horizontal sociología de sus «Novelas españolas contemporáneas». Éstas, que deben mucho a Balzac, deben mucho también al ciclo de Zola definido como «Histoire naturelle et sociale». Balzac y otros novelistas —en teoría, todos— plasman necesariamente, en menor o mayor medida, la problemática social; pero a la naturaleza del hombre, a su corporeidad, a su fisiología, ni Balzac ni otro alguno habían aplicado especial atención. Precedido de Flaubert y Goncourt, y alentado por el modelo científico de Claude Bernard, Zola pone la mirada en el hombre como ser animal, y es aquí donde realiza una mutación de vasto alcance.

La novela de Zola no quiere parecer novela, aunque lo sea: quiere parecer estudio del hombre como ser natural y social a través del experimento cognitivo que toda obra de arte presupone y ejecuta. El novelista parte siempre de una hipótesis, condiciona su observación del mundo y de la vida para que tal observación, recreada en el decurso de la obra, conduzca a un resultado que confirme la hipótesis o la invalide. Precisamente en este margen de la hipótesis al resultado tiene que aparecer la imagen del mundo y de la vida como necesaria: necesaria con la necesidad del arte y con la necesidad de la ciencia (saber, consaber; probar, comprobar).

La temática de la novela naturalista gira en torno a dos polos: la corporeidad y la socialidad.[16]

La naturaleza mineral se describe o evoca en las novelas de Zola con un funcionalismo hasta entonces inédito: el erial o el cementerio, la mina. Presencia más anchurosa y constante cobra en ellas la naturaleza viva: el agro o tierra laborable, la flora, los frutos, los animales (toros y vacas en *La terre*; aquellos caballos añorantes de prados y aire libre en el fondo de las minas de *Germinal*), o el mar (*La joie de vivre*).

Pero más que la naturaleza elemental y sus criaturas no racionales, está presente en primeros planos el cuerpo del hombre en sus condiciones y en sus necesidades: el parto de la bestia y de la mujer (*Pot-Bouille, La terre, La joie de vivre*), la comida y la bebida, el bodegón fresco, los platos, los comensales, el disfrute del comer, y las hortalizas y los quesos, la taberna, la embriaguez, el alcoholismo (pensemos sólo en *L'assommoir*); la enfermedad, la degeneración y la muerte, incluso la putrefacción: proceso patológico, ataque, locura, agonía y expiración, entierro. En el centro de esta escala de asuntos, temas y motivos, podría situarse la ciudad: el piso, el interior doméstico, la casa de alquiler con sus recibidores y despachos y alcobas y desvanes (*Germinal* en sus colonias obreras, *Pot-Bouille* a un nivel burgués, *La curée* con sus salones y alcobas suntuosos y su abigarrado invernadero). Los interiores burgueses están colmados de objetos, muebles, cuadros; y alrededor de las casas, aparece el escenario urbano (plaza, calle, barrio, panorama de la pequeña ciudad o de la urbe gigante). La ciudad es como el enlace entre la corporeidad del hombre y su socialidad, la cual puede sentirse en las novelas de Zola con todos los rasgos de necesidad y de utilitarismo propios del mundo signado por la capital: en las casas y en los lugares públicos de la ciudad transcurren las conversaciones triviales, las riñas familiares, los duelos entre el individuo y su entorno, que, en su insignificante o tediosa reiteración, tejen la telaraña de lo cotidiano (cualquier novela de Zola tiene mucho de esto, pero más que ninguna *Pot-Bouille*). Como nadie antes, lleva Zola a la novela el trabajo: el sudor obrero, la actividad comercial, la servidumbre al tajo, la huelga desesperada, las faenas ferroviarias. El dinero es objeto de la busca y de la lucha por la vida entre los humildes; becerro de oro, mito del lujo y la lujuria, ídolo bursátil para los posesores; núcleo de la codicia criminal para los hortelanos de *La terre*.

Toda esta acumulación de «prosa» mundanal sofoca la posible expectativa del algún idealista y la consume en decepción. Las novelas urbanas de Zola evocan a menudo la basura material y moral, la podredumbre que supura esa época del segundo imperio tan aborrecida por el escritor. Y esta sociedad séptica desencadena la violencia: el crimen político (*La fortune des Rougon*), la matanza entre reprimidos y represores (*Germinal*), el parricidio (*La terre*), el asesinato (*La bête humaine*), o el conflicto armado y la guerra civil (*La débâcle*).

Los novelistas españoles de los años ochenta a noventa no recorren toda la escala aquí bosquejada (naturaleza, cuerpo, ciudad, prosa del mundo, violencia), pero filtran bastante de ello en sus obras, menos acumuladamente que Zola.

Isidora Rufete, la desheredada de la marquesa de Aransis, es hija de un loco, hermana de un epiléptico y madre de un macrocéfalo. Si no la naturaleza, el escenario de la ciudad y de sus afueras aparece completando y determinando las ilusiones y desilusiones de esa mujer que aspira a la fortuna y cuyas expectativas «novelescas» se estrellan contra la prosa del mundo: el patio del manicomio, el taller de sogas, los apuros económicos, la máquina de coser, el establecimiento de ortopedia, una cacharrería, la cárcel. Frente a sus sueños de grandeza, sólo hay botas rotas, papeletas de empeño, el libro de contabilidad, el fango de la calle donde mendigar o venderse. La fantasía novelera sucumbe a tan cerrado asedio de prosaísmo, más angustioso por la enfermiza ilimitación de aquella fantasía.

En *La desheredada* están, pues, muy presentes motivos

de índole física como la herencia y la enfermedad, el ambiente de la capital que seduce a la provinciana, el dinero ansiado, el trabajo rehuído. Otros comparecen en *Lo prohibido*: la ciudad es aquí el Madrid próspero del esplendor comercial y del movimiento financiero, cuya vitalidad moderna se advierte en las calles (paseos, luces de gas, electricidad, coches, tiendas, rumor de transeúntes) y cuya verdad se aprecia en el interior de las casas bien amuebladas, llenas de espejos, cuadros y jarrones, estatuas y objetos de lujo, de un lujo que el día menos pensado cae en manos del prestamista. Tal sociedad gira loca alrededor del dinero, que significa relieve de clase, posesión del placer, juego excitante. Produce poco esa sociedad y consume mucho: hace cuentas, compra emociones, adquiere rango, entretiene la pereza, veranea, viaja y se corrompe.

Para describir esa sociedad actual, Galdós concibe un experimento consistente en analizar las reacciones de varios personajes desde el punto de vista de sus cualidades heredadas y de sus experiencias, arrancando de la familia y no del individuo. En la memoria de todos están las taras y los tics de los parientes de José María y las manías y menguas de éste: entre aquéllas la codicia de lo prohibido, entre éstas la ruina de su voluntad.

Sobresalen en *Lo prohibido* ciertas descripciones sintomáticas del naturalismo asimilado. Así, la impresión de la calle desde el interior del entresuelo habitado por José María, la comida en casa de su prima Camila o los habituales jueves de Eloísa. Para ponderar el efecto de ciertos cuadros comprados por ésta describe el narrador cosas que semejaban personas: un viejo pobre retratado por Francisco Domingo parecía que «nos miraba con displicente miopía, ofendido y cargado de nuestro asombro. [...] no vi jamás pintura moderna en que el Arte suplantara a la Naturaleza con más gallardía», y una chula pintada por Emilio Sala «No era una ficción, era la vida misma. Sin duda iba a dirigirnos la palabra».[17] Más nuevas son las descripciones, ya nada costumbristas, de la enfermedad de Eloísa (su hermosa cabeza como una horrible calabaza) y de José María (con la voz atiplada que la hemiplejía le ha dejado), aunque no falta un contrapeso de piedad: un velo cubre la cabeza de Eloísa, rodeada de flores; José María siente su dignidad recuperada y una infinita ternura hacia sus enfermeros.

En *La Tribuna* se destaca la corporeidad a través del trabajo, en los infiernos y purgatorios de la fábrica, y a través de la diaria lucha del obrero con la pobreza y la insalubridad:

> Si la labor sedentaria, la viciada atmósfera, el alimento frío, pobre y escaso, eran parte a que en la fábrica hiciesen estragos la anemia y la clorosis, el individuo que lograba triunfar de estas malas condiciones ostentaba doble fuerza y salud. Así le acontecía a *La Tribuna*.[18]

Pocos elementos de la gama temática esbozada faltan en *La Regenta*. El mundo de los mineros aparece evocado durante la historia de Paula Raíces, aunque más bien por fuera. La naturaleza viva asoma en sugestivos enmarques de prado y montaña, persistente lluvia, sapos confundidos con el barro, pájaros regionales, marismas, aldeas, suburbios. El cuerpo se visibiliza tanto en la belleza de Ana desnuda en su alcoba como en los pormenores relativos a sus deseos, sus dolencias y los cuidados médicos que éstas requieren; y si no hay ningún parto (lo hay en el penúltimo capítulo de *La Tribuna*, aunque no tan sanguinolento y angustioso como el de la criada Adèle en el capítulo final de *Pot-Bouille*), sí hay un bodegón al vivo, la comida del día de san Francisco en casa de los Vegallana (réplica burguesa de la comilona popular de *L'assommoir*), y hay el alcoholismo del vencido Barinaga y la francachela de Álvaro y sus amigos en el casino; hormiguean, además, lujurias reprimidas, y la enfermedad está siempre en el ánimo y en la carne, y la putrefacción es un proceso vetustense sin pausa. La ciudad adquiere volumen humano colectivo a la vez que se perfilan las conciencias señeras de Fermín y de Ana. De la prosa del mundo es *La Regenta* copioso testimonio implacable. No expone la novela, de cerca, los tormentos del trabajo, aunque se alude en ella a las fatigas de la mina y al ocio tardío de los jornaleros, como se alude también a la codicia dineraria (Doña Paula) y a las escorias de la Vetusta física y moral.

La Montálvez importa temáticamente por lo que prueba —contra la intención del autor— sobre la fuerza determinadora de la herencia y del ambiente. Y en las pocas páginas de *La espuma* se acumula un máximo de componentes temáticos naturalistas: la visita a una mina, los interiores domésticos para la tertulia o la entrega erótica, la ciudad, la farsa religiosa, las comidas (en salón y en taberna), el exceso alcohólico, las charlas triviales, el trabajo (columbrado en la visita a la mina por los ociosos disfrutadores del capital), el dinero (quizá sea ésta la novela más crematística de un autor español de aquella época), el adulterio, la decepción prosaica del ingenuo enamorado de la dama porque se parecía a su madre, la patografía (obreros que padecen del temblor mercurial, ataque del duque en su banquete, agonía de la madre de Clementina), la degeneración, la muerte, y esa ceniza de almas metaforizada en «la espuma». En ninguna otra novela española del XIX se hallaría un pasaje como éste, prosaico hasta la náusea:

> Las fianzas que el duque hacía por sus más íntimos amigos o parientes eran del tenor siguiente: Las hacía generalmente en papel, exigía al afianzado un diez por ciento del capital depositado, y se encargaba además de cortar y cobrar los cupones. De suerte que el capital, en vez de redituarle lo que a todos los tenedores de valores del Estado, le producía un seis por ciento más. Así eran los negocios que el duque hacía, no tanto por interés como por impulso irresistible de su corazón.[19]

Poner de relieve la verdad de la naturaleza, las necesidades y limitaciones de la fisiología, los ámbitos interiores y externos de la gran urbe desarrollada o de la pequeña ciudad pendiente del poder central, la intrahistoria día a día, las nuevas condiciones del trabajo y del capital, la prepotencia de los códigos y las regulaciones convivenciales de un mundo cada vez más olvidado de los valores auténticos y más violento en la lucha por la vida, estudiar todo esto en la forma de un arte novelístico que aspira a secundar a la ciencia, constituye una empresa de verificación crítica de la realidad con vistas a un progreso de libertad y justicia. Razón tiene quien define el naturalismo como arte «de la oposición»; este origen político (reacción contra el fracaso de la revolución) explicaría sus rasgos morales antirrománticos: renuncia a la fuga respecto de la realidad, exigencia de exactitud en la descripción de los hechos, impersonalidad como garantía de la objetividad y de la solidaridad social, activismo encauzado a modificar el mundo, atenimiento al presente, comprensión creciente del pueblo trabajador como víctima de la explotación de una burguesía entronizada.[20]

3. Biomorfología

Reseñando *Pot-Bouille* en 1882, escribía Clarín que era ésta «una de las novelas en que mejor se remeda la realidad y su proceso ordinario; la imaginación del autor se adapta a los procedimientos de la vida, obedece a la observación y experimento, según sus datos: es una de las obras más naturalistas del naturalismo».[21] Clarín no desarrollaba ahí este concepto tan lúcidamente señalado, pero en 1891, comentando *L'argent*, donde el crítico advertía una tendencia cada vez mayor en Zola a la abstracción del símbolo, indicaba como «principal ley del naturalismo en la composición» lo que denominaba, en cursiva, *biología artística*.[22]

Esta «biología artística» la había explanado Clarín, sin llamarla así, en sus artículos «Del naturalismo» en 1882. Hablaba allí de «reproducción artística» de la realidad «tal como es», «reflejo de vida, no abstracción de un narrador», «imitación total de la vida, copiándola en todo su aparecer», copia de «la solidaridad en que existen en la realidad los acontecimientos, los seres y sus obras», «imitación perfecta de lo que podría llamarse la morfología de la vida», estudio del mundo «en el conjunto de sus fenómenos heterogéneos», «ilusión de parecerse a la realidad no quieta, para ser retratada, sino moviéndose, fluyendo», «perfecta imitación del movimiento y combinación verosímil de los fenómenos», necesidad de «dejar lo imperfecto, imperfecto» y no corregir «la casualidad de los accidentes».[23]

Parafrasean tales expresiones la estructura de la nueva novela como «reflejo» de la realidad, no ya semántica, sino formalmente, y pudieran sintetizarse en el término *biomorfología*.

Ni Zola ni Clarín ignoraban que toda novela, como obra de arte, implica una composición (el «experimento», la «perspectiva»), pero su ideal era que la composición ostentase un mínimo de artificio constructivo y un máximo de reflejo. La descripción de la espacialidad será, según esto, completivo-determinante; la narración de la temporalidad, históricamente precisa, presentificadora de la sucesión, la habitualidad y las simultaneidades; la relación de la acción ofrecerá a los personajes no dentro de una trama causal preconcebida y en sus puntos dramáticos culminantes, sino a lo largo y a lo ancho de un segmento de vida, en la compleja multiplicidad de una coexistencia ambiental y temporalmente circunstanciada.

Un estado del medio que determina y completa al hombre, era el modo como Zola entendía la descripción, y en las novelas aquí escogidas se cumple bien este principio. De los personajes no se brindan retratos iniciales y completos, según era usual a partir del costumbrismo: se les hace surgir en el movimiento de la vida, en el que van dibujándose a través de sus dichos y sus hechos y mediante una descripción del narrador que es parcial, perspectivista, indirecta a menudo, fragmentaria; recuérdese, por ejemplo, la imagen que del magistral de Vetusta transmiten los campaneros, o la difusa efigie de Ana Ozores, cuyo retrato entero no se halla en ninguna página. Atención más minuciosa obtienen, en cambio, en *La Regenta* como en las otras novelas, los lugares y los objetos.

Caso memorable es la visita de Isidora y la Sanguijuelera a la soguería donde el hermano de aquélla trabaja, descripción pormenorizada de un humilde taller:

> Atravesaron un antro. Encarnación empujó una puerta. Halláronse en extraño local, de techo tan bajo, que sin dificultad cualquier persona de mediana estatura lo tocaba con la mano. Por la izquierda recibía la luz de un patio estrecho, elevadísimo, formado de corredores sobrepuestos, de los cuales descendía un rumor de colmena, indicando la existencia de pequeñas viviendas numeradas, o sea, de casa celular para pobres.

La vieja y la joven van penetrando en el túnel, y la observación, desde el punto de vista de Isidora (que es quien todavía no conoce el taller), va descubriendo en la oscuridad grandes fardos de cáñamo en rama, rollos de sogas, residuos, recortes mal torcidos y en todo «una pelusa áspera», filamentos que flotaban pasándose «aquí y allá, sobre la ropa, el cabello y la nariz de las personas». De la entrada en la materia se pasa al conducto, en cuyo eje el cáñamo va enroscándose sobre sí, montándose los hilos unos sobre otros hasta provocar la irritación de la espectadora, que «era muy nerviosa, y solía ver en las formas y movimientos objetivos acciones y estremecimientos de su propia persona».[24] Los hilos del cáñamo y los nervios de Isidora concuerdan así en esta descripción, que no termina hasta no reconocer en el fondo, por su rumor persistente, la rueda y a un hombre saliendo de la sombra como ovillo animado, y al final el gran disco de madera, que, al detenerse, deja salir a quien lo movía: alguien que plegaba los ojos conforme avanzaba hacia la luz: un muchacho de trece años, el hermano.

Esta concreta y detallada descripción sirve para suscitar en Isidora el repudio a la esclavitud del trabajo, y hace ver ya, desde el umbral de la novela, el encadenamiento al esfuerzo y la miseria. A la descripción de la soguería (que debió de causar fuerte impresión a Emilia Pardo Bazán y acaso moverla a visitar la fábrica de tabacos) sucede en el mismo capítulo la de la modesta comida de los hermanos y la tía, durante la cual expone Isidora sus sueños de grandeza, castigados a golpes de caña y con pintorescos improperios por la Sanguijuela hasta hacer salir a la sobrina del barrio maldiciendo al pueblo soez. Capta así el capítulo un trozo de vida según ésta se da: final del trabajo, almuerzo, riña, partida. No es una unidad armónica, sino una sección reflejante.

Nadie supo pintar las penalidades del trabajo con tanto vigor y detalle como Zola, primero en ciertas escenas de *L'assommoir* (1877) y luego y sobre todo en *Germinal* (1885), homenaje al esfuerzo y al sufrimiento del proletario. La aludida descripción laboral de *La desheredada* no es, ciertamente, la única en esta novela, y Pardo Bazán seguiría los ejemplos de Zola y de Galdós en sus documentadas escenas de *La Tribuna*:

> En el taller del desvenado daba frío ver, agazapadas sobre las negras baldosas y bajo sombría bóveda, sostenida por arcos de mampostería, y algo semejante a una cripta sepulcral, muchas mujeres, viejas la mayor parte, hundidas hasta la cintura en montones de hoja de tabaco, que revolvían con sus manos trémulas, separando la vena de la hoja. Otras empujaban enormes panes de prensado, del tamaño y forma de una rueda de molino, arrimándolos a la pared para que esperasen el turno de ser escogidos y desvenados. La atmósfera era a la vez espesa y glacial.[25]

En *La espuma*, de Palacio Valdés, cabe señalar una réplica breve a la gran epopeya de Zola en el capítulo XIII («Viaje a Riosa»). El capítulo parece elaborado no para hacer sentir la pena del trabajo en sí mismo, sino para mostrar esa pena desde la insensibilidad de los explotadores. No falta esta perspectiva en *Germinal* (los propietarios, algún ingeniero, los visitantes oficiales de París), pero la principal es la de los mineros mismos en el pozo, en la casa, en la huelga. La visita a las minas, en *La espuma*, viene enfocada —a través de un narrador apenas interventivo— desde aquellos frívolos miembros de la sociedad acaudalada que toman un tren especial, comen en una galería minera no sin sufrir algunas alarmas durante el acceso, escuchan las palabras de un médico, conversan de política y de amoríos y se asustan de lo que ven: grupos de obreros escuálidos, infantiles víctimas de la servidumbre, los demacrados rostros de los «modorros». Sólo un profesor de filosofía y, más aún, el médico que enseña el laboratorio hablan verdad, como portavoces discretos del autor; y con motivo de la visita al laboratorio asoman en la mundana novela algunos términos científicos: «vapores mercuriales», «hidrargirismo crónico», «estomatitis», «vacisco», «diatomeas».

Descripciones como las aludidas anularían cierta apreciación de Lublinski, en 1904, según la cual el naturalismo tendía a simbolizar la sociedad «como taberna» y «como burdel». Günther Mahal, que cita a ese autor, añade que otros símbolos son el patio de vecindad, la habitación común de la familia proletaria y la buhardilla.[26] Añadiríamos nosotros: y el taller, el tajo, la red ciudadana, el campo más o menos próximo a la ciudad. Predominan en todas estas novelas del naturalismo las descripciones documentadas (P. Martino insistió en la función inspiradora de esta documentación) y los lugares cerrados sobre los abiertos.[27]

Para ilustrar la biomorfología de la temporalidad, valgan unas observaciones sobre *La Regenta*, que servirán para discernir la estructura del capítulo de la novela naturalista en general.

En el capítulo XVI el lector había contemplado una tarde en la vida de Ana Ozores, desde el tedio de su soledad asomada al balcón, el día primero de noviembre, hasta el entusiasmo sentido esa misma noche en el teatro. El capítulo XVII contenía otra demorada escena: la visita de Fermín a Ana para reprocharle su salida al teatro la noche anterior y atraerla hacia la Iglesia por los más suaves medios de persuasión. Tras estas largas escenas, el capítulo XVIII es todo él un sumario narrativo de hábitos que abarca desde el fin de noviembre hasta marzo: meses de invierno y primavera temprana presididos por la lluvia pertinaz, a lo largo de los cuales, y sin marcar pauta cronológica, panorámicamente, el narrador va reseñando los efectos del mal tiempo, las aficiones de don Víctor y Frígilis, el encierro de Ana contra la lluvia a diferencia del animado callejeo de Obdulia y de Visitación, las perezosas sesiones de lectura de la Marquesa mientras su esposo busca en el campo aventuras con aldeanas, las tertulias, las novenas, la resistencia de Ana a imitar a las beatas según el consejo del confesor, sus cavilaciones dentro de la casa entre la creciente aversión al marido y la atracción naciente hacia Mesía, el abatimiento de éste en el casino, el espionaje y la exasperación de don Fermín al atisbar de lejos el desinterés de la Regenta por las lecturas que él le recomendara y su fácil disposición a salir al campo con Álvaro y don Víctor, y finalmente cómo el confesor pudo logar la vuelta de su hermana del alma al redil eclesiástico en la casa de la beata mayor de Vetusta, que acoge a ambos en el mullido recinto de su morada.

Salvo alguna escena ejemplificativa (de esas que no puntualizan lo que aconteció una vez, sino ilustran lo que solía suceder), el capítulo remeda fielmente el monótono ritmo de uno de esos períodos de languidez en que todo va pasando en la sorda calma de la costumbre.

Otro ejemplo: el bello capítulo XXVII. Coloquio entre los esposos la última noche de mayo, en el Vivero. Cuando don Víctor se retira, Ana escribe cartas. Al día siguiente, recógese ella y, alegre con la alegría de la salud, hojea el diario que vino escribiendo desde el primero de mayo. Aprovecha el narrador tal momento para recapitular la crisis de la Regenta después de su exhibición pública del Viernes Santo y su venida al Vivero un día de abril. Ana lee su diario, y el lector detrás de ella: es un cántico al bienestar. Se vuelve a una breve escena: los esposos pescando. Elipsis y rápido sumario: «El tiempo volaba. Junio se metió en calor». Y la dama besa —y muerde— una de las cerezas que su doncella portará a Mesía. La víspera de San Pedro, el magistral recibe invitación para la fiesta del día siguiente, y ahora toda la atención recae sobre el sacerdote, que, preocupado y vacilante, toma una berlina, se dirige a la finca, reflexiona, encuentra a Petra; se ponen de acuerdo ambos, entran en una cabaña. Discreta aposiopesis. Media hora después, almuerza Fermín con curas y gentes respetables mientras los jóvenes travesean, y a la hora del café tiene que escuchar mortificado el diálogo adyacente del médico Benítez con don Víctor acerca de la extremosidad temperamental de Ana. Estalla una tormenta, y el canónigo insta a don Víctor a buscar a los jóvenes dispersos por el bosque. Y así acaba el capítulo, o más bien se interrumpe: a la expectativa.[28]

Trátase, pues, de un trozo incompleto del trozo mayor de vida que la novela refleja, y así son, en general los capítulos como el naturalista los entiende. Aumenta esta calidad biomórfica el hecho de que Clarín no titule los capítulos (ni en *La Regenta* ni en *Su único hijo*), como no lo hacían tampoco Flaubert ni Zola. Galdós oscila entre titular y no titular, pero cuando lo hace, indetermina más que define, muy a menudo: «Final de otra novela», «Insomnio número cincuenta y tantos», «De aquellas cosas que pasan» (en *La desheredada*), «Principio del fin», «Fin» y «Fin del fin» (en *El doctor Centeno*).

En la novela naturalista no suele destacarse un personaje, sino dos o más: el destino de Isidora Rufete corre paralelo al de su hermano; Bueno de Guzmán cambia de pareja; en *La Regenta* se ha podido dudar quién sea el protagonista: Ana, Fermín, Vetusta. Pereda nos da a conocer la historia de Verónica precedida de la de su madre y sucedida por la de su hija. Los amores de Raimundo y Clementina, en *La espuma*, son el caso más destacado, pero al fin episódico, entre varios (el Duque y la malagueña, Pepe Castro y Pacita). En *Pot-Bouille* los amoríos de Octave con las damas casadas del inmueble de la rue Choiseul discurrían paralelos a los de su amigo Trublot con las criadas, y las parejas de aquél van siendo Marie Pichon, Mme. Juzeur, Berthe Josserand, Mme. Hédouin, aunque lo más justo sería conceder el rango de protagonista al nada edificante edificio que alberga a todos estos burgueses.

Y la pluralidad es colectividad con frecuencia: *Germinal* anticipa la novela de protagonista colectivo de unanimistas y neorrealistas; *Fortunata y Jacinta* pudiera verse también como un preludio de tal proceso: el árbol de la sociedad madrileña importa aquí más que los ramos y las hojas.

Como muestras del hombre cualquiera, estos personajes portan nombres comunes y exentos de simbolismo: Isidora Rufete, José María Bueno de Guzmán, Verónica Montálvez, Raimundo Alcaraz. Quedan muy atrás las Doñas Perfectas y Glorias Lantiguas. Son personas, ahora, sobre las que el narrador proporciona indicios físicos más que morales o psíquicos, dejando que éstos vayan apareciendo en el diálogo, en el monólogo y en hechos que poco o nada tienen de acontecimientos.

Cambian, eso sí, y evolucionan a los ojos del lector. Con razón se ha notado, por ejemplo, el paulatino sesgo vulgar que va tomando el lenguaje de Isidora Rufete. En la recordada escena del almuerzo con la Sanguijuelera, preguntaba Isidora con resabios de folletín:

> ¿Es la primera vez que una señora principal tiene un hijo, dos, tres, y viéndose en la precisión de ocultarlos por motivos de familia les da a criar a cualquier pobre, y ellos se crían y crecen y viven inocentes de su buen nacimiento, hasta que de repente un día, el día que menos se piensa, se acaban las farsas, se presentan los verdaderos padres?

Quien eso decía es la misma persona (y ya, de caída en caída, no es la misma) que confiesa acerca del rufián con quien ha vivido:

> Es un hombre con el cual no se debe hablar con palabras, sino con una zapatilla; es un bicho asqueroso. Aplastarlo y barrerlo luego. Pero qué quieres, mi destino, mi triste destino. Yo empeñada en ser buena, y Dios, la Providencia y mi roío destino empeñados en que he de ser mala.

Algo semejante ocurre con la prima Eloísa, en *Lo prohibido*, refinada al principio y capaz más tarde de emplear expresiones groseras y de mal gusto.

Como para compensar la profusión de los personajes, su medianía, mutabilidad, colectivismo, y su aparecer y desaparecer a través de novelas que tienden al ciclo, los ámbitos adquieren con frecuencia ese papel protagónico que ningún individuo descollante reclama para sí: y son, en la novelística de Zola, Plassans, el mercado, la taberna, el inmueble, la mina, el agro, la Bolsa, y en la española el Madrid galdosiano por supuesto, pero también la tierruca de Pereda, la fábrica de tabacos en *La Tribuna*, Vetusta en su catedral y su casino, los pazos, la espuma social, la barraca, la albufera, la bodega.

Por ser la forma de la vida la categoría determinante de la nueva novela, ésta empalidece la trama o la complica y difumina de manera que apenas resalten sus momentos procesales. No interesa al novelista el porqué de los sucesos, sino cómo se desarrolla la vida cuya materia quiere reflejar, y por ello prefiere la configuración múltiple, entrelazante y abierta a la figuración singular, lineal y acabada. A una novela seguiría siempre otra, y no ya en sucesión, sino lateralmente, de donde el uso de escenas simultáneas mediatas (expuestas una después de otra) o inmediatas (yuxtapuestas en clave de discordancia, al modo de los «comicios agrícolas» en *Madame Bovary*).[29] La tendencia de Galdós al ciclo es evidente. *La Tribuna* se continúa en *Memorias de un solterón*, y *Los pazos de Ulloa* en *La madre naturaleza*. Si alguna dirección dibuja la escasa trama de estas novelas, bajo la heterogeneidad y el polifacetismo de la narración, sería regularmente un *venir a menos*: la forma de la desilusión cuando se ha querido y aun podido «llegar a más». Como Renée, o Gervaise, o Nana, o el Jean Macquart de *La terre* y de *La débâcle*, la desheredada viene a menos en la prostitución; «la Tribuna» viene a menos como mujer abandonada; el narrador de *Lo prohibido* degenera físicamente; Ana Ozores cae en la pena perpetua de no esperar ya nada; Verónica confía en sobrevivir para arrastrar la cruz merecida; Raimundo Alcaraz viene a menos en todo cuando la amante le despide, ni siquiera definitivamente.

Famosa es la aversión de Baroja hacia Pereda, de Azorín hacia Blasco Ibáñez, de Valle-Inclán o de Juan Benet hacia Galdós, de Benet o Sánchez Ferlosio respecto a Zola.

Salvando diferencias de edad y calidad entre los desacreditados, convendría recordar lo que hubo de significar como desfamiliarización (eso tan alabado de los formalistas) la empresa de Zola y sus afines: hacer novela de la materia y de la forma mismas de la vida, reflejando ésta desde «le sens du réel». Tan paradójico proyecto era una aventura a todo riesgo. Y no se arguya que la vida no tiene forma, pues formas de la vida son el día y la noche, las estaciones, las edades, los tiempos de agitación y los de calma, los elementos, el campo, la aldea, la ciudad en sus barrios y calles y casas, el nacer y el crecer, el trabjo y el descanso, la enfermedad y la muerte, la sucesión y la simultaneidad, el azar o la casualidad, la guerra y la paz, las necesidades del cuerpo y del espíritu y todo lo que hace y deshace las relaciones humanas.

Mucho importan en la creación literaria los órdenes estructurales, numéricos, arquitectónicos, simbólicos, míticos, genéricos, retóricos, que guían al artista en la composición y la escritura, y hace bien la crítica de veinte años a esta parte en explorar la «semiosis» del naturalismo. Pero la voluntad «mimética» de éste aconsejaría atender al resultado artístico de su proyecto novador: asemejar lo más posible la forma de la novela a la forma de la vida. La novela naturalista no pretendió nunca ser «la realidad» (delirio mayúsculo) ni «la fotografía» (Zola repudió tal calumnia, y Alas igualmente), pero sí pretendía ser el reflejo de la realidad en la novela; y se trataría de medir las consecuencias artísticas de tal pretensión: no de probar que la novela naturalista es también novela, pues nadie jamás lo puso en duda.

4. Verismo impresionista

El lenguaje del naturalismo aspiraba a representar un mundo de tal manera que todo «sonase a verdad», aunque Zola, al proclamar este principio, no se manifestase dispuesto a renunciar a la riqueza del lenguaje romántico. Es el romanticismo el anterior horizonte de cultura sin el que sería incomprensible este anhelo de verdad concreta. Pero si, por el pasado, el naturalismo no extirpa la raíz romántica (ni cuando más la ataca), por el presente, hacia el futuro, se vincula al movimiento impresionista. Zola fue impresionista en grado muy intenso, como es sabido. Lo son parcialmente Galdós y Alas, Pardo Bazán y Palacio Valdés, Picón y Blasco Ibáñez.

Buscaba Zola un lenguaje lógico y claro, antídoto del lirismo. Si por lirismo se entiende la compenetración del alma y el mundo en una expresión emocionante y musical que funde al objeto con el sujeto, el lirismo es romántico. Pero Zola, deseoso de conservar la vitalidad del lenguaje romántico, batallaba contra su lirismo, privilegiando la verdad frente a la imaginación, ese componente óptico del lirismo sin el cual éste se disolvería en pura música. Conocidas son las contradicciones de Zola: su imaginación, desbordante a veces, tiende al impresionismo, al símbolo y al mito, según han comprobado, entre otros, Roger Ripoll y Henri Mitterand.

Hubo en España, en el siglo XIX, novelistas que no tuvieron que imponerse el refreno del lirismo por no haber sentido decisiva propensión hacia él: Galdós y Pardo Bazán. Lo cual no significa nada en contra de estos escritores, diestros en la creación de personajes, situaciones y estados. El novelador naturalista más facultado para la expresión lírica fue, sin duda, Leopoldo Alas, dicho sea esto igualmente como constatación y no en son panegírico.

Pero vengamos al lenguaje naturalista en el sentido más estricto del término. A un nivel sintáctico, ese lenguaje privilegia la estructura media de oraciones y períodos: ni larga ni apretada. Si a veces los párrafos adquieren vastedad y longitud es porque la descripción de circunstancias y objetos, a fin de determinar a los personajes, se propone dejar minucioso testimonio de lo observado. Esta minuciosidad lleva a enumeraciones cumulativas en estilo paratáctico más que a amplificaciones en estilo hipotáctico. Como en la vida, en la expresión sintáctica de la vida abunda más la coordinación —lateral, expansiva, metonímica, correlacionante— que la subordinación —vertical, constructiva, jerárquica—. Entre innúmeros ejemplos, recuérdese la descripción inicial del polvo levantado por el viento Sur en *La Regenta* o la imagen de la ciudad a través del catalejo de don Fermín en el mismo capítulo primero (todo ello desenvolvimiento espacial) y el «vistazo histórico sobre el comercio matritense» en el capítulo II de *Fortunata y Jacinta* (narración que pasa revista a las cambiantes novedades según el ritmo de las generaciones). Pero invariablemente, en estos y otros casos, encontramos la sintaxis de proporciones medias, ni lacónica ni asiática. Por menos aducido, transcribiré del párrafo primero de *La espuma* este trozo:

> A paso lento y menudo, con el manguito de rica piel de nutria puesto delante de los ojos a guisa de pantalla, bajaba a tal hora y por tal calle una señora elegantemente vestida. Tras sí dejaba una estela perfumada que los tenderos plantados a la puerta de sus comercios aspiraban extasiados, siguiendo con la vista el foco de donde partían tan gratos efluvios. Porque la calle de Serrano, con ser la más grande y hermosa de Madrid, tiene un carácter marcadamente provincial: poco tráfago; tiendas sin lujo y destinadas en su mayoría a la venta de los artículos de primera necesidad; los niños jugando delante de las casas; las porteras sentadas formando corrillos, departiendo en voz alta con los mancebos de las carnicerías, pescaderías y ultramarinos.[30]

Si el discurso descriptivo, o narrativo, tiende a esta exposición equilibrada, el habla de los personajes quiere sonar a verdad y para ello emplea el narrador la vieja norma del *decorum* en un grado de máxima diferenciación, reproduciendo el lenguaje coloquial y la forma de hablar de las clases bajas (así, por no mencionar a los cántabros de Pereda, la Sanguijuelera y el hermano de Isidora y los amigos de éste en *La desheredada*, las cigarreras de *La Tribuna*, o Celedonio y Bismarck en la torre de la catedral de Vetusta, y, por supuesto, los socios del casino vetustense). Es un hablar en dialecto, sociolecto y «psicolecto»: la competencia lingüística de los hablantes realizándose en cada situación según su procedencia geográfica, su clase social y su estado emotivo.[31] De ello serían óptimos ejemplos la ya aludida degradación moral y verbal de Isidora Rufete en *La desheredada* o la tendencia de Víctor Quintanar en *La Regenta* a hablar como aragonés, como juez o como artista dramático malogrado. En *La espuma* asiste el lector a una riña más o menos infame entre el plutócrata Salabert y su querida, discretamente conducida en estilo indirecto:

> La bella reclamó con fiereza su independencia; le cantó lo que ella llamaba con clásica erudición las «verdades del barquero». El banquero, exitado, contestó con su grosería habitual. Él era quien pagaba; por lo tanto, tenía derecho a prohibir la entrada en aquella casa a quien le pareciese. La disputa se fue agriando en términos que ambos levantaron bastante la voz, sobre todo Amparo, en quien a poco que la rascaran aparecía la criatura de plazuela. Cruzáronse frases de pésimo gusto, aunque pintorescas. La malagueña llamó al duque tío lipendi, gorrino, y concluyó por arrojarle del gabinete.[32]

Así, las palabras ajenas, de los personajes representados, aparecen objetivamente, con sus determinantes sociales e individuales, sin una estilización que las hiciera homogéneas al lenguaje del narrador. Y no son los personajes quienes en su hablar admiten el lenguaje unificante de la voz del narrador, sino éste quien, frecuentemente contagiado del habla de sus criaturas, narra copiando la voz de éstas. Tal contagio se nota mucho en Galdós, a menudo en Clarín, y ya menos en Pardo Bazán (elocuente) o en Pereda (familiar, chispeante) y en Palacio Valdés (irónico en forma algo presuntuosa).

Del lenguaje monologal nada voy a decir aquí. En dos ensayos («La inadaptada» y «Muerte del solitario») intenté mostrar las dimensiones de interioridad que alcanzaron Clarín y Galdós mediante el estilo indirecto-libre y el monólogo, al presentar a Ana Ozores y a Manuel Moreno-Isla en soledades angustiosamente insulares.[33] El naturalismo es lingüísticamente más capaz de interioridad que el romanticismo, gracias a

Flaubert, de quien en este aspecto son eminentes discípulos Zola en Francia, Alas en España.

Dentro del plano léxico-semántico, lo propio del lenguaje naturalista sería, sin duda, la inédita abundancia con que se prodiga la palabra prosaica, lógica, técnica y, en ocasiones, científica. Pero no faltan los contrastes poéticos que realzan aquel vocabulario, como no faltan los contrastes patéticos que refuerzan la objetividad narrativa. En un ensayo, titulado «Poesía y prosa en *La Regenta*»,[34] traté de medir esos contrastes. Sólo advertiré ahora que Leopoldo Alas empleó muy sutilmente tales disonancias, coincidiendo en ello con Zola, gran maestro del contrapunto en *Germinal* y en *La débâcle*. La prosa atroz de la mina, en *Germinal*, y del frente (o del hospital de guerra) en *La débâcle*, viene de continuo contrastada con la fértil hermosura de la tierra, sembrada o frutescente.

Queda por estimar el impresionismo del hasta aquí aludido verismo, el cual define mejor que otra virtud la altura a la que llega el lenguaje descriptivo del naturalismo en el nivel poético.

Para el caso de Zola, el impresionismo pictórico ha sido bien analizado por Joy Newton y por Philippe Hamon. Recuerda Newton la estrecha relación de Zola con Cézanne y Manet, su admiración por Monet, su inspiración en cuadros de estos pintores, el uso refinado del punto de vista y de la «serie» impresionista: un mismo objeto redescubierto desde ángulos distintos, visible a diversas horas, modificado por la luz, así como las sutiles instantáneas de la gente y del paisaje urbano. Destaca también Newton la paradoja realista: querer limitar el arte al dominio del mundo exterior y visible a la vez que no poder menos de reconocer que el observador sólo es capaz de recrear una impresión subjetiva de lo que ha visto. Por su parte, Hamon subraya la habilidad de Zola para preservar su arte descriptivo del puntillismo y la disolvencia mediante paralelismos y antítesis, equilibrios y estructuras firmes, y climas, ambientes y símbolos nuevos.[35]

Las más impresionistas novelas de Zola, pictóricamente, son, como estos críticos precisan, las que van de 1872 *(La curée)* a 1880 *(Nana)*. Espigar en ellas cuadros impresionistas es agradecida tarea. Baste recordar las diversas imágenes de París en *Une page d'amour* y las mutaciones lumínicocromáticas de Les Halles en *Le ventre de Paris*.

Atención particular merecerían otros efectos impresionistas de orden auditivo: evocaciones momentáneas de sensaciones acústicas dispersas, y ello tanto en Zola como en los novelistas españoles recordados.

He aquí un fragmento de *La fortune des Rougon,* cuya eficacia es primordialmente auditiva y colectiva:

> Quand les soirées devenaient plus fraîches, ils n'apercevaient plus, dans l'aire mélancolique et déserte, qu'un feu de bohémiens, devant lequel passaient de grandes ombres noires. L'air calme de la nuit leur apportait des paroles et des sons perdus, le bonsoir d'un bourgeois fermant sa porte, le claquement d'un volet, l'heure grave des horloges, tous ces bruits mourants d'une ville de province qui se couche. Et lorsque Plassans était endormi, ils entendaient encore les querelles des bohémiens, les pétillements de leur feu, au milieu desquels s'élevaient brusquement des voix guturales de jeunes filles chantant en une langue inconnue, pleine d'accents rudes.[36]

Fue Brunetière, si no estoy mal informado, uno de los primeros críticos literarios que se ocuparon del impresionismo en la novela, y aunque, acérrimo enemigo de Zola, tomó como ejemplo a Daudet, sus observaciones (precursoras de la estilística ulterior) eran delicadas. Consideraba rasgos impresionistas: la mancha que ofrece a los ojos el aspecto primero de las cosas, el desmenuzamiento de la impresión total en las elementales que concurren a formarla, la narración en imperfecto que prolonga o inmoviliza la acción, la frase suspendida, el asíndeton, el empleo del adjetivo demostrativo, la traducción del lenguaje de sentimientos y pensamientos a lenguaje sensóreo, y la tendencia a narrar mediante cuadros en serie, como en una galería.[37]

Muchas de estas notas se hallan en el texto que he leído, como en el siguiente de *Germinal,* donde el trabajo más penoso se da a sentir en sugestivos pormenores de sonido y de visión:

> Pas une parole n'était échangée. Ils tapaient tous, on n'entendait que ces coups irréguliers, voilés et comme lointains. Les bruits prenaient une sonorité rauque, sans un écho dans l'air mort. Et il semblait que les ténèbres fussent d'un noir inconnu, épaissi par les poussières volantes du charbon, alourdi par des gaz qui pesaient sur les yeux. [...] Parfois, en se détachant, luisaient des blocs de houille, des pans et des arêtes, brusquement allumés d'un reflet de cristal. Puis,

tout retombait au noir, les rivelaines tapaient à grands coups sourds, il n'y avait plus que le halètement des poitrines, le grognement de gêne et de fatigue, sous la pesanteur de l'air et la pluie des sources.[38]

Complexos acordes, de esta acuidad sensorial, sincrónica, sinestésica, pueden encontrarse en novelas españolas de la época. En *La Regenta:* detenidos en silencio Fermín y Petra, aquella mañana de junio en el campo, estallaron cohetes de dinamita, y en seguida «la gaita y el tamboril de timbre tembloroso, apagadas las voces por la distancia, resonaron a través de la hojarasca del bosque»; en el palacio de los marqueses de Vagalla, una última noche de noviembre, se oía el ruido de la servidumbre en la cocina, carcajadas, el runrún de una guitarra tañida con timidez, y «este rumor se mezclaba con otro más apagado, el que venía de la huerta, atravesaba los cristales de la estufa y llegaba al salón como murmullo de un barrio populoso lejano».[39]

Nunca la novela española del XIX había sido tan sensible a estos conjuntos de percepciones. Salvador Bacarisse es autor de un lúcido comentario a la agonía de Fortunata en que define el realismo galdosiano por el uso de un lenguaje que, rehuyendo la conceptualización en el vocabulario y la linearidad lógica y temporal, «suspende el conocimiento a favor del lenguaje subjetivo de la percepción», y en ello da razón a Richard Brinkmann en su identificación del impresionismo, la pintura de los estados mentales, con el realismo verdadero.[40]

Quizá extrañe que un novelista más bien convencional como Palacio Valdés emule en este aspecto a Zola y a Clarín, por lo menos en *La espuma.* Ha habido un baile en el palacio ducal, ostentación de máscaras, banquete, *buffet,* cotillón (como en *La curée*). Los partícipes en la fiesta inician la desbandada:

> Los caballos piafaban, los lacayos gritaban, y los coches, al acercarse lentamente a la escalinata, hacían crujir la arena de los caminos. Sonaban golpes de portezuelas, ruidos de besos, voces de despedida. La rueda de los coches, al pasar por delante de la gran escalinata, iba arrebatando poco a poco a los que allí estaban para dispersarlos por todo Madrid en busca de reposo.[41]

El resultado impresionista del naturalismo debería estimarse, hoy, uno de los más innovadores rasgos de este movimiento, fácilmente denigrado por los pregoneros de lo último. Era el naturalismo ya impresionismo, y sólo le apartaba un tanto de éste la insistencia en la fealdad. El simbolismo finisecular no haría sino incrementar «el arte por el arte», en desventaja de la percepción del mundo comunitario y de la compartida intelección de la existencia.

He intentado compendiar la esencia del naturalismo, según se dio en Francia y —como un método oportuno más que como una poética programada— en España, de acuerdo con cuatro conceptos: actitud narrativa impersonal, temática corpórea y social, estructura biomorfológica, expresión veristaimpresionista. Todo se ha orientado en esta sinopsis a mostrar la asimilación de la novela a la vida.

No ignoro que las últimas tendencias interpretativas —de las que el ejemplo más equilibrado y eminente es Henri Mitterand—, siguiendo otro rumbo, tratan de poner de relieve la semiosis, la construcción, la ficción, el mito, la imaginación transformadora, la génesis escriptiva, no contra, pero sí junto a la mimesis, el reflejo, la etnografía, la tipicidad, el experimento configurador, la transparencia.[42]

Evidente resulta —y empecé advirtiéndolo así— que toda novela es una construcción fictiva organizada por la imaginación y producida en lenguaje. Si se prefiere destacar lo que la novela naturalista tiene de «novela», puede mostrarse incluso su modernidad en el sentido de su concordancia (parcial y relativa, desde luego) con la novela de nuestro propio tiempo, la cual, por cierto, no ansía atestiguar la actualidad, o sólo condesciende a hacerlo de modo muy indirecto bajo la ostentación de su densa semiosis. Si se opta por aquilatar lo que la novela naturalista tiene de «naturalista», puede precisarse el recuerdo de que justamente en su empeño de mimesis consistió su modernidad (para su tiempo, no para un siglo más tarde).

Tan razonable es una postura como la otra. Aquélla descubre en la novela naturalista lo que, a pesar de la teoría en que se amparaba, no podía menos de ser: construcción. Ésta la define en el horizonte de su época (en el cual fue durante años la más moderna novela) por lo que principalmente quiso ser (y en ello radicaba su modernidad): reflejo semántico y formal de la realidad observada y experimentada.

Lo definitorio, últimamente, no consiste tanto en aquello

que dentro de una actividad determinada puede hacerse, como en aquello que no se quiere hacer. Los novelistas aquí recordados aspiraban a reflejar, con la mayor diafanidad posible, la vida; no a exhibir el artificio con el que, ineludiblemente, habían de textualizarla.

Octubre-Diciembre 1987

NOTAS

1. Las ediciones utilizadas son las siguientes: Benito Pérez Galdós, *La desheredada*, en *Obras completas*, ed. de F.C. Sáinz de Robles, tomo IV, 5.ª ed., Aguilar, Madrid, 1964; *Lo prohibido*, ed. J.F. Montesinos, Castalia, Madrid, 1971; Emilia Pardo Bazán, *La Tribuna*, ed. B. Varela Jácome, Cátedra, Madrid, 1975; Leopoldo Alas, «Clarín», *La Regenta*, ed. G. Sobejano, 4.ª ed., Castalia, Madrid, 1986. José María de Pereda, *La Montálvez*, en *Obras completas*, t. XII, 4.ª ed., V. Suárez, Madrid, 1919. Armando Palacio Valdés, *La espuma*, en *Obras completas*, t. VII, V. Suárez, Madrid, 1922.

2. Émile Zola, *Le roman expérimental* [1880], Cronología y prefacio por Aimé Guedj, Garnier Flammarion, París, 1971; el novelista «garde pour lui son émotion, il expose simplement ce qu'il a vu» (p. 150); «le sentiment personnel de l'artiste reste soumis au contrôle de la vérité» (p. 94); «Les phrases, les alinéas, les pages, le livre tout entier doit sonner la vérité» (p. 216); la novela ha venido a ser «une véritable critique des moeurs, des passions, des actes du héros mis en scène» (p. 228); «Décrire n'est plus notre but; nous voulons simplement compléter et déterminer» (p. 231); «Faire mouvoir des personnages réels dans un milieu réel, donner au lecteur un lambeau de la vie humaine, tout le roman naturaliste est là» (p. 215); «la forme, les romantiques nous en ont légué une qu'il nous faudra pondérer et ramener à la stricte logique, tout en essayant d'en garder les richesses» (p. 127).

3. Sergio Beser, *Leopoldo Alas: Teoría y crítica de la novela española*, Laia, Barcelona, 1972, pp. 147, 62, 145, 54-77.

4. Ibíd., pp. 275, 84-86.

5. Emilia Pardo Bazán veía con escasa complacencia el estilo de Zola como «alambicado a veces», «lleno de matices, de primores y de refinamientos» y falto de «aquel grato abandono, aquella facilidad, armonía y número que posee, por ejemplo, Jorge Sand» (*La cuestión palpitante*, ed. C. Bravo Villasante, Anaya, Salamanca, 1966, pp. 140 y 141).

6. Sergio Beser, *Leopoldo Alas: Teoría y crítica...*, *op. cit.*, p. 227.

7. *Lo prohibido*, parte 1.ª, cap. XI, III, p. 167.

8. *La Tribuna*, pp. 58 y 59.

9. Clarín, reseña de *Un viaje de novios* [1881], en S. Beser, *Leopoldo Alas: Teoría y crítica...*, *op. cit.*, p. 278.

10. *La Montálvez*, cap. I, p. 15.

11. *La espuma*, cap. II, p. 38.

12. *Cartas a Galdós*, presentadas por Soledad Ortega, Revista de Occidente, Madrid, 1964, p. 218.

13. S. Beser, *Leopoldo Alas: Teoría y crítica...*, *op. cit.*, p. 68.

14. Günther Mahal, *Naturalismus*, Fink, Munich, 1975, 2.ª ed., p. 180.

15. *Lo prohibido*, parte 1.ª, cap. II, I, pp. 255 y 483.

16. Es éste un reconocimiento general, pues se funda en el proyecto de *Les Rougon-Macquart* expresado en el subtítulo del ciclo; pero razón lleva quien observa la inflexión que Zola imprime a ambos conceptos: «Là où Auguste Comte désignait du physiologique, Zola décrit une puissance de la vie, quelque chose qui prend la forme d'un destin. Là où Comte toujours demandait du sociologique, Zola raconte et voit des forces, des hantises, une obsession de mort. C'est chaque fois le même décalage: une dérive dans le pathétique où les notions ont plus de prix par ce qu'elles évoquent que par les données scientifiques sur lesquelles elles reposent» (Alain de Lattre, *Le réalisme selon Zola, Archéologie d'une intelligence*, PUF, París, 1975, pp. 147 y 148). «La vérité moderne de Zola est celle qu'aucun de ses devanciers n'avait osé exposer avec la même franchise: l'agent et l'objet du roman, c'est le sexe, le "ventre", désirant et désiré», afirma Henri Mitterand (*Zola et le naturalisme*, PUF, París, 1986, p. 31).

17. *Lo prohibido*, parte 1.ª, cap. XI, II, pp. 154 y 155.

18. *La Tribuna*, cap. XXVII, p. 198.

19. *La espuma*, cap. IV, pp. 72 y 73.

20. Arnold Hauser, *Historia social de la literatura y del arte*, traducción de A. Tovar y F.P. Varas-Reyes, Guadarrama, Madrid, 1968, tomo III, pp. 82-84.

21. Yvan Lissorgues, *Clarín político*, t. II, Université de Toulouse-le Mirail, 1981, p. 178.

22. Leopoldo Alas, «Clarín», Ensayos y revistas (1888-1892), M. Fernández y Lasanta, Madrid, 1892, p. 68.

23. Sergio Beser, *Leopoldo Alas: Teoría y crítica...*, pp. 121, 122, 135, 137, 142, 144, 145 y 147.

24. *La desheredada*, parte 1.ª, cap. III, p. 981.

25. *La Tribuna*, cap. XXI, p. 164.

26. Günther Mahal, *Naturalismus*, p. 177.

27. «Sans doute la passion du document n'a jamais été pour lui, comme il l'a dit, un besoin de certitude; il a compris, comme Balzac, comme Flaubert, qu'il y avait là une suggestion permanente de l'imagination et un frein aux intempérances de cette imagination. C'est là une doctrine d'art profonde, qu'il n'a pas avouée, mais qui

vaut certes mieux que toute sa fausse science» (P. Martino, *Le naturalisme français, 1870-1895*, Armand Colin, París, 1923, pp. 79 y 80).

28. Refiriéndose a las leyes de espesor y de simultaneidad que gobiernan la arquitectura de *La Regenta*, escribe Juan Oleza que «en los cuatro últimos capítulos, particularmente, intervienen casi todos los personajes, y los capítulos, como tales, siguen siendo de una heterogeneidad asombrosa» (*La novela del XIX: Del parto a la crisis de una ideología*, Bello, Valencia, 1976, p. 210).

29. Buen ejemplo de simultaneidad mediata son los capítulos I y II de la parte segunda de *Germinal:* en aquél asistimos a las primeras horas de la mañana en la confortable mansión de la familia Grégoire, cuya criada ve venir por el camino a la Maheude y sus niños para pedir ayuda; en el II, contemplamos en esas mismas horas a la Maheude y sus criaturas caminando hambrientas y heladas hacia la mansión. Los ejemplos de simultaneidad inmediata abundan en *Pot-Bouille:* así, en el capítulo VIII, se oye la voz del sacerdote bendiciendo a una pareja matrimonial en tanto Théophile disputa acaloradamente con Octave una cuestión de celos, y en el capítulo XI se oyen los responsos en el entierro de M. Vabre mientras los del séquito charlan de política. Simultaneidad mediata se da, por ejemplo, en *La Regenta* cuando se refiere primero lo que padecía en soledad Ana Ozores dentro de la casa hasta adivinar el merodeo de don Álvaro en torno a ella, y luego lo que éste había sentido y pensado en el teatro y cómo salió de allí y anduvo por las calles nocturnas hasta rodear la casa y gritar en vano el nombre de Ana; y simultaneidad inmediata (y discordante), en la escena catedralicia de la misa del gallo: palabras latinas del sacerdote, reflexiones de Ana mientras lee su devocionario, rumores y cuchicheos irreverentes de los feligreses animados por la buena cena y la aglomeración (capítulos X y XXIII respectivamente).

30. *La espuma*, cap. I, p. 5.

31. Junto a dialecto, sociolecto e idiolecto, introduce Günther Mahal el concepto de «psicolecto» para señalar la diferencialidad de los actos de habla individuales determinados por las situaciones afectivas: «Psycholekt zielt also begrifflich auf die situationsbedingte Realisierung jeweiliger Sprachkompetenz» (*Naturalismus*, p. 99).

32. *La espuma*, cap. IV, p. 84.

33. Gonzalo Sobejano, «La inadaptada (Leopoldo Alas: *La Regenta*, capítulo XVI)», en Alarcos, Amorós *et al. El comentario de textos*, Castalia, Madrid, 1973, pp. 126-166; «Muerte del solitario (Benito Pérez Galdós: *Fortunata y Jacinta*, 4.ª, II, 6)», en Amorós *et al., El comentario de textos, 3: La novela realista*, Castalia, Madrid, 1979, pp. 203-254.

34. Gonzalo Sobejano, «Poesía y prosa en *La Regenta*», en Antonio Vilanova (ed.), *Clarín y su obra*, Universidad de Barcelona, 1985, pp. 293-316.

35. Joy Newton, «Émile Zola impressioniste», en *Les Cahiers Naturalistes*, 33 (1967), pp. 39-52; y 34 (1967), pp. 124-138. Philippe Hamon, «A propos de l'impressionisme de Zola», en *Les Cahiers Naturalistes*, 34 (1967), pp. 139-147. Magistrales son, a este respecto, las páginas tituladas «Regard et modernité» en el libro de Henri Mitterand *Le regard et le signe*, PUF, Écriture, París, 1987, pp. 55-73.

36. Émile Zola, *La fortune des Rougon,* Charpentier, París, 1885, cap. V, pp. 236 y 237.

37. Ferdinand Brunetière, *Le roman naturaliste*, París, 1883 («L'impressionisme dans le roman», 15 nov. 1879), pp. 75-104.

38. Émile Zola, *Germinal*, ed. de Henri Mitterand, prefacio de André Wurmser, Gallimard, París, 1978, parte 1.ª, cap. IV, pp. 86 y 87.

39. *La Regenta*, cap. XXVII, p. 399, y cap. XXVIII, p. 441.

40. Salvador Bacarisse, «The Realism of Galdós: Some Reflections on Language and the Perception of Reality», *Bulletin of Hispanic Studies*, 42 (1965), pp. 239-250. (Reproducido en versión española en Germán Gullón, ed., *«Fortunta y Jacinta» de Benito Pérez Galdós*, Taurus, Madrid, 1986, pp. 355-370).

41. *La espuma*, cap. XI, p. 220.

42. «*Mimesis* et *semiosis* s'interpénètrent —et se synthétisent dans l'ironie cruelle qui caractérise l'écriture romanesque de toute la descendance flaubertienne» (Henri Mitterand, *Le regard et le signe*, p. 7).

ÍNDICE

COSTUMBRISMO
Y MANIFESTACIONES REGIONALES

REPERCUSIONES Y ALCANCE

TEATRO Y ARTE

NOVELISTAS Y NOVELAS

José María de Pereda

Vicente Blasco Ibáñez

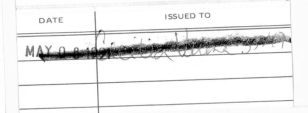